D0531404

Rowena

Wie George Orwells »1984« Maßstäbe für die Anti-Utopie setzte, legt die Edition '84 beispielhafte, herausragende neue Werke der positiven Utopie dem deutschen Leser vor. Alle Facetten dieser Literaturgattung sind in der Edition '84 vertreten: Roman, Story, Kurz-Kurzgeschichte; deutsche, englische, amerikanische und auch chinesische Autoren; Klassiker und Newcomer. – Hohe Qualität, dieses Gütesiegel war bei der Auswahl der Einzelbände immer oberster Grundsatz.

Mit den 12 Bänden der Edition '84 wird das gesamte Spectrum positiver Utopien abgedeckt und durch repräsentative Werke ein Überblick über das derzeitige Schaffen der berühmtesten Autoren auf diesem Literaturgebiet gegeben.

Dieser Band: Innerhalb der Edition '84 steht dieser Roman für die episch breite, spannende Utopie auf einer Alternativwelt mit eigenen Gesetzen, eigener Historie und eigener Kultur.

Autor: Donald Kingsbury wurde in San Francisco geboren und lebt heute in Kanada als Mathematikdozent an der Universität von Montreal. in den 50er Jahren begann er, Science Fiction-Kurzgeschichten zu schreiben. Danach folgte eine schöpferische Pause von 20 Jahren. Dies ist sein erster Roman, der ihm im anglo-amerikanischen Sprachraum sofort zum Durchbruch verhalf.

Literaturpreise: 1979 Nominierung für den Hugo-Award (für eine Erzählung). 1983 Nominierung für den Hugo (für diesen Roman). 1983 Compton N. Crook Memorial Award (für diesen Roman).

Buch: Geta, die Welt dieses Buches, die Getas Sonne umkreist, ist nicht eigentlich eine der Welten des Fingers. Vielmehr liegt sie mehr zur Mitte des Schützen hin, irgendwo in der Remeden-Wolke. Allen, die sich mit fremden Welten beschäftigen, ist bekannt, daß die Getaner heute keine Menschen mehr sind, obwohl sie aus Fleisch und Blut bestehen und 98% der Gene mit uns gemeinsam haben.
In einer Galaxis, in der die Menschen so vielfältige Entwicklungen genommen haben, ist das nicht weiter verwunderlich, aber die Getaner sind von extremer Andersartigkeit.
Und wer sind die Getaner, die aus dem Nichts kommen und wieder dorthin verschwinden, die niemals irgend jemandem Vertrauen schenken? Weshalb haben sie gerade den von ihnen eingeschlagenen Weg gewählt, zu einer Zeit, als sie sich noch nicht so sehr von den Menschen unterschieden?

Pressestimmen zu diesem Buch: »Reminiszenzen an Frank Herbert... dieser erste Roman von einem Kurzgeschichtenklassiker ist ein Fest der nonchalanten, überlegenen Komplexität: reich, überberstend und entschieden nichts für übertrieben empfindliche Leser.« (Kirkus Review)
»Kingsburys Roman ist mit der Aufmerksamkeit des Wissenschaftlers für das Detail geschrieben, die schon Frank Herberts ›Wüstenplanet‹ charakterisierte... dies ist ein ambitioniertes Werk und wird viel Aufmerksamkeit erregen.« (Publishers' Weekly)

DONALD KINGSBURY

DIE RITEN DER MINNE

Roman

Deutsche Erstveröffentlichung

Wilhelm Goldmann Verlag

Aus dem Amerikanischen
übertragen von Horst Pukallus
Titel der Originalausgabe: Courtship Rite
Originalverlag: Timescape Books, New York

Made in Germany · 5/84 · 1. Auflage · 118

Umschlagentwurf: Design Team München
Umschlagillustration: Rowena Morrill/Agt. Schlück, Garbsen
Satz: IBV Lichtsatz KG, Berlin
Druck: Elsnerdruck GmbH, Berlin
Verlagsnummer 8406
Lektorat: Werner Morawetz/Peter Wilfert
Herstellung: Peter Papenbrok
ISBN 3-442-08406-7

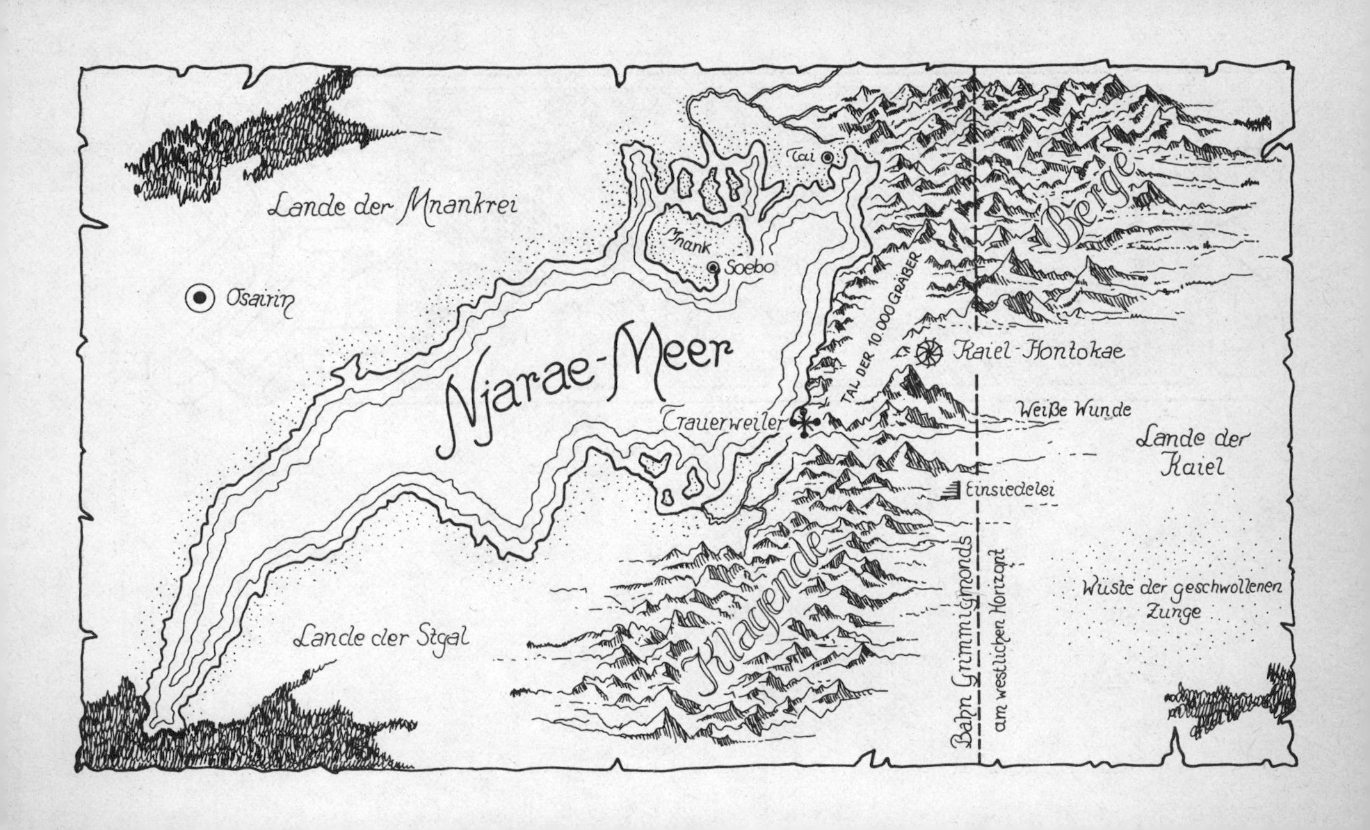

Lande der Mnankrei
Mnank
Soebo
Tai
Osairin
Njarae-Meer
Trauerweiler
TAL DER 10.000 GRÄBER
Kaiel-Hontokae
Berge
Weiße Wunde
Lande der Kaiel
Einsiedelei
Klagende
Bahn Grimmigmonds
am westlichen Horizont
Wüste der geschwollenen Zunge
Lande der Stgal

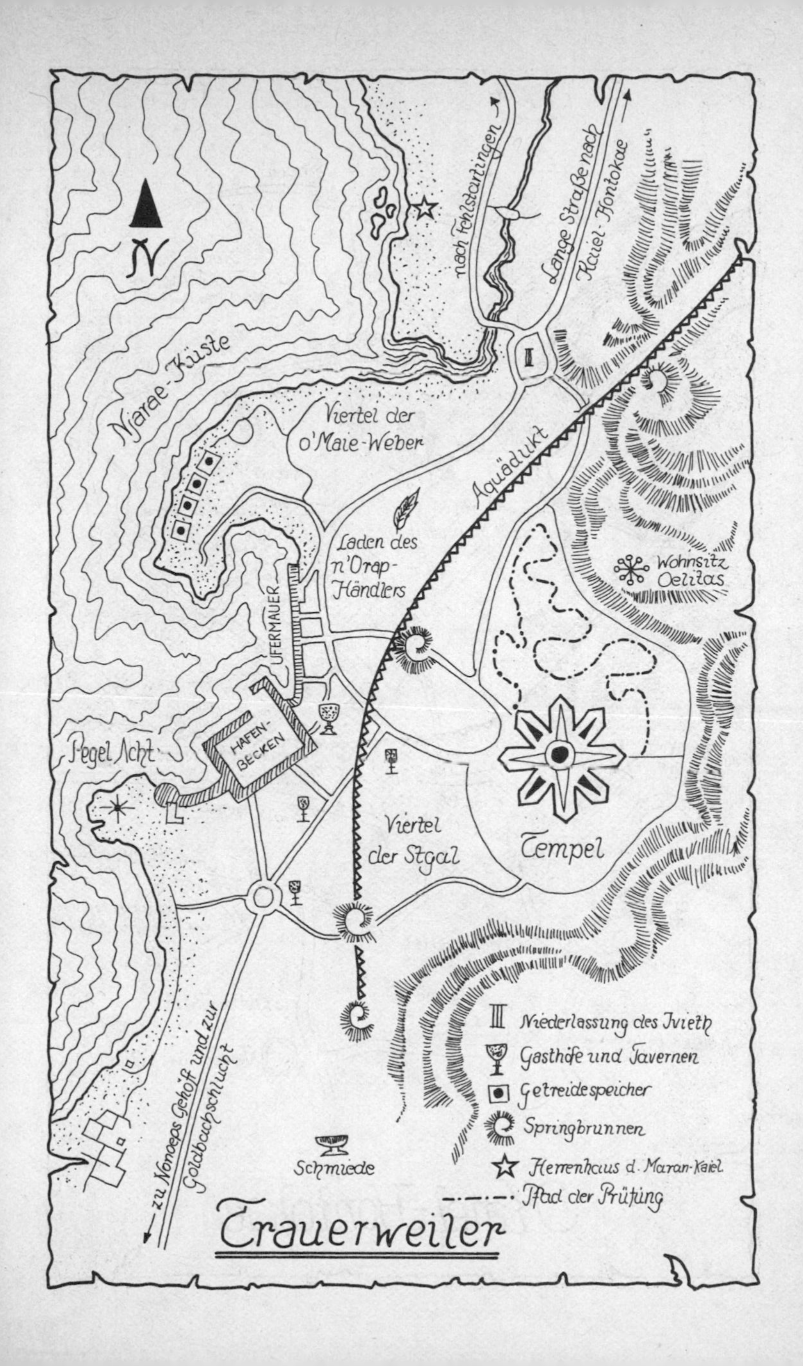
N
nach Fehlstartingen
Lange Straße nach Kaiel-Hontokae
Njarae-Küste
Viertel der o'Maie-Weber
Aquädukt
Laden des n'Orap-Händlers
Wohnsitz Oelitas
UFERMAUER
HAFEN-BECKEN
Pegel Acht
Viertel der Stgal
Tempel
Niederlassung des Jvieth
Gasthöfe und Tavernen
Getreidespeicher
Springbrunnen
Herrenhaus d. Maran-Kaiel
Pfad der Prüfung
Schmiede
zu Nonoeps Gehöft und zur Goldbachschlucht
Trauerweiler

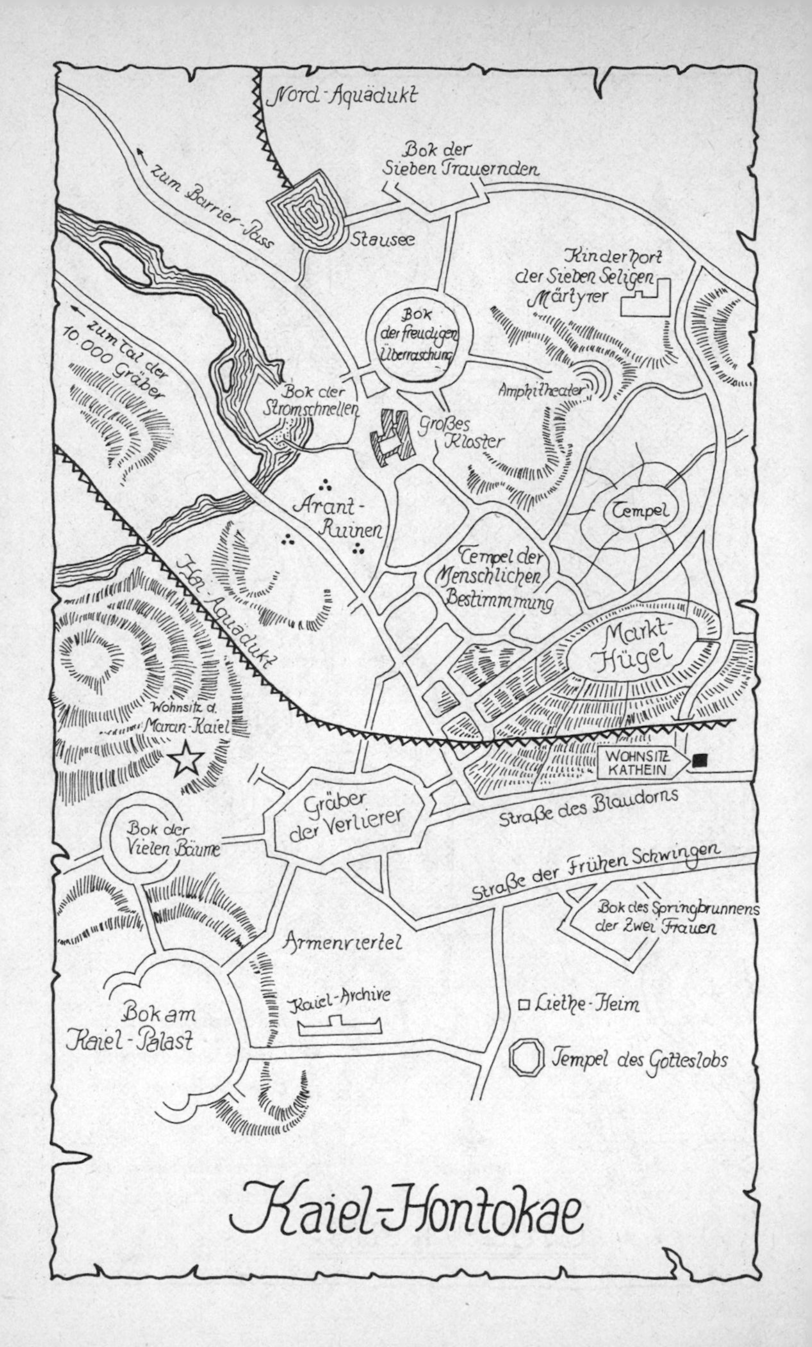
Nord-Aquädukt
Bok der Sieben Trauernden
zum Barrier-Pass
Stausee
Kinderhort der Sieben Seligen Märtyrer
Bok der freudigen Überraschung
zum Tal der 10.000 Gräber
Amphitheater
Bok der Stromschnellen
Großes Kloster
Arant-Ruinen
Tempel
Tempel der Menschlichen Bestimmmung
Hon-Aquädukt
Markt-Hügel
Wohnsitz d. Maran-Kaiel
WOHNSITZ KATHEIN
Gräber der Verlierer
Straße des Blaudorns
Bok der Vielen Bäume
Straße der Frühen Schwingen
Bok des Springbrunnens der Zwei Frauen
Armenviertel
Kaiel-Archive
Liethe-Heim
Bok am Kaiel-Palast
Tempel des Gotteslobs
Kaiel-Hontokae

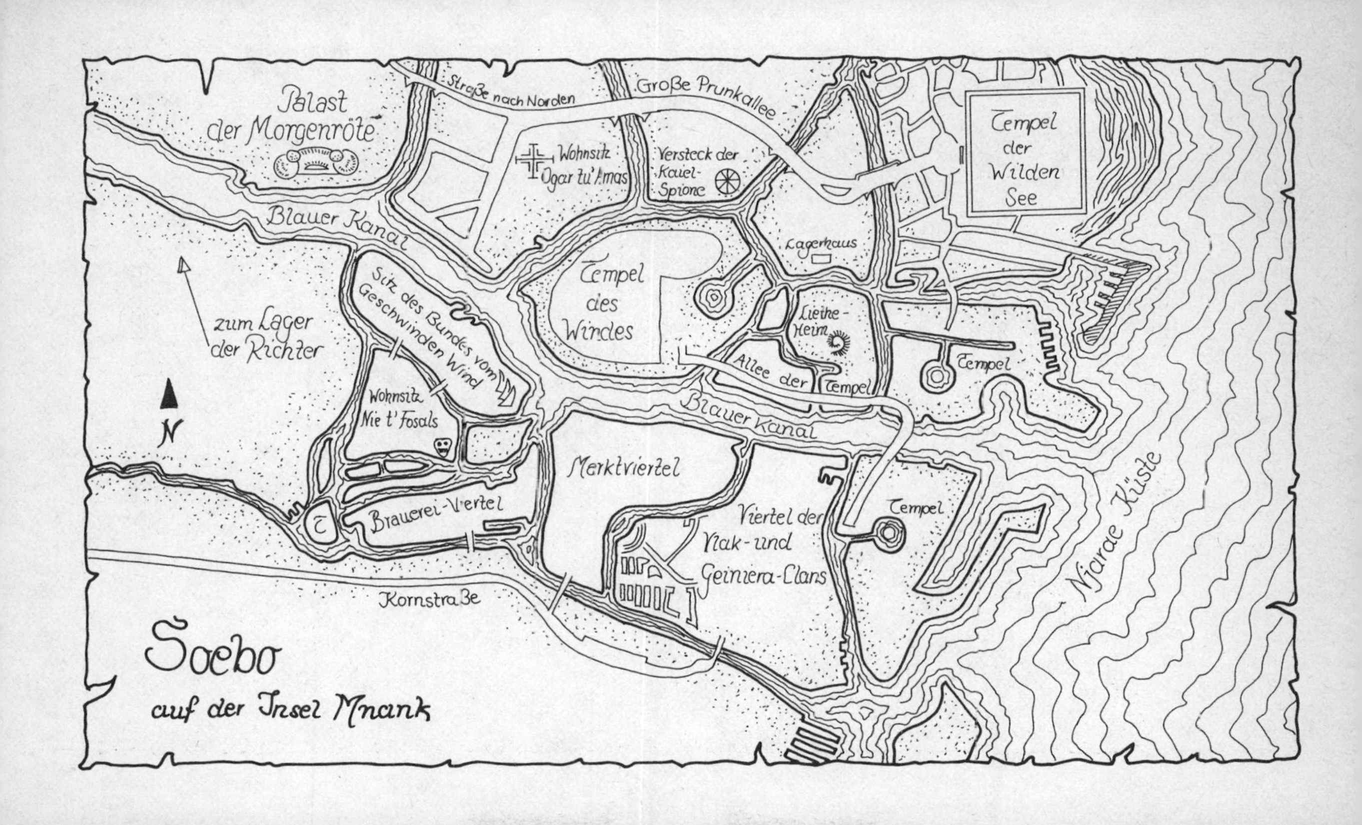
Soebo
auf der Insel Mnank
Palast der Morgenröte
Straße nach Norden
Große Prunkallee
Wohnsitz Ogar tu'Amas
Versteck der Kauel-Spione
Tempel der Wilden See
Blauer Kanal
Lagerhaus
Tempel des Windes
Liethe-Heim
Tempel
Allee der Tempel
Blauer Kanal
zum Lager der Richter
Sitz des Bundes vom Geschwinden Wind
Wohnsitz Nie t'Fosals
N
Merktviertel
Brauerei-Viertel
Viertel der Vlak-und Geiniera-Clans
Tempel
Kornstraße
Njarae Küste

1

In der Wüste der Geschwollenen Zunge, die vor den Klagenden Bergen liegt, haust eine Art von Insekt, das sich andere Insekten zu Diensten macht, indem es ihr weise nachahmt, sich durch den Geruchssinn zu verständigen. Die Sinnesorgane und die Organe der Körperbeherrschung sind bei den achtbeinigen Kaiel in einem verschlungenen Muster auf ihrem Rücken zusammengefaßt, das man Hontokae nennt. Die Priester des Menschen-Clans namens Kaiel tätowieren sich eine vereinfachte Darstellung des Hontokae in die Haut, so daß jeder ersehen kann, daß sie über alle zu gebieten gedenken.

Harar ram-Ivieth: *In Gottes Gefolge*

Erzprophet Tae ran-Kaiel war seit langem tot, aber in den Bäuchen seiner draufgängerischen Nachkommenschaft lebte er fort. Selbst die Jüngsten hatten anläßlich einer Totenfeier an seinem Fleisch teilgehabt, an die man sich in einer Clan-Ballade, die man an den von Derbheit umgebenen Spieltischen in den Tempeln der Kaiel sang, noch erinnerte.

Der alte Tae war gehäutet, in Beize eingelegt, mit einer Füllung aus mit Insekten noch schmackhafter gemachtem Brot ausgestopft und dann als Ganzes am Spieß gebraten worden. Am Abend des ersten Hochtages der Schädelwoche im Jahr der Gottesanbeterin, schnitt man ihn zu den Klängen eines eintönigen Gesangs an, sobald die Kohlen der Feuerstelle so dunkel waren wie Getas Sonne im Sandsturm, und legte seine Stücke in einer scharfen Soße vor, die jeder seiner dreiundachtzig Söhne und jede seiner siebzig Töchter mit einem Löffelvoll eigenen Blutes gewürzt hatte. Die ganze Nacht lang hatten die in Trauer befindlichen Kaiel mit Worten, Liedern und Geschenken ihre Treue und Anhänglichkeit bekundet und auf dem Höhepunkt der Feierlichkeit sogar mit kauzigen Scherzen über die Zäheit seines Fleischs.

Zu den Söhnen Tae ran-Kaiels, die an seiner Totenfeier teilnahmen, zählten auch die drei Brüder Gaet, Hoemei und Joesai. Die drei, damals noch Jünglinge, eine wilde Kumpanei, hatten an der dunklen Glut des Feuers mehr als bloßen Sinn für Gefährtenschaft empfunden, als der Sänger – nackt, nur das tätowierte Muster auf seiner Haut – ihren Vater anschnitt und unterdessen das Lied vom Schweigenden Gott des Himmels vortrug, welcher der Männer harrte, die stark genug waren, um Geta zu einen.

In jener Nacht hatte man sie dazu bewogen, den Eid der Ehemänner abzulegen, obwohl sie noch blutjunge Burschen waren und keine Frauen kannten, die sie zu Eheweibern hätten nehmen können. Die Trunkenheit der Menge, das Wallen des mit Räucherwerk vermischten Qualms, das Skelett des Erzpropheten, das allmählich zum Vorschein kam, versetzten ihre Seelen in fiebrige Erregung. Alle drei Brüder schworen, eine Ehegemeinschaft zu bilden, die den Kaiel zur Ehre gereichen würde, indem sie die Wünsche ihres Vaters verwirklichte.

Da das getanische Ideal eine ausgewogene Ehegemeinschaft verlangte, beschlossen sie, daß Hoemei von seinem Hirn, Gaet von seinem Herzen und Joesai von seinen Lenden haben solle. Auf diese Weise besiegelten sie den Beschluß über ihre Ehegemeinschaft, während am düsteren Himmel über ihnen der Schweigende Gott vorüberzog.

»Gott sei mein Zeuge«, sagte Gaet und vollführte das Zeichen der Treue.

»Gott sei mein Zeuge«, sagte auch Hoemei, den Blick auf den Gott gerichtet, der droben vorüberwanderte.

»Gott sei mein Zeuge«, sagte Joesai und blickte zu Gott empor, der zwischen den Sternen nicht minder wie ein solcher leuchtete.

Eine Gruppe von Priestern wankte durch die Menge, pries mit schrillen Rufen Taes Tugenden, warf zum Nachdruck die Arme himmelwärts. War Tae nicht der größte Führer der Kaiel? Hatte er nicht durch sein Erbgut das Recht erworben, in vielen Körpern wohnen zu dürfen? Wer besaß mehr Kalothi als Tae ran-Kaiel?!

»Sie sind betrunken«, stellte Hoemei fest, der sich davon in den Bann gezogen fühlte.

»Glaubst du, wir sollten's mal am Whisky-Faß versuchen?« sann Gaet. Ein tüchtiger Trank schmierte die Schwüre der Menschen.

»Es ist verboten«, widersprach Hoemei und erinnerte damit an die Tatsache, daß sie noch als Kinder galten.

»Wartet erst einmal, bis Aesoe seine Antrittsrede hält.« Joesai grinste.

Manche Leute nannten Aesoe ›Schatten‹, weil man ihn stets in Taes unmittelbarer Umgebung hatte sehen können. Gegenwärtig saß er auf einem Whisky-Faß und scherzte mit Bekannten. Er würde zum neuen Erzpropheten aufsteigen, nicht weil er Taes bevorzugter Nachfolger gewesen wäre, sondern weil die Prophetien, die von ihm den Archiven eingereicht worden waren, sich als richtiger erwiesen hatten als die Prophezeiungen jedes anderen Kaiel.

Acsoc begab sich auf die Empore. Schon damals hatte er gerne mit seiner lauten, weithin vernehmlichen Stimme und seinen mit beiden Armen ausgeführten Gebärden die Aufmerksamkeit seiner Zuhörer voll in Anspruch genommen. Joesai beobachtete ihn, hörte bisweilen zu, schlich manchmal ein Stück näher ans Faß.

»Seit jener Epoche, als sich Gott für sein Schweigen entschied, hat es sich immerzu begeben, daß Priester sich vom Volke absonderten, die Verbindung zu ihm verloren, daß sie, wenn die Unteren Clans sich erhoben, massakriert worden sind. Neue Priester-Clans entstehen und werden ihrerseits gestürzt. Tae war's, der zuerst die wahre Natur dieses Niedergangs durchschaut hat.«

Joesai entwendete einem Zuhörer, der mit einem Lächeln auf dem Gesicht verzückt der tausendsten Wiederholung des Grundes lauschte, aus dem Tae seine Grundsätze des Stimmrechts aufgestellt hatte, einen leeren Becher. Das neue Clan-Oberhaupt wartete in heiter-gelassener Feierlichkeit, genoß erst das Schweigen, das seine Worte hervorgerufen hatten, bevor er es brach. »Tae hat die Regeln verkündet, nach denen wir leben und durch die wir stark geworden sind.« Er schwieg einen Augenblick lang. »Sind wir stark?«

»Alle Macht den Kaiel!« brüllte die Versammlung in den tiefen Stimmen der Männer, den hellen Stimmen der Frauen und den hohen Stimmen der begeisterten Kinder.

Joesai trank den letzten Schluck Whisky, der sich noch im Becher befand, tat dann wieder so, als widme er seine Beachtung vollauf dem Redner. Aesoe lohte nun wie Getas Sonne im Gewitter. »Erstens: Einem Kaiel wird ein Stimmrecht in den Ratsversammlungen nur im Verhältnis zum Umfang seiner persönlichen Anhängerschaft zugebilligt.«

»Alle Macht den Kaiel!« schrie der versammelte Clan die rituelle Antwort.

»Zweitens: Die Anhängerschaft eines Kaiel kann im äußersten Falle lediglich aus einigen treuen Freunden bestehen.«

»Alle Macht den Kaiel!« Joesai war dem Whisky-Faß nun nah und plante das weitere Vorgehen. Das Stehlen in einer Menschenmenge erforderte auch im Dunkeln Umsicht.

»Drittens: Kein Kaiel, dem eine Anhängerschaft anhängt, darf der Anhängerschaft eines anderen Kaiel angehören.«

»Alle Macht den Kaiel!« Falls es Joesai gelang, dem Zapfhahn nur einen leichten Stoß zu geben, mußte es aus ihm zu triefen beginnen.

»Viertens: Kein Nicht-Kaiel darf mehr als einer Anhängerschaft angehören.«

»Alle Macht den Kaiel!«

»Fünftens: Niemand darf durch die Umstände seines Wohnortes oder Einschüchterung zum Anschluß an eine Anhängerschaft genötigt werden.«

»Alle Macht den Kaiel!« Der Becher stand jetzt am Boden und füllte sich durch tropfenweises Geträufel. Joesai stand unschuldig daneben.

»Sechstens: Die Ratsversammlung kann jeden Kaiel jederzeit dazu auffordern, die Namen der eingetragenen Mitglieder seiner Anhängerschaft zu nennen und die Anliegen eines jeden Mitglieds in allen Einzelheiten zu erläutern. Jedes Mitglied, an das er sich nicht zu entsinnen vermag, wird von der Liste seiner eingetragenen Anhänger gestrichen.«

»Alle Macht den Kaiel!«

Aesoe deutete durch ein Heben des Arms eine Pause an. Mit einem Sprung verließ er die Empore und versetzte Joesai eine kräftige Maulschelle. Er kippte den Becher um und drehte den Zapfhahn, aus dem es inzwischen munter troff, wieder zu. Dann bestieg er wieder die Empore, lächelte breit vor sich hin, während die Unruhe verebbte. Für die Dauer eines halben Dutzends Herzschläge bewahrte er Schweigen.

»Siebtens: Ein Kaiel, der keinerlei Freunde und Bekannte als Anhängerschaft benennen kann, hat kein Stimmrecht, und es obliegt ihm, kinderlos zu bleiben oder vom Clan zu scheiden.«

Seine Zuhörer waren schon wieder in der vorherigen Stimmung, hatten Joesai schon bereits wieder vergessen. »Alle Macht den Kaiel!«

»Dein Mund blutet«, flüsterte Gaet.

»Du mußt dich wohl oder übel an den Suppentopf halten«, flüsterte der eingeschüchterte Hoemei leise.

Joesai lächelte nur mit blutbefleckten Zähnen und zeigte eine kleine, hölzerne, noch halbvolle Flasche vor.

Gaet schnupperte den starken Alkoholgeruch und versteckte die Flasche unter seinem Umhang.

»Du hast sie gestohlen?« vergewisserte Hoemei sich besorgt.

»Ich konnte nicht widerstehen.« Joesai grinste. »Die Flasche stand ja doch bloß herum.«

Gaet versuchte, eine seiner Schwestern dazu zu überreden, den ersten Schluck zu nehmen. Sie lächelte ihm nur zu, als sei er ebenso wakker wie töricht. Nachdem sie noch ein paar Scherze gerissen hatten, verdrückten die drei Brüder sich in die Büsche und leerten dort gemeinsam die Flasche; für den Rest des Abends waren sie damit beschäftigt, Nüchternheit vorzutäuschen.

Jene unvergessene ausgelassene Nacht war nun schon lange her. Die Brüder waren längst den Kinderjahren entwachsen, hatten zwei weitere Male geheiratet, Geld gemacht und einen gewissen Ruhm erworben. Obwohl weniger scharfsinnig als Hoemei, der in der Gunst der höheren Räte stand, und von weniger furchteinflößender Art als Joesai, dem der Orden vom Hontokae seine Gunst schenkte, entwikkelte sich Gaet dank einer Anhängerschaft von dreiundvierzig Mitgliedern in den unteren Ratsversammlungen zum einflußreichsten der drei Brüder. Von allen dreien war er am angenehmsten und höflichsten im Umgang, am weitesten gereist, und er verstand es auch am besten, die Damen zu bezaubern; er lächelte häufiger als seine Gefährten und gewann jeden, der ihm diente, sogleich zum Freund. Doch nun, da er von einer Unterredung mit dem gealterten Aesoe kam, empfand Gaet Mißmut, eine mürrische Miene vertiefte die Narben, die sein Gesicht durchfurchten.

Das steinerne Herrenhaus, das die drei Brüder mit dem anfänglichen Vermögen gekauft hatten, stand am Abhang eines Hügels, der sich über die heiligen Katakomben erhob, die man Gräber der Verlierer nannte. Dahinter ragte – noch immer erst zur Hälfte fertiggestellt – der Kaiel-Palast in den Himmel auf, eine Traube rosafarbener, eiförmiger Kuppelbauten, eher gedrungen als hoch, die wirkten, als habe man eine Anzahl vom Fluß geglätteter Kieselsteine aufrecht hingestellt, so daß sie aneinander lehnten und sich gegenseitig stützten. In der Morgendämmerung, wenn sich in seinem Osten die große, wie ein Hochofen helle Scheibe von Getas Sonne erhob, schimmerte der Palast wie geschmolzenes Erz. Zur Linken, gar noch größer sichtbar als die Eiern ähnlichen Kuppeln des Palastes, sah man voll den unbeweglichen Grimmigmond, der mit seiner morgendlichen Dunkelröte stets den gebirgigen Horizont berührte.

Gaet mißachtete das alles, achtete nicht auf die herrschaftlichen Häuser der Nachbarn. In seinem Zorn unterließ er es sogar, einen Ivieth-Träger, der vorüberkam, zu grüßen. Er stieß das Tor auf, überquerte den Innenhof seines Wohnsitzes, umrundete dabei den Springbrunnen; Teenae, sein Zweitweib, hastete überrascht herbei, folgte ihm dann.

»Verdruß bedrückt deine Seele. Nenne mir deinen Verdruß!«

»Wo ist Hoemei?«

»Im Palast. Joesai ist daheim.«

»Und Erstweib?«

»Noe schläft. Worum geht's?«

»Aesoe hat uns verboten, Kathein zu heiraten.«

Erschrocken hielt Teenae inne, dann wandte sie sich ab. »Ich werde Noe wecken und mitbringen.« Sie lief an der Treppe vorbei und sprang statt dessen nach einer Stange, die aus der Mauer in den Hof hinausragte, schwang sich dann oben über die Brüstung und verschwand außer Sicht.

Beim Wasserbecken setzte Gaet sich nieder, denn er wußte im voraus, sein Erstweib würde ihn warten lassen. Noe war keine Frau, die man zur Eile anhalten konnte. In finsterer Stimmung dachte er über die Anweisungen nach, die Aesoe ihm erteilt hatte und die in eindeutigem Gegensatz zu seinen eigenen Absichten standen. Vor seinen Augen sah er Bilder einer Hochzeitsfeier, des Ausrufens der Mitgift, der Überreichung der Fünf Geschenke.

Es behagte ihm gar nicht, Kathein zugunsten einer Fremden aufzugeben, die er überhaupt nicht kannte. Sie mißbehagte ihm, diese Vorstellung, er solle sich an der Küste niederlassen. Es mißfiel ihm, dem allzeit erregenden Hin und Her der Auseinandersetzungen, die in der Stadt Kaiel-Hontokae herrschten, den Rücken kehren zu sollen, solange er noch am Palast seiner Familie baute.

Sollte er Aesoes Willen gehorchen, an die Küste ziehen, die Bekanntschaft dieser ketzerischen Fremden schließen, sie umgarnen und für sich gewinnen und zu guter Letzt heimbringen, nur um die Gunst von Aesoes Expansionisten zu erlangen? Oder sollte er Joesai schikken und ihn sie töten lassen?

2

Der Gott des Himmels hat uns ein rauhes Land gegeben, weil wir ein aufsässiges Volk sind. Wir irrten durch die Ödnis der Geschwollenen Zunge, und Er sah uns dahinirren. Zehntausende starben im Schnee der Klagenden Berge, und Er sprach nicht zu uns. Wir säten unsere Saaten am Njarae-Meer, und Er strafte uns mit Mißachtung. Im Westen, Osten, Süden und Norden sind die Gräber tief in den unbarmherzigen Stein gehauen. Dies sind ihre Namen: die Gräber des Grams; die Gräber der Klagenden Berge; die Gräber des Blinden Auges; und die Gräber der Verlierer.

Es heißt in den Balladen, daß ein Erlöser aus der Stadt hervorgehen wird, deren Blut drunten bei den Gräbern der Verlierer fließt. Auf diese geheiligten Katakomben haben wir unsere Stadt gebaut. Alle Macht den Kaiel! Die Stadt Kaiel-Hontokae wird zur Stätte der Geburt des Erlösers werden, der zu Gott spricht.

Aus der *Dritten Rede* von Erzprophetin Njai ben-Kaiel

Hoemei maran-Kaiel beschritt den mit Fliesen gepflasterten Weg, der zum ersten der gewaltigen Kuppelbauten des Palastes führte. Unterwegs verweilte er, um mit Seipe zu plaudern, einer alten Frau, mit der er häufig zu tun hatte, weil er große Summen Geld ausgab; Seipe war Hüterin der Münze und hielt nichts davon, mehr Geld auszugeben, als die Kaiel an Einnahmen einstreichen konnten. Nicht einmal Aesoe vermochte sie von diesem Standpunkt abzubringen

»Ich habe dir nicht die Genehmigung erteilt«, schalt sie, »auf dem Schreckenshügel einen Schallstrahlturm zu errichten.«

Hoemei lachte. »Ich habe mein Geld hineingesteckt, und deshalb fällt das Entgelt mir zu.«

»Ich werde mir etwas einfallen lassen, um dich mit anteiligen Abgaben zu belegen.«

»Ich sorge dafür, daß der Turm keinerlei Gewinn abwirft.« Hoemei lachte erneut. »Er verursacht mir nur Kosten.«

Seipe kam auf etwas anderes zu sprechen, um sich bei der Erledigung ihrer Aufgaben einen Gang sparen zu können. »Du bist am vierten Hochtag der Schürzenjäger-Konstellation in mein Haus eingeladen. Bring Teenae mit.«

»Teenae wird sich freuen«, antwortete Hoemei in liebevollem Ton.

»Ich weiß, deshalb möchte ich ja, daß sie mir hilft. Sie ist jünger und flinker als ich. Wir werden ein wenig schwatzen, während du mit deinen Widersachern haderst.«

»Ist wieder jemand hinter meinem Anteil an den Abgabengeldern her?«

»Deinen Geldern?« entgegnete Seipe und lachte lauthals. »Es sind *meine* Gelder.« Sie benutzte das besitzanzeigende Fürwort, als wäre die bare Münze des Clans ein Teil ihres Mark und Beins.

Sie drückten einander die Hände, die Rechte dem Gegenüber um den Unterarm gelegt, wie es bei den Getanern gute Freunde zu halten pflegten, wenn sie sich voneinander verabschiedeten. »Gott sieht dich«, sagte Hoemei.

Nachdem er die Hüterin der Münze sorgsam in geneigte Stimmung versetzt hatte, lenkte Hoemei seine Schritte zurück zu den Fliesen und seine Gedanken von neuem auf Aesoe. Allmählich legte Aesoe immer mehr Machtgier an den Tag. Die Machtfülle, die der Erzprophet in dem in Ausdehnung begriffenen Schallstrahlnetzwerk sah, war für ihn wie der Geruch von Whisky für die Nase eines Säufers. *Wie er uns mit seinen Visionen antreibt! Bestimmt hat er noch mehr Arbeit für mich.*

Hoemei betrat den Irrgarten im Innern der Hauptkuppel des Palastes, und für einen Augenblick nahm das ungewohnte elektrische Leuchten seine Aufmerksamkeit in Beschlag, das selbst ihm noch Staunen einflößte, der er über die Art seiner Magie Bescheid wußte, auch wußte, wie man es in den unterirdischen Werkstätten Kaiel-Hontokaes erzeugte. Aesoe schwebte ein vollkommen elektrisch ausgestattetes Geta vor. Das aber war heller Wahnsinn. Die Dinge, welche Aesoe schaute, kannten kein vernünftiges Ende. Diese wüsten Visionen suchten sogar Hoemeis Träume heim.

»Er wartet auf dich«, sagte ein Bekannter im Vorübergehen.

Hoemei hielt ihn auf. »In was für einer Laune ist er?«

»Ich glaube, er hat soeben einen Weg in Seipes Schatzkammer gefunden. Oder ihm ist aus dem Dampf seines Morgentees die Frau seiner Träume erschienen.«

»Also ist er guten Mutes?«

»Wenn du an seinem Haar ziehst, dürftest du ihm den Kopf in der Höhe seines Lächelns leicht durchtrennen können.«

»Aha, dann wird er mir zumindest nicht das Fell über die Ohren ziehen.« Das war wenigstens ein kleiner Trost.

Hoemei verharrte am Eingang zu Aesoes Gemächern, entledigte sich der Schuhe. Als Aesoe ihn unter der hohen Tür nicht sogleich bemerkte, trat Hoemei ein und nahm auf den Kissen Platz, sah den Erzpropheten geradeheraus an, wartete ab. Nichts hätte ihn dazu verleiten können, den Oberpriester des Kaiel-Clans bei seinem Tun zu stören. Der alte Aesoe schlürfte einen Trank, während er sich mit seinem Schreiber und dem ihm zur persönlichen Verfügung gestellten o'tghalieschen Mathematiker unterhielt. Er gönnte sich noch einen Schluck, holte eine Karte hervor und steckte gleichzeitig einige Papiere weg.

»Ich habe bereits mit deinem Bruder Gaet gesprochen.«

»Seither habe ich Erstbruder noch nicht gesehen, Herr.«

Aesoe zuckte mit den Schultern. »Du weißt, daß man deiner Familie das Tal der Zehntausend Gräber erhalten hat, durch das man hinab ans Meer gelangt.«

»Da dort die wichtigste Straße verläuft, die durch die Klagenden Berge zum Meer führt, wird es unseren Reichtum mehren, aber auch unsere Bürden erhöhen. Viele haben diese Schenkung abgelehnt.«

»Und werden in den Reihen der Kaiel niemals zur Macht emporsteigen.«

»Aufgrund dieser Erwägung haben wir das Geschenk angenommen, obwohl es sich keineswegs um Land handelt, das unter den Kaiel verschenkt werden könnte.«

Angesichts so kleinlicher Bedenken schnob Aesoe geringschätzig. »Weißt du, warum dies Stück Land noch immer als ununterworfener Dorn in unserer Seite fortwährt?«

»Alle Kaiel, die sich dort ansiedeln, werden ermordet.«

»Hast du schon einmal Überlegungen darüber angestellt, was es mit den Morden auf sich haben könnte?«

»Ich befasse mich im allgemeinen nur mit Tatsachen«, entgegnete Hoemei.

»Ach! Aber wir, die wir uns den staatsmännischen Geschäften widmen, können das Spiel verlieren, wenn wir zu lange der Tatsachen harren. Gib dich Mutmaßungen hin!«

»Ich würde vermuten, daß dahinter die Mnankrei stecken.«

»Warum nicht die Stgal? Die Stgal haben dort mehr, dessen sie verlustig gehen könnten. Es ist ihr Land.«

»Die Stgal sind Feiglinge. Sie fürchten uns. Die Mnankrei dagegen trachten ebenso nach dem Land der Stgal wie wir. Die Seepriester stehen im Rufe, Gewalt zu predigen, und ihre Windmeister befahren mit ihren seefesten Schiffen ungehindert das gesamte Njarae-Meer.«

Aesoe räusperte sich. »Unsere Kundschafter teilen mit, daß ein Dorf mit Namen Trauerweiler der Schauplatz der Mordtaten gewesen ist.« Er zeigte Hoemei den Ort auf der Landkarte, einen winzigen Hafen am Njarae-Meer. »Die Stgal unterhalten dort einen Tempel, dem sie große Bedeutung beimessen. Dort ist der Ausgangspunkt eines Ketzertums. Die Ketzer, Dutzenden von Unteren Clans entsprungen, begegnen den Stgal mit Duldung, weil die Schwäche ihrer Priester sie begünstigt. Die Stgal dulden die Ketzer, weil sie sich gegen uns und genauso wider die Mnankrei wenden.«

»Das muß ein gänzlich neues Ketzertum sein.«

»Ganz und gar neuartig. Aber sein Entstehen hat sich schon seit einiger Zeit in der Gegend abgezeichnet. Priesterliche Laschheit bringt zwangsläufig Ketzerei hervor.«

»Waren die Ketzer die Mörder?«

»Wer soll das jemals wissen können? Vielleicht. Meine Kundschafter berichten, daß diese Ketzer ohne Furcht sind. Aber das gleiche gilt für die Mnankrei. Und jemandem, der mir so zulächelt, wie's die Stgal tun, würde ich nie und nimmer den Rücken zukehren.«

»Deine Worte sagen mir, Herr, daß wir einen dreifachen Schlag führen müssen – die Ketzer austilgen, die Mnankrei besiegen und die Stgal unterwerfen.«

»Keineswegs. Dein Vater Tae, der mein persönlicher Lehrmeister gewesen ist, war ein Mann von großer Weisheit. Wir siegen, indem wir Freunde gewinnen, nicht durch Eroberung. Wenn man dich fürchtet, hast du selbst Anlaß zur Furcht. Ihr maran-Kaiel seid für diese Aufgabe ausersehen worden, weil Gaet eine gewisse Art und Weise des Umgangs mit den Menschen hat, die gewährleistet, daß er sich niemals Feinde macht. Allerdings ist er vergeßlich. Aus den Augen, aus dem Sinn. Du jedoch hast den Verstand eines Verwalters, du bist derjenige, der daran denkt, für Stetigkeit zu sorgen.«

»Gaet macht sich nie Feinde, weil er dessen enthoben ist. Alle schmutzigen Taten läßt er von Joesai verrichten.«

»Gewiß. Freunde zu gewinnen, erfordert oftmals ein offenes Lächeln und eine versteckte Hand.«

»So lehren's uns die heimtückischen Stgal«, meinte Hoemei voller Ironie. »Doch wie sollen wir Ketzer zu unseren Freunden machen, die alles verwerfen, was wir wertschätzen?«

Aesoe nahm erneut einen Zug aus seinem Pokal und lachte das Große Lachen, an dem die ganze getanische Bevölkerung solche

Freude empfand. »Ketzer unterscheiden sich nie in solchem Maße von uns, wie sie zunächst den Eindruck erwecken. Sie gleichen Erbveränderten. Ein Erbveränderter hat nichtsdestotrotz den Großteil des Erbguts mit uns gemeinsam. Ein Ketzer hegt in der Hauptsache die gleichen Gedanken wie unsereins. Die meisten Erbveränderten bestehen aus mißratenem Fleisch. Die meisten Ketzereien sind falsch. Aber schließlich... sind wir Kaiel ja auch Ketzer.« Und er lachte noch einmal.

»Und wie sollen wir's schaffen, daß die Mnankrei und die Stgal unsere Freunde werden?«

»Ist das überhaupt erforderlich, wenn es doch die Ketzer sind, die die Herzen der Menschen beherrschen?«

Hoemeis Wachsamkeit wuchs. »Du beauftragst uns, die gemeinsamen Ziele der Kaiel und der Ketzer miteinander zu verflechten, so daß wir auf diesem Wege unseren Einflußbereich auf das Tal der Zehntausend Gräber ausdehnen können?«

Aesoe lachte. »Meine Weisungen sind erheblich einfacher. Ihr werdet die Frauen der Ketzer heiraten. Beispielsweise fehlt eurer Familie ja ein Drittweib.«

»Wir werben um Kathein pnota-Kaiel«, warf Hoemei bedächtig ein.

»Das ist nicht länger der Fall. Ich habe die entsprechenden Befehle erteilt. Ihr werdet euch mit Oelita der Clanlosen vermählen, die dies Ketzertum mit leichter Hand ins Leben gerufen hat.«

»Und *sie* weiß davon?« erkundigte sich Hoemei mit absichtlich gedehnter Stimme, während seine Gedanken nur so rasten.

»Natürlich nicht.«

»Wir sollen einer Ketzerin, die für Morde an den Kaiel verantwortlich ist, zu einem Platz auf unseren Kissen verhelfen?«

»So soll's sein.«

»Das gefällt mir nicht.«

Diese Auflehnung brachte Aesoe in Wut. »Ich muß mich in dieser Woche noch mit dreißig Familien wie der euren beschäftigen. Deine persönlichen Schwierigkeiten sind bedeutungslos. *Ich* sehe das Ganze. Was ich tun muß, geschieht zum Wohle des gesamten Clans. Ohne den Clan wäre euch der Untergang sicher. Deshalb werdet ihr tun, was ihr tun müßt. Streitgespräche werde ich ein andermal führen.«

Hoemei empfand seine Liebe zu Kathein nun wie einen Stich heißen Schmerzes in sein Rückgrat. Er entsann sich an ein Weilchen, das er mit ihr im Garten zugebracht hatte, ihr schwarzes Haar in seinem

Schoß, während er unablässig redete, als habe sie mit ihren sanftmütigen Fragen unversehens ein tiefes Loch ins Unbewußte seines Geistes gebohrt. *Ach, wie durch Verzicht unsere Liebe erst recht spürbar wird!* Er starrte Aesoe an, vermied es sorgsam, etwas zu äußern, denn Tränen wären auf den ausgesprochenen Befehl eine unangemessene Antwort gewesen.

3

Die Versammlung im Zeichen des Schmerzes zog also in die Klagenden Berge, um der Herausforderung durch die Arant zu begegnen. Die Arant-Ketzer behaupteten, die Menschheit sei die Schöpfung von Maschinen, die in Höhlen unter den Klagenden Bergen stünden. Voller Anmaßung erklärten sie, der Gott des Himmels sei lediglich ein innerer Mond. Doch beim Gerichtsfest mußten sie in den Tod gehen, während der Gott des Himmels über dem Land seine Bahn durchmaß, das er für das Menschengeschlecht geschaffen hat. Und die Versammlung begründete die Kaiel, um die Klagenden Berge vor Irrlehren zu bewahren.

Clei-Schreiber Saneef in seinen *Erinnerungen an eine Versammlung*

Erst nachdem sie sich angekleidet hatte, ließ sich Noe, Erstweib Gaets, Hoemeis und Joesais, auf dem steinernen Balkon des Innenhofs blikken. Teenae kam an ihre Seite geeilt – sie war um einen ganzen Kopf kleiner als ihr Mitweib – und schaute aus großen Augen, die unter schwarzen Brauen glänzten, besorgt zu Gaet hinunter.

Die Füße in den Brunnen des Innenhofs getaucht, schaute Gaet auf. Soviel Schönheit, wie sich seinem Blick darbot, ließ seinen Zorn zeitweilig vergehen. Noe hatte ihr Haar in Zöpfen zu einer Art von prunkvoller Haube verflochten; Teenaes Haupt war in der Mitte geschoren, doch fiel ihr zu beiden Seiten das Haar wie verflüssigte Nacht bis über die Schultern. Noe trug ein weiches, weites Kleid, das ihre vollen, mit waagerechten Hontokae-Tätowierungen geschmückten Brüste freiließ, Teenae eine weite Hose, die aus Hunderten von Saloptera-Bäuchen genäht war, gehalten durch einen breiten Gürtel aus der getrockneten Haut ihres Lieblingsgroßvaters, und ihre wohlgeformten Brüste waren mit den mathematischen Spiralen tätowiert, die man häufig bei den o'Tghalie sehen konnte.

Gaet war stolz darauf, daß *er* diese beiden standesgemäßen Gemahlinnen ausfindig gemacht hatte. Er war es auch gewesen, der Kathein entdeckte, die man ihnen nun als Drittweib verweigerte. Zur Schande ihres Erbgutes waren seine Brüder im Umgang mit Frauen allzu schüchtern.

Noe war ein Kaiel – ihre Mutter stellte die Handelsflotten zusammen, die auf dem Njarae-Meer den Mnankrei den Rang streitig machten, ihr Vater war der Baumeister des Kaiel-Palastes.

Teenae war von den o'Tghalie gekauft worden, als sie noch flachbrüstig war und leicht beeinflußbar. Gaet lächelte. Sie hatte zuviel Interesse an mathematischen Dingen gezeigt, und die o'tghalieschen Männer hatten sie sich auf diesem Wege vom Hals geschafft, denn sie nahmen keinerlei Wetteiferei von ihren Frauen hin, ein schwieriger Brauch, wenn beide Geschlechter das gleiche Erbgut besaßen. Teenae konnte im Kopf beinahe so schnell zusammenzählen und malnehmen, wie man ihr Zahlen nannte, obwohl sie darin keinerlei Unterricht erhalten hatte. Sie war eine hervorragende Bereicherung des Familienrates; niemand verstand sich besser darauf, die Widersinnigkeiten aufzuzeigen, die sich ins Denken und Fühlen ihrer Gemeinschaft einzuschleichen pflegten.

»Friedfertigkeit widerstreitet deinem Zorn«, rief Teenae, die Gaet beobachtete. »Und dein Zorn lacht im geheimen.« Ihre Stimme klang sanft.

Gaet vermochte ein Lächeln nicht zu unterdrücken. »Wie sollte meine düstere Gemütsverfassung den Aufgang von Stgi und Toe überdauern können?« Die beiden hellsten Sterne am getanischen Himmel zählten zum Sagenkreis der Liebe, und Gaet verwendete oftmals voller Zärtlichkeit ihre Namen, wenn er von seinen zwei Gemahlinnen sprach.

Joesai betrat den Balkon, ragte neben seinen Gemahlinnen empor, den Körper bedeckt von einem verwickelten Muster mit ungewöhnlichen Rundungen, dessen Sinn außerhalb der herkömmlichen Zeichenbedeutungen stand. »Ho. Was gibt's?«

»Aesoe verweigert uns Kathein als Drittweib!«

»Wahrlich ein Grund zum Grimm. Welchen Ausgleich bietet uns Aesoe?«

»Wenig. Sein Befehl lautet, wir sollen eine Barbarin von der Küste heiraten.«

»An der Küste leben keine Kaiel.«

»Richtig.«

»Welchem Clan gehört sie an?«

»Sie ist eine Clanlose.«

»Aesoe muß von Galle überfließen! Und weshalb soll ihr Erbgut in den Leibern von Kaiel seine Heimat finden?«

»Er bürgt für ihre Kalothi«, sagte Gaet.

»Es gibt viele Wege des Überlebens! Es gibt viele Kalothi! *Unser*

Weg zum Überleben ist das Zusammenschließen. Beantworte meine Frage! Weshalb soll's ihrem Erbgut gestattet sein, in *kaielischen* Körpern Heimat zu nehmen?« Seine Gestalt beugte sich über die Brüstung.

»Aesoe ist von ihr sehr beeindruckt, weil sie eine Anhängerschaft von mehr als zweihundert engen Freunden besitzt.«

»Unmöglich!« Joesai schnob.

»Für jemanden, der so häßlich ist wie du.«

Ohne ihn anzusehen, ergriff Teenae die Hand ihres hünenhaftesten Gemahls und mäßigte seine Erbitterung. »Ist es wahr«, fragte sie Gaet, »daß diese Barbarin sich so leicht der Treue anderer zu vergewissern vermag?«

»Ich habe keinen Grund, der es rechtfertigte, an Aesoes Wort zu zweifeln.«

»Dann ist seine Anweisung verständlich«, sagte Teenae. »Der Rat hat unserer Familie das Tal der Zehntausend Gräber bis hinab ans Njarae-Meer zugesprochen. Aber dort herrscht ein anderer Clan, der den Kaiel mißgünstig gesonnen ist. Eine Anhängerschaft von zweihundert Menschen in der dortigen Gegend würde uns beträchtlichen Einfluß sichern. Es gibt keinerlei vernünftige Gründe, aus denen man sich dem Befehl widersetzen könnte.«

»So leicht sollen wir Katheins entsagen?« schmollte Noe.

Aus den Augen der kleinwüchsigeren Frau schossen Tränen, rannen durch die Furchen der Tätowierungen ihres Gesichts. »Keineswegs leicht.« Teenae liebte Kathein und hatte sich schon bislang gar nicht oft genug mit ihr treffen können. Wenn eine Familie bereits fünf Köpfe zählte, war es mühsam, ein weiteres Mitglied zu finden, das alle liebte und dem alle Liebe entgegenbrachten. Manche Familien kamen nie über fünf Angehörige hinaus. Kathein war dazu imstande, Joesai zum Lachen zu bringen. Sie konnte den wortkargen Hoemei zum Reden verleiten. Sie vermochte den ungestümeren Gaet im Zaum zu halten.

Anfangs hatte Teenae die spürbare Kraft gefürchtet, die Kathein verkörperte, und sich um die bequeme Eintracht ihres Fünfergespanns Sorgen gemacht. Kathein gehörte zu den herausragendsten Geistern ganz Getas. Doch da hatte Kathein eines Tages die drei Brüder ausgesperrt, indem sie ganz einfach von innen Möbel vor die Tür stapelte, und die drei Frauen waren von einer bis zur anderen Mittagsstunde beieinander geblieben, hatten sich gedrückt, über Männer geschwatzt, sich Geheimnisse anvertraut, und nun schmerzte Teenae vor Sehnsucht das Herz im Leibe, sobald sie an die beabsichtigte Vereinigung mit Drittweib dachte.

»Du überlegst«, stellte Joesai fest und erwiderte den Druck ihrer Hand.

»Ich bin mir dessen bewußt, daß die Kaiel den Weg der Macht eingeschlagen haben und daß Macht folgerichtig Opfer abverlangt.«

»Das Leben folgt nicht immer dem Weg des vernunftbetonten Denkens!« schnauzte Joesai. »Die Bande der Treue bringen uns *über* die Berge, nicht um sie herum.«

Teenae schrak vor dieser heftigen Erwiderung zurück. Sie war die Jüngste der Familie und noch nicht davon überzeugt, daß sie tatsächlich daheim war in diesem fremden Clan. Als Kind war sie dazu erzogen worden, Männern zu gefallen, die schrankenlose Gedankengebäude errichteten und sich empörten, wenn jemand versuchte, ihre Hirngespinste an den Tatsachen zu messen. Nun jedoch hatte sie es mit Leuten zu tun, die es gewohnt waren, der Wirklichkeit ihren Willen aufzuzwingen.

»Auch ich liebe Kathein, aber Aesoe ist ein Mann von überragendem Verstand, und deshalb gebührt ihm meine Hochachtung.«

»So überaus naheliegend ist der Weg nicht, den er gewählt hat, mein kleiner dunkeläugiger Käfer«, sagte Gaet. »Diese Frau an der Küste mag zahlreiche Freunde haben, gewiß, aber die meisten davon sind von niedriger Kalothi, und schon während der nächsten Hungersnot wird man sie verzehren. Einige von ihnen sind sogar bloß nasenlose Verbrecher, und sie wird man sich noch *vor* der nächsten Hungersnot in den Bauch schlagen. Sie wohnt in dem uns übertragenen Land am Njarae-Meer, ja, aber dieser Umstand macht sie für uns beileibe noch nicht zu einem begehrenswerten Zuwachs – in der Tat ist sie nämlich eine fanatische Ketzerin.«

»Ist das Aesoe bekannt?« frage Teenae hastig nach.

»Ja, ja.«

»Woraus besteht ihre Ketzerei?« wünschte Joesai interessiert zu erfahren.

»Sie ist eine Atheistin.«

»Und was soll nach ihrer Meinung der Gott des Himmels sein?«

»Ein Mond wie Grimmigmond, wie die Monde von Nika.«

»In meinem Himmelsauge sieht Er nicht wie ein Mond aus. Bei vierfacher Vergrößerung ähnelt Er noch immer einem Messingknopf mit schwacher Filigranverzierung. Nichtsdestoweniger ist ihr Irrtum nicht allzu groß. Ist sie sich darüber im klaren, daß ein Mond sehr wohl Gott sein kann? Was glaubt sie überdies? Daß wir in den Klagenden Bergen voll ausgewachsen aus Maschinen gekommen seien?« Er zwinkerte seinem Bruder zu. Die Brüder waren unter den Klagenden Bergen von Maschinen geboren worden, und alle, die so zur Welt gebracht worden waren, ergingen sich gern in versteckten Andeutungen über ihre nichtmenschliche Herkunft.

Gaet lachte. »Nein. Viel schlimmer. Sie verkündet, unsere Vorfahren seien Insekten gewesen.«

»Mein Gott!« entfuhr es Noe. »Das ist doch nicht wahr! Das kann sie doch nicht im Ernst glauben.«

»Von welchen Insekten?« fragte Teenae.

»Den Maelot.«

»Das hat eine gewisse Logik. Der Maelot ist das einzige vierbeinige Insekt mit fleischigen Körperteilen außerhalb seines Panzers.«

»Aber ein Maelot ist doch viel zu klein«, erhob Noe Einspruch.

»Die größten Insekten gehören zur Gattung der Maelot. Jene Art, die ins Meer zurückgekehrt ist, kann so lang werden wie dein Bein. Aber die Aminosäuren stimmen nicht. Die Fortpflanzung folgt anderen in den Zellen verankerten Gesetzen. Insofern ist ihre Annahme widersinnig. Wir sind mit den Bienen verwandter als mit den Maelot. Sogar mit Weizen sind wir verwandter als mit den Maelot.«

»Sie hat in ihren Vorstellungen keinen Platz für Gott?« fragte Joesai.

»Keinen. Sie weiß ein paar eindrucksvolle Sätze über die Wandlungsfähigkeit des Erbgutes und den Druck der natürlichen Auswahl aufzusagen, ferner unterstellt sie, das Bindeglied zwischen uns und den Maelot fehle, weil wir aus einer kannibalischen Abart der Maelot entstanden seien, die den minderwertigen Teil ihres Nachwuchses mit Haut und Haaren verschlungen hätte, so daß keine Überreste mehr von ihnen gefunden werden könnten.«

»Was für eine unsinnige Biochemie! Welch eine absurde Geschichtsschreibung! Wir kennen den Tag und den Sonnenstand des Tages, an dem der Gott des Himmels uns auf diese Welt gebracht hat.« Der hochgewachsenste der Brüder war außer sich vor Empörung.

»Ganz so genau wissen wir nun auch wieder nicht Bescheid. Die Zeitbestimmung anhand von Radioaktivität hat ihre Mängel.«

»Ich rede von den Balladen des Ursprungs. ›Das Hintersichlassen‹, Abschnitt einhundertsieben, vierte Zeile.«

»Welche Fassung?« forschte Gaet zänkisch nach. Er schwieg für einen Augenblick, anscheinend gewillt, die wichtige Frage, vor der sie alle sich gestellt sahen, zur Abstimmung zu bringen, und tat es schließlich. »Wer ist dafür, daß wir weiter um Kathein werben?«

»Ich«, sagte Joesai.

Die beiden Frauen nickten.

»Aber können wir's uns erlauben, Aesoe den Gehorsam zu verweigern?« fragte Gaet, um das Maß ihrer Entschlossenheit zu prüfen. »Ich schlage vor, daß ich trotzdem das Dorf namens Trauerweiler aufsuche und Oelita umwerbe.« Er zwinkerte Noe zu. »Vielleicht kann man von ihr, was das Lieben angeht, noch etwas lernen.«

Joesai grinste. »Du kennst dich zu meinem und Hoemeis Kummer schon längst viel zu gut darin aus. Ich mache den Vorschlag, daß ich mich in jenes Kaff mit Namen Trauerweiler begebe. Ich glaube, Aesoe kann keine Einwände dagegen erheben, wenn wir unsere Werbung um diese Küstenbarbarin zunächst einmal mit dem Ritus der Prüfung beginnen. Sie muß sich ihren Platz verdienen, und kein Kaiel bekommt seinen Platz mit Leichtigkeit.«

»Gegen den Ritus der Tauglichkeitsprüfung wird er wohl kaum Einwände erheben können.«

»Ich dachte eher an das Ritual des Todes.«

»*Daran* hätte Aesoe sicherlich keine Freude. Verfrühter Tod ist ein Sakrileg, wenn damit kein minderrangiges Erbgut ausgemerzt wird.«

»Wenn das Ritual sie nicht der Gefahr des Todes aussetzt, wie soll es dann eine wahre Probe ihrer Kalothi sein?«

»Und wenn sie mit dem Leben davonkommt? Damit muß man rechnen. Aesoe behauptet, ihre Kalothi sei von höchster Güte.«

»Ho! Das kann er doch nur von den Stgal erfahren haben. Wer will denn die Kalothi-Bewertung eines Dorfheiligtums ernstnehmen? Aber *falls* sie überlebt, Gaet, dann wird sie auch ein würdiges Drittweib für uns sein.«

»Aber könnte sie uns denn noch lieben, nachdem wir versucht haben, sie umzubringen?« Gaets Miene blieb ausdrucklos, aber seine Augen widerspiegelten Zwiespältigkeit. »Argwohn könnte die Harmonie unserer Ehegemeinschaft ernsthaft stören.«

»Damit habe ich nichts zu schaffen. Um zu überleben, wird sie mich töten müssen.«

»Du wirst die Frauen nie verstehen«, sagte Gaet und seufzte.

»Manche Frauen lieben nur Männer, denen sie überlegen sind.« Teenaes große Augen funkelten. »Ich liebe Joesai, weil ich ihn beim Kol unweigerlich schlage.«

»Kleine Raupe!« Er küßte den geschorenen Streifen auf ihrem Haupt. »Für diese Beleidigung nehme ich dich als meinen Schild mit zur Küste.«

»Für einen Schild hältst du mich?! Ich würde diese Oelita gegen dein Eiferertum beschützen.«

»Ho. Was höre ich da? Zeigt sich da schon die Kalothi der Ketzerin, um sie zu verteidigen? Ihr müßt beide gemeinsames barbarisches Erbgut besitzen. Nun gut. Mit dir an meiner Seite werde ich sie ja wohl verstehen können.«

Aufgeregt wandte sich Teenae an Gaet. »Das ist doch nicht sein Ernst?«

»Doch. Du mußt ihn begleiten. Der Rat hat uns das Land geschenkt, aber wir müssen's uns verdienen, und weder du noch Joesai habt bisher seinen Staub in die Schmucknarben eurer Füße gedrückt.«

Noe packte ihren am größten gewachsenen Ehemann am Oberarm, drängte ihn an den Stein der Brüstung, schaute zu ihm auf, ihm ins Gesicht. »Du glaubst, selbst nach Aesoes ausdrücklichem *Befehl* wird's uns noch möglich sein, Kathein zu ehelichen?« Sie war merklich aufgewühlt.

»Selbstverständlich werden wir Kathein heiraten«, fauchte Joesai.

Wenn der Tod vor dir steht, scheint er hinter dir zu stehen. Wer den Tod flieht, läuft dem Tod in die Arme. Wer dem Tod ins Auge blickt, wendet dem Tod den Rücken zu, und indem er so verharrt, stolz auf seinen Mut, holt der Tod ihn hinterrücks.

Richterin der Richter nas-Veda die auf Bienen sitzt

Joesais Reckengestalt ließ den kleinen Stuhl, auf dem er in den Archiven des Tempels der Menschlichen Bestimmung saß, fast völlig unter ihm verschwinden; er schrieb aus dem Totenbuch der Kaiel in der winzigen, säuberlichen Handschrift eines Menschen ab, der seit der Zeit, als er das Schreiben erlernte, als Genchirurg gearbeitet hatte. Aus den Hohlspiegeln, die neben den Fenstern, die die steinernen Mauern aufwiesen, befestigt waren, durchdrang verwaschenes, rötliches Sonnenlicht den Raum. Auch bei Anbruch der abendlichen Dämmerung schrieb er unverdrossen weiter, während sich die Schatten vertieften; doch zuletzt klappte er die Bücher zu, dem Schreiben beim Lampenschein abgeneigt. Im Laufe des Abends schlenderte er durch die Stadt, damit beschäftigt, sich einzuprägen, was er abgeschrieben hatte, und gleichzeitig verlieh er den mit trockenen Worten niedergeschriebenen Regeln der Rituale in seinem Kopf Anschaulichkeit, indem er sich im Geiste den Ablauf der geplanten Handlungen in Bildern ausmalte.

Seit Aesoe Unruhe ins Leben ihrer Ehegemeinschaft gebracht hatte, war Getas Sonne vierzehnmal orangerot im Osten Kaiel-Hontokaes zu sehen gewesen und hatte sieben Hochtage und sieben Tieftage angekündigt, sie siebenmal aus dem Schlaf geweckt. Die Konstellation des Schürzenjägers war der Konstellation des Menschenfressers gewichen, und Joesais Vorbereitungen waren nahezu abgeschlossen. Er brauchte nur noch einen einzigen Jungen, um die Schar zu vervollständigen, mit der er gegen die Ketzerin zu ziehen beabsichtigte – einen reiferen Burschen, dem daran lag, gefällig zu sein, einen Kaiel, einen wackeren, schlauen Jugendlichen, einen Kerl, der keine Hast kannte, der mit seinen Gegnern ein Spiel zu treiben verstand. Was die vorgesehenen Mädchen betraf, hatte Joesai seine Wahl bereits getroffen.

Im Kinderhort der Sieben Seligen Märtyrer speiste er an der Tafel der Meister, die oberhalb der von Maschinen geborenen Kinder stand, und beobachtete sie. Seine Anwesenheit waren sie gewohnt. Er erteilte hier Unterricht, und sie dachten sich nichts bei seiner Gegenwart, während sie ihre Späße machten und nach dem Essen grapschten, das noch dampfte; er jedoch maß sie an den Erfordernissen seiner Aufgabe, fällte eine Entscheidung darüber, welches Kind er mit dem Leben belohnen würde, indem er es aus dem Hort holte, wie man ihn als Jugendlichen von dort geholt hatte. Nur einer von vieren überlebte das Ausleseverfahren, das mit dem Aufenthalt im Hort einherging, und Joesai war sich vollauf dessen bewußt, daß er einen Zögling auserwählte, der durch den Akt der Auswahl zu den Überlebenden gehören sollte.

Seine engere Wahl lief schließlich auf Eiemeni hinaus. Ja. Dieser junge »Schatten« war geschwind, ergeben und von mörderischer Entschlossenheit. Joesai hatte er erzählen hören, Eiemeni habe einmal einen Freund ohne eine Träne dem Tod ausgeliefert. Joesai stand auf. »Eiemeni«, rief er gebieterisch, brachte damit zugleich die anderen Jungen zur Ruhe. Eiemeni erhob sich. »Komm her.« Joesai ließ die Tafel abräumen, wies Eiemeni an, sich auf sie zu stellen, und gab ihm ein Stück Holz zum Draufbeißen, dann nahm er seine Werkzeuge zur Hand und tätowierte ein rätselhaftes Muster in die Stirn des jungen Stoikers. Am folgenden Morgen brachte Joesai ihn – Eiemeni wankte infolge der durchgestandenen Anstrengung – in das außerhalb Kaiel-Hontokaes gelegene Ausbildungslager und übergab ihn der Obhut Raimins, des Ausbilders der Gruppe, damit er ihn der übrigen Schar eingliedere. Noch ein paar Tage, und es war soweit, daß sie aufbrechen konnten.

Den Rest des Vormittags brachte Joesai in der Stadt zu und arbeitete mit einem winzigen Hämmerchen am Werkpult des Goldschmieds y'Faier. Auf Noes Vorschlag sollte ihr Gemahl als Wander-Goldschmied auftreten, eine Art von Person, bei der es glaubhaft war, daß sie gemischter Erbmasse entstammte. Niemand würde in ihm einen Kaiel erkennen. Er war gut einen Kopf größer als die meisten Mitglieder seines Clans, so groß wie die Ivieth, die Karren zogen, aber zu hager, um ein Ivieth sein zu können. Sein Gesicht war von schlichtem Aussehen und hatte eine Allerweltsnase, die einen von der Wurzel bis zur Spitze völlig geraden Rücken besaß. Sein Körperschmuck aus Tätowierungen wies kein bestimmtes, erkennbares Muster auf.

Teenae dagegen, so war entschieden worden, sollte gar nicht erst versuchen, ihre Herkunft zu tarnen. Niemals hätte sie als etwas anderes als eine o'Tghalie durchgehen können, aber es war allgemein bekannt, daß die o'Tghalie ihre Weiber verkauften, und es würde keinen außergewöhnlichen Eindruck erregen, wenn ein Wander-Goldschmied ein o'Tghalie-Weib bei sich hatte. Mit Gewißheit würde niemand argwöhnen, sie könne eine Kaiel sein.

Die Familie hatte sich vorübergehend in zwei Grüppchen geteilt. Gaet und Hoemei hegten zur Zeit eine Vorliebe für Teenae und schliefen vornehmlich mit ihr. Noe verbrachte die letzten Tieftage vor seinem Aufbruch mit Joesai, weil sie den gegebenen Anlaß in ihrer Keckheit als ausgezeichnete Gelegenheit erachtete, um ihrem »Felsenkaktus« feineres Benehmen beizubringen. Ein richtig öliger Goldschmied mußte sich mit all der Vornehmtuerei auskennen, wie man sie an der Küste pflegte. Sie trichterte ihm bestimmte Redewendungen ein, bis er die Augen verdrehte. Sie übte mit ihm das Einkleiden in entsprechende Gewänder, darunter eines aus gelbem Safran, verziert mit Stikkereien, die auch Metall und Steine umfaßten, hergestellt von einem Schneider, der ihrer Wählerschaft angehörte; sie zeigte ihm, wie man den Gürtel schloß und löste und die Gewandung beim Treppensteigen raffte.

Noe lachte dabei innerlich vor sich hin; nichts gefiel ihr besser, als ein ungeschicktes Mannsbild gehörig aufzuziehen, und so legte sie eines ihrer Kleider an, das von der Küste stammte, zusammengehalten durch ein äußerst heikles Schlaufenwerk, und wies Joesai mit ernsten Worten an, sie zu entkleiden und unterdessen ihre Schönheit zu preisen.

»Aber ich bin doch eine Kämpfernatur«, beklagte Joesai sich widerspenstig.

»Du wirst aber zur Küste geschickt, um eine einflußreiche Frau zu verführen, nicht um zu kämpfen.« Beinahe hätte Noe die Fassung verloren und laut herausgelacht.

Geraume Zeit später, in seinem Gemüt flau geworden von all den schmierigen Schmeicheleien, die Finger wund vom umständlichen Schlaufenlösen, blickte er, auf den Knien befindlich, flehentlich zu ihr auf, ließ für den Augenblick von der auferlegten Rolle ab. »Müssen Goldschmiede so etwas können?«

»Natürlich. Sie sind sehr sinnlich. Allerdings viel zärtlicher und überzeugungskräftiger als du.« Sie ging von ihrem Gemahl auf Abstand. »So, ich ziehe mich wieder an, und wir beginnen noch einmal von vorn.«

Joesais Vorstellungsvermögen drohte ihn zu überwältigen. Erstweibs Gestalt hob sich gegen das Fenster ab, und das dämmerig-düstere Licht der Sonne – wie ein von seinem Land angetaner Bergbauer, dem es widerstrebte, seinen fruchtbaren Almen den Rücken zuzuwenden – strich wie in spielerischem Pflügen durch die überaus feine Behaarung ihrer tätowierten Haut. Joesai sah das Hontokae ihrer Brüste gemeine Tai-Beeren zum Gedeihen bringen, Wüstenweizen aus den Spiralen ihres Bauches sprießen, heiligen Mais in den kraus geriffelten Pflanzungen längs ihrer Schenkel wachsen. Ihr Anblick war zuviel für ihn. In leidenschaftlichem Zugriff schossen seine Hände aufwärts zu ihren Handgelenken, umfaßten sie, um Noe an sich zu ziehen und zu küssen, doch obwohl er sie an sich drücken konnte, wollte es ihm nicht gelingen, ihrem Mund nahe zu kommen oder sie in Richtung der Kissen zu bewegen.

»O nein!« Sie lachte. »Erst mußt du deine Lektion gelernt haben.«

»Wie pflanzen sich diese Küstenbarbaren überhaupt fort, wenn sie erst so etwas durchmachen müssen, bevor sie ans Lieben gelangen?!«

Im Vorübergehen hörte Gaet die Unruhe und das Schelten, das gedämpfte Küssen, das Lachen und Streiten. Neugierig lugte er durch die nur mit Vorhängen verschlossene Tür. »Wer braucht hier Hilfe?«

Sofort ging Noe auf das Angebot ein. »Schaff mir diesen Grobian hinaus.« Sie brachte es jedoch fertig, sich ihm aus eigener Kraft zu entwinden. »Glaubst du, wir werden jemals einen Goldschmied aus ihm machen können? Er lernt schlichtweg nichts dazu.«

»Er wird's spätestens dann lernen, wenn sein Leben auf dem Spiel steht. Seine einzige Begabung besteht daraus, zu vermeiden, daß er in den Suppenkessel gerät.«

»Ich habe heute morgen bei y'Faier einige recht ansehnliche Filigranstücke angefertigt«, entgegnete Joesai verdrossen. Der Goldschmied y'Faier zählte zu Hoemeis Wählerschaft, und Joesai behauptete von ihm, er sei ein Mann, dem es der sagenhaften Verführungs- und Liebeskünste der Goldschmiede in verdächtigem Maß ermangle; dagegen wußte Noe jedoch neckisch einzuwenden, das sei nicht der Fall, wenn er mit Damen allein sei.

»Wo ist Teenae?« erkundigte sich Erstweib; Noe wirkte reichlich zerzaust.

»Bei Hoemei.«

»Dann bleib heut abend bei uns. Du bist so gut wie ich dazu in der Lage, ihm Benehmen beizubringen, und ich bin nun ausgelaugt und bedarf deiner Zärtlichkeit.« Sie drückte Gaet und gab ihm den Kuß, den sie Joesai verweigert hatte.

»Bei Gottes Schweigen!« brauste der Hüne auf. »Dies Getue um all das Benehmen ist reiner Irrsinn! Ich sollte besser draußen bei Raimin sein und zusammen mit ihm meinen Leuten Ablenkungsmaßnahmen einüben.«

Bedächtig drehte sich Noe nach ihm um. »Auf die Knie mit dir!«

Gaet brach in das Große Lachen aus. »Jawohl, Mann, auf die Knie!« Er hatte einen Arm so sanft um Noes bloße Schultern geschlungen, daß seine Umarmung sich für sie wie ein Gefühl eigener Kraft anfühlte.

Noe schlief in der Nacht zwischen den beiden, glücklich mit ihrer Ehegemeinschaft, traurig darüber, daß Joesai für so lange fort sein sollte. Sie hielt, während er schlief, seine Hand. Eines Tages würde er nicht mehr wiederkehren. Dann würde er tot sein; anders als Gaet, der nie eine Gefahr auf sich nahm, nicht einmal bei den Tempelspielen.

In der Morgendämmerung des dritten Hochtages während der Konstellation des Menschenfressers erhob sich Joesai von der Nacht mit im Traum ersonnenen Plänen, die auch die geschickte Lösung erheblicher Probleme umfaßten. Gut so, dachte er sich. Er küßte Noe, die noch schlief, mit befangener, weil ungewohnter Sanftheit, küßte dann auch, jedoch weniger sachte, seinen alten Gefährten aus den Zeiten des tödlichen Kinderhorts. Gaet den Schicksalszwinger, hatte Sanan ihn genannt; ihr Bruder Sanan, dem es nicht vergönnt gewesen war, das Schicksal zu zwingen, der statt dessen ein Ende auf der Speisetafel und beim Gerber genommen hatte. Joesai frühstückte Maisbrot und Honig, während sich in ihm seine Absichten verfestigten, dann schlich er auf Zehenspitzen in Hoemeis Schlafzimmer, um der noch schlaftrunkenen Teenae eine Aufzählung von Besorgungen zuzuflüstern, die sie im Laufe des Tages machen sollte, indessen er seinen Leuten die letzten Weisungen erteilte.

»Hast du dir alles gemerkt?«

»Hmm.« Sie wälzte sich herum und lächelte, schmiegte sich an die Decken.

»Ho. Du hast überhaupt nicht achtgegeben. Ich werd's dir aufschreiben.«

»Ist schon recht«, sagte Hoemei, der gewirkt hatte, als schlafe er noch, jedoch war er bereits wach. »Ich merk's mir für sie.«

5

Sollen wir zweifeln, nur weil Gott schweigt? Fühlt den Erdboden unter euren Füßen. Dann spürt ihr auch die Berührung Gottes. Er hat uns auf diesen Erdboden gestellt. Lauscht der Stimme eines Kindes, das seine ersten Wörter lernt. Dann hört ihr Gott von neuem die Sprache sprechen, die Er uns verliehen hat. Wenn wir die mißtönenden Laute des Zweifels und der Zwietracht zum Verstummen gebracht haben, dann werden wir Ihn sprechen hören.

Aus der *Achten Rede* von Erzprophetin Njai ben-Kaiel

Die Konstellation des Menschenfressers wanderte aus dem mitternächtlichen Zenit und machte der Konstellation des Siegers Platz. Am letzten Tag vor dem Aufbruch zur Küste schlich Joesai durch Kaiel-Hontokae und suchte unangemeldet Katheins Instrumenten-Werkstatt auf. Sie befand sich in einem alten, steinernen, inzwischen umgebauten Gebäude, das einmal für irgendwelche längst vergessenen Zwecke errichtet worden war, für die es ein eigenes Aquädukt gebraucht hatte. Er war noch nie dort gewesen. Dies langwierige Handwerk mit seinen unaufhörlichen Versuchen, den Fehlschlägen und dem erneuten Herangehen, erforderte mehr Geduld, als er im allgemeinen aufbringen mochte. Die hauptsächliche Aufgabe der Werkstatt war es, den Priestern immer neue und genauere biologische Instrumentarien zur Verfügung zu stellen.

Wenn man ein Werkzeug zur Vornahme des Chromosomen-Austauschs benötigte, konnte man es sich dort anfertigen lassen. Wollte man eine organische Apparatur zur Synthetisierung von Gen-Ketten haben, so gab es dort jemanden, der sie erstellen konnte. Wünschte man ein Gerät zur Beobachtung von Neuronen, so wußte man dort Handwerker, die sich auf das Ritual der Herstellung verstanden.

Aber wenn man jemand vom Schlage Joesais war und gern ein wirklich großes Himmelsauge zur Durchführung theologischer Forschungen gehabt hätte, war die Lage aussichtslos. Kathein hatte versucht, die Bewilligung zu bekommen, eine tellergroße Linse für ihn machen zu dürfen, doch die Genehmigung war ihr versagt worden. Sarkastisch hatte sie ihrem vorgesehenen Gemahl erzählt, es herrsche unter den

Menschen anscheinend eine eingefleischte Furcht davor, zu weit in die Schrecken der Oberen Welt Ausschau zu halten, aus der Gott die Menschheit erlöst hatte. Joesai nahm ganz einfach an, daß Besessenheit in bezug auf die Biologie völlig natürlich war in einer Umwelt, deren Lebensformen jeden allzu leicht töteten, der es versäumte, sie zu durchschauen.

»Du hättest nicht kommen sollen«, tadelte Kathein, als sie ihn unterm Torbogen erblickte.

»Beim Seiber der Insekten! Deine Zunge ist zu schnell, mein Kind. Ich liebe dich. Auf jeden Fall bin ich nun hier. Möge Aesoe den Gästen bei seinem Fest der Rituellen Selbsttötung Durchfall verursachen!«

Sie zog Joesai herein, nichtsdestotrotz offenkundig erfreut, ihn zu sehen. »Das Feuer von Getas Sonne wird erlöschen, bevor Aesoe auf dem Kalothi-Verzeichnis den letzten Rang einnimmt.« Dort hätte sie ihn zu gerne aufgeführt gesehen, denn nur unter diesen Umständen wäre er für den Ritus der Selbsttötung in Frage gekommen.

Joesai lachte über ihre Gehässigkeit. »Da wäre ich nicht so sicher. Irgendwer wird ihm bald genug das Fell über die Ohren ziehen. Möge er zu lange in einem Backofen braten, bis er zu ausgedörrt zum Verzehr ist!«

»Man wird uns hier ertappen.«

»Ho! Dann laß uns irgendwo hingehen, wo wir allein sein können.«

Sie eilte in einen der Nebenräume voraus und schloß dann von innen die Tür. Joesai stand auf einmal vor Reihen biolumineszenter Leuchtkörper, die auf etliche wuchtige Apparaturen einen unheimlichen Schimmer warfen.

»Das ist zum Abtasten des Kristalls«, sagte sie und berührte das Plastikgehäuse des allermodernsten Instruments der Kaiel.

»Hast du's selber gebaut?«

»Joesai! Ich hab's mit der Unterstützung von dreißig Handwerker-Clans und allem Gold aus der Mine der Trockenen Knochen gebaut. Ich weiß noch nicht einmal, wie es das ausführt, was es macht.«

»War deine Vermutung hinsichtlich des Kristalls richtig?«

»Nein«, klagte sie bekümmert.

»Er enthält nicht die Versteinerte Stimme des Gottes des Himmels?«

»Doch und nein«, meinte sie ratlos. »Möchtest du einige Silberabdrücke Seiner Schriften sehen?«

»Dafür würde ich zur Not meine Nase geben!«

Kathein zeigte Joesai den einen unversehrten Kristall, geformt wie eine kleine Kachel, jedoch durchsichtig. Er streckte die Hand danach aus, doch sie ließ es nicht zu, daß er ihn an sich nahm. Der Kristall sah aus, als bestünde er aus Glas, aber im Gegensatz zu Glas brach er nicht das Licht. Das faustgroße, verrostete Gerät, das ursprünglich zum Lesen des Kristalls gedient hatte, stand nahebei in seiner Schutzumhüllung. Eine frühe Forschergruppe der Kaiel hatte ihn im Erdreich der Katakomben gefunden, welche die Gräber der Verlierer enthielten, zusammen mit nur diesem einen Kristall. Über Generationen hinweg war der Fund ein Geheimnis geblieben, von dem ausschließlich die Kaiel Kenntnis besaßen. Kathein war eine Schülerin des Priesters, der die Arbeitsweise des Geräts entschlüsselt hatte.

Um die Arbeitsweise der Apparatur nachahmen zu können, waren von Kathein und ihren Helfern Erzeuger gleichgerichteter Lichtstrahlen und etliche sonderbare, äußerst genaue optische Vorrichtungen ersonnen worden. Im Verlauf der vergangenen 300 Wochen hatte sie in der Handhabung der Elektronen mehr Fortschritte erringen können als während des gesamten Zeitraums seit der Entdeckung des Elektrons. Die Apparate, die dabei entstanden waren, beanspruchten die Hälfte eines Zimmers, und manchmal bewährten sie sich sogar.

»Du kannst dir gar nicht vorstellen, wie mühselig es ist, den Kristall zu lesen. Er enthält ungefähr viertausend Schichten, die wechselweise leitfähig und nicht leitfähig sind. Die leitfähigen Schichten weisen gewisse Bestandteile auf, die beim Hindurchführen von Elektronenströmen milchig werden. Wenn unser Ritual der Annäherung Gott mißfällt, läßt Er uns nur Schwärze sehen, aber wenn unsere inständigen Bitten unterwürfig genug sind, erhellt Er bloß eine Schicht. Jede Schicht hat eintausendsechshundert Seiten. Selbst dann geschieht es oft, daß verschiedene Seiten sich ständig verdunkeln und wieder erhellen, und manchmal überlagern ganze Stapel von Seiten einen bestimmten Bereich, so daß wir nichts erkennen können. Es kann bisweilen sein, daß wir vier Tage lang arbeiten, ohne zu Gott vorzustoßen, dann wieder erscheinen plötzlich Abschnitte von vierzig Seiten, immerhin so lange, daß sich Silberabdrücke anfertigen lassen.«

»Und was heißt's auf den Seiten?«

Kathein zeigte ihm einen Silberabdruck einer einzelnen Seite, eine der deutlicheren Wiedergaben. Sie entzündete eine Öllampe, um die Räumlichkeit aufzuhellen.

»Der Gott des Himmels gibt unbegreifliches Zeug von sich«, sagte Joesai, indem er die wiedergegebene Seite hin- und herdrehte, aus verkniffenen Augen mal so, mal so herum betrachtete.

»Man kann's lesen.«

»Sieht eher aus wie Käferschrift. Als ob ein Käfer mit Tinte an den

Füßen den Maedi getanzt hätte. Ein Achtbeiner.«

»Nein. Man *kann* es lesen.« Mit gewisser Erregung deutete sie auf das Abbild. »Das ist das Zeichen für Kohlenstoff, und hier ist das Zeichen für Wasserstoff.«

»Daß ich doch gleich tiefergestuft werde! Das ist ja eine genetische Darstellung. Mein Gott!«

»Alles Pflanzen. Hunderte davon. *Heilige Pflanzen*, Joesai. Keinerlei Eigentümlichkeiten des Codes der gemeinen Biologie.«

»Mein Gott! Das bedeutet, es gibt mehr als die Acht Heiligen Pflanzen. Was für seltsame Dinge Er uns hierin kundtut.«

»Das habe ich mir auch gedacht«, sagte Kathein in tiefer Versonnenheit.

»Könnte es sein, Er will uns zu verstehen geben, daß wir neue Heilige Pflanzen machen sollen?«

»Joesai! Wir wären nicht einmal dazu imstande, bloß einen Weizenkeim zu erschaffen.«

»Vielleicht doch. Immerhin haben wir ja auch meine Mutter gemacht.«

»Deine Mutter ist halb menschlich und zur anderen Hälfte nicht vorhanden.«

»Keine Ausfälligkeiten gegen meine Mutter. Sie hat vierundsiebzig künstliche Gene. Wie knifflig kann ein Weizenkeim denn schon sein?«

»Gott würde nie und nimmer Unmögliches von uns verlangen.«

»Gott kann alles von uns verlangen. Er kann sich sogar über uns totlachen. Wenn's Ihm gefällt, kann Er uns für die Dauer von hundert Generationen grollen.«

»Rede nicht so daher! Wenn Er dich hört, bringe ich womöglich nie mehr nur ein einziges Bild aus dem Kristall zum Vorschein.«

»Laß mich versuchen, mit Ihm zu sprechen.«

»Das wird zu nichts führen. Ich muß alle Arten von Anrufungen benutzen, um die Feineinstellung zu erhalten, deren das Lesen bedarf.«

Kathein entfachte eine kleine, für den Schnellbetrieb geeignete Dampfmaschine, die mit einem Ringgeflecht aus Kupferdraht verbunden war, das sie den Elektronenerzeuger nannte. Sie wartete einige Zeit lang, bis sich Dampfdruck aufgebaut hatte, dann nochmals, bis der Druck der Elektronen sich durch Gleichmäßigkeit auszeichnete. Danach legte sie Hebel um und belieferte eine der geheimnisvollen Maschinen – sie war höher als Joesai – mit Elektrizität. Reihen von in Handarbeit hergestellten Elektronenröhren begannen dank der Vielfalt winziger Fasern in ihrem Innern zu leuchten. »Wir müssen abwarten, bis sie Wärme gespeichert haben.« Zu guter Letzt schob sie den

Kristall in die Einführöffnung der Maschine und nahm mit kleinen Handrädern sehr feine Einstellungen vor.

Zeit verstrich. Das Ritual erinnerte Joesai an ein Spielzeug seiner Kindheit, das »Vulkan« geheißen hatte; dabei war es darum gegangen, fünf winzige Kügelchen den Hang einer kleinen Nachbildung eines Vulkans hinaufrollen zu lassen, und jeweils eine Kugel sollte oben auf der Spitze bleiben, solange das nächste Kügelchen ihr nachrollte. Undurchführbar, aber ein wirksamer Zeitvertreib.

Schließlich erhielten sie ein scharfes Bild, das wiederum eine Gen-Kette zeigte. »Sind sie allesamt so?«

»Ja.«

»Deine Hingabe an Gott gefällt mir, Kathein. Sie ist mir ein Quell der Erleuchtung.«

Kathein schaltete die Maschine ab, brachte den Ring des Elektronenerzeugers zum Stehen und löschte die Feuerung der Dampfmaschine; dann umarmte sie Joesai mitten in dem nun wieder stilleren Zimmer. »Was sollen wir tun? Auch du bist mir eine Erleuchtung, Joesai. Wenn Gaet große Gedanken hegt, denkt er an das Tal der Zehntausend Gräber. Wenn Hoemei auf Großes sinnt, denkt er daran, der Verwalter eines geeinten Geta zu sein. Aber wenn du in großen Maßstäben denkst, schwebt dir vor, daß du vor den Gott des Himmels trittst.«

»Was glaubst du, woher Er gekommen ist?«

»Von einem sehr gefahrvollen Ort, wenn Geta wirklich eine Welt der Zuflucht sein sollte, wie's in den Balladen des Ursprungs heißt.«

Er drückte sie an sich, strich dann liebevoll, aber rauh, mit einem Finger über die Linien ihrer Gesichtstätowierung. »Du bist der einzige Mensch, mit dem ich über diese Angelegenheiten reden kann. Du bist ein wirklicher Schatz.«

»Oh, du kannst darüber mit Teenae reden«, sagte sie und schob ihn von sich. »Das weißt du doch selbst genau.«

»Nur wenn ich meine Überlegungen in mathematischen Begriffen ausdrücke.«

»Das ist nur eine gute Übung für *deinen* Verstand.«

»Und ein weiterer Grund, warum ich dich liebe, ist der, daß du's verstehst, mich zum Lachen zu bringen.«

»Habe ich dir eigentlich schon erzählt«, meinte sie auf einmal erregt, »daß wir kürzlich vernommen haben, eine Gruppe o'Tghalie aus dem Norden hat eine Parallaxenmessung des Sterns Stgi abgeschlossen und dabei ermittelt, daß er mindestens *einmillionenmal* so weit von uns entfernt ist, wie die Entfernung zwischen Geta und Getas Sonne beträgt?! Das sind die Aufgaben, denen du dich widmen solltest, wenn man dich ließe! Ist dir klar, was das bedeutet? Das Universum kann so groß sein, daß das Licht das Lebensalter eines Menschen benötigt, um es vom einen bis zum anderen Ende zu durchqueren. Der Gott des Himmels kann buchstäblich von überall gekommen sein.«

»Wir müssen Ihn erreichen und mit Ihm sprechen.«

»Bist du dazu fähig, deine Gedanken in polynukleare Säure zu fassen?« Kathein lachte.

»Du kennst dich mit solchen Sachen aus. Wie könnten wir zu Ihm gelangen?«

»Durch Krafterzeugung, Joesai. Durch mehr Krafterzeugung, als du sie dir überhaupt vorzustellen vermagst.«

»Wir werden uns darüber unterhalten, wenn ich zurück bin. Ich liebe dich, Kathein. Ich würde morden, um dich behalten zu können.«

»Sag so etwas nicht, Joesai! Sei ruhig! Solltest du jemals wider den Kodex verstoßen, nur *ein einziges Mal,* dann wird dich das Unheil vernichten, das du selbst damit in dir hervorrufst!«

»Ho! Der Kodex ist von Menschen aufgestellt worden. Andere Priester-Clans haben andere Werte. Gott hat damit aufgehört, zu uns zu sprechen, damit wir unseren Weg selber finden.«

»Joesai, hör mir zu. Ich glaube an das überlieferte Brauchtum. Es hat seinen Grund. Es enthält die Zusammenfassung von mehr Weisheit, als ein Mensch jemals in seinem Leben zu meistern hoffen kann. Sinn und Zweck vermag ich nicht zu verstehen, und ebensowenig bist du dazu imstande. Ich habe Vertrauen. Fordere das Schicksal nicht heraus, Joesai! Bitte!«

»Falls diese Ketzerin wirklich Kalothi hat, wird sie mit dem Leben davonkommen. Das heißt's ja, Kalothi zu haben.«

»Kotiger Käfer! Genau das ist die Rechtfertigung für jede Sünde, die bis heute auf Geta begangen worden ist. Du *weißt,* daß man die Kalothi überwinden kann.«

Er seufzte. »Ich verspreche dir, mit aller Härte vorzugehen – aber ich werde keinerlei Regeln verletzen.«

»Ich danke dir.« Sie drängte sich an ihn und begann zu weinen. »Du verletzt ja schon in diesem Augenblick eine Regel, indem du bei mir bist.«

»Ich werde gehen.« Sein Gesicht war tränenfeucht.

»Sei vorsichtig. Gib auf Teenae acht. Und sei auf der Hut vor dieser Hexe an der Küste!«

6

Menschen sind die Samen, aus denen eine neue Saat aufgehen wird. Es zählt nicht, daß das Land öde ist. Es zählt nicht, daß kein Regen fällt und nur Staub durch die Bewässerungsgräben weht. Es zählt nicht, daß der Mangel uns die Haut bis aufs Gebein ausdörrt. Wie Samen sind Menschen zu kostbar, um als Nahrung herzuhalten.

Oelita die Gütige Ketzerin: *Sinnsprüche einer Regelbrecherin*

Der Tag war schön und eignete sich zum Kräutersammeln. Wie stets erhob sich Getas Sonne rasch in den Himmel, schwang ihren glühenden orangeroten Kugelleib übers Meer hinaus, um dort später neben dem unbeweglichen Grimmigmond zu sinken, noch ehe Oelita wieder zu Hause sein konnte. Sie weilte in den Dünenkämmen entlang der Küste, und jedesmal, wenn sie eine sandige Anhöhe überquerte, blieb sie stehen, stellte ihre Sacktasche ab und schaute auf das Meer hinaus, das sie so liebte. Sie sah ein Handelsschiff der Mnankrei mit geblähten Segeln und eine kleine Flotte aus Booten Ansässiger, die mit Dreggen in den Untiefen Seeranke und Hartschilf sammelten. Grimmigmond stand immerzu zwei Durchmesser hoch über den Wellen; seine halbvolle Gestalt zeigte an, es war Mittag.

Der Pflanzenwuchs gedieh hier hüfthoch, dicht und dornig, höher als im Binnenland. Oelita trug dicke Beinkleider, um sich vor den Stichen und Kratzern giftiger Stacheln zu schützen. Es handelte sich um eine Blume, deren Blütenkelch ein Streifenmuster aufwies, nach der sie suchte; sie taugte zum Beleben von Säuglingen, die an der Schlafkrankheit litten.

Ihre Sacktasche war mit der Ausbeute bereits sichtlich angefüllt. Sobald sie sich jenseits des Flußbetts befand, gedachte sie einen Bogen zu schlagen und Nonoeps Gehöft einen Besuch abzustatten. Nonoep war ein abtrünniger Stgal, der völlig allein lebte, eine wunderbare Seele und einer ihrer bevorzugten Liebhaber. Da er zum Priester ausgebildet worden war, verstand er sehr viel von Biochemie, und er brachte jederzeit die Bereitwilligkeit auf, seine Kenntnisse für sie zu bemühen und aus seinen Flaschen mit Gebrodel jede Medizin zu machen, die sie brauchen mochte. Manchmal gab er ihr für die Bauern Samen mit.

Als Gegenleistung kochte sie für ihn eines ihrer besonderen Gerichte, buk Brot und gab sich später mit ihm auf seiner Matte der Lust hin. Er hörte gerne zu, wenn sie ihm irgendwelchen Klatsch aus dem Dorf erzählte, und stritt ebenso gerne mit ihr über religiöse Fragen. Er versicherte ihr, sie sei die sinnlichste Frau, die er kenne. Ob seine wortgewandten Neckereien Schmeichelei waren oder nicht, die sanftmütige Herzlichkeit seiner Äußerungen bereitete ihr stets Behagen.

Nonoep war Pflanzenzüchter. Er züchtete keine Abarten der Heiligen Pflanzen, sondern befaßte sich ausschließlich mit Wildpflanzen. Von vielen gemeinen Pflanzen wußte man, daß sie ebenfalls eßbare Bestandteile enthielten, die man gewinnen konnte, indem man diese Gewächse zerkleinerte, mahlte, behandelte, siebte; aber meistenteils war eine solche Bearbeitung zu kostspielig. Nonoep züchtete verschiedenerlei Abarten heran, untersuchte sie auf Nährwert und Giftstoffgehalt und pflanzte schließlich jene von ihnen an, die sich am leichtesten verwerten ließen.

Als Getas Sonne drei Viertel ihres Weges zum Horizont des Meeres zurückgelegt hatte, gelangte Oelita zu einem kleinen Hof, der unterhalb eines flachen Höhenzugs stand, der ihm als Windschutz diente. Die Art und Weise, wie das Land gerodet und das Haus gebaut worden war, verriet ihr unzweifelhaft, daß die Bewohner zum Nolar-Clan gehören mußten. Das Land, das sie bestellten, konnte nicht einmal für eine fünfköpfige Familie ertragreich genug sein, doch wahrscheinlich umfaßte sie wenigstens fünfzehn Personen. Oelita stellte ihre Sacktasche ab und verschloß sie sicher vor den Fingern neugieriger Kinder. Das Haus war ziemlich groß; dicke Wände aus gebackenem Lehm stützten einen Oberbau aus verflochtenen Binsen.

Oelita betrat das Haus, ohne aufgefordert worden zu sein. Die Familie saß beisammen und klopfte die zähen Ästlein einer Pflanze, die Fasern zum Weben von Bekleidung hergab. Sie setzte sich mit übereinandergeschlagenen Beinen dazu, nahm einen Stein und begann ihren Anteil Äste zu klopfen, tat die erarbeiteten Fasern in den zum Einweichen bestimmten Bottich. Die Anwesenden betrachteten sie scheu, während sie plauderten.

Die Frauen waren allesamt schwanger und alt von all dem Gift. Sie lebten kaum lange genug, um die Vermehrung zu gewährleisten. Die Familie bestellte zu wenig Land, um eine ausreichende Versorgung mit den Acht Heiligen Pflanzen zu haben, und blieb dabei, viel zuviel von den verzehrbaren wilden Gewächsen zu essen, die rings um ihren Wohnsitz wuchsen.

Oelita hatte nie versucht, diese Menschen zu einer anderen Ernährungsweise anzuhalten. Der Einfluß der Religion war zu stark. Sie *wußten,* daß ihre Nahrung sie langsam umbrachte, aber aufgrund seiner hohen Verträglichkeit in bezug auf Getas natürliche Gifte genoß der Nolar-Clan eine glänzende Kalothi-Einstufung. Ohne sie wäre er überhaupt nichts gewesen – und deshalb ließen seine Mitglieder nicht von der Nahrung ab, die ihren Tod bedeutete. Sämtliche Priester-Clans bestärkten sie in dieser Haltung und kauften ihnen zu Zuchtzwecken Frauen ab. Das alles widerte Oelita an.

Der Nolar-Clan hatte in dieser Gegend ein sonderbares Gefüge des Zusammenlebens. Er gab sich nicht mit der herkömmlichen Großehegemeinschaft zufrieden. Bei Erreichen der Geschlechtsreife tauschte man die Kinder entweder gegen Sprößlinge einer anderen Familie ein oder verheiratete sie feierlich innerhalb der eigenen Familie. *Alle* männlichen Erwachsenen waren Nebengatten und *alle* weiblichen Erwachsenen Nebengattinnen. Die ältesten und gegen das Gift am widerstandsfähigsten Männer besaßen unter den Frauen, die erstmals ihre Regel bekamen, die freie Auswahl. Inzucht erachtete man als wünschenswert, weil man dadurch ziemlich schnell lebensuntüchtiges, rezessives Erbgut herauszüchten konnte. Jene Kinder, die starben, verzehrte man.

Diese Nolar-Familie sang während ihrer Klopferei die alten Balladen des Wissens, die so schlicht waren wie der Verstand eines Säuglings. Oelita glaubte nicht an die Legende, die von einem vergangenen Zeitalter der Unschuld berichtete, in dem nur die Kinder Kalothi besessen haben sollten; aber ohne Zweifel waren die ältesten dieser Lieder von hochgradig kindlicher Machart.

Die Balladen lieferten darüber Aufschluß, wie man Land rodete, wie man die Acht Heiligen Pflanzen anbaute und man sich, um den Fortbestand der Menschheit zu sichern, unter Berücksichtigung der Kalothi vermehrte. Bei einigen handelte es sich einfach um rituelles Abzählen. Die verbreitetsten Gesänge waren besonders einprägsam und verbanden die Form der Buchstaben des Alphabets mit den entsprechenden Lauten. Manche erzählten von Pflicht und Ehre. Manche priesen die Kalothi. Die Ballade vom Hintersichlassen – so umfangreich, daß man sie in zahllosen abweichenden Fassungen kannte – schilderte die Reise, die der Gott des Himmels durch den Kosmos unternommen haben sollte. Einige Lieder waren ohne jede Bedeutung, so etwa jenes, das dem Springer des Schachspiels galt. Seine irrsinnige Eintönigkeit eignete sich bestens, um damit das Zerstampfen von Ästen zu Fasern zu begleiten.

»Ein Springer hat Füße, o-eins, o-zwei, o-drei, o-vier. Ein Springer frißt Heu, o-eins, o-zwei, o-drei, o-vier. Ein Springer hat Fleisch, o-eins, o-zwei, o-drei, o-vier. Ein Springer kann schnauben, o-eins, o-zwei, o-drei, o-vier...«

Erst nachdem Oelita mit der Stampferei genug Fasern für ein Hemd gemacht und die Familie mit diesen und jenen Geschichtchen zum Lachen gebracht hatte, begab sie sich daran, die Kinder zu untersuchen. Drei von vier Kindern der Nolar starben, ehe sie die Geschlechtsreife erlangten. Ein Mädchen im Kleinkindalter, das aus Schwäche das Laufen schon wieder verlernt hatte, war in lebensgefährlichem Zustand. Zärtlich gab Oelita dem Mädchen die eigene Brust.

Sie sorgte dafür, daß ihre Brüste stets Milch erzeugten und gefüllt blieben. Es gab immer irgendwo ein Kind zu nähren, einen Liebhaber oder Freund. Einen solchen Hochgenuß spenden zu können, machte sie glücklich. Falls niemand da war, dem sie auf diese Weise Kraft geben konnte, melkte sie ihre Brüste ab, um Schmerzen zu vermeiden, und stellte aus der Milch einen feinen Käse her.

Anschließend holte sie aus ihrer Sacktasche einen Beutel mit heilkräftiger Speise und überreichte sie der Mutter mit entsprechenden Anweisungen, wie sie das Leben des Kindes retten könne. Eines Tages würde sie wiederkommen und einen neuen, aufrührerischen Glauben predigen.

Eines der anderen Kinder, die sie umwimmelten, zupfte an ihrem Arm. Der Knabe wollte ihr irgendeine Besonderheit zeigen. Ihr war schon vorhin aufgefallen, wie seine Augen jedesmal aufgeleuchtet hatten, wenn sie von der Insektensammlung ihres Vaters sprach. Draußen in dem dürftigen Weizenfeld zeigte der Knabe ihr ein paar Käfer – gewöhnliche Unterzängler –, als wären sie ein großes Rätsel der Natur.

»Das sind Springer«, behauptete er ohne innere Überzeugung.

»Weshalb sollen das Springer sein?« fragte sie nachsichtig.

»Weil sie Weizen fressen.«

Das stimmte. Die Unterzängler waren sehr dumme Käfer; man hatte schon gelegentlich beobachtet, daß sie sich über Weizen hermachten, obwohl er sie unweigerlich töten mußte. Sie unterhielt sich für ein Weilchen angeregt mit dem Jungen, entsann sich unterdessen der Aufregung, die sie selbst immer empfunden hatte, wenn sie ihrem Vater irgendwelche ganz gemeinen Insekten mitbrachte, in der Hoffnung, sie könne ein außergewöhnliches Exemplar für seine Sammlung erwischt haben. Doch Oelitas geschulter Blick ließ ihr aus irgendeinem Grund keine Ruhe. Gleich darauf bemerkte sie, was an Ungewöhnlichem vorlag. Dutzende von Unterzänglern in ihrer unmittelbaren Umgebung fraßen sich mit Weizen voll – aber auf der Erde lagen keine toten Käfer.

Wie merkwürdig.

Sie sammelte einige von ihnen ein, um sie Nonoep zu zeigen, belohnte den Knaben mit einem Geschenk und dachte bis auf weiteres nicht mehr darüber nach. Erneut zog abendliche Dämmerung herauf, und sie mußte aufbrechen. Sie wollte Nonoeps Gehöft noch vor dem Tiefstand der Sonne erreichen, so daß sie in seinen Armen einschlafen konnte; allerdings befürchtete sie, daß sie bereits zu spät dran war, um noch rechtzeitig einzutreffen. Sie zog nichtsdestotrotz unverdrossen weiter, sammelte unterwegs weitere Kräuter, ließ währenddessen neue Gedanken und Einfälle ihren Geist durchströmen. Wenn sie rastete, schrieb sie die Früchte ihrer religiösen Erwägungen umgehend nieder.

Das Lesen und Schreiben hatte sie sich selber beigebracht; ihr Vater hatte weder das eine noch das andere beherrscht, vor allem allerdings infolge halsstarrigen Sträubens. Aber *er* hatte sie das Denken gelehrt. Ein hochgeistiger Mann war er gewesen, der sich vollauf dem Studium der Insekten widmete. Sein allergrößtes, wie gebanntes Interesse hatte der Eipa gegolten, die zuerst im Meer lebte, dann jedoch eine Metamorphose in eine andere Form durchmachte, die landeinwärts flog, wo eine Reihe fleischfressender Pflanzen sie wegen ihrer Körperflüssigkeiten verzehrte und gleichsam zum Ausgleich dafür die Eier ausbrütete. Die ausgeschlüpften Junginsekten flogen anschließend aufs Meer hinaus und unterzogen sich der Metamorphose in die maritime Form. Sein Vorgehen, wie er diese Tatsachen geschlußfolgert hatte, war Oelitas Einführung in die Logik gewesen.

Oelita war mit ihrem Vater zu Fuß weit umhergereist und kannte das Land vom Meer bis zur Wüste. Er hatte das Lernen für sie als Abenteuer gestaltet. Er fehlte ihr. Und seltsam genug, daß sie – eine Vegetarierin, die sich mit Nachdruck gegen alle Bräuche des Kannibalismus aussprach – sich von dem Augenblick an, als über die Nachrichtentürme die Botschaft vom Ableben ihres Vaters kam, unerbittlich angetrieben hatte, während dreier Zwielichte nur gelaufen war und an den übrigen Tagen in der Hängematte eines Ivieth schlief, um an seiner Totenfeier teilnehmen zu können. Sie hatte den anderen Gästen, die von ihm essen durften, Mißgunst entgegengebracht, weil sie in Wahrheit keine Ahnung von seiner Kraft, seiner Freundlichkeit und Gutmütigkeit besaßen. Noch heute führte sie gepökelte, gedörrte Streifen seines Fleischs mit, von denen sie nur aß, wenn sie übermenschlicher Kräfte bedurfte. Sie trug seine Haut als ihren besten Umhang, und der

Griff ihres Messers bestand aus einem seiner Knochen.

Oelita pflegte mit Hingabe zu schreiben, und nie war sie ohne Papier und Tinte. Häufig machte sie es ihren Schülern zur Aufgabe, sorgsam abzuschreiben, was sie verfaßt hatte, weil sie darin eine wirksame Möglichkeit sah, ihnen ihre Worte nachhaltig einzuprägen. Die Stgal fürchtete sie nicht, doch sorgte sie sich, daß eines Tages die Kaiel kommen und sie wegen Ketzerei vor Gericht stellen könnten. Sie würde, weil sie nun einmal sie war, weder bereuen noch widerrufen. Und die Kaiel wüßten nichts Besseres zu tun, weil sie eben Kaiel waren, als sie aufzufressen. Oder falls die Kaiel zu lange mit ihrem Einfall ins Land der Stgal zögerten, würden dann nicht die Seepriester der Mnankrei – im Laufe der einen oder anderen Woche – zum Handeln schreiten und sich des Priestertums Stgal bemächtigen? Sie würden ihr die Zunge herausschneiden und die Hände abhacken.

Am meisten jedoch fürchtete sie, man könne ihre Worte vergessen. Sie wollte ihre Briefe und kleinen Büchlein möglichst oft abgeschrieben und nach überall verschickt sehen, so daß es den Priestern niemals möglich sein könnte, ihre Lehren auszutilgen, indem sie alles vernichteten, was sie abgefaßt hatte. In ihren Alpträumen hielt sie die Menschen verzweifelt zu schnellerem Abschreiben an. In ihren angenehmen Träumen war sie Besitzerin einer Druckerpresse.

Bei Sonnenuntergang hatte sie Nonoeps Gehöft noch nicht erreicht und war todmüde, weil sie zwei Zwielichte lang nicht geschlafen hatte. Sie entzündete ein Feuer, wärmte etwas Suppe auf und entrollte ihre Matte zum Schlafen. Die blutrote Sonne starb in ihrem Ritual der Selbsttötung, gerann zu immer dunklerem Rot, während einer nach dem anderen die Sterne erschienen und den Himmlischen Tempel hervortreten ließen. Bisweilen war sie einsam, wenn sie des Nachts im Freien schlief. Trotz allem bedeutete die Tatsache, daß sie frei war von überkommenen religiösen Vorstellungen, auch einen Mangel. Geta besaß im Zusammenhang mit den Sternen einen reichhaltigen Sagenkreis. Oelita bediente sich, wenn sie ihre Gleichnisse schrieb, noch immer der alten Heldengestalten.

Geschwind tauchte der Gott des Himmels auf und schwang Sich empor in die Höhe. Wie in Trance beobachtete sie Ihn auf Seiner zügigen Umlaufbahn, bis Er hinter dem Horizont verschwand. *Ach, ihr Menschen!* seufzte sie bei sich. Wenn das Leben so schwer war, daß der Mensch alle Hoffnung verlor, dann hob er seinen Blick zu einem Klotz Gestein, der über ihm am Nachthimmel leuchtete, und betete ihn an, nur um seine Hoffnung wiederzufinden, statt auf die eigenen Taten zu vertrauen, um Hoffnung und Heil zu gewinnen.

7

Es ist unsere heilige Pflicht, Kol zu spielen. Wie sonst sollte die Menschheit sich stets daran erinnern, für die vollkommene Einheit Getas unterm Einen Himmel Gottes zu streiten? Wie sonst sollte die Menschheit stets dessen eingedenk bleiben, daß die Einheit nicht anders erlangt werden kann als durch unbedingte Unterordnung unter die Priester-Clans? Wie sonst sollte die Menschheit dessen gewahr bleiben, daß man, um zu siegen, die Regeln brechen muß, aber daß jener, der sich nicht an die Regeln hält, die größte Gefahr auf sich nimmt, die es gibt?

Aus dem Handbuch der Spiele im Tempel der Menschlichen Bestimmung

Um ihre Lebensdauer noch ein wenig auszudehnen, röchelte die Öllampe wie eine altgewordene Biene, die mit ihren Flügeln unstet am Untergrund entlangsurrte. Teenae lag neben Joesai und beobachtete im Geflacker des Lämpchens, wie er entschlummerte. So friedlich böse sah er im Schlaf aus. Es gab so vieles, was sie nicht über ihn wußte. Häufig war er als sachverständiger Unruhestifter unterwegs gewesen; er galt als Veteran zahlreicher erfolgreich erledigter Aufträge in nicht-kaielischen Landen. Konnte man es überhaupt noch als sauberes Verhalten ansehen, ihn und ein von ihm selbst ausgesuchtes, fünfzehnköpfiges Gefolge gegen eine einzelne Frau auszuschicken, die von seinem Kommen nicht einmal etwas ahnte?

Fremdartig felsige Hänge hatten den Weg zur Küste gesäumt und ihn ihnen zugleich gewiesen. Sie lächelte im Gefühl ihrer Liebe zu diesem Mann, und sie fühlte sich durch seine Erfahrenheit und die bewegliche Wuchtigkeit seiner Gestalt geschützt. In ihrer Brust wohnte keinerlei Verlangen danach, ihn womöglich zu hintergehen, und doch – tief in ihren Lenden noch feucht und warm erhitzt von seiner Liebe – begann sie eigene Pläne zu ersinnen.

Sie war davon überzeugt, die bessere Strategin zu sein, obwohl sie sich im Nachteil des völligen Fehlens von Erfahrung befand. Schlug sie ihn nicht beim Kol mit schönster Regelmäßigkeit? Und sie konnte nicht bloß Joesai schlagen, sie vermochte sogar gegen Aesoe zu gewinnen. Was verstanden diese beiden Männer denn schon von menschlichen Empfindungen? Es mußte möglich sein, diese Ketzerin zur Verbündeten zu gewinnen, ohne sie deswegen gleich zu heiraten. Dann hätte Aesoe sein Ziel erreicht, sie könnten Kathein in ihre Ehegemeinschaft aufnehmen, und niemand müßte sterben. Weshalb war Nicht-Mathematikern die Optimalisierung nur so über alle Maßen unbegreiflich? Nichtsdestoweniger küßte sie zugeneigt Joesais Brustwarze.

Der Schlaf wollte sich nicht einstellen, während sie die Gangbarkeit des einen gegen die des anderen möglichen Plans abwog. Trauerweiler lag nicht mehr fern, und sie hatte nur noch wenig Zeit. Zu guter Letzt machte das angestrengte Nachdenken sie schweißig, hungrig und zu unruhig, um noch länger still daliegen zu können. Nackt huschte sie aus dem Zelt, um im Schein Grimmigmonds, der wegen des Fortschreitens der Nacht nun nahezu voll zu sehen war, in den Vorräten nach Hartbrot zu kramen.

Während sie langsam ins Tal der Zehntausend Gräber hinabgezogen waren, hatten die Berge den Mond verschlungen, doch plötzlich war er von neuem am Himmel erschienen, um ihn diesmal regelrecht zu beherrschen, erhabener als ein kaielisches Hontokae. Der Fluß, der vor ihnen lag, schlängelte sich in die Richtung zur Küste, hatte schon vor langem alle Hindernisse zwischen dieser Gegend und dem Njarae-Meer fortgeräumt.

Der dunkelrote Glanz des Mondes schimmerte auf dem geschorenen Mittelstreifen ihres Schädels, und ihr Haar, das ihr auf beiden Seiten bis auf die Schultern fiel, wirkte noch schwärzer, als es tatsächlich war; das Mondlicht warf verwaschene Schatten in die tätowierten Muster, die ihren nackten Leib bedeckten, so daß sie beinahe bekleidet aussah, wie sie da stand und vom Brot abbiß. Der kühle Wind, der schwach von den Bergen herabwehte, bereitete ihr heftiges Vergnügen. Der Wind stöhnte unablässig das alte Lied von den Klagenden Bergen.

Einer der Ivieth-Träger, so groß wie Joesai, aber klobiger und langbeiniger im Körperbau, bemerkte sie und erhob sich von seinem Lager. »Ist alles in Ordnung?«

In der Düsternis leuchteten Teenaes Zähne auf. »Nur Hunger.«

»In Kürze wird's warme Suppe geben. Sieh, er beginnt wieder zu verschwinden.« Er deutete hinauf zu dem Mond. »Bald bricht die Dämmerung an. Kehr zurück zum Fleisch deines Gatten.«

Sie zuckte mit den Schultern und lächelte. Die Ivieth waren unterwürfige Naturen – außer wenn sie auf einer Reise für jemanden die Verantwortung übernommen hatten. Die Straßen, die sie bauten und bewachten, waren sicher. »Ich habe während der ganzen vergangenen Nacht im Palankin geschlafen.« Das war die Hochnacht gewesen, in der man gewöhnlich nicht zu schlafen pflegte. »Leg *du* dich wieder auf deine Matte. *Du* brauchst das Ausruhen.«

»Ein Ivieth braucht nicht auszuruhen.«

Das war fast die reine Wahrheit. Der Ivieth-Clan war – nach Maßgabe eigener Vorstellungen – so gezüchtet worden, daß die Ivieth immer in Bewegung blieben, ganz gleich, welche Hemmnisse dagegensprechen mochten, Berge, Hitze oder Müdigkeit. Es war keineswegs außergewöhnlich, wenn ein Ivieth seinen Karren sieben Tage und sieben Nächte lang zog, ohne zu schlafen.

»Dann laß uns Kol spielen, beim Dunkel der Eklipse!« forderte sie ihn heraus.

Die Spielregeln des Kol waren bei jedem Clan schon jedem Kind bekannt. Ein Kol begann mit dem Zusammensetzen des Spielbretts aus hölzernen Bestandteilen, die sich ineinanderfügen ließen wie die Teile eines Zusammenlegspiels mit vielerlei Möglichkeiten der Darstellung; über die jeweilige besondere Form entschied man durch Würfeln.

Dann bevölkerte man die Landschaften des Spielfeldes mit Vasallen und ihren Acht Heiligen Pflanzen. Der Zufall bestimmte die Verteilung der Bienen, die dann bei guter Ernte schwärmten. Jeder Vasall gehörte zu einem Clan. Jeder Clan hatte seine eigenen Sitten und ein eigenes Ritual der Zucht. Jeder durch die Tradition bestimmte Zug kostete ein Stück bepflanztes Land, das wiedergewonnen werden mußte.

Oft mündete der Spielverlauf in eine Lage, in der es kein Vor und kein Zurück mehr geben konnte, wenn nicht einer der Vasallen die Regeln seines Clans brach. Ein solches Verhalten war jedoch mit dem Verlust von Kalothi verbunden. Ein Spieler mußte zwangsläufig irgendwann gegen Regeln verstoßen, aber er durfte es nicht zu häufig tun und mußte die Regeln, die er zu verletzen beabsichtigte, sehr umsichtig auswählen.

Strategisch betrachtet, konnte jeder Clan die Herrschaft über jeden beliebigen anderen Clan erringen oder sich seinerseits von der Beherrschung durch einen anderen Clan befreien. Ein Clan, den kein anderer Clan beherrschte, galt als Priester-Clan. Das Ziel des Spiels bestand darin, das gesamte Spielfeld unter der Oberherrschaft eines Clans zusammenzuschließen.

Die Sage schrieb das Entstehen des Kol der Erforderlichkeit einer Verständigkeitsprobe zu, anhand der sich bestimmen ließ, wer dessen würdig war, seine Brüder zu nähren. In Hungerzeiten trug man in Gegenden, wo keine Kalothi-Verzeichnisse von Tempeln zugänglich waren, noch heute Kol-Turniere aus, deren Verlierer ihre Leiber den anderen als Nahrung zur Verfügung stellten und deren Überleben sicherten.

In der Morgendämmerung saß Teenae gebeugt im Schatten des gleichfalls nackten Ivieth, das Kinn auf ein Knie gestützt, und sie spielte mit derartiger Angespanntheit, daß ihr kaum auffiel, wie es sich im Lager wieder zu regen begann, wie man die Feuer entzündete, um die Suppe zu wärmen, ja, sie bemerkte kaum, wie Joesai hinter ihr Aufstellung bezog, den Mittelstreifen ihrer Kopfhaut einseifte und säuberlich schor, damit sie bei ihrem Einzug in Trauerweiler am heutigen Tag wieder einen rundum zauberhaften Eindruck mache.

Teenae gewann das Spiel. Sie stieß einen Jubelruf aus und drückte den Ivieth herzhaft an sich. Wenn man von Teenae in die Arme genommen werden wollte, brauchte man sie nur beim Kol gewinnen zu lassen. Sie war ein schlechter Verlierer. Joesai ließ ihre Gewänder auspacken und kleidete sie geduldig an, versuchte es mit diesem und jenem, das sich eignen mochte, um noch mehr Wirkung zu erzielen, angeleitet von gutgemeinten Ratschlägen seiner Begleitung. Und schließlich setzte die Schar, als das Warten ein Ende hatte, den Weg fort.

Der salzige Wind, der unterhalb der Hügel vom Meer landeinwärts wehte, raubte Teenae den Atem. Sie empfand Ehrfurcht. Sie hatte das Meer nie zuvor gesehen. Das kleine Dorf lag wie zusammengedrängt über einer unregelmäßigen Bucht. Sein prächtiger Tempel glich einer Magierin, die all die Türme und Dächer der Ortschaft zum Schrumpfen gebracht und als glanzlosen Abklatsch einer Stadt um sich geschart hatte. Es bereitete Teenae großes Gefallen, in schöner Gewandung in einer verzierten Sänfte auf den Schultern zweier ungeheuer muskulöser Ivieth in den Ort getragen zu werden, von Joesai zu Fuß begleitet.

»Bleib bei mir«, flüsterte sie ihm leise zu. Neugierig hielt sie nach irgendwelchen Anzeichen von Gefahr Umschau, entdeckte jedoch nichts dergleichen, nur Seeleute und Händler sowie Ivieth, die Karren voller landwirtschaftlicher Erzeugnisse zogen, waren zu sehen.

In einem Gasthaus, das oberhalb der Hafenanlagen stand, hieß man den »Goldschmied« und seine Gemahlin überschwenglich willkommen und teilte ihnen Zimmer zu, von denen man einen Ausblick über das Dorf zu genießen vermochte. Die Steinwände ihrer Zimmer schmückten Gobelins, auf denen Leute abgebildet waren, die bei familiären Totenfeiern beinahe vor Lachen umkamen. Sobald ihr Gepäck untergebracht worden war, badete der Gastwirt sie persönlich in mit Duftstoffen angereichertem Wasser seines allgemeinen Badebeckens und beharrte zudem darauf, ihnen die erste Mahlzeit in der eigenen Küche aufzutragen. Sie erhielten ein vorzügliches Essen, denn dies war kein Hungerjahr: verschiedenerlei Brot, braunen Reis aus dem Watt und in gemeinen Gewürzen gebackene Okra-Kroketten. Außerdem setzte der Wirt ihnen den herrlichsten Bienenknusper in Honig vor, den Teenae je gekostet hatte.

In den folgenden Tagen taten sich auch Joesais fünfzehn Begleiter im Ort um – einer an diesem, zwei am nächsten Tag, einige kamen auf dem Landweg, andere von See –, und alle befaßten sich damit, möglichst viel über das Dorf Trauerweiler in Erfahrung zu bringen. Ein »Schneider« sprach mit Schneidern. Eine junge »Clei«-Frau übernahm Schreibarbeiten. Ein »Steinmetz« erkundigte sich danach, ob an der neuen Straße noch Arbeit zu vergeben sei. Ein »Händler« fragte im ganzen Ort herum, ob er irgendwo ein Haus mieten könne. Ein »Seemann« unterhielt sich mit Handelsfahrern, die Waren in andere Länder verschifften und von dort Güter einführten. Der »Goldschmied« und seine Gemahlin lasen in aller Ruhe handgeschriebene Ausgaben von Büchern der Gütigen Ketzerin, um in ihren Gedankengängen Widersprüche aufzuspüren, die sich möglicherweise gegen sie wenden ließen. Er kaufte Gold ein und erzählte jeden Klatsch, der ihm zu Ohren kam, seiner Gattin weiter.

Das Mal der Ketzerei war unauffällig, aber allgegenwärtig – ein Zeichen, das aus einem Halm bestand, dessen vier Weizenkörner jedes in einer langen Faser endete. Eine Frau trug es als Tätowierung zwischen den Brüsten, oder man entdeckte es bei einem Schneider in den Rand seines Gewerbeschilds eingearbeitet, auf einen alten, ausgefransten Umhang gestickt. Einmal sah Teenae, wie ein Kind es einem anderen langsam in den Arm ritzte, die Lippen in angespannter Aufmerksamkeit zusammengepreßt. Die Aussage war immer gleich: Verzehre nicht die Schwächeren. Verzehre nicht die mißgestalteten Kinder, nicht die nasenlosen Verbrecher, nicht die Krüppel. Verzehre nicht den Schwachsinnigen, den umherirrenden Törichten, den Blinden, den Hilflosen.

»Es war doch immer so«, brummte Joesai. »Wir sind großzügige Leute. Immer sind wir bereit gewesen, die Schwachsinnigen durchzufüttern, solange die Ernten gut sind.« Er besann sich auf ein boshaftes Sprichwort. »Ein wohlhabender Getaner erfüllt dich mit Freude, aber in schweren Zeiten wird er an deinem Mark seine Freude haben.«

»Weshalb nur sind wir so hart?« fragte Teenae, die sich von einigem, das sie in Oelitas Schriften gelesen hatte, angerührt fühlte.

»Wir leben in einer harten Welt.«

»Es ist aber doch unsere Pflicht, eine weniger harte Welt daraus zu machen. Wir sind *Kaiel.*«

»O ja, mein kleiner *o'tghaliescher* Kobold!« Er brüllte vor Lachen. Dann erinnerte er sich an seine Kindheit. »Nur die Harten überleben«, fügte er hinzu.

»Diese Oelita ist nicht hart. Sie ist stark. Sie glaubt, daß gemeinsames Wirken durch die Kraft der Zusammenarbeit Härte überflüssig machen kann.«

Mit geringschätzigem Gebaren durchmaß Joesai das Zimmer und ging zu der großen Deckelkanne. Er füllte seinen mundgeblasenen Glasbecher erneut mit Most. Für ein Weilchen betrachtete er die Teilnehmer der Totenfeier auf dem Gobelin an der Wand. Ein Kind, das in einer Ecke hockte, nagte das Fleisch von den Rippen seines Großvaters. Ein Sohn hatte seine Hand auf das runde Gesäß einer rotwangigen jungen Geliebten gelegt. Zwei Männer, die reichlich Hefeauflauf und Würstchen in sich hineinschlangen, unterhielten sich angeregt über... Philosophie? Den Preis der Ziegelsteine? Joesai senkte seinen Blick durch das Getränk auf den Boden des grünen Glasgefäßes. »Gott hat sich lang und breit darüber ausgelassen, daß man sich vor Härte nicht drücken kann.« Beinahe brüsk wandte er sich Teenae zu. »Warum hätte er uns ausgerechnet *hierher* bringen sollen, wenn es ihm nicht darauf angekommen wäre, uns genau das zu lehren?!«

»Vielleicht um uns zu lehren, daß es, wo wir auch sind, Hoffnung gibt.«

»Hoffnung. Aha, ja. Hoffnung ist die eine Ketzerei, die sich nie vollends unterdrücken läßt.«

»Diese Frau wird Hoffnung geben. Sogar dir, Joesai.«

»Das müßte aber bald sein. Mein Bursche namens Eiemeni hat sie aufgespürt.«

Teenae stockte der Atem. »Ist sie tot?«

Er lachte. »Ho! Das Ritual des Todes nimmt nicht mit dem Tod seinen Anfang. Und nicht immer endet es mit dem Tod. Würde es stets mit dem Tod enden, es wäre wahrhaft sinnlos.«

»Was hast du gegen sie unternommen?«

Er hob die Schultern. »Nichts. Wir haben ihr noch keine Falle gestellt.«

8

Erwarte jederzeit das Unerwartete. Aber wenn du dir sicher bist, die Sonne werde nicht mehr aufgehen, weil sie bisher immer wieder aufgegangen ist, dann erwarte getrost ihren abermaligen Aufgang. Von dem Tag an, da du deinem Freund zu trauen gelernt hast, erwarte seinerseits Verrat, ohne in deinem Vertrauen nachzulassen. Neben jedem Zelt lauert ein Windstoß. Selbst dein Feind kann eines Tages dein Freund werden.

»Ich habe erwartet«, sprach ein Vater, »daß mein Sohn mich liebt.«

»Ich habe erwartet«, sprach der Bauer, »daß meine Saat in diesem fruchtbaren Erdreich gedeiht.«

»Ich habe erwartet«, sprach ein ratloses Mädchen, »glücklich zu werden.«

Schau hinter diesen Strauch, denn er ist kein Strauch. Gegensätze bringen jenen, der sich der Logik hingibt, nicht aus der Fassung. Sie entstehen, weil ein offenes Spiel mehr Regeln hat, als die Spieler wissen können. Sogar Gott hat vom Menschen erwartet, er sei gut.

Arimasie ban-Itraiel, Dobu der kembri:
Wie man das Sehen lernt

Oelita schaute dem Glasbläser zu. Träge floß Glas aus der Öffnung seiner Glasbläserpfeife und blähte sich auf. Gleich darauf würde er es plötzlich packen und die zähe Glasmasse zu der Form verziehen oder zurechtdrücken, die sie bekommen sollte. Er spähte in die Glut seines Glasofens und rückte das Band um seine feuchte Stirn wieder in die richtige Höhe. Innerhalb von drei Tagen hatte er Nonoeps Bestand an Glaswaren nahezu völlig wieder aufgestockt und dachte nun allmählich ans Weiterwandern.

Sie fragte ihn nach dem Geschwätz aus, das in den örtlichen Tempeln der Umgebung umlief. Er erzählte ihr von dem jungen Burschen, den man in einem Käfig aus Hartschilf nach Remiss befördert hatte, um ihm die Nase abschneiden zu lassen. Er zählte all die Drangsal auf, der die Weiber eines gewissen Mirandie ausgesetzt waren, der ihm das Bleioxid zur Herstellung der klaren Glasarten lieferte. »Aber die

Stgal!« bedrängte sie ihn hartnäckig. »Du mußt doch Neues von den Stgal gehört haben. Du arbeitest doch auch für sie.«

Der Mann lachte, während Schweiß die Täler seines Gesichts hinabrann. »Die Stgal schwatzen nicht mit Glasbläsern. Sie schmieden ihre Pläne hinter bronzenen Türen. Wenn *ich* bei ihnen irgendeine Geschichte zu hören bekommen hätte, dann könnte es ohnehin nur eine Lüge sein, die den Zweck hat, der Masse einen Kitzel zu verschaffen.«

»Dann möchte ich ihre Lügen vernehmen, weil sich die Wahrheit erkennen läßt, indem man die Lüge mit weißer Tinte auf schwarzes Papier schreibt.«

Er zuckte über ihren Vergleich nur mit den Schultern. »Durch grünes Glas gesehen, ist Getas Sonne schwarz.«

Herzlich-herzhaft zauste sie sein Haar. »Erzähl mir wenigstens eine ihrer Lügen. Bitte!«

Er grinste. »Yono hat ihre Ehemänner betrogen, als sie ihre Flasche im Whisky-Keller Neimeris füllte.«

»Das ist doch wohl *ihre* Lüge«, schmollte Oelita.

Der Glasbläser platzte fast vor Heiterkeit. »Nein. Das ist eine Lüge der *Stgal.* Yonos Gatten haben sich geweigert, die Abgaben zu entrichten, und nun werden sie von dem Stgal Ropan mit Dreck beworfen, der das Geld braucht, um seinem Tempel einen neuen Flügel anzubauen.« Der Glasbläser erstickte das Feuer in seinem Ofen. »In Kürze mache ich mich auf den Weg nach Kaiel-Hontokae. Von dort werde ich dir bessere Neuigkeiten mitbringen können.«

»Kaiel-Hontokae ist weit.«

»Muß ich mir halt die Füße beschmutzen. Aber es ist besser, man lernt immer noch etwas dazu.«

»Komm.« Sie faßte den Mann mit beiden Händen am Oberarm. »Du bist fertig. Ich bringe dich zum Baden an den Teich.«

»Deine sanften Finger fühlen sich verführerisch an, doch wird meine Begeisterung von dem Bewußtsein gedämpft, daß ich mir dann während des Badens von dir einen längeren Vortrag über Religion anhören muß.«

»Dadurch wird deine Seele hinter den Ohren gesäubert, wo sie am verdrecktesten ist.«

Am Teich, den Nonoep oberhalb seiner Felder zu deren Bewässerung angelegt hatte, entkleideten sie sich an der Anlegestelle neben dem riesigen Tretrad, mit dem man durch Menschenkraft Wasser schöpfen konnte. Sie tauchten ihre Kleider ein und klopften sie sauber.

Der Glasbläser sprang in den Teich, und als er wieder herauskam, hieß Oelita ihn, sich auf den Brettern auszustrecken, und seifte ihn ein, während sie ihm neue Überlegungen hinsichtlich des wichtigen Unterschieds zwischen dem menschlichen Willen und der menschlichen Stärke vortrug. Schließlich stieß er sie von der Anlegestelle ins Wasser, um sie zum Schweigen zu bringen, und hechtete ihr nach, einerseits um den Seifenschaum abzuspülen, andererseits um ihren Kopf unter Wasser zu drücken.

Sie floh auf das Tretrad, und sie jagten sich mit besessener Aussichtslosigkeit rundherum, hoben große, randvolle Kübel aus dem Teich, in den das Wasser gleich darauf zurückklatschte. Mit der Unterstützung zweier kleiner Burschen, die auf Nonoeps Gehöft arbeiteten, um sich das Geld für eine Pilgerfahrt zum Tempel in Trauerweiler zu verdienen, legte der Glasbläser sie zu guter Letzt doch der Länge nach auf die Planken, und zu dritt massierten sie behutsam ihren nackten Körper und schäumten sie ein. Der Glasbläser, der noch auf Rache sann, hielt ihr unterdessen gnadenlos einen Vortrag über die Kunst, optische Gläser anzufertigen.

»So! Dachte ich mir doch gleich, daß ich hier irgendwelche Belustigung antreffe.« Aus dem Dornengesträuch der Anhöhe neben seinem Teich trat Nonoep. »Heute bin ich ein wahrhaft stolzer Vater. Ich muß dir ein Wunder zeigen, Oelita.«

»Ich bin über und über voller Seifenschaum!«

»Los, spült sie ab.«

Man packte Oelita an Füßen und Armen und schleuderte sie einfach noch einmal ins Wasser. Sie tauchte auf, spie und prustete. »Meine Kleider sind noch naß. Ich kann nicht kommen. Ich bin nackt, ich würde mir die Haut zerkratzen.«

»So setze dich auf meine Schultern.«

»Dann werde ich ja wieder schmutzig, du stinkiger alter Bauer.«

»Es ist unser Schicksal, uns immer wieder zu beschmutzen.«

Hoch auf den Schultern ihres Alleinpriesters und Liebhabers ritt die zierliche Frau über die Anhöhe und hinunter ins ostwärtige Feld. »Du würdest einen tüchtigen Ivieth abgeben«, sagte sie; ihr gefiel diese Art der Beförderung.

»Vielleicht schließe ich mich ihnen eines Tages an, um endlich mal die Welt richtig kennenzulernen.«

»Wohin bringst du mich?«

»Erinnerst du dich noch des Tages, an dem wir uns das erste Mal gesehen haben?«

»Wie könnte ich ein so umwerfendes Ereignis vergessen? Du hast auf einem Faß Weizen gehockt, hast dir von deinem Brot Honig in den Bart laufen lassen und weitschweifige Reden über die Umständlichkeit der gemeinen Pflanzenkunde gehalten.«

»Besonders in bezug aufs Fadenkraut.«

Die Knötchen des Fadenkrautes waren vergleichsweise frei von Gift, aufgrund ihrer Winzigkeit lohnte eine regelrechte Ernte kaum. Nonoep hatte versucht, Fadenkraut mit größeren Knötchen heranzuziehen, aber nur Mißerfolge geerntet, und als Oelita ihn damals zum ersten Mal sah, hatte er im Getreidelager in Trauerweiler gerade über sein Scheitern lauthals geklagt. Oelita hatte das Gespräch um eine genaue Erläuterung des wechselwirksamen Zusammenlebens von Fadenkraut und gewissen Insekten bereichert. Diese Erkenntnisse waren Nonoep neu gewesen, und er hatte sie höflich eingeladen, sie möge ihn auf seinem Gehöft besuchen, auf dem er seine Versuche betrieb, und eine Zeitlang dort bleiben, solange immer es ihr behage; es hatte ihn ziemlich überrascht, daß sie abwartete, bis er aufbrach, und ihn auf der langen Wanderung nach Hause begleitete, um ihn noch beim folgenden Sonnenuntergang zu ihrem Geliebten zu machen.

»Das hier ist meine allerneueste Pflanzung«, sagte er.

Er setzte Oelita, indem er sachte mit ihrem Körper umging, neben einem Flecken von ihm angepflanzten Fadenkrauts ab, das in frischem üppigen Wuchs gedieh. Er beugte sich vor und zeigte ihr die geschwollenen Knötchen längs des Stengels.

»Aha«, machte sie, und ihre Augen leuchteten auf. »Du hast die richtigen Larven gefunden.«

»Nein. Das war einfach nicht möglich. Ich habe sie *gezüchtet.*«

»Seit wir uns kennengelernt haben, schlägst du andere Wege ein.«

»Vielleicht«, meinte er und hob sie wieder auf seine Schultern, ehe er die Richtung hinab zu den Gebäuden nahm. »Aber ich bin noch genauso lüstern auf dich wie früher.«

»Und du hegst noch immer die Bereitschaft, Fleisch zu essen«, tadelte sie vorwurfsvoll und zog ihn an den Ohren.

»Habe ich, seit wir uns kennen, auch nur das kleinste Stückchen gegessen?«

»Seit wir uns kennen, hat's auch keine Hungersnot mehr gegeben.«

Sie hatte den Eindruck, als sacke er unter ihrem Gewicht ein wenig zusammen. »Es wird bald wieder eine auftreten.«

»Das kann doch nicht dein Ernst sein!« Sie versuchte, ihm über seinen Kopf hinweg ins Gesicht zu schauen. »In diesem Jahr ist die Weizenernte doch ungeheuer gut.«

»Hast du diese ungewöhnlichen Unterzängler vergessen, die du mir mitgebracht hast? Inzwischen sind neue Tiere ausgeschlüpft. Sie *fressen* Weizen, und er schadet ihnen *nicht.* Ich war außer mir vor Staunen. Die Unterzängler, die ich hier in der Umgebung gesammelt habe, sind am gleichen Futter eingegangen.«

»Wird diese Sonderart sich weiterhin vermehren?«

»Ja.«

Sie erreichten sein Haus. »Was können wir unternehmen?«

Nonoep stand offenbar vor einem Rätsel, das sich mit Hilfe seines Priesterwissens nicht lösen ließ. »Ein gewöhnlicher Unterzängler verfügt über keine Enzyme, die ihm die Verdauung von Weizen ermöglichen würden. Ich benötige Rat. Ich werde dem Glasbläser einige Eier nach Kaiel-Hontokae mitgeben.«

»Das kannst du doch wohl nicht wirklich beabsichtigen!« Sie schlug ihn über den Schädel und sprang ab. »Ich will nichts mit den Kaiel zu tun haben!« Schon die Erwähnung des Namens brachte sie in Wut.

Er lachte und folgte ihr durch die Vorhänge ins Haus. »Sie sind die besten Genetiker, die man zu Fuß in weitem Umkreis finden kann. Sogar auf ganz Geta.«

»Sie züchten Kinder, nur um sie zu verspeisen! Auf den Märkten Kaiel-Hontokaes kannst du ihr Fleisch kaufen. Befaß *du* dich mit diesen Unterzänglern! *Du* verstehst dich auch auf Genetik. *Du* bist ein Stgal!«

»Ich bin ein Bauer. Die Kaiel sind die Magier.«

Zornig suchte sie ihr Zimmer auf und fing zu packen an. Als Nonoep sah, daß sie drauf und dran war zu gehen, begann er zu schelten. Sie schimpfte zurück. Mitten in seiner in wohlgesetzten Worten vorgetragenen Rechtfertigung ging sie in die Küche, um sich Vorräte zusammenzustellen. Als sie wiederkam, wirkte Nonoep etwas niedergeschlagen und verhielt sich gemäßigter; er legte einen Arm um sie.

»Rühr mich nicht an!«

Sie zog Beinkleider an, schwang sich ihre gefüllte Sacktasche auf den Rücken und machte sich auf den Weg zurück zum Teich, um ihre nasse Kleidung zu holen. Nonoep folgte ihr, keuchte vor sich hin wie eine Dampfmaschine auf Rädern, während er sich erbittert verteidigte. Sie war inzwischen dazu übergegangen, ihm nicht zu antworten, deshalb ließ er sich abwechselnd Meinungsäußerungen einfallen, von denen er glaubte, sie könnten von ihr kommen, und antwortete dann gleich selber mit eigenen Meinungen darauf. Ohne sich beeindrucken zu lassen, stopfte sie ihre feuchten Kleidungsstücke in die Sacktasche und stapfte zum nördlichen Wanderpfad, der nach Trauerweiler führte. Mittlerweile blieb Nonoep, verdrossen über ihre Unzugänglichkeit, zwar noch hinter ihr, aber stumm.

Am Rande seines Grundbesitzes wandte sich Oelita um. »Du beharrst darauf, dich mit den Kaiel abzugeben?«

»Es gibt keine andere Möglichkeit!«

Sie wirbelte herum und ließ ihn stehen.

Er sah ihre kleine Gestalt zwischen dem Gestrüpp untertauchen; er liebte sie. *Verdammtes, närrisches Weib!* dachte er.

Und sie lauschte, um zu hören, ob er ihr noch folge. Sobald sie sicher war, daß er zurückblieb, traten ihr Tränen in die Augen, und sie stampfte mit den schnellen Schritten der Erregten weiter ihres Weges, schob Zweige mit heftigen Gebärden beiseite, achtete nicht auf die Dornen und Häkchen, mit denen die Gewächse an ihren Stiefeln und Beinkleidern zerrten und zupften.

Regsame Beine verbrauchen den Schwung des Ärgers schnell. Am Nachmittag befand Oelita sich nur noch in nachdenklicher Stimmung. Ihre Bitterkeit loderte noch einmal kurz empor, als ihr zum zweitenmal auffiel, während sie längst hungrig war und den Wunsch nach einer Mahlzeit verspürte, daß sie ihren Beutel mit der eingepackten Wegzehrung auf Nonoeps Küchentisch zurückgelassen hatte. Ihr Magen fluchte ihr. Doch gleichwohl. Es gab kein Mittel, um diesen Verlust ungeschehen zu machen. Sie beschränkte sich wohl oder übel darauf, nach genießbaren Wurzeln zu graben, und entfachte ein Feuer, um sie ein wenig anzubacken. Diese Umstände kosteten sie mehr Zeit, als ihre ursprünglichen Absichten vorsahen, und infolgedessen war sie erst zum Weiterziehen bereit, als schon die Sterne aufschimmerten.

Sie erlegte sich eine zusätzliche Wartezeit auf, bis der aufgegangene Grimmigmond großflächig genug am Himmel stand, um die Landschaft zu erhellen. Dann folgte sie – gründlich ausgeruht, aber noch hungrig – einer Eingebung und schlug die Richtung zur Goldbachschlucht ein. An dem schmalen gewundenen Flüßchen entlang konnte sie auch bei Nacht leicht den Weg zur Küste finden und von dort aus über die Strände nach Trauerweiler gelangen. Das war nicht der Weg, den sie ansonsten nahm, und sie blieb in gewissem Umfang darüber im unklaren, wo sie sich eigentlich befand, bis sie schließlich doch auf das alte Goldgräberlager stieß. Durch die Schürfstellen waren einige Dutzend verzweigter sandiger Flächen entstanden, die bisher noch jedem Vordringen neuen Grüns widerstanden hatten. Oelita strengte ihr Gehör an. Ja, sie konnte durch die Schlucht das dunkle Rauschen der Brandung vernehmen.

Der Pfad verengte sich. Sie lauschte den Gurgelrufen eines Fluß-Maelots, der ein Weibchen betörte, und für ein paar Augenblicke geriet sie mitten in einen Schwarm Issen, deren fingerlange Schwingen in ihrem Geäder den Mondschein einfingen. Bald war der Pfad noch schmaler, und zuletzt führte er über in die Stätte eines Erdrutschs, so daß Oelita ans Flüßchen ausweichen und durchs Wasser waten mußte. Doch das Wasser floß niedrig und träge und bereitete ihr kaum Schwierigkeiten. Sie hatte keinen Anlaß zur Umschau nach einem günstigeren Weg – bis sie zwei scheinbare Felsen sich auf einmal in die Gestalten zweier Menschen umwandeln sah.

Reisende, dachte sie erfreut. *Sie werden mir mit Speisen aushelfen.* Trotzdem hielt sie gewohnheitsmäßig nach rückwärts und den Seiten – für alle Fälle – nach einem Fluchtweg Ausschau, und da bemerkte sie, wie zwei weitere Gestalten sich ihr lautlos von hinten näherten.

9

Sagt ein Mann Fuhre, und der andere versteht Hure, welchen Sinn hat dann ihre Unterhaltung? Das Sprechen, wie fließend auch immer, ist keine Verständigung. Wenn jemand einen Stern zeichnet, und ein anderer sieht darin ein Kreuz, wozu ist die Zeichnung dann nütze? Bilder sind keine Verständigung, auch nicht, wenn sie farbig sind, nicht einmal, wenn sie sich bewegen. Wenn ein Mann eine Frau streichelt, aber sie empfindet seine Berührung wie die Klinge eines Messers, wozu ist sie dann nütze? Berührungen sind, ganz gleichgültig, wie tief empfunden, keine Verständigung. Damit eine Verständigung zustande kommt, muß das Gedankengebilde des einen Verstandes im anderen Verstand wiederholt werden.

Foeti pno-Kaiel, Kinderhort-Lehrer der maran-Kaiel

Nach althergebrachter Weise fand die Nachrichtenübermittlung auf Geta durch die Reisenden statt; war erhöhte Schnelligkeit geboten, schickte man Ivieth-Läufer oder gab von Turm zu Turm Flaggen- oder Leuchtzeichen weiter. Einige neuzeitlichere Nachrichtentürme waren über schwieriges Gelände hinweg durch Draht miteinander verbunden. Doch dem Lande standen phantastische Veränderungen bevor.

Kaielische Nervenärzte waren bei ihren von Wissensdurst geleiteten Untersuchungen des elektrischen Felds des Gehirns auf einen Weg der Forschung gestoßen, der sie auf mechanisch erzeugte elektromagnetische Strahlung brachte. Gewisse Wirkungen, die sich zunächst kaum am Zucken eines Käferbeins ablesen ließen, bewogen sie erst zu planmäßigen Versuchen, führten dann zur Entwicklung immer besser durchdachter Instrumente. Plötzlich sah sich die Kaiel-Führerschaft an den Anfängen des Entstehens eines Nachrichtenübermittlungsnetzes, das um mehrere Größenordnungen schneller arbeitete als das Netzwerk jedes beliebigen Rivalen.

Hoemei gehörte der Arbeitsgruppe an, der es oblag, darüber zu entscheiden, wie man den erheblichen zeitlichen Vorteil, den diese neue Art von Nachrichtenverbindung bot – und über den sich alle im klaren waren –, am besten ausnutzen könne. So manchen Tag lang saß er in der Nachrichtennetzleitung im Palast zwischen Kupferdrahtspulen und Elektronenröhren und begutachtete Niederschriften von Schallstrahlmitteilungen.

Gegenwärtig galt sein hauptsächliches Interesse den Nachrichten von der Njarae-Küste; er achtete auf »Echos« seines Bruders.

Hoemeis elektromagnetisches Auge hielt das gesamte weite Njarae-Meer unter Beobachtung. Seine Spione saßen an vierzehn Schlüsselpositionen. Im Laufe der Wochen bemühte er sich, Joesai im Augenmerk zu behalten, erprobte mit dieser Aufgabenstellung die Anwendungsmöglichkeiten seiner Apparate, und was er mit seinen neuartigen Spielzeugen sehen konnte, zog ihn in wachsendem Maß in seinen Bann. Joesai blieb unsichtbar – aber die Aussicht!

Er vermochte Spieler zu beobachten, die sich abgesondert wähnten. Schließlich besaßen sie auch keinen Grund zu der Vermutung, daß Spione ihr großes Spielbrett mit einer unmittelbaren Verbindung nach Kaiel-Hontokae versehen hatten. *Die Mnankrei bereiteten einen vernichtenden Schlag gegen die Stgal vor.* Das war es, worauf alle Mitteilungen hinausliefen.

Selbst Aesoe würde es schwerfallen, an eine solche Kühnheit zu glauben, denn ein derartiges Vorgehen müßte gegen zu viele Regeln verstoßen. Und Joesai – der ahnungslose Joesai hatte sich an den Brennpunkt ihrer Pläne begeben, ohne sich vorstellen zu können, was für ein Sturm fern überm Meer heranzog.

Hoemei stand an einem runden Fenster des Kaiel-Palastes, seinen Rücken den Elektronen zugewandt, die durch heiße Drähte aus dem Nachrichtennetz in die Empfangsstellen sausten, und vor seinem geistigen Auge flimmerten Abbilder ferner Stätten, flackerten über dem Anblick seiner Stadt, der sich ihm durchs Fenster bot. Kaiel-Hontokae war auf den Ruinen der Arant errichtet worden, um gegen das Wiederaufstehen ihrer Ketzereien vorzubeugen; doch inzwischen wurden in der Stadt Fragestellungen aufgeworfen, die zu nichts anderem führten als zu neuen Ketzereien.

Fürwahr, der Palast hat magische Augen, dachte Hoemei. Würden diese Augen ihnen die Macht verleihen, um einmal diese ganze Welt zu beherrschen, die man ringsum sah? Bevor er sein hochgelegenes Arbeitszimmer verließ, unterhielt er sich mit jedem einzelnen seiner Mitarbeiter, um sie seine Genugtuung über ihre Tüchtigkeit spüren zu lassen. Dann strebte Hoemei durch das in Mauern gefaßte Labyrinth der Stadt heimwärts, wanderte gleichzeitig durch seinen geistigen Irrgarten.

Kaiel-Hontokae hatte unebene, mit Steinen gepflasterte Straßen, die zu sich selbst zurückführten, plötzlich in eine Treppe übergingen oder an der Pforte eines Stadtwallbauwerks endeten. Die Stadtwallbauten waren gewaltig große, dreistöckige Gebäude, die gewisse Bereiche vollkommen umschlossen, in denen man keine Handels- oder sonstige Erwerbstätigkeit betreiben durfte. Jedes derartige Tabuviertel, Bok genannt, hatte eine eigene Namensbezeichnung. Es gab das Bok des Springbrunnens der Zwei Frauen, das Bok am Kaiel-Palast, das Bok der Sieben Trauernden, das Bok der Freudigen Überraschung, das Bok der Vielen Bäume, das Bok der Stromschnellen.

Seine Füße suchten von sich aus einen Weg nach Hause, während sein Verstand die Pfade erkundete, die die Macht einem Priester erschließen konnte, um ihn in lichte oder finstere Labyrinthe zu leiten. Seine Gedanken durchmaßen Windungen und Biegungen, bis sie zu Noe zurückkehrten, sich darauf beschränkten, in tröstlicher Wohlgefälligkeit auf den wechselhaften Bildern zu verweilen, die seine Erinnerung von dieser rätselhaften Frau beschwor.

Ich werde Noes Rat bedürfen, dachte er. Sie kannte die Mnankrei besser als jedes andere Mitglied seiner Familie.

Hoemei hatte die Tage allein mit Noe droben im steinernen Herrenhaus auf dem Hügel genossen. Gaet war verreist. Joesai und Teenae waren weit fort. Ihre Abwesenheit gab ihm eine Gelegenheit, diese Frau endlich einmal tiefgehender kennenzulernen, die er nie verstanden hatte, die sich nie irgendeiner Eile befleißigte, anhand der man sie hätte verstehen können, die als einzige Frau von allen, die er kannte, Macht zu schätzen wußte.

Noe besaß mehr zwecklose Fähigkeiten, als er je geglaubt hätte, daß es so viel gab: zum Geplauder, das gefiel, aber nichts besagte, zum Blumenstecken und Steinablesen, zur Balzdichtung und Traumdeutung, und obendrein war sie dazu imstande, sich mit einem Segelflieger in die Lüfte zu erheben. Die raffinierten Künste der Liebe hatte sie als Tempelkurtisane erlernt, deren Aufgabe es war, Männer zu ehren, die sich auf das Ritual der Selbsttötung vorbereiteten. Sie widmete sich übertrieben ausgiebig solchen Dingen wie etwa dem Körperformen, dank dessen sie jene zierlichen Hautwülste beiderseits ihres Brustkorbs erhalten hatte, die Joesai stets leicht spöttisch ihre »Griffe« nannte. Die Aufzählung ließ sich endlos fortsetzen.

Als Gaet sie zum erstenmal heim auf ihre Bettstatt geleitet hatte, war Hoemei der Auffassung gewesen, Noe sei ein Wirrkopf. Aber in Wahrheit hielt sie sich an ihre eigene Richtung. Zwar schwelgte sie gern im Überfluß, doch zugleich war sie Meisterin einer stoischen Kunst wie des Wüstenwanderns. War es eine eigenwillige, gediegengeschmackvolle Lebensart, worauf es ihr ankam? Das einzige Unabänderliche an ihr war ihre Gediegenheit. Sogar Beschwernisse mußten als Rohstoff ihrer Lebensart herhalten.

Er schüttelte den Kopf. Zwischen ihnen bestand eine Kluft. Er war der auf Härte gedrillte Sprößling der Kinderhorte, in denen ein Kind entweder recht schnell seine Tüchtigkeit bewies oder man es ins Schlachthaus schickte. Eine zweite Gelegenheit zum Überleben hatte man Hoemei nie gewährt, und er hatte keine benötigt. Noe dagegen war das verwöhnte Kind reicher Eltern.

Wie fremd sie einander geblieben waren! Als er den Innenhof des Herrenhauses betrat, stellte sie gerade einen Topf mit gemeinen Blumen auf, die Blutigzähnchen hießen. Schon hatte eine Biene die Büschel von Blüten ausfindig gemacht und umsummte sie aufgeregt. Man behauptete, beim Duft dieser Blume könnten Liebende all ihren Zank und Hader vergessen. Hoemei fühlte sich gerührt. Die Geste, die im Aufstellen dieser Blumen bestand, konnte nur ihm gelten. »Mein Liebling...«, begrüßte Noe ihn und lächelte. Eilig entfernte sie sich in die Küche, ohne ihn zu küssen.

Er verweilte bei den Blumen, die zarte weiße Blütenblätter mit roten Rändern besaßen, geschützt durch einen Stengel mit giftigen Stacheln. Er schnupperte, dann folgte er Noes Duft, lächelte vor sich hin. Sie selbst war eine Blume.

Sie bereitete ihm eine Säuglingsleberpastete auf Schrotbrot. So etwas sah ihr ganz ähnlich. Sie hatte immer irgendwelche Schleckereien zu bieten, was immer sie auch kosten mochten. »Heute habe ich die gesamten Fälligkeiten beglichen«, erzählte sie.

»Aber damit kann man doch einen vollen Tag totschlagen.«

»Mir ist's aber gelungen, 's so einzurichten, daß ich unterwegs meine halbe Anhängerschaft besuchen konnte«, sagte sie in selbstzufriedener Weise.

»Und was hatten die Leute zu berichten?«

»Die üblichen Schwierigkeiten. Wir müssen Mittel finden, wie sich mehr Wasser in die Kalkenie heraufbefördern läßt. Und du?«

»Wie würdest du einen Unterzängler töten?«

Sie lachte. »Indem ich drauftrete.«

»Und Millionen davon? Du kennst dich mit solchen Dingen aus. Ich nicht.«

»Wieso?«

»Ich stehe kurz davor, eine schicksalhafte Voraussage zu machen und einige damit zusammenhängende, bedeutsame Entscheidungen zu treffen, und ich werde das alles für die Kaiel-Archive von Zeugen bestätigen lassen und dort hinterlegen. Das Ergebnis wird auf die eine oder andere Weise meine Kalothi-Einstufung erheblich beeinflussen. Auf der Grundlage dieser Entscheidungen werden meine ungeborenen Kinder leben dürfen oder sterben müssen.«

Sie schaute ihn mit scharfem Blick an. »Dann sollten wir besser warten, bis Gaet, Joesai und Teenae wieder zurück sind.«

»Nein. Ich muß mich noch heute abend entscheiden. Und du bist die richtige Person, um mich zu beraten. Du kennst die Rituale der genetischen Abwandlung.«

»Ich weiß bloß, was Joesai mich gelehrt hat.«

»Aber darin bist du tüchtig. Und deine Mutter hat es im Seehandel mit den Mnankrei aufzunehmen verstanden. Du hast ein Gespür für diese Beherrscher des Windes.«

»Sie sind stark durch Handel.«

»Genau.« Er nahm sie am Handgelenk und zog sie mit sich in seinen Arbeitsraum, wo er auf dem Tisch eine Karte entrollte, beschwerte die Ecken mit durch Schnitzwerk verzierte Ahnenschädel aus Noes und Teenaes Familien. Das größte von Getas elf Binnenmeeren, das Njarae-Meer, erstreckte sich auf einer nordöstlichen Diagonale um ein Viertel der ganzen Oberfläche Getas, ausgedehnt im Norden, schmal im Süden, als sei es eine erhobene Keule. Trauerweiler lag an der von den Klagenden Bergen gesäumten Westküste. Die Inseln der Mnankrei lagen im Norden, doch die Mnankrei-Priester hatten ihre Herrschaft bereits vor Generationen von den Inseln auf die nördlichen Ebenen erweitert. Hoemei fuhr mit dem Finger von den Berglanden der Stgal bis hinunter zu ihrem südlichen Tiefland, eine Strecke, zu deren Überwindung lediglich schlechte Straßen zur Verfügung standen und die sich unter der Aufsicht von sechs untereinander locker verbundenen Stgal-Clans befand. »Dort ist mit einer Hungersnot zu rechnen.«

»Soviel ich gehört habe, war die Ernte gut.«

»Sie war's, ja. Aber Unterzängler haben sie heimgesucht und fressen den Weizen auf.«

»Sie sterben aber doch, wenn sie sich über Heilige Nahrung hermachen.«

»*Diese* nicht.«

»O mein Gott!« Schon der bloße Gedanke war entsetzlich. So etwas war ein Vorkommnis, das alle gewohnten Vorstellungen über den Haufen warf, nicht anders, als wäre Gott von Seinem Himmel herabgestürzt. »Eine Mutation?« Eine so einschneidende Erbveränderung empfand sie als nahezu undenkbar.

»Nein. Ich habe meine Leute der Sache nachgehen lassen. Wir haben seit der Entdeckung dieser Käfer ständig durch Schallstrahl in Verbindung gestanden. Sie verfügen dort nicht über die Ausstattung, die man eigentlich benötigt, aber eine der Frauen stammt aus den Kinderhorten und ist eine herausragende Mikrobiologin. Du würdest gar nicht glauben, was für Kurzverfahren und Abweichungen sie zustande bringen kann! Diese Unterzängler erzeugen einige menschliche Enzyme. Und andere Merkwürdigkeiten.«

»Sie besitzen menschliche Gene?«

»Sehr richtig.«

»Na, *das* ist aber wahrhaftig ein außerordentlicher Verstoß gegen die Regeln«, sagte sie heftig, wenn auch durch die freche Anmaßung dessen, der das getan hatte, beinahe in Ehrfurcht versetzt.

»Ist so etwas wirklich durchführbar? Das ist es, was ich wissen möchte.«

Noe versank in ein eindringliches, tiefes Durchforschen ihres Wissens. »Schließlich haben wir auch deine Mutter gemacht.«

»Ja, aber sie ist auf ihre Weise menschlich. Ich habe es bis jetzt für ausgeschlossen gehalten, daß heilige und gemeine Zellen zusammenwirken können.«

»Ich könnte mir gewisse Verfahren vorstellen, die das ermöglichen würden. Es wäre allerdings sehr schwierig.«

»Dann sind's die Mnankrei, die diese Ungezieferplage verursacht haben.«

»Nicht die Mnankrei, die ich kenne.«

»Hör zu. Der Schallstrahl verschafft mir einen gewaltig weiten Überblick.« Er ließ seine Hand über die Landkarte gleiten. »Die Beobachter in den Häfen senden uns Mitteilungen über jede Bewegung von mnankreischen Schiffen. Mit Korn beladene Schiffe sind von den Inseln nach Häfen des stgalischen Tieflands ausgelaufen, um Hilfe zu bringen, noch *bevor die Käferplage überhaupt ausgebrochen war.* Heute hat sogar ein Kornschiff nach Trauerweiler Segel gesetzt. Das macht den Eindruck, als wolle man einem Bienenstock Honig liefern. Die Ernte steht bevor.«

Noe nahm den Schädel ihres Urgroßvaters in die Hände; hakenförmige Kreuze und Laub waren in ihn eingeritzt. »Was würdest du dazu sagen, Pietri?« Er gab keine Antwort. »Pietri ist aus lauter Trotz gegen die Mnankrei gestorben, heißt es in der Familiengeschichte. Mein Urgroßvater bot dem Tempel seinen Leib an, um die Mnankrei fernzuhalten. Hungersnot herrschte, und die Mnankrei boten Nahrung, wenn man ihnen Einfluß zugestehen würde.« Sie lächelte versonnen.

»Ich glaube, er war ziemlich dürr. Die Mnankrei kamen dann doch. Wenn Hungersnöte um sich greifen, kommen sie unweigerlich. Nahrung wollen sie gegen Einfluß tauschen. Immer, immer, immer wieder. Mein Großvater vermählte sich als Freihändler mit der See, um die Faust der Mnankrei von seinem Handgelenk zu schütteln. Daher stammen in meiner Familie mütterlicherseits die Seeleute.«

»Nahrung gegen Einfluß«, wiederholte Hoemei finster. »Und nun verursachen sie selber die Hungersnot, um Bedarf an ihren Lebensmitteln zu erzeugen.«

»Das kann ich einfach nicht von ihnen glauben. Wie könnten sie sich nach so etwas noch Gott stellen?«

»Wir müssen's von ihnen glauben. Sie machen sich daran, sich das Land anzueignen, das der Rat *uns* geschenkt hat. Das Erbe unserer Kinder. Schande wird auf uns gehäuft werden.«

»Joesai ist dort.«

»Um so übler. Joesai wird noch alles verschlimmern. Es war ein Fehler, ihn hinzuschicken. Wir werden dieses Weibsbild namens Oelita brauchen. Sobald die Hungersnot einsetzt, wird Oelitas Einfluß schwinden. Solange die Ernten gut sind, fällt's leicht, irgendeiner Gottlosen Ketzerei mit Nachsicht zu begegnen, aber an dem Tag, da sie dort den Hunger richtig zu spüren bekommen, werden sämtliche Ketzer am Bratspieß enden. Vielleicht ist Teenae dazu in der Lage, Joesai zu mäßigen.«

»Wenn du meinst, nicht Joesai hätte hingehen sollen«, erwiderte Noe heftig, »um sich um unsere Interessen zu kümmern, wäre es richtig von dir gewesen, selbst zu gehen!«

»Während dort Menschenfresser hinter den Büschen lauern, die jeden Kaiel abmurksen?! Nein, danke. Ich habe die Absicht, meinen Urenkeln als Festschmaus zu dienen. Ich hege hohe Achtung vor Leuten, die dazu fähig sind, Kaiel umzubringen und ungestraft davonzukommen. Ich zeige meine Achtung, indem ich mich aus ihrer Nähe fernhalte.«

»Du bist ein Feigling!«

Er lachte das Große Lachen. »Ja, manchmal.« Da sanken ihm in plötzlicher Niedergeschlagenheit die Schultern herab. »Hast du Kathein aufgesucht?«

»Sie will nicht mit mir sprechen.« Noes Stimme klang schmerzlich bekümmert.

»Ich habe heute mit ihr geredet, und es war, als wäre ich aus Geistesabwesenheit versehentlich gegen eine Mauer gelaufen.«

»Komm, iß mit mir. Wir haben schon gar nicht mehr an die Mahlzeit gedacht, mit der ich mich befasse.« Ihre Augen schäkerten mit ihm, als sie seinen Arbeitsraum verließ.

Noe war die reinste Magierin, dachte er bei sich, sie konnte vor jemandes Augen ein Messer in einen Blumenstrauß verwandeln. Und immer bekam sie ihn herum. Wie aus dem Nichts ereilte ihn das Verlangen, mit ihr leidenschaftlich zu schlafen und die Entschlüsse, die es zu treffen galt, einfach zu vergessen. Eine Zeitlang schaute er ihr beim Kochen zu, fragte sich unterdessen, welche Leckereien er wohl zubereiten könne, wenn er an der Reihe war mit dem Kochen. Die runde Üppigkeit ihrer Hüften wirkte auf ihn unwiderstehlich. Er verspürte Lust, sich ihr zu nähern und sie zu umarmen.

»Fort von mir, du Insekt!« hänselte sie ihn. »Dies ist ein sehr ernster Abend. Ich denke darüber nach, wie die Mnankrei die vorsätzliche Erzeugung von Hungersnöten rechtfertigen könnten.« Sie wandte den Kopf und strich ihm sinnlich über die Wange, ehe sie sich mit der Suppe entfernte. »Du kennst ja das Sprichwort: ›Ein Mnankrei hat stets Fleisch auf der Tafel‹.« Diese Redensart bezog sich auf den Brauch des Meeres-Clans, fortgesetzte Auslese zu betreiben. Der durchschnittliche Getaner dagegen hielt Fleisch für die Nahrung, mit der man sich in Zeiten des Mangels behalf.

Hoemei grinste. »Die Version, die mir zu Ohren gekommen ist, lautet anders, nämlich: ›Ein *Kaiel* hat stets Fleisch auf der Tafel‹.« Die Kinderhorte versorgten Kaiel-Hontokae laufend mit Fleisch, eine Gewohnheit, die man sonst nirgends auf Geta antraf.

»Das ist nicht das gleiche«, entgegnete sie schnippisch. »Säuglinge bestehen nur aus Leib.«

»Du hast einen wahrhaft köstlichen Leib.«

»Ich glaube, du legst gar keinen Wert auf meinen Rat. Dein ganzes Blut ist dir in die Lenden geschossen. Ich werde kein Wort mehr von mir geben.«

»Doch, mir ist sehr wohl an deinem Rat gelegen«, widersprach er und küßte sie auf die Wange.

»Nun ja«, entgegnete sie, indem sie den Kuß unbeachtet ließ, »wenn man jemanden von niedriger Kalothi zum Ritual der Selbsttötung in den Tempel schickt, während die Getreidespeicher voll sind, würde man das Mord nennen – die Mnankrei sprechen lediglich von Auslese. Warum sollten sie also davor zurückschrecken, absichtlich eine Hungersnot hervorzurufen? Für sie dürfte so etwas nur eine andere Art von Auslese sein.«

»Ein Clan, bei dem man solche Überlegungen anstellt, ist verdammt zu einer Versammlung.«

»Iß deine Suppe.«

»Komm, wir wollen uns der Lust hingeben.«

»Ach, aber 's ist doch deine Lieblingssuppe.«

»Jetzt.«

»Iß erst die Suppe auf.«

Er nahm sie im Innenhof, unter den Sternen, mit einer fordernden Begierde, in der er zwar merkte, daß sie innerlich woanders war, aber die nicht dazu imstande war, einzuhalten und herauszufinden, wo. Zerstreut streichelten ihre Finger ihn, doch ihre Zärtlichkeit war leidenschaftlich genug...

Beim Nachspiel betrachtete er wachsam das Gesicht zwischen ihren verflochtenen Zöpfen, die Miene, die er nie zu verstehen vermochte. Ihr Kopf lag zur Seite gewandt da, den Blick auf irgendeinen Stern gerichtet, dem ihre Gedanken nicht galten; ihre Finger, fein wie bei einer Musikantin, ertasteten eine Kerbe in einer seiner Schmucknarben, aber auch dafür erübrigte sie keinerlei Aufmerksamkeit.

Schließlich wandte sie sich ihm mit begehrlichem Lächeln zu. »Jetzt weiß ich, wie man deine Unterzängler ausrotten kann.« Sie senkte die Hand von dem Hontokae auf seiner Brust zu seinem Bauchnabel, stieß mit dem Fingernagel zu und lachte.

10

Der Ritus des Todes soll allein im Fall der Ketzerei Anwendung finden und niemals mehr als sieben Proben umfassen; denn müßten Proben ohne Ende nicht letztlich zur Verfolgung ausarten? Wiewohl jede Probe eine feinsinnige Todesart erfordert, soll jede, auch die siebente, einen Ausweg offenlassen, der von einem Adepten der Allgemeinen Weisheit erkannt werden kann; denn ist die Allgemeine Weisheit nicht ein Ausdruck der Erinnerung des gesamten Menschengeschlechts daran, daß es dem Tod entronnen ist? Und ist es nicht just die Allgemeine Weisheit, der wir unseren Schutz gewähren, wenn wir einen Ketzer fordern und ihn auf die Probe stellen?

Aus dem *Kaielischen Buch der Rituale*

Oelita, mit mitten durch ihre Handgelenke gezogenen Schnüren in einen Korb aus Hartschilf gebunden, verblutete langsam, während sie darin in einer kleinen Bucht schaukelte und jedesmal, wenn hohe Wogen über ihrem Kopf zusammenschlugen, halb ertrank. Wenn sie einmal nicht um Atem ringen mußte, pochte der Schmerz in ihren Handgelenken von einem Herzschlag, der noch bestimmt war von Panik.

Die Todesfalle, in der sie sich befand, war nicht darauf angelegt, sie unmittelbar des Lebens zu berauben. Wenn sie die Beine ausgestreckt hielt, konnte sie durchaus endlos mit dem Kopf über Wasser dahintreiben – nur mußte der Blutverlust sie mit der Zeit schwächen und sie letzten Endes auch das Leben kosten. Es kam darauf an, *jetzt* zu handeln. Doch sie vermochte schlichtweg überhaupt nichts zu unternehmen. Es war ihr möglich, die Beine zu bewegen, aber wenn sie diese nach vorn streckte, sackte ihr Kopf zurück ins Wasser, und sie drohte zu ertrinken. Noch schlimmer, sie spürte, daß der Korb, falls sie die Beine übermäßig nach oben schob, umkippen müßte, und dann würde er ihr Gesicht unter Wasser drücken, ohne daß sie noch eine Aussicht besäße, das Geflecht wieder umzudrehen.

Sie versuchte nachzudenken, aber alles, was ihr in den Sinn kam, waren die »Was-wäre-wenn«-Gedanken eines Verstandes, welcher der Gegenwart als hoffnungslos entsagt hat. Was wäre nun, wenn sie schneller gehandelt hätte, sobald sie die Männer sah? Sie hatte zwei von ihnen angegriffen, bevor die beiden anderen sich nähern konnten, und sie war immerhin flink genug gewesen, um den einen umzuwerfen und mit einem Stein einen mörderischen Schlag nach dem Schädel des anderen zu führen, aber der Kerl war wundersam hurtig ausgewichen, und für einen zweiten Hieb hatte sie keine Zeit mehr erhalten.

Wasser überspülte ihr Gesicht. Träge vollzog sie mit den Beinen Tretbewegungen. Was wäre geworden, hätte sie ihre Sacktasche eher abgeworfen? Was wäre, hätte sie das Ufer erklommen und die Männer gezwungen, ihr nachzuklettern?

Sinnlos. Das Schaukeln ermüdete sie. Sie versuchte, sich in Wut hineinzusteigern. *Was für eine Dummheit von mir, mich derart von Nonoep verärgern zu lassen. Was wäre jetzt, hätte ich mich vernünftiger verhalten?*

Eine Welle schwappte ihr Wasser in die Nase und gemahnte sie, während sie prustend hustete, an die lebensgefährliche Gegenwart; sie jedoch setzte sich aus nichts zusammen als absonderlich beschaffenen Felsen, der Todesfalle aus Hartschilf und der Qual. *Die Mnankrei,* dachte sie. Es lag nahe, daß die Mnankrei sich des Meeres bedienten, um ein Ritual des Todes zu vollziehen. Aber die Pein war zu groß, um klar nachdenken zu können. Ihr Bewußtsein sank weit in die Vergangenheit zurück; sie kauerte mit ihrem Vater neben einem einzelnen, knorrigen Baum, der auch wirkte, als befände er sich in der Hocke, im Sand, und sie beobachteten vier Henkerameisen dabei, wie sie sich einen gepanzerten Käfer vom Leibe hielten, um geduldig abzuwarten, bis seine Kräfte nachließen.

»Ich werd' ihm helfen«, hatte sie gesagt. In ihrer Erinnerung ergriff sie einen Strohhalm, um den Henkerameisen einen Strich durch die Rechnung zu machen.

»Nein, nicht«, sagte die Stimme ihres Vaters. »Warte und schau zu, wie er sich selber aus der Klemme hilft. Wenn du einmal in einer ähnlich gefährlichen Patsche sitzen solltest, wirst du auch keine Hilfe erhalten.«

»Gott wird mir beistehen!« hatte das Kind Oelita trotzig erwidert.

»Du kannst getrost dein leckeres Fleisch drauf verwetten, daß er's nicht tun wird.«

Oelita zuckte zusammen. Ihr Vater war längst tot. Sie mußte sich aus der Falle befreien. *Wie denkt ein Mnankrei?* Sie trieb auf dem Meer. Sie glich einem Boot. Sie war der Schiffsherr. Es mußte einen Ausweg geben. Die Proben auf Leben und Tod, aus denen ein Ritual des Todes bestand, waren stets auch ein streng formal aufgebautes Rätsel. Sie konnte die Beine nach oben schieben und ertrinken. Doch vielleicht sollte sie nur annehmen, sie müsse ertrinken? Vielleicht würde der Korb auseinanderfallen, sobald er umkippte.

Ein unbesonnen starker Wunsch, es auf diese Weise zu versuchen, bemächtigte sich Oelitas. Was für eine andere Wahl blieb ihr denn noch? Und was zählte es schon, falls sie ertrank? Wenn sie gar nichts tat, würde sie ohnehin mit Gewißheit sterben. Doch ihr scharfer, gründlicher Verstand gestattete ihrem Körper kein voreiliges Verhalten. In Gedanken begann sie selbst eine solche Falle aus Hartschilf zu flechten, genauso wie ein Flechter, ein Meister seines Fachs, es getan hätte, malte sich die Teile aus, die sie nicht sehen konnte. Sollte es tatsächlich so sein, daß der Korb zum Auseinanderfallen bestimmt war, wie ließ sich dann sein Zerfallen herbeiführen? Die Frage verhalf ihr zu einem geistigen Bild. Sie sah die zwei Teile, und dann erkannte sie, worin dabei der Kunstgriff lag. Wenn sie den Korb nur zum Kentern brachte, mußte sie ertrinken. Aber falls es ihr gelang, eines jener Schilfrohre neben ihrem Fuß nach oben zu schieben, bis über die Gabelung, an der sie sich den Fußknöchel aufgerissen hatte, dann würde der Korb, sobald sie ihn umkippte, in zwei Teile zerfallen.

Sie reckte und verdrehte den Hals, tastete mit den Zehen nach dem Schilfrohr. Sie verfluchte ihre Zehen, weil es sich bei ihnen nicht um Finger handelte, gab ihre Bemühungen vorübergehend auf, sah im grünen Wasser einen kräftigen Schwall roten Blutes aus einem Handgelenk davonströmen. Noch einmal versuchte sie es. Das Schilfrohr verschob sich unter der Einwirkung ihrer Zehen aufwärts, stieß gegen die Gabel – und rutschte ab. Verzweifelt benutzte Oelita ihre Zehen von neuem, und diesmal blieb das Schilfrohr auf der Gabel; sie füllte ihre Lungen mit Luft und warf sich herum.

Die Furcht bewog sie dazu, die Augen offenzuhalten und den modrigen Boden des Korbs anzustarren, der in ihr Blickfeld geschwenkt kam, während ihre Augäpfel nahezu den feinen Tang berührten, aus dem nun erschrocken ein Achtbeiner hervorschoß, und ... *Nichts geschieht, ich werde ertrinken!* Doch da löste sich die Falle, indem Gewichte sich verschoben, langsam auf, und Oelita taumelte nackt an den mit Kieseln übersäten Strand, schleifte die Reste des Korbes an den durch ihre Handgelenke geführten Schnüren hinter sich her, ohne den Schmerz länger zu spüren, bis sie auf die Knie sank, weinte, sich nur noch fragte, wie sie die Schnüre loswerden könne. Der Tod war bis zur Bedeutungslosigkeit in den Hintergrund gerückt; was vorhin lediglich eine zweitrangige Unannehmlichkeit gewesen war, drang nun mit voller Stärke in ihr Bewußtsein ... Schmerz ... Schmerz. Blut begann ihre Handflächen zu verfärben, vermengte sich mit der Nässe der See, rann an diesem und jenem Finger hinab.

Da sah sie sie, die winzige Nachbildung einer Zeremonientafel mit einem bronzenen Messer, dessen Griff in der vereinfachten Darstellung einer Woge gearbeitet war, einem bei den Mnankrei häufig verwendeten Symbol, besetzt mit blauen und weißen Steinsplittern, ein spöttisches Geschenk jemandes, der gewußt hatte, sie würde es brauchen, falls ihr das gelang, was sie soeben geschafft hatte. Mit widerspenstigen Fingern benutzte sie das Messer, um die Schnüre zu durchschneiden. Ihre Versuche, die Wunden abzubinden, scheiterten jedoch – ihre Finger waren noch zu ungelenk –, und daher umwickelte sie ihre Handgelenke lediglich mit den dünnen ledernen Streifen, aus dem Rücken irgendeines armen Menschen mit niedriger Kalothi geschnitten, die man verwendet hatte, um ihr das Messer in Höhe ihrer Nieren umzuhängen.

Oelita fand ihre Sacktasche ein Stück weit flußaufwärts, auch ihre Kleider, die man ordentlich zusammengefaltet daraufgelegt hatte. Also war damit gerechnet worden, daß sie mit dem Leben davonkäme. Das bedeutete, sie mußte auf weitere Anschläge gefaßt sein, deren Scheußlichkeit mit jedem Mal an gerissener Tücke gewännen. Wutentbrannt streifte sie die Kleider über, bemühte bewußt ihre Finger, trotzte dem Strauchwerk, in dem nun alle möglichen und unmöglichen Schemen zu hausen schienen.

Flucht oder Keckheit? Sie entschloß sich zu verwegenem Auftreten, teilweise deshalb, weil sie wußte, daß die Regeln keine zweite rituelle Probe am selben Tag zuließen. Sie kehrte zu den Resten des Korbes zurück und entfachte aus den harten, starren Teilen auf einem felsigen, dem Meer zugekehrten Vorsprung ein Feuer. Sollten die Mnankrei ruhig wissen, wo sie war!

»Ho!« ertönte aus der Nacht eine Stimme.

Sie klang, als gehöre sie dem Oberpriester des Clans der Finsternis. Oelita spähte umher, um festzustellen, woher die Stimme zu ihr drang, doch sie sah nichts außer einer ganzen Horde versteckter Unholde, die sie belauerten, um bei nächster Gelegenheit über sie herzufallen. Bedächtig griff sie nach dem Messer. Ihre Faust konnte es nur locker festhalten. »Wenn du näherkommst, werde ich dich umbringen.«

»Wie kann's sein, daß ich so viel Furcht hervorrufe?« dröhnte die Stimme in leicht fremdländischem Ton.

»Es ist durchaus nicht so, daß ich mich vor dir fürchten würde.« Oelitas Arme zitterten. »Ich bin heute bloß in besonders schlechter Laune.«

»Bist du von dem Schiff gekommen, das vor einer Weile abgelegt hat?«

»Du hast ein Schiff gesehen?«

»Ein kleines.«

»Das waren nicht meine Freunde. Und wer bist du?«

»Joesai der Goldschmied. Ich habe mir hier in der Nähe die alten Schürfstätten angesehen.«

»Sie sind längst ausgebeutet.«

»Ho! Das glaubst du nur. Ich habe bereits einen Löffelvoll Goldstaub zusammengekratzt. Goldwaschen ist nicht der alleinige Weg, um Gold zu finden. Man kann Stollen graben, und Stollen gibt's hier überhaupt keine.«

»Tritt in den Feuerschein.«

Joesai stieg den Hang herab, verließ die Deckung des Gesträuchs. Er war weiter entfernt gewesen, als Oelita vermutet hatte. Er blieb stehen, ausreichend auf Abstand, um durch ihr Messer nicht gefährdet werden zu können, ein hünenhafter Mann, größer als die meisten, die keine Ivieth waren. Dieser Umstand beruhigte Oelita. Er konnte unmöglich zu den Kerlen gehören, die sie überfallen hatten. Sie waren alle einen Kopf kleiner als sie gewesen. Überdies war er kein Mnankrei.

»Du bist verletzt«, stellte er fest.

»Nur geringfügig«, entgegnete sie voller Trotz.

»Du könntest das Messer gar nicht handhaben.«

»Ich kann auch mit den Füßen töten.«

»Sind die Wunden frisch?«

»Sie bluten und schmerzen.«

»Gestatte mir, sie zu untersuchen. Ich habe wundärztliche Kenntnisse, die weit über dem Üblichen liegen.« Er trat nicht näher.

Sie musterte den Mann, der ihr zulächelte. Sie erkannte, daß er gehen würde, falls sie darauf beharrte. »Kannst du Stichwunden verbinden? Ich kann dir sagen, wie. Meine Finger sind zu geschwollen und schwach.«

»Ich verspreche viel bessere Leistungen.« Er trat ans Feuer und bat sie, sich zu setzen, ehe er sich an die Untersuchung ihrer Handgelenke machte. »Laß mich diese Wunden behandeln. Auch darin bin ich Meister. Wenn mein Werk getan ist, werden die Narben mit deinen Tätowierungen verschmelzen.« Er holte seine Instrumente heraus, und da erst erteilte sie ihr Einverständnis. »Das sind keine gewöhnlichen Verletzungen«, äußerte er.

»Stimmt.« Sie zuckte zusammen, als er mit der Behandlung begann.

»Du hast Feinde«, sagte er, und seine Finger schienen Feuer durch ihren ganzen Arm zu senden.

»All jene, die sehr beliebt sind, haben Feinde.«

»Du mußt die Gütige Ketzerin sein.«

»Manche nennen mich so.«

»Welche Überraschung! Mein Zweitweib ist insgeheim eine deiner Anhängerinnen. Allerdings ist's mit ihrem Verstand nicht weit her. Nach allem, was ich von ihr vernommen habe, bin ich zu der Auffassung gelangt, daß deine Lehren Schwächlichkeit erzeugen.«

Oelita lachte. »Du bist kein Schmeichler, aber du hast eine nette Art, deine Ansichten auszudrücken. Was ich lehre, ist Menschlichkeit.«

»Wenn's mir dienlich ist, kann ich grausam sein. Kannst du laufen? An meinem Lagerplatz dürften wir besser aufgehoben sein. Ich habe zu essen. Du bräuchtest deine Hände nicht zu benutzen, während ich dir ein Mahl vorsetze.«

»Du ziehst den Groll meiner Feinde recht leichtfertig auf dich.«

»Soll ein großer, starker Mann wie ich etwa Burschen fürchten, die eine wehrlose Frau überfallen? Ich werde dich nach Trauerweiler bringen. Würdest du Zweitweib die Gunst eines Gesprächs gewähren?«

»Nein. Die Mnankrei haben mir das Ritual des Todes auferlegt, und ich muß mich verborgen halten. Die Erde hat Ohren. Von nun an darf niemand meinen Verbleib kennen.«

»Dann will ich dir kundtun, wo du dich mit Zweitweib in Verbindung setzen kannst, dann magst du eine Zusammenkunft vereinbaren, wann und wie es dir beliebt.«

Sie wanderten den Bach hinauf, indem sie vornehmlich am Rand entlangwateten, über Steine und Felsbrocken dahinsprangen, wo das Wasser niedrig genug war; unterwegs zeigte Joesai ihr die Stelle, wo er noch Gold gefunden hatte und wo nach seiner Meinung ein Stollen gegraben werden sollte. »Übersehene Reichtümer«, sagte er. »Manche Leute haben keinen Blick für die Dinge, die unter der Erde liegen.«

»Du vertraust mir so sehr, daß du mir das alles offenbarst?«

Er lachte mit der Ungestümheit starker Belustigung. »Hat Zweitweib mich nicht gelehrt, der Gütigen Ketzerin in jeder Hinsicht Vertrauen zu schenken? Aber es bedarf hier keines Vertrauens. Mir ist's gleich, wer das Gold zutage fördert, solange ich's bin, der es kauft.«

Joesais Lager bestand lediglich aus einem Zelt, das gerade groß genug war für zwei Personen. Er entfachte ein Feuer und machte sich daran, Kartoffeln und Bratlinge zuzubereiten, dazu eine Soße, von der er darauf beharrte, daß sie sie regelmäßig kostete und über sie ein Urteil abgab. Er verhielt sich so ohne jede Rücksicht auf irgendeine womögliche Gefahr, daß Oelita sich in seiner Gegenwart wieder regelrecht zu entkrampfen vermochte. Getas Sonne ging auf, rötete die Hügel im Osten, noch bevor aus dem Gebrodel in den Töpfen der Duft des Essens aufstieg. Sie aßen, während Grimmigmond in vollem Rund über den dicht belaubten Baumsträuchern im Westen schwebte. Im Stehen konnte man unter dem Mond den blauroten Schimmer der See und ihren dunstigen Horizont erkennen. Joesai fütterte Oelita und zog sie dabei auf, als sei sie noch ein Kind.

»Allmählich begreife ich den Ursprung deiner unschuldsvollen Philosophie. So, mach den Mund auf, wie's sich für ein braves Mädchen gehört, und iß noch eine Kartoffel.«

»Sehen deine durchdringenden Augen auch mein goldenes Herz?«

»In deiner Brust schlägt kein Herz aus Gold. Ich sehe nur ein Herz aus Fleisch, das Blut in deine Wangen pumpt und sie zum Erröten bringt.«

»Weshalb hältst du mich für ein so unschuldiges Mädchen?« Sie empfand aufrichtige Verwunderung. Sie hatte viele Liebhaber gehabt, alte und junge, solche von geringer und welche von hoher Kalothi. Stets war sie der Ansicht gewesen, man könne es ihr anhand ihres sorglosen, lässigen Gebarens anmerken.

»Aufgrund der Dinge, die du schreibst. Bist du's nicht, die geschrieben hat, wir seien eine Welt voller Kinder, die nie erwachsen geworden seien, nachdem die Gifte unsere Eltern dahingerafft haben?«

»Das ist nur ein Gleichnis, für das ich mich dieser alten Sage bedient habe. Die Menschen verstehen die Sagen sehr gut.«

»Das ist's, was du uns glauben machen willst... daß du die einzige Erwachsene bist.« Er warf einen Stein ins Feuer, um Funken aufsprühen zu lassen. »Aber ich bin selbst ein Erwachsener, der lebt und atmet, weder durch die Giftstoffe noch in Hungersnöten gestorben. Was Kinder angeht, so brauchst du dich nicht weiter umzuschauen als bis zu dir selbst.«

Sie hatte unauffällig ihre Kleidung über den Brüsten geöffnet. Nun verharrte sie, Zorn über diese unglaubliche Beleidigung stieg in ihr auf. Doch sie lachte nur das Große Lachen. »Großväterchen, ich glaube, 's ist an der Zeit, daß du dich zur Ruhe begibst.«

Beide waren müde und bedurften der Erholung. Es erforderte einiges Geschick, zusammen in dem Zelt Platz zu finden. Sie drückte Joesai an ihren vollen Busen, und es überraschte sie, daß er, einen Arm um sie geschlungen, nur ihre Wärme genoß, nicht versuchte, mehr von dem zu bekommen, was sie ihm bereitwillig bot. Dank seiner Nähe fühlte sie sich vorerst vor den Mnankrei sicher. Ihre Panik war von ihr gewichen, und die Schmerzen in ihren Handgelenken wirkten weniger schlimm. Sie war bereits wieder dazu in der Lage, dahingehende Überlegungen anzustellen, wie sie sich am günstigsten verstecken, wie sie zurückschlagen sollte. Dann schlummerte sie.

11

Eine schnelle Biene ist's, die sich der Fei-Blume entziehen kann. Daher bringt das Land der magentaroten Fei schnelle Bienen hervor, die in schnellen Zügen trinken.

Weisheit der og'Sieth

Benjie war, was man bei den Clans einen Dobu nannte, in seinem Fall einen Dobu des Maschinenbaus. Doch er war mehr als der Schöpfer von Maschinen; er war ein Dobu des Achten Grades, und der og-'Sieth-Clan kannte keinen höheren Rang als den Achten Grad. Benjie zeigte Ansätze zu Runzeln und das unbekümmerte Betragen jemandes, der bereits alle seine Fehler begangen hatte.

Er stand in der Werkstatt und hielt ein daumengroßes Stück Rohmetall in die Höhe, gerade erst von der Drehbank genommen. Gaet sah Benjie dabei zu, wie er das kleine Metallteil mit Wachs bedeckte und zum Ätzen vorbereitete.

»Jetzt kommt der erste von fünf Ätzvorgängen an die Reihe«, sagte der Dobu.

Er baute einen kleinen Krafterzeuger für das Große Kloster von Kaiel-Hontokae. Mit einem Wink forderte er Gaet auf, ihm zu folgen, und durchquerte die Werkstatt. An einem Pult saß sein Lehrmädchen und arbeitete innerhalb eines Lichtkreises, der aus durch Spiegel hereingeworfenem Sonnenschein bestand. Mit Augen und Fingern richtete das Mädchen seine ungeteilte Aufmerksamkeit auf einen Schleifvorgang.

Es trug das og'siethische Stirnband der Ledigen, zusammengehalten mit dem Messingabzeichen der Lehrlinge dieses Gewerbes. Sobald Benjie von der Sachkundigkeit seines Lehrmädchens in bezug auf den Maschinenbau restlos überzeugt war, verlangte die Pflicht, daß er mit ihm im Rahmen einer öffentlichen Zeremonie im Tempel ein Kind zeugte und es später, wenn das Kind zur Welt gekommen war, zur Ehelichung freistellte. Das waren die Clan-Pflichten eines og'siethischen Dobu des Maschinenbaus und Achten Grades.

Er nahm das Teil, an dem das Lehrmädchen arbeitete, zur Hand und hielt es für Gaet zur näheren Betrachtung ins Sonnenlicht. »Sie ist fast fertig. Das Stück hier braucht nur noch in den Brennofen, um seiner

Oberfläche einen Erhärter einzubrennen.«

Gaet verspürte mehr Interesse an dem Mädchen als an Dampfmaschinen. Er lächelte es an, doch es schaute zur Seite.

»Meine Kleine da leistet hervorragende Arbeit«, lobte Benjie beifällig. »Es wird nicht mehr lange dauern, dann muß ich ihr einen Gemahl besorgen.«

»Darum brauchst du dich ganz und gar nicht zu kümmern!« fauchte das Mädchen ihn an. »Ich werde Mair und Solovan heiraten.«

Benjie lachte. »Mair ist ihre beste Freundin. Mit jeder Woche werden die Frauen starrköpfiger, wenn's darum geht, dem Chaos der Welt ihren Willen aufzuzwingen.« Einen Augenblick lang schwieg er, und auf einmal zeigte er die Miene eines Mannes, dem es Spaß macht, kleine Kinder zu kitzeln. »Soviel ich weiß, sind Mair und Solovan noch gar nicht verheiratet.«

»Aber sie *werden* heiraten. Sie sind miteinander befreundet. Und Mair hat mir versprochen, mich heute abend auf der Feier Solovan vorzustellen.«

»Wenn du ihn so betörst, wie du zu schleifen verstehst, dürfte das Schicksal der beiden besiegelt sein, nehme ich an; es sei denn, der arme Solovan hat mehr Verstand, als ich ihm zutraue.«

Das Lehrmädchen, dessen Schüchternheit nun verflogen war, lächelte Gaet zu. »Da siehst du, Herr, warum ich hier kaum irgend etwas getan bekomme, wenn die ganze Zeit hindurch dieser *Schmeichler* in der Nähe ist, mir Unsinn ins Ohr plappert und mir alle paar Augenblicke meine Arbeit aus der Hand nimmt, um sie jedem Besucher zu zeigen, der hereinkommt, nur weil meine Stücke gelungener als seine eigenen werden.«

Die zwei Männer verließen die Werkstatt und betraten den Pfad, der über den Hügel verlief. »Falls mein Besuch dich verwundert«, erklärte der Priester, »will ich erwähnen, daß ich hier weile, um meine neuen Besitztümer in Augenschein zu nehmen.«

»Aha«, machte das Mitglied eines Unteren Clans. »Du bist der neue Eigner dieser Ländereien?«

»Von hier bis zum Meer.«

Benjie lachte. Gaet kannte ihn gut genug, um ihn nicht zu unterbrechen, und Benjie lachte anhaltend, bis sie zur Straße gelangten. Benjie zählte zu Gaets Wählerschaft, und sie hatten schon oft miteinander gelacht. »So, die Priester haben wieder den Kampf aufgenommen«, meinte Benjie schließlich. »Diese Besessenheit der Priester, was den Landbesitz betrifft, gibt mir immerzu Rätsel auf. Sobald man Grund und Boden besitzt, ist man doch nicht mehr frei! Man kann die Grenzen, die man selber gezogen hat, nicht überschreiten, ohne Auseinandersetzungen zu verursachen. Man muß wachbleiben, während jedes redliche Clan-Mitglied längst schläft, neue Karten zeichnen und sie bunt ausmalen.« Er brachte Gaet mit der Hand zum Anhalten und deutete auf einen Bienenschwarm, der in den Felsen neben einem Gesträuch fleischfressender Fei eine neue Wohnstatt bezogen hatte. »Die Bienen sind frei. Sie können überall hin. Warum sollten sie sich darum scheren, wem das Land gehört? Ein og'Sieth ist auch frei. Ich kann gehen, wohin mir's beliebt, und ich weiß, daß mein Clan mich überall aufnehmen wird.«

»Irgendwer muß sich halt auch um herrenloses Gut kümmern«, sagte Gaet mürrisch.

»Du hast stets irgendeine *Sorge,* wenn du zu mir kommst«, sagte Benjie. »Worum handelt's sich diesmal?«

»Das Meer ist zu weit entfernt. Meine Schwierigkeit besteht aus der Frage der Beförderung. Doch wir brauchen keineswegs darüber zu sprechen, solange wir noch nüchtern sind. In nüchterner Verfassung ist der Verstand viel zu stark auf den Zweck ausgerichtet.«

»Komm heute abend zu unserer Festlichkeit. Sie wird deiner Nüchternheit ein Ende setzen.«

»Ich habe an so etwas wie einen mechanischen Ivieth gedacht, eine Maschine, die bei Tag und Nacht in Betrieb sein könnte, die man vor einen Frachtwagen spannt, und sie sollte schneller sein, als ein Mensch laufen kann.«

Benjie begann erneut zu lachen. »Warte, bis du betrunken bist! Warte!« Er streckte die Handflächen von sich, als wolle er irgendwem oder irgend etwas Einhalt gebieten, während ihm vor Lachen der Atem ausblieb. »Nicht jetzt!«

Gaet ließ sich bis auf weiteres nicht mehr näher über seine wilden Einfälle aus. Er erwarb als seinen Beitrag zu der abendlichen Feier ein Keg Fleisch und half den Freunden und Bekannten auf dem kleinen Dorfplatz der Ortschaft beim Aufstellen der Tafeln und Heranschaffen der Speisen. Unterdessen vergaß er seine Sorgen. Er war kein Mann, der sorgenvoll blieb, wenn der Whisky floß.

Er verbrachte seine Zeit damit, jenen sein Ohr zu leihen, von denen er den Eindruck hatte, sie könnten eine nützliche Erweiterung seiner Wählerschaft abgeben, aber er verlor das Interesse an allen politischen Angelegenheiten, als er eine alte og'Sieth-Frau kennenlernte, die früher in weiter Ferne in der Metallverarbeitung tätig gewesen war, am entlegenen Meer der Tränen. Wie fast jeder Getaner hegte er in bezug auf ferne Gegenden äußerste Neugier. Rufe aus einigem Abstand unterbrachen die Unterhaltung.

»Gaet maran-Kaiel! Gaet maran-Kaiel...!« Die Stimme besaß Kraft und Klang genug, um von den Hügeln widerzuhallen und talaufwärts zu den Minen sowie hinab zu den Behausungen der og'Sieth vorzudringen, welche die Lagestätten der Stollen umgaben. Es handelte sich um einen Ivieth-Läufer, der Gaet ausrief und wohl mit einer Nachricht kam, die man über den örtlichen Schallstrahlturm auf dem Rotsteinhügel durchgegeben hatte.

Gaet beendete das Gespräch und eilte dem Läufer entgegen. *Noch mehr Arbeit,* dachte er voller Schicksalsergebenheit. Wahrscheinlich stammte die Mitteilung von Hoemei. Hoemei fand immerzu irgendwelche Betätigungen für sämtliche Familienangehörigen, und Gaet wußte genau, warum sie alle sich immer wieder sofort auf seine Wünsche einließen, ganz gleich, wie mühselig oder läppisch ihre Erledigung ausfiel. Schon vor langem hatten sie sich daran gewöhnt, seinem Gespür zu vertrauen. Das Band unerschütterlicher Treue, das zwischen den Brüdern bestand, ging noch zurück auf ihre Zeit im Kinderhort, als rasche, entschlossene Zusammenarbeit der einzige Weg war, um zu überleben. Ihre Frauen hatten die gleiche Art von Verläßlichkeit entwickelt, nur beruhte sie bei ihnen auf dem Übergehen von Erfahrungswerten, wie es gefühlsmäßig zwischen Menschen stattfindet, die sich lieben.

Die Botschaft, die der nur geringfügig außer Atem geratene Läufer ihm schließlich aushändigte, war wortkarg abgefaßt, jedoch mit genug Einzelheiten versehen, um Hoemeis Schlußfolgerungen einleuchtend zu machen. Am Schluß standen wie üblich ein paar persönliche Worte. Noe schickte Gaet durchs Gefüge des Raums einen Kuß auf die Nase. Und einen Hinweis darauf – man merkte deutlich die Beunruhigung, die sich dahinter verbarg –, daß von Joesai und Teenae noch nichts Neues vorlag.

»Eine schlechte Kunde? Soll ich eine Antwort mitnehmen?«

»Gottes Blitzstrahl, kein Grund zu solcher Hast. Ich werde mir mit meiner Antwort Zeit lassen.«

»Dann warte ich hier.« Ein Ivieth würde, wenn man es von ihm verlangte, in alle Ewigkeit an ein und derselben Stelle ausharren.

»Nein, nein, komm mit«, forderte Gaet den Mann auf, der ihn merklich überragte. »Du darfst mit auf eine Feier kommen, ich lade dich ein. Wenn du vollgesoffen genug bist, kannst du uns was vorsingen. Welche Lieder kennst du?«

Der Läufer grinste. Sein Clan setzte sich aus Menschen zusammen, die um die gesamte Welt reisten, und sie kannten alle Lieder selbst der fernsten, geheimnisvollsten Stätten. Ihre Geschichten waren es, die die Kulturen des Planeten untereinander verbanden und zusammenhielten. Das Grinsen des Mannes besagte, daß er alles zu singen verstand und es für einen tüchtigen Schluck auch zu tun bereit war.

Gaet führte ihn zum Platz in der Mitte des Dorfes, auf dem die Festlichkeit bereits zu einem Leben und Treiben gediehen war, als ob ein Bienenschwarm neue Blumen ausfindig gemacht hätte. Sie gingen zu der jungen Frau, welche die Fässer und Flaschen beaufsichtigte. Sie schwankte, war schon stark angeheitert von den Alkoholdünsten und vom Abschmecken der verschiedenen gemischten Getränke. »Gib meinem Freund hier was zu trinken«, sagte Gaet mit der Leutseligkeit einer Führerpersönlichkeit, die stets die Bereitschaft hatte, seine Anhängerschaft um diesen oder jenen Neuen zu erweitern. »Whisky mit Wildjäger. Ihm steht ein längeres Warten bevor, während ich meine Gedanken zu sammeln versuche.«

Die Frau reichte dem hochgewachsenen Ivieth ein Getränk und hielt sich noch einen Augenblick lang daran fest, um nicht hinzusinken. Sie blinzelte zu ihm auf. »Du kannst von da oben aus alles gut überschauen. Siehst du irgendwo meine Nummer Drei? Das ist der, bei dem die Striche vom Mund ausgehen.«

Unterdessen hatte sich Gaet schon quer übers Pflaster des Dorfplatzes entfernt, die Arme um zwei von Benjies Gattinnen geschlungen, die prahlten, sie könnten Dampfmaschinen bauen, die so klein waren, daß sie sich dazu eigneten, einen Faden durch ein Nadelöhr zu ziehen. Die drei entdeckten den Dobu an der Speisetafel, den Mund voll rotem Kartoffelsalat, leicht bitter von den darunter gemengten gemeinen Früchten.

»Benjie, ich habe ganz plötzlich einen Auftrag für dich.«

»Schieb sie bloß nicht beide gleichzeitig an mich ab«, sagte er, indem er seine beiden Gattinnen voller Bewunderung anstierte.

»Bau mir eine Dampfmaschine, so groß wie ein Getreidespeicher, und mit vierzig Rädern.«

»Mit vierzig Rädern! Heute vormittag wolltest du lediglich einen mechanischen Mann von mir. Womit sollen wir diese Riesendampfmaschine befeuern, mit deinem Ehrgeiz?«

»Gerade habe ich eine Schallstrahlnachricht von meinem Bruder erhalten.« Infolge der inzwischen genossenen Getränke fiel ihm das Sprechen schwer. »An der Küste droht 'ne Hungersnot. Flüchtlinge werden landeinwärts gezogen kommen. Er möchte, daß ich mit der Einrichtung von Hilfsstellen anfange, damit sie nicht allesamt auf den Bergpässen verrecken. Aber ich dachte, 's wäre vielleicht besser, statt dessen Lebensmittel hinzuschicken.«

Benjie hatte sich eines Stücks Gewürzkuchens bemächtigt und sprach mit vollem Mund. »Die Leute werden nicht verhungern. Die Mnankrei haben jederzeit Weizen zum Verkaufen. Die Zeiten der großen Hungersnöte sind endgültig vorbei.«

Gaet erwog alle erdenklichen politischen Folgen, ließ einen raschen Überblick verschiedener möglicher Zukünfte seinen Verstand durchlaufen. »Das ist's ja, was ich befürchte. Die Mnankrei werden an der Küste ihren Weizen verkaufen, und du kennst den Preis. Die Mnankrei dehnen ihren Machtbereich nach meinem Dafürhalten zu schnell aus. Was ihre Hilfsmittel und Möglichkeiten angeht, sind sie uns erheblich unterlegen, und dennoch verstehen sie's, uns schwer zu schaffen zu machen. Es liegt an ihren Schiffen. Mit ihren Schiffen können wir nicht mithalten.«

Auf dem Dorfplatz begann ein Mann mit einer Dröhnstimme, der zudem gute Ohren besitzen mußte, höhnisch zu lachen. »Hat man je 'n Mnankrei durch unsere Wüste segeln sehen?« Trunkenheit verzerrte sein Gelächter. »Sie werden wohl Räder unter ihre Schiffe setzen. Geradewegs den Strand raufgesegelt werden sie kommen!« Er konnte des Lachens nicht mehr Herr werden. »Nich' lange, un' sie werden uns in Scharen durch die Itraiel-Ebene jagen.« Tränen rannen ihm die Wangen hinab, und alle, die ihn umstanden, mußten ebenfalls immer lauthalser lachen. »Schon mal von 'm Schiff durch die Itraiel jejacht worden?!«

Benjie schlug auf Gaets Kosten in die gleiche Kerbe. »Ich glaube, 's wird wohl daran liegen, daß die Mnankrei klüger sind als die Kaiel.«

»Du glaubst, man braucht sonderlich viel Gehirn, um einen feuchten Finger in den Wind zu strecken?«

»Nun, nun, Gaet, aber sie *müssen* ja gescheiter sein. Sie betreiben die schnellste Auslese auf ganz Geta. Sie mähen ihren Weizen, noch ehe er die Höhe der Sense erreicht hat.«

»Bei ihnen endet nur einer von fünfen in den Tempeln«, entgegnete Gaet hitzig. »Das ist ja wohl keine Höchstleistung. Ich komme aus dem Kinderhort. Erzähl mir nichts von Auslese!«

»Ich könnte nicht behaupten, daß ich verstehe, inwiefern du dadurch den Mnankrei irgendwas voraus haben solltest«, spottete Benjie weiter. »Schließlich kommt's ja auch darauf an, was man als Ergebnis der Auslese ansieht. Wie war's denn, da wir schon davon reden, überhaupt möglich, daß man einen Dummkopf wie dich je aus dem Kinderhort hat entwischen lassen? Einen Getreidespeicher auf vierzig Rädern!«

»Mein Lächeln war unwiderstehlich.«

»Verstehst du jetzt, was ich meine?!«

Unverdrossen ließ Gaet sich den Wortwechsel noch einmal durch den Kopf gehen. »Nun gut, Benjie, wie wär's denn mit Segelschiffen auf Rädern? Warum eigentlich nicht?« Benjie stierte ihm stumm in die Augen. »›Segelschiffe auf Rädern‹, habe ich gesagt.«

»Bei Gottes Schweigen, ich glaube, du meinst es wahrhaftig völlig ernst.«

»Selbstverständlich meine ich's ernst!«

»Nein, nein, Gaet, alter Freund. Herrsche du über die Welt!« Mit übertrieben pomphafter Gebärde deutete er auf den Priester. »Mich laß die Maschinen bauen.« Er pochte sich auf die Brust. Der Tanz der Trunkenheit hatte begonnen.

Gaet wanderte im Labyrinth seines Geistes ein Stück weit zurück; er wußte, er war auf irgend etwas von höchster Bedeutung verfallen. Er spürte es. Sein Verstand pflegte dann jedesmal solche wilden Blüten zu treiben. »Weshalb soll eine Dampfmaschine von der Größe eines Getreidespeichers und mit vierzig Rädern denn unmöglich sein? Ich habe deine kleinen Ausführungen mit Rädern gesehen. Deine Krafterzeuger im Kloster habe ich mir auch angeschaut.«

»Sicher, sicher, ich kann dir eine große Maschine bauen. Wir haben erst vor kurzem eine riesige Maschine für den Palast gebaut, um damit eine von den elektrischen Pumpen anzutreiben.« Er sagte ja, aber der Tonfall seiner Stimme sagte nein.

»Und wie lange wird's dauern?«

»Gaet, das ist gar nicht der entscheidende Punkt. Cris, komm mal her!« Er nickte einem alten o'Tghalie von weisem Aussehen zu, der allein herumstand und sich in aller Ruhe betrank. »Gaet, was du meinst, weiß ich wohl. Gehen wir mal von einem Landfrachtfahrzeug aus, das soviel Fracht wie die Flotte der Mnankrei mit der gleichen Geschwindigkeit über die gleiche Entfernung befördern kann. Erklär's ihm, Cris. Wir haben dergleichen unter uns wohl schon seit einigen Tausend Sonnenaufgängen beraten.«

Cris brachte aus seinem bemerkenswerten o'tghalieschen Hirn sogleich alle maßgeblichen Zahlen zum Vorschein. Er zeigte auf, wie schnell der Pflanzenwuchs in der Wüste aufgebraucht würde, um als Brennstoff für die Dampfkessel zu dienen, wie lange es dauern müßte, die Reduktion von Eisendioxid im erforderlichen Umfang durchzuführen, den Schienenstrang zu legen, wieviel Zeit es beanspruchen würde, bis das Grün wieder nachwuchs, was an Arbeitskraft nötig wäre, um den Brennstoff zu sammeln.

Benjie faßte die Darlegungen zusammen. »Wenn du über ein Reich herrschen willst, das nur noch aus Sand besteht, dann nur zu. Gottes Blitzstrahl, wir könnten *alles* hinkriegen, hätten wir bloß genug Holz!«

Gaet äußerte sich zunächst nicht dazu. Ein Kaiel, der Entscheidungen zu treffen hatte, mußte im Palast schriftlich niederlegen, was nach seiner Meinung die kurz- und langfristigen Folgeerscheinungen seiner Entschlüsse sein würden. Vom Lauf der Zeit widerlegt zu werden, bedeutete dann, daß man sein Erbgut aus dem flüssigen Nitrogen der Samenbanken in den kaielischen Kinderhorten entfernte.

»Aber es *muß* doch eine Möglichkeit geben, so schnell über Land zu reisen, wie die mnankreischen Schiffe übers Meer segeln!«

»Ja, 's gibt welche... und sie sind allesamt bloß Hirngespinste.«

»Da bin ich nicht so sicher. Denk einmal darüber nach. Es heißt, daß Gott sich ohne jede Mühe dahinbewegt und ganz Geta für jeden Sonnenaufgang siebenmal umkreist.«

»Dann sollen eure Kinderhorte lieber Götter statt Ivieth züchten«, empfahl Benjie in mittlerweile reichlich trunkenem Zustand.

Gaet ging früher als ursprünglich beabsichtigt zu Bett, um sich am folgenden Tag unverzüglich an die Erledigung der Aufgabe machen zu können, die Hoemei ihm zugeteilt hatte. Bei dem Gedanken, sie könnten die Küstenlande womöglich an die Mnankrei verlieren, lief es ihm kalt über den Rücken. Bei der Ausführung des ersten Auftrags, den die Familie von Aesoe erhalten hatte, zu scheitern, wäre wahrhaft verhängnisvoll. Zu viele andere Familien warteten auf eine Gelegenheit, um sich nach vorn zu drängen. Ein Fehlschlag liefe darauf hinaus, daß sie alle fünf sich bei der Erschließung der Kalamani-Wüste bewähren dürften. Es war besser, ein Ende als Suppeneinlage und Festgewandung zu nehmen. Er mußte sich unbedingt mit Joesai verständigen. Doch Joesai dachte kaum einmal an die Möglichkeiten der Schallstrahlübermittlung. Fluch den Entfernungen! Gaet träumte von den sagenhaften Schwingen Gottes.

Künstler hatten sich Gottes Schwingen häufig so wie die großen, fein geäderten Tragflügel der Hoiela vorgestellt, jenes Insekts, das als einziges um die halbe Welt summte, ehe es starb. Wie die Hoiela in Wind und Sonne funkelten! Das hauchdünne, aber widerstandsfähige Gewebe ihrer Schwingen schillerte so wunderschön, daß viele Frauen es nicht versäumten, solche Flügel in Putz einzunähen, mit dem sie ihre Geschlechtsteile zierten. Gottes Schwingen, so hieß es in der Sage, waren noch schöner, jedoch so zerbrechlich zart, daß Luft sie nicht trug, sondern sie ausschließlich vom vollkommensten Schwarz Auftrieb erhielten, einem so tiefschwarzen Schwarz, daß es sogar jegliches Licht spurlos verschlang.

In der Morgenfrühe verschmolz wildes, übermütiges Geschrei mit Gaets Träumen. Heiteres Gebrüll der Belustigung war es, aber von so markerschütterndem Klang, daß wohl sämtliche Käfer im Umkreis eines Tagesmarsches erschrocken in ihre Löcher hasteten. *Aha, das Fest ist noch im Gang*, dachte er, als er vollends erwachte. Die wüste, lautstarke Heiterkeit hielt an, während er sich das Gesicht wusch und das Kinn rasierte; schließlich hatte das Lärmen seine Neugierde soweit angestachelt, daß er ans Fenster trat und hinunter auf den Dorfplatz spähte.

Fünf erwachsene Männer und acht Kinder rannten übers Pflaster einem merkwürdigen Gefährt hinterdrein, das in Gaets Richtung gerast kam, in wahnwitziger Zickzackfahrt davonsauste, bemannt mit einem og'siethischen Jugendlichen, der wie besessen mit den Beinen auf und ab strampelte, ohne daß sie dabei den Untergrund berührten. Man konnte das »Fahrzeug«, das er so antrieb, eigentlich kaum als Fahrzeug bezeichnen. Es besaß nur drei Räder, zwei große vorn und hinten ein kleines Rad, das zum »Steuern« diente. Die Räder sahen dermaßen unstofflich aus, daß zwischen ihrer Achse und der Umrandung keinerlei Verstrebungen vorhanden zu sein schienen. Es fehlte sogar ein regelrechtes Gestell; anscheinend hielten nur Rohre aus Leichtmetall das Gebilde zusammen.

Etwas später, nachdem das Gerät fahruntüchtig geworden war und man es in einem mit Stroh gedeckten Schuppen abgestellt hatte, um seinen Aufbau noch einmal in aller Gründlichkeit zu durchdenken und es dann abzuändern, untersuchte Gaet das Gefährt. Offenbar hatte man sich am gestrigen Abend, nachdem er ins Bett gegangen war, noch weiter mit dem hauptsächlichen Gegenstand der Gespräche befaßt, und weil es sich um eine Festlichkeit von Handwerkern gehandelt hatte, die nicht unbedingt alle zu wortreichen und ausgefeilten mündlichen Abhandlungen imstande waren, und infolgedessen war es wohl dahin gekommen, daß man die Auseinandersetzung beilegte, indem man einen Apparat baute, wie er der trunkenen Vorstellungskraft gerade entsprang. Nur Betrunkene vermochten ein nahezu aus nichts zusammengebasteltes, ohne Brennstoff antreibbares Fortbewegungsmittel auszuhecken, das es mit dem Wind aufnehmen können sollte. Und nur eine Sippschaft vom Suff umnachteter og'Sieth brachte es fertig, sich während einer Festlichkeit mit dem Bau einer derartigen Apparatur zu befassen. Sie lagen noch immer unter den Tischen der Werkstatt im festen Schlaf der Trunkenheit.

Gaet lächelte wie ein Kind, das soeben das Innere seiner ersten Uhr einer Begutachtung unterzogen hatte. Er machte einen morgendlichen Spaziergang unterhalb der Berge, um frische Luft zu schöpfen und über die Aussichten nachzusinnen, die ein solches Fahrzeug eröffnen mochte. Sein geschulter kaielischer Verstand begann nun diese und jene etwaige Zukunftsentwicklungen zu verwerfen. Welcher möglichen Zukunft sollte er, was das Trachten nach ihrer Verwirklichung betraf, den Vorzug geben? In einer von ihnen sah er die Überwindung des verfestigten Stillstands voraus, in dem die politischen Verhältnisse sich befanden.

Kein Priester-Clan, der auf einem der Meere die Vorherrschaft ausübte, war je dazu befähigt gewesen, seine Gewalt auf ganz Geta auszudehnen, weil das Land die elf Meere voneinander trennte; andererseits war auch keiner der ans Land gebundenen Priester-Clans zum Erringen der Weltherrschaft in der Lage gewesen, denn zu Lande gestaltete die Fortbewegung sich allgemein viel zu langsam. Jetzt jedoch sah Gaet vor seinem geistigen Auge ganze Geschwader solcher dreirädriger Fahrzeuge, angetrieben durch starke Ivieth, über Berge und durch Steppen mit der Schnelligkeit eines geschleuderten Steins dahineilen. Das war eine Vision, von der einem Politiker fürwahr schwindlig werden konnte. Wenn man sich allein einmal ausmalte, was sich daraus an neuen Abgaben beziehen ließ!

Gaet suchte den Ivieth-Läufer, der ihm Hoemeis Nachricht überbracht hatte, und besprach seine Vorstellungen mit ihm bei Semmeln und Tee. Der kraftvolle Riese von einem Mann lächelte bloß, als sei das Rohrgestell-Gefährt nichts als ein Spielzeug. »Wie der Wind einherzusausen, so mühelos, als lustwandle man, das ist ein prächtiges Vergnügen. Aber die Straßen sind zu schlecht für derartig wacklige Gefährte. Sie müßten alle tausend Mannlängen auseinanderfallen! Menschen sind stärker als Metall.« Und er grinste. Er war mit dem Ziel gezüchtet worden, Stahl zu übertreffen.

Ernüchtert begab sich Gaet zurück in die Werkstatt, um noch andere Meinungen einzuholen. Benjie lag noch besinnungslos am Boden, aber mittlerweile hatte eine andere, ausgeruhte Schar og'Sieth die Arbeit aufgenommen. Sie lachten nur über die Ansicht, Menschen seien stärker als Stahl, und wenngleich sie davon absahen, ihr Gelächter mit überzeugenden Worten zu unterstreichen, versetzte ein tollkühner Jüngling Gaet zur Veranschaulichung mit einem Hammer einen gemäßigten Schlag auf die Brust, der ihre Auffassung zur Genüge verdeutlichte.

Die og'Sieth hatten wenig Zeit für Gaet, weil sie sich unablässig untereinander über Antriebsstangen und Getriebe verständigten, in denen es allzu häufig klemmte, und Meinungen über verschiedenerlei Entwürfe austauschten, um möglichst viel an Rohmaterial einzusparen. Zudem konnten sie nicht miteinander reden, ohne gleichzeitig Metall zu hämmern, zu bohren oder an der Drehbank zu bearbeiten, und ihre Äußerungen blieben für Gaet zumeist rätselhaft: Schlagworte in bezug auf gehärteten Draht, Drehstäbe und Stoßkraft. Kein Fehlschlag, so hatte es den Anschein, vermochte diese Leute aus der Fassung zu bringen. Sie waren bereits dazu übergegangen, das leichte Gefährt, das in der Nacht entstanden war, ein Skrei-Rad zu nennen – nach den Skrei, die zwölf lange, dünne Beine besaßen, mit denen sie zwischen Steinen und auf Felsen umherflitzten –, als wäre ihre launige Erfindung nichtsdestotrotz eines bleibenden Namens wert.

12

Ein Mensch, der an seinen Freunden fortwährend Gerechtigkeit übt, wird unerwartet selbst unter seinen Widersachern Verbündete finden und es ihnen danken können, daß seine Kalothi sogar außerhalb der gewohnten Grenzen ihres Gültigkeitsbereichs an Ansehen gewinnt. Ein Mensch jedoch, der seine Gegner fortgesetzt in Wort und Tat schmäht, wird sicherlich auch dabei ertappt werden, wie er die Frau demütigt und schlägt, die er liebt, seine Gefährten beleidigt, seine Eltern betrügt und an seinem Clan Verrat begeht, und er wird jeder Schmeichelei mit einem warmen Gefühl in seinem Herzen ein offenes Ohr schenken. Mißtraue dem, der grausam zu deinen Feinden ist, denn er wird dir ein schlechter Freund sein.

Alleinpriester Rimi-rasi vor der Versammlung der Gottesverehrung

»Was hast du mit ihr angestellt?!« zeterte Teenae.

»Ich bin heilfroh, nicht dabei gewesen zu sein, als sie ergriffen worden ist. Sie hätte Eiemeni beinahe erschlagen.«

Teenae hatte keine Geduld für solches Geschwätz. *»Lebt sie?«*

»Zu jemandem, der so zählebig ist wie sie, kommt der Tod nicht so bald. Und außerdem ist sie schnell. Sie hat sich kaum ein Wimpernzucken lang überraschen lassen. Sie ist eine gefährliche Totschlägerin.«

»Sie besteht aus nichts als Sanftmut!«

»Bloß gut, daß *mir* nicht der Fehler unterlaufen ist, zu glauben, sie sei so, wie sie schreibt, als ich ihr den Hinterhalt gelegt habe. Sie dürfte ohne weiteres dazu imstande sein, eine ganze Kaiel-Familie mit den bloßen Händen umzubringen.«

»Du hast meine Frage nicht beantwortet!«

»Danach, ob sie lebt?« fragte Joesai seinerseits versonnen zurück.

»Ja.«

»Ich habe mir ausgedacht, sie gerissen in die Irre zu führen und die anfängliche Probe des mnankreischen Rituals des Todes angewendet. Wir haben ihre Handgelenke durchbohrt, sie durch die Wunden in einen Korb aus Hartschilf gefesselt und in einer Bucht ausgesetzt.«

»Was für ein schreckliches Sterben«, trauerte Teenae in bitterem Tonfall. »Wenn man zu feige ist, um sich verbluten zu lassen, muß man sich ersäufen. Ist sie tot?« Teenae fühlte sich völlig hilflos.

»Die Mnankrei schreiben für die erste Probe sieben Möglichkeiten vor, wie man sie zu seinen Gunsten bestehen und der Falle entkommen kann, und jede dieser Möglichkeiten ist schwieriger zu erkennen, dafür jedoch leichter als die vorherige in die Tat umzusetzen. Daß sie schon der ersten Falle erliegt, war daher kaum anzunehmen.«

»Sie lebt also?«

Joesai lachte, lehnte sich zurück in die Kissen und blickte über die Bucht aus. »Ich selbst habe sie heimgeleitet. Mein Humor ist doch wirklich voll feingeistiger Ironie. Es bereitet mir Freude und Genugtuung, über den Gegner von Anfang an Bescheid zu wissen.«

»Dann lebt sie also noch. Gott sei Dank. Sag mir, wo sie sich aufhält!«

»Zu wissen, wo sie sich befindet, wäre wiederum geschwindelt. Ich habe sie untertauchen lassen.«

»Aber du wirst sie wieder aufspüren?«

»Das nächstemal werden ihr nur noch sechs Wege offenstehen, um sich zu retten.«

»Am Ende wirst du sie doch irgendwie umbringen.«

»Er wird wenigstens bis zur fünften Probe durchhalten, dieser Sturmwind von Weibsbild. Ich mag die Frau gut leiden.«

Teenae nahm einen Überwurf, ein gehäkeltes Spitzentuch, das lauter Insekten im Laufen und Fliegen zeigte, und verließ den Gasthof, um einen Spaziergang am steinernen Ufergemäuer entlang zu machen, damit sie für einige Zeit ohne Joesai sein konnte. Der Wind, der an diesem Tag vom Meer hereinwehte, war kalt, und sie hielt den Überwurf eng um den Körper geschlungen, während der böige Wind ihr schwarzes Haar hin- und herflattern ließ und sie ihn auf dem geschorenen Mittelstreifen ihrer Kopfhaut unangenehm kühl zu spüren bekam.

Der Joesai, der sich hier in Trauerweiler befand, unterschied sich merklich von dem Ehemann, wie sie ihn von Kaiel-Hontokae her kannte, und sie empfand keineswegs eitel Freude an diesem Unterschied. Ihr Zorn, so glaubte sie, beruhte auf der grausamen Kaltschnäuzigkeit, mit der er dem Tod eines anderen Menschen entgegensah; doch sie war sich dessen nicht bewußt, wieviel von ihrer Erbitterung auf die bloße Tatsache zurückzuführen war, daß er sich anschickte, das Spiel zu gewinnen, zu dem sie ihn insgeheim herausgefordert hatte. Das wirkliche Leben bewegte sich auf mehr Beinen als beim Kol. Joesai verfügte über Erfahrungen, gegen die sie nur Klugheit aufzubieten hatte. Die Lage war unerträglich.

Sie blieb im Hafen an der Bude eines Fischers stehen und feilschte mit einer steinalten Großmutter um fünf Schwimmer. Die Schwimmer waren achtbeinige, gepanzerte Geschöpfe von der Größe einer Männerfaust. Sie waren wohlschmeckende Tiere, bereiteten aber nahezu mehr Arbeit, als es der Mühe wert gelten konnte. In ihren Schalen durfte man sie nicht kochen, weil dann das Gift ihren ganzen Körper und somit auch das Fleisch durchtränkte; man mußte ihr Gehäuse aufbrechen und den Leib sorgsam zerteilen. Nur das Gehirn und die Kiemen waren eßbar, zusammen Brocken vom Umfang etwa zweier Finger, ein bescheidener Mundvoll Fleisch. Das übrige Muskelfleisch konnte gefahrlos verzehrt werden, wenn man es gemeinsam mit einer bestimmten Bakterienart in einem luftdicht verschlossenen Behältnis aufbewahrte und modern ließ, bis es stank. Es gab Rezepte, durch deren Anwendung man die ölige Fauligkeit herauskochen oder überdekken konnte. Manche Leute zogen solche Mahlzeiten menschlichem Fleisch vor. Teenae nicht.

Sie wanderte weit über das Gebiet des Hafens hinaus, schlurfte mit den Füßen durch den Sand, während sie versuchte, Joesais Denkweise nachzuvollziehen. Es fiel schwer, ihn zu durchschauen, weil er sich im Denken an keine erkennbare Logik hielt. Bisweilen bezweifelte sie sogar, daß er überhaupt seinen Verstand benutzte. Er hielt sich an Überkommenes bis zur Verblendung, aber nie ließ er sich von irgendwelchen Gepflogenheiten einschränken, die ihm mißhagten. Er handelte nach alten Faustregeln, doch nicht etwa wie jemand, der tatsächlich an sie glaubte, sondern in einer irgendwie aufgeräumten, geistesabwesenden Art und Weise, so als ob er sich durch gewohnheitsmäßiges Vorgehen die Mühe des Denkens erspare, während sein Geist sich gleichzeitig mit anderen, wichtigeren Angelegenheiten befasse.

Er hatte zur Unterstützung seine Begleiter, und sie hatte niemanden; das war die hauptsächliche Schwierigkeit. Er besaß die vielblickigen Augen einer Biene; sie nur zwei gewöhnliche Augen. Sollte sie Aussicht auf Erfolg haben, mußte zuerst einmal ein Gleichgewicht hergestellt werden. War sie hier, nur um Joesais Selbstgefälligkeit zu schmeicheln, oder stand es ihr zu, mit ihrer Lebenszugewandtheit zu seiner rücksichtslosen Härte ein Gegengewicht abzugeben? Sie brauchte ein Mehr an Gerechtigkeit. Sie benötigte Verbündete.

Voraus tänzelte ein Kind am Strand entlang und spielte mit einem im Faulen begriffenen Stück Seeranke, ließ es klatschen wie eine Peitsche. Um den weichen Sandstrand zu meiden, wanderte Teenae nun im Grenzbereich des endlosen Ringens zwischen See und Land weiter, wo das Hin und Her ein lebloses Halbrund aus nassem schwarzen Sand hinterlassen hatte. Ein neuer Angriff der Gischt ging über ihre zu eiliger Flucht getriebenen Füße hinweg, und der Sand ließ nach seinem Gegenstoß Wassertümpel zurück, die bis an die Fußknöchel reichten.

»Hallo«, sagte der Knabe und drosch mit der Ranke auf die Brandung ein. Dem Gewächs brach der morsche Stengel. Weil ihre Überlegungen auch Oelita galten, betrachtete Teenae die vier Weizenkörner auf dem Rücken des Bürschleins – das Mal der Ketzerei. Der erste Entwurf des Musters, fiel ihr auf, war von einem der dem Althergebrachten zugewandten Künstler des n'Orap-Clans ausgeführt worden. In Kaiel-Hontokae gab es nur wenige Künstler von solcher Geschicklichkeit. Wenn das Wachstum des Jungen beendet war, würde man in allen Einzelheiten die letzten, feineren Tätowierungen anbringen – einritzen oder ausschaben – und einfärben. »Du hast Schwimmer«, sagte er zu ihr. »Bäh. Wenn ich einen von denen erwische, schmeiß ich ihn wieder ins Wasser.«

»Stellst du Fallen«, erkundigte sie sich, »oder tauchst du?«

»Meistens nehme ich Köder, aber tauchen kann ich auch ganz gut.«

»Wer hat denn deine Verzierungen angebracht? Wie ich sehe, sind all deine Tätowierungen von ein und demselben Künstler gefertigt worden. Er ist sehr gut.«

»Mein Zweitvater. Du müßtest erst mal meine Mutter sehen! Mit mir ist er noch lange nicht fertig.«

Teenae machte sich Gedanken über einen Mann, der seinen Sohn auf eine Weise einem Ketzertum verschrieb, die sich nicht mehr rückgängig machen ließ. So ein Mann mußte ein wahrhaft überzeugter Anhänger dieser Ketzerei sein. Joesai hätte so etwas mit Mißbilligung betrachtet. Von Kindesbeinen an hatte er sich starrsinnig dagegen gewehrt – und mit Erfolg –, daß irgend jemand ihm seine Symbole in den Körper ritzte. Alle Muster, die er aufwies, entbehrten jeder Bedeutung. Und in diesen Augenblicken reiften in Teenae klare Vorstellungen heran, wie sie Joesai über ihre Absicht, seinem Tun entgegenwirken zu wollen, Klarheit verschaffen könne.

»Ich habe Arbeit für deinen Zweitvater. Ist er daheim?«

Die Familie des Knaben wohnte in einer der gewundenen Sackgassen am Fuße von Trauerweilers Tempelhügel, einer Gasse, deren Bewohner immerhin wohlhabend genug waren, um sich ein Straßenpflaster leisten zu können. Ihre Häuser und Läden boten ein buntes Bild gelber und roter Ziegel, Feldsteinen und Putz, behauenen Quadern und vornehmen Torbögen, alle mit schrägen Schieferdächern und winzigen Fensterchen. Treppen mündeten in Gemeinschaftsinnenhöfe oder Obergeschosse, oder sie wanden sich den Hügel hinauf zu einer anderen Straße.

Drei Kinder klommen waghalsig an den Steinen des Aquädukts herum, der über die Gasse hinwegführte und die acht öffentlichen Brunnen der Ortschaft speiste, aus denen die Ansässigen ihr Wasser bezogen. Andere Kinder bedrängten Einkaufende, um für eine Münze ihre Taschen tragen zu dürfen. Ein Ivieth-Paar, die Frau erheblich größer als der Mann, schob einen Mistkarren einher, der weithin stank, drehte damit eine Runde durch den ganzen Ort, um Düngemittel für die Felder zu sammeln. Ein Vater und seine Tochter eilten in entgegengesetzter Richtung an dem Karren vorüber, auf den Rücken Wasserbehälter, in denen sie den abendlichen Wasserbedarf vom nächstgelegenen Brunnen geholt hatten.

Am Eingang zum Ladengeschäft streifte Teenae die Sandalen ab und wusch sich die Füße in einem flachen Becken. Ein kleines Mädchen, dessen nackte Haut so glatt war wie frisch gebleichtes Feinpapier, beobachtete sie wachsam, dann lief es, sobald es befunden hatte, daß die Besucherin wohl keinen Anlaß zur Unruhe lieferte, zu seinem Halbbruder und stieg auf seine Schultern, um sich von ihm tragen zu lassen. Von dem höheren Platz aus schaute es Teenae frech in die Augen, ohne einen Ton von sich zu geben, während es gleichzeitig den Bruder an den Ohren zerrte. Im Gang lächelte ein anderes, älteres Mädchen Teenae breit zu, als sich ihre Blicke begegneten.

Im Laden empfing sie eine dunkeläugige Frau, von deren Augen außerordentlich kunstvoll gearbeitete Spiralen sich ausbreiteten; das Angebot umfaßte aus fremden Landen eingeführte Stoffe, Wandbehänge, Teppiche, hauchfeines Porzellan, Küchengeräte aus Messing, sogar Uhren aus Kaiel-Hontokae. Offenbar handelte die Familie mit teuren Wohlstandsgütern.

»Noch nie habe ich so schönes Porzellan gesehen«, rief Teenae.

»Das hier ist nur unser Ausstellungsraum. Ich werde dir gerne das ganze Lager an Töpferwaren und Ähnlichem zeigen, das wir unten im Keller unterhalten. Aus den o'caischen Brennöfen ist weit mehr vorhanden, als wir hier ausstellen können. Gerade erst ist eine ganz neue Lieferung ausgepackt worden.«

»Das sind o'caische Waren?« Ein Händler, der Güter aus solcher Ferne kommen ließ, machte großen Eindruck auf Teenae.

»Sie ist da«, sagte der Junge, der sie hierhergebracht hatte, »um mit Zeilar zu sprechen.«

»Ah, du bist an den Häuten interessiert. Wir haben ein kleines, aber erlesenes Angebot. Mein Gemahl Zeilar sammelt Häute vornehmlich als Kunstgegenstände, damit die Meisterwerke anderer Künstler ihm zu neuen Eingebungen verhelfen. Er behält die besten Stücke zurück, die durch die Hände meines Gemahls Meikam gehen.«

Die Frau führte Teenae nach oben und dann über eine nahezu senkrechte hölzerne Leiter in eine große Räumlichkeit, die das gesamte dritte Stockwerk einnahm. Dort war reichlich Platz vorhanden, und es war heller als in den unteren Teilen des Gebäudes. Zeilar saß auf einigen der dickeren Kissen, die am Boden lagen, und las neben einem Fenster, das dreimal größer war als alle übrigen Fenster im Haus, in einem handgeschriebenen Buch. Durchs Fenster konnte man die spitzen Giebel der Ortschaft sehen, die teilweise den Blick aufs Meer versperrten. In dem Dachgeschoß hingen die Häute von ungefähr einem Dutzend Menschen, entweder als Raumteiler oder Wandbehänge. Auf dem niedrigen Tisch, der so etwas wie den Mittelpunkt der Räumlichkeit darstellte, lag ein Musterbuch verschiedener Arten von Leder, und hinter diesem Tisch stand ein mannshoher Spiegel, mit etlichen schwenkbaren Seitenteilen ausgestattet und von beinahe Goldgetöntheit der Widerspieglung, so gestaltet, daß man sich darin aus den verschiedensten Blickwinkeln betrachten konnte.

Zeilar legte sein Buch beiseite, und Teenae sah, daß sein Gesicht Tätowierungen in einer Art von gegenstandsloser Musterung aufwies, die es zu einer so gut wie unlösbaren Aufgabe machte, seine jeweilige Miene zu deuten. »Sieh dich nur in aller Ruhe um«, sagte er im Tonfall freundlicher Ermutigung.

Die größte der ausgestellten Häute war zugleich die womöglich ungewöhnlichste, die Teenae je gesehen hatte, denn sie war – was man nur äußerst selten fand – mit naturgetreuen Abbildungen von Bergen, Städten und Schiffen bedeckt, untereinander verbunden durch ein wild verschlungenes Straßennetz. »Ist dir die Lebensgeschichte der Menschen bekannt«, fragte sie nach, »von denen die Häute stammen?«

»Diese da stammt von Harar ram-Ivieth«, antwortete Zeilar. »Er war ein vielseitig begabter Liedermacher und einer der wenigen Menschen, die überhaupt je ganz Geta zu Fuß umrundet haben. Ich bin ihm nie begegnet, weil er starb, bevor ich zur Welt kam, aber viele Ivieth kennen seine Geschichten, und mehr als ein Ivieth ist schon durch Trauerweiler gekommen und hat sich dazu bekannt, dem Vorbild von Harars Pilgerschaft nachzueifern. Ich besitze sogar eine Ausfertigung seines Buches, das *In Gottes Gefolge* heißt.«

Die kleinflächigere Haut einer Frau erregte Teenaes Aufmerksamkeit, als sie die zierliche Kunstfertigkeit der Tätowierungen bemerkte.

Das war genau das, worauf sie es abgesehen hatte. Einschnitte, Feinarbeit, Begradigung des Narbengewebes, Ausschabung und letztendliche Einfärbung waren mit unglaublichem künstlerischen Geschick vorgenommen worden.

»Die ist nicht zum Verkauf bestimmt«, sagte Zeilar sogleich, als ihm Teenaes Interesse auffiel. »Sie ist von meiner ältesten Nichte. Ich habe an ihrer Haut gearbeitet, als sie noch ein Kind war, und sie hat mir zu allerlei neuen Einfällen verholfen, das freche Luder. Sie ist im Njarae-Meer ertrunken. Ich bin mir nicht sicher, daß es kein Mord gewesen ist. Ihr Tod hat in meinem Herzen einen Stachel hinterlassen.«

»Ich bin nicht gekommen, um tätowiertes Leder zu kaufen.« Teenae gab ihr Interesse auf, von der Vorstellung, daß eine Frau in der Blüte ihrer Jugend das Leben an die See verloren hatte, mit Trauer erfüllte. Sie lächelte dem Künstler zu. »Es geht mir um eine Tätowierung für mich.«

War es Befremden oder Freude, was sich nun in seiner undurchschaubaren Miene widerspiegelte? »Ach so.« Die Stimme jedenfalls drückte Befriedigung aus. »Was für ein Muster soll es sein? Du kannst dir hier irgendeine Darstellung aussuchen, oder ich fertige dir einen vollkommen neuen Entwurf an. Die Arbeit läßt sich nicht an einem Tag erledigen, das ist dir sicher klar. Es sind mehrere zeitliche Abschnitte des Heilenlassens erforderlich, damit das Gewebe die entsprechende Beschaffenheit annimmt.«

»Ich wünsche irgendein Bildnis mit den vier Weizenkörnern.«

Er erstarrte mitten in seiner Bewegung. »Du bist zu den Lehren unserer Oelita bekehrt?«

»Ja«, log sie in ihrem sanftmütigsten Ton.

Der Sohn kam mit frisch aufgebrühtem Tee die Leiter heraufgestiegen, gefolgt von seinem nackten Schwesterchen. Er goß den Tee in flache o'caische Schalen.

»Soll das Sakrament jetzt oder in Gegenwart von Freunden vollzogen werden?«

»Jetzt. Da du ein Anhänger Oelitas bist, magst du mir hier die Freunde ersetzen.«

»Sohn, spute dich und hole aus meinem Kräuterbeutel ein Maita-Blatt, damit wir den Tee unseres Gastes damit anreichern können.« Er wandte sich wieder an Teenae. »Ich verwende nur schwache Betäubungsmittel, weil das Bewußtsein des Schmerzes eine schnellere Heilung gewährleistet, und schnellere Heilung verleiht dem neuen Gewebe Glanz, gibt ihm ein feineres Aussehen und eine angenehmere Färbung.«

»Ich habe noch nie irgendwelche Betäubungsmittel genommen, weder Maita noch andere. Es ist widersinnig, den Schmerz zu fürchten. Nur den Schaden zu fürchten, der sich durch Schmerz anzeigt, hat wirklich Sinn. So lehren die o'Tghalie.« Sie trat vor den Spiegel und entkleidete sich. Eine unendliche geometrische Nicht-Welt enthüllte Reihen über Reihen goldfarbener Teenaes. »Der untere Teil meines Rückens ist noch frei und hat glatte Haut«, sagte sie.

Der Knabe kam mit einem großen Maita-Blatt aus der Klapptür gestiegen; diesmal hatte sich ihm eine ganze Horde von Schwestern angeschlossen, dazu ein Bruder. Für diese Kinder war es offenbar ein Erlebnis, dem Meister zuzuschauen, wie er mit Pinsel, Messer und lebendigem Fleisch seine Magie wirkte. Trotz ihrer zahlreichen Anwesenheit benahmen die Kinder sich zurückhaltend und unaufdringlich. Allerdings wendete keines von ihnen den Blick von Teenae.

Zeilar rieb ihr den Rücken mit reinem Alkohol ab und säuberte ihn gründlich, dann malte er auf die Haut über den Nieren erste Umrisse des beabsichtigten Musters, während sie zwischen den Teilen des Spiegels stand und mitverfolgte, wie diese neue Verschönerung ihres bereits weitgehend geschmückten Körpers allmählich Gestalt annahm. Manchmal wischte Zeilar einige Pinselstriche weg und begann noch einmal von neuem. Ab und zu schweifte Teenaes Blick zu den Häuten jener Menschen hinüber, die einst alle nackt einem solchen Künstler gegenübergestanden hatten, so wie in diesem Augenblick sie selbst. Die Kinder schauten wie gebannt zu.

Teenaes völlig auf Logik eingestellter Verstand genoß all die Ironien ihres Daseins. Sie vermochte die Art und Weise, wie Nicht-o'Tghalie blind an den Widersprüchen des alltäglichen Geschehens vorüber und weiter durch ihr Leben stolperten, nie recht zu begreifen. Weder sahen sie noch hörten oder spürten sie den Sturm. Zeilar arbeitete hier in einem Raum, in dem sich Überreste kannibalischer Festmale ausgestellt befanden, am Symbol einer Philosophie, die den Kannibalismus bekämpfte, das er dem Rücken einer Frau auftrug, die man eines Tages verzehren würde. Sie lächelte vor sich hin. Künstler kannten ihre eigenen Wege, mit den Gegensätzen zu leben, die in der Seele der Menschheit wohnten und wirkten.

Teenae fragte sich, warum sie hier weilte, weshalb sie das tat. Bislang bestand das Symbol nur aus Tinte. Doch es waren keineswegs Oelitas Ernährungsregeln, von denen sie sich angezogen fühlte; vielmehr zog die Sanftheit dieser Frau sie so an. Früher hatte Teenae in einer strengen Familie gelebt, in der man nicht dulden wollte, daß sie sich mit Mathematik befaßte, und heute war sie Mitglied eines Clans, der sich durch den unerbittlichen Willen zur Weltherrschaft auszeichnete. Alles Sanfte übte auf sie eine unwiderstehliche Anziehungskraft aus.

Inzwischen war einiges vom Gehalt des Maita-Blattes in den Tee übergegangen. Der Junge brachte ihn ihr, damit sie trinke, hob ihr das Schälchen an die Lippen. Sie trank. Der Künstler hielt unterdessen flüchtig inne, trug dann einige letzte Linien auf. Er trat zurück, um den Entwurf zu begutachten, und sie sah hundert goldene Teenaes, die ihr den Rücken zuwandten und über die Schulter spähten. Dann nickten sie alle gleichzeitig.

Das Grundmuster war so abgewandelt worden, daß es sich in die schon vorhandenen Tätowierungen einfügte, ohne störend zu wirken; der Stengel des Weizens war geschwungen, als habe Wind ihn erfaßt, während er auf den rundlichen Hügeln ihrer Hinterbacken reife. Zeilar war zufrieden; sie desgleichen. Er führte sie den Kindern vor, die durch Händeklatschen ebenfalls Gefallen bekundeten, sich dann um den Tisch drängten und einander um der besten Plätze willen zu schubsen anfingen, längst nicht mehr so ruhig wie zu Beginn. Der Meister holte seine Werkzeuge, und Teenae nahm ihren Platz auf dem Tisch ein, bäuchlings ausgestreckt, den Kopf auf die Arme gestützt; sie lächelte und zwinkerte dem kleinsten Mädchen zu.

»Ist Oelita wahrhaft ein so gütiger Mensch, wie es sich ihren Schriften entnehmen läßt?«

Er brachte Teenae zwei Holzstangen, die sie mit den Fäusten umklammern, und ein längliches Stück Hartholz auf einem fingerhohen Ständer, in das sie beißen oder nicht beißen konnte, ganz nach Wunsch. »Unsere Oelita hat eine goldene Kalothi. Du und dein Gemahl, ihr kennt euch ja aus mit Gold. Das Leben deckt sie wie mit Hammerschlägen ein, aber sie zerbricht nie. Ein wenig von ihrer Ausstrahlung genügt, um alles mit Glanz zu vergolden.« Er wählte ein Messer aus und schwenkte eine der Spiegelflächen, um vom Fenster mehr Licht zu erhalten. »Bist du bereit?«

»Anscheinend wird sie von sehr vielen Menschen verehrt.«

»O ja«, bestätigte der Künstler und machte rasch den ersten Schnitt.

Teenae keuchte und biß die Zähne ins Hartholz, atmete tief durch, während die Klinge weitere blutige Striche führte. »Warte! O Gott, warte!«

Er fügte sich, nutzte die Verzögerung jedoch, um mit verdünntem Maita-Tee von betäubender Wirkung das Blut abzuwaschen und das Muster wieder freizulegen. »Als nächstes werde ich zurechtschneiden. Der Schmerz wird in Abständen auftreten, aber scharf sein.«

»Hat sie lange hier gelebt? Hast du sie schon als Kind gekannt?«

»So, jetzt wird's schmerzen.« Schnipp. »Sie kam und ging mit ihrem Vater.« Schnipp-schnipp. »Wenn er sie ins Dorf mitgebracht hat, lief sie ihm meistens weit voraus.« Stich. Schnipp. Stich. »Ich kann mich daran erinnern, daß sie einmal die Treppe heraufgekrabbelt gekommen ist und mit uns zu Mittag gegessen hat.«

Schlitz. Schnipp. Stich. »Sie hat derart drauflosgeplappert, daß uns die Ohren weh taten. Wie fühlst du dich?«

»Nur zu, je rascher es ausgestanden ist, um so besser!«

Er lachte. »Wir dürfen nichts überstürzen, sonst unterlaufen mir womöglich fehlerhafte Schnitte. Ich werde nun ein paar Stellen ausbrennen und an anderen eine Salbe aus zerquetschten Käfern auftragen. Dadurch entsteht eine Wirkung, dank der das Gewebe den Eindruck unterschiedlicher Tönung erweckt. Die Salbe schmerzt noch viel ärger als die Nadel.«

Teenaes Körper zitterte wie Espenlaub. »Nun gut.« Sie atmete in tiefen Zügen, damit ihr nicht die Besinnung schwinde, roch das eigene, von der heißen Nadel versengte Fleisch.

»Dasch jeht vohbai«, sagte das kleine nackte Mädchen, das zu ihr gerutscht war und ihr nun den Kopf tätschelte.

»Hat Oelita den Tempel aufzusuchen gepflegt?«

»Oh, sie war ständig in unserem Tempel.« Zeilar begann von neuem zu schneiden, und einmal krampfte Teenaes Körper sich heftig zusammen. Zeilars Männerstimme beherrschte ihre Sinne, verdrängte die Pein so wirksam wie Maita. *Ich muß meine gesamte Aufmerksamkeit voll auf seine Stimme richten.* Die Stimme schwoll an und ab, als befände sich der Sprecher nie an ein und demselben Fleck. »An buchstäblich allem hat Oelita sich beteiligt.« Ein endloser Schrei ritzte auf den Rundungen von Teenaes Gesäß eine Rinne. »Sie wetteiferte in allem. Sie hat Schach gespielt. Ihre Augen waren die flinksten, ihre Hände die schnellsten. Sie konnte tagelang an einem Zusammenlegspiel sitzen. Du wirst's nicht wissen, aber sie ist tatsächlich hier im Ort der Kol-Meister...«

Teenae nahm die Zähne lange genug für eine Zwischenbemerkung vom Hartholz. »Ich spiele ungeheuer gerne Kol.«

»...ganz gleich, gegen wen sie spielt, sie gewinnt stets in der Hälfte der sonst üblichen Zeit.« Zeilars Hand tastete nach einem anderen Messer, und dieser flüchtige Augenblick der Erleichterung glich Frühling, Sommer und Herbst in einem. »Niemals hat irgend jemand in unserem Dorf eine höhere Kalothi-Einstufung als sie bekommen.« Zügig tat auch das andere Messer sein Werk. »Sie hat's nicht nötig, barmherzig zu sein«, sagte er mit spürbarem Stolz, »aber sie ist's dennoch.«

»Warte! Ich muß ein wenig verschnaufen.«

»Wir sind fast fertig. Ich glaube, es wird sehr schön aussehen.« Behutsam tupfte er das Blut ab und trug noch mehr von der ätzenden Käfer-Salbe auf.

»Und wann ist sie Alleinpriesterin geworden?«

»Findet die Weisheit nicht ihren Weg in schweren Zeiten zu uns? Ihr Leben war erfüllt. Sie hatte einen großartigen Vater, möge er uns noch lange nähren, und so viel Freunde, wie ein Mensch sich nur wünschen kann. Sie hätte in einen ruhmreichen Clan einheiraten können. In jeden Clan hätte sie einheiraten können, außer vielleicht bei euch o'Tghalie.«

»Unsere Männer hätten sie mit Liebe überhäuft.« Teenae lachte. »Ist dir wieder wohler zumute? Sollen wir weitermachen?«

»Ja, aber berichte mir derweilen weiter. Das Messer ist erträglicher, wenn du redest und ich vollauf deiner Stimme lauschen kann.«

»Ohne weiteres wäre es ihr möglich gewesen, in eine Stgal-Familie aufgenommen zu werden.« Das Messer begab sich auf einen qualvollen Hin- und Herweg. »Sogar zu den Kaiel hätte sie Zugang gefunden, da bin ich sicher. Den Kaiel! Sie war wunderschön. Keine Frau hat je größere Mühe darauf verwendet, ihren Körper mit Verzierungen zu schmücken. Aber es sollte nicht sein.« Während er mit den Schultern zuckte, verhielt das Messer. »Sie hatte schließlich einen Geliebten. Einen bedeutenden Reisenden. Er war übers Land vom Aramap-Meer gekommen. Man stelle sich das mal vor, vom Aramap-Meer! Gutaussehender Mann. Starke Kalothi. Damals war sie noch ziemlich jung. Sehr jung, und sie wollte der Welt ihren Wert als Braut beweisen, indem sie die schönsten Kinder der ganzen Ortschaft gebar. Sie bekam Zwillinge, beide genetisch geschädigt, obwohl sie geistig völlig in Ordnung waren – beides aufgeweckte und kluge Kinder, genau wie ihre Mutter, aber die Beine sind verkrüppelt gewesen. Du kennst die Krankheit, Ainokies Fluch heißt sie. Sie trägt die Anlagen dazu, und sie wären niemals offenbar geworden, hätte sie bloß einen anderen zum Geliebten genommen.«

»Sind sie nicht gleich nach der Geburt verzehrt worden?« fragte Teenae, im geheimen so entsetzt, daß sie für einige Augenblicke keinerlei Schmerz empfand.

»Nein. Oelita hat ja ein so sanftes Gemüt. Sie hat die Kinder aufgezogen und beschützt, aber eine Ehe mochte sie nicht mehr schließen. Sie hatte Kalothi. Das stellte sie immer klar. Die Kinder hatten auch Kalothi. Aber dann kam eine schwere Hungersnot.« Der Gedanke daran machte ihm allem Anschein nach zu schaffen, und er verfiel in Schweigen, während er die Weizenkörner in Teenaes Haut zu kerben begann.

»Erzähle die Geschichte weiter«, rief Teenae, indem sie zwischendurch wiederholt aufkeuchte. »Nicht mit dem Reden aufhören!«

»Hier jedenfalls war die Hungersnot sehr schlimm, ich weiß nicht, wie sie dort gewütet hat, woher du kommst. Also ging's los mit der Auslese. Erst waren die Verbrecher dran. Die Not sorgte dafür, daß die Bäuche leer blieben. Jene Leute mit niedriger Kalothi stellten sich dem Tempel zur Verfügung, um unser Leben zu bewahren. Sogar die Alten gingen in den Tempel, um den Jungen das Leben zu retten – so schlimm war's damals. Einer von zehn verwandelte sich in einen Bestandteil der Lebenden. Unsere Zahl schwand dahin. Das Dorf teilte sich auch Oelitas Kinder. Das war der Zeitpunkt, an dem sie aufhörte, dem Gott des Himmels Seine Lieder zu singen, diesem Ballastklotz all unseres Aberglaubens, und damit den Anfang setzte, uns eine bessere Lebensweise zu lehren.«

Wie grausam, Mißratene nur im Namen der Barmherzigkeit am Leben zu halten, dachte Teenae mitten in all ihrem Schmerz.

Die Arbeit an dem Kunstwerk nahm ihren Fortgang. Auch die Geschichte Oelitas. Nach einiger Zeit schenkte Teenae weder dem einen noch dem anderen weitere Beachtung. Sie rang darum, bei Bewußtsein zu bleiben. Sie zwang sich dazu, tief zu atmen. Sie versuchte, die Stangen zwischen ihren Fäusten zu zerbrechen. Ihre Zähne hinterließen Abdrücke in dem Stück Hartholz. Manchmal schrie sie sogar durch die zusammengebissenen Zähne auf. Sie vermochte ihr tränenloses Geschluchze nicht zu beherrschen. Irgendwo in ihrem Geist dankte sie dem Gott des Himmels, weil sie mittlerweile eine Frau war, eine erwachsene Frau, die nun keine freien Flächen mehr an ihrem Körper besaß. Das kleinste der anwesenden Mädchen, dem all diese Erfahrungen noch bevorstanden, tätschelte ihr fortgesetzt mitleidig den Kopf, und als es zu guter Letzt vorüber war, stand das Kind dicht vor ihr und lächelte sie an.

Behutsam wusch Zeilar die Wunden aus und verband sie. Zwei seiner Gattinnen kamen die Leiter heraufgestiegen. Sie hatten sich mittlerweile Teenaes Schwimmer angenommen. Die rohen Hirne und die Kiemen gaben sie ihr sofort zu essen. Schmerz erhöhe den Geschmackssinn, behaupteten sie, und jetzt sei der rechte Augenblick, um Köstlichkeiten zu genießen. Die übrigen eßbaren Teile der Schwimmer hatten sie zum Faulen in kleine Krüge getan, so daß das Fleisch in einer Woche zum Verzehr geeignet sein würde.

»Ihr verwöhnt mich«, sagte sie, als die Frauen sie im Gesicht und am Körper vom Schweiß zu reinigen begannen.

»Wir heißen dich in unserem Bund willkommen«, sagte die jüngere Frau.

Die wichtigste Frage hatte sich Teenae bis zum Schluß aufgehoben, weil sie genau da am naheliegendsten klingen mußte. »Werde ich ihr jemals begegnen dürfen?«

»Gewiß«, versicherte Erstweib.

»Natürlich«, bekräftigte Drittweib.

»Gegenwärtig hält sie sich verborgen«, sagte Zeilar, »weil die Mnankrei ihr den Ritus des Todes auferlegt haben.«

»Darüber habe ich ein Gerücht vernommen. Es hat mir Furcht eingeflößt.«

»Ihre wundersame Kalothi wird sie beschützen, deshalb können die Mnankrei gar nicht gewinnen. Trotzdem muß sie Vorsicht walten lassen. Du wirst sie beizeiten kennenlernen.«

»Warum können die Menschen einander nicht in Frieden leben lassen?!« Teenae tat ihre Äußerung in unnachgiebigem Zorn, der Joesai galt, sich für die Anwesenden dem Anschein nach jedoch gegen die Seepriester richtete.

»Ach, die Herausforderung ist ihr gar nicht so unlieb. Wenn die Mnankrei unterliegen, werden sie ihr eine Große Gefälligkeit schuldig sein.«

Ja, du wirst ihr eine Große Gefälligkeit schuldig sein. Teenae schwelgte bereits im Gefühl des bevorstehenden Sieges über Joesai. Logik war weit besser als überkommene Bräuche.

13

Wenn das Land voll des Zwistes ist, wird die Mutter des Heilsbringers – im Wissen, daß sie die Mutter dessen ist, der heißt: Der Eine Der Mit Gott Spricht – ihr Blut tief drunten in den Gräbern der Verlierer vergießen, und das Kind, das dort auf den Steinen geboren werden soll, das schon mit seinen ersten Schreien den Weihrauch der Kaiel atmet, wird aus jener traurigen Stätte emporsteigen, indem die innere Gewißheit seiner Mutter es nährt.

Aus der *Ballade von den Prophetischen Wanderungen*

Von Hoemei war eine Nachricht hinterlassen worden, und sie hatte nicht geantwortet. Das Clan-Edikt verbot es, ihn länger zu sehen. Es war sogar untersagt, mit ihm zu reden. Warum verstieß er so hartnäkkig dagegen? Diese maran-Kaiel waren von unverfrorener Kühnheit! Hegten sie keine Furcht vor Aesoe? War ihre Liebe so unbedeutend, daß sie sich nicht scheuten, sie zu gefährden?

Aber wie sollte es ihr gelingen können, sie zu vergessen? Sie überkreuzte die Arme auf einem Leib, der rund genug gewölbt war, um eine baldige Niederkunft anzuzeigen. Das Leben war voller Gram und Kummer. Konnte sie diese abweisende Haltung, die sie Hoemei entgegenbrachte, überhaupt vor sich selbst rechtfertigen? Joesai hatte sie nicht weggeschickt. Die Art, wie Joesai sich ihr nach Aesoes Einspruch näherte, hatte sie in überwältigendem Maß überrascht, die von Sitten und Bräuchen gezogenen Grenzen mühelos durchbrochen. Einer so starken Liebe war schwer zu widerstehen. Doch seitdem hatten Pflichtgefühl und Furcht ihr Herz verhärtet. Durch Joesais Verhalten gewarnt, war sie nicht noch einmal zu verblüffen gewesen und hatte auf entschiedener Ablehnung bestanden, als dann erstmals Hoemei sie aufsuchen wollte. Sie war abweisend kühl gewesen und hatte ihn mißachtet – und nichtsdestotrotz hatte er auf seine schüchterne Weise Beharrlichkeit an den Tag gelegt. Ihre Einsamkeit begann ihre Entschlossenheit zu schwächen.

Sie hätte Hoemei nur zu gern empfangen. Sie wünschte sich verzweifelt, Neuigkeiten von Joesai zu erfahren – und auch von Teenae. *Aber ich werde ihn nicht empfangen!* Doch was könnte Aesoe denn schon gegen sie unternehmen, wenn sie sich für ein kurzes Weilchen mit ihm unterhielt? Und einmal angenommen, sie trafen sich in aller Heimlichkeit, wie sollte Aesoe jemals davon Kenntnis erhalten? Doch schon der bloße Gedanke an so etwas erfüllte sie mit Bangen. Sie fürchtete Aesoe.

Ich bin nicht tapfer. Ihre Überlegungen stockten. *Ich bin feige!* fügte sie dann erst aufgebracht hinzu. Als die maran-Kaiel beschlossen, um sie zu werben, war es ihre Kühnheit gewesen, von der sie sich angezogen gefühlt hatte. Sie selbst haftete völlig am Überlieferten. Stets beschritt sie die Pfade des Althergebrachten und machte sich bestenfalls über Abkürzungen Gedanken. Gaet und sein unbekümmerter Umgang mit allem Heiligen und Geweihten hatten sie von dem Tag an, da sie einander begegneten, nahezu mit einem Bann belegt. Wie schaffte er es nur, zu *überleben?* Als er sie mit nach Hause genommen hatte, war sie in der Erwartung mitgegangen, dort eine herkömmlich eingestellte Familie anzutreffen, die Gaets leidenschaftliche Erregbarkeit mäßigte und ausglich, aber es hatte sich erwiesen, daß die gesamte Familie gleichermaßen frei von all den Beschränkungen war, die Kathein als unüberwindbare Hemmnisse ansah. Diese Leute waren freier, als Kathein sich das Freisein je erträumt hatte.

Sie war sich darüber im klaren, daß sie laufend kecke Reden führte. Sie hatte Geist und Witz. Sie wußte auch, daß sie zu bezaubern vermochte. Aber in ihr Verhalten hatte sich nie irgendeine Spur von Übermut eingeschlichen. Anfänglich war Hoemeis Schüchternheit ihr vorgekommen wie eine Verkörperung anständigen Brauchtums, doch sobald sie dem Mann seine tieferen inneren Empfindungen entlockt hatte, erkannte sie in ihm eine Katakombe der Ketzerei. Er bot keinen Halt. Joesai pflegte sich in Begriffen zu äußern, die so beruhigend abgedroschen klangen, daß man meinen konnte, da spräche der Prüfstein eines Tempels. Zumindest er hatte auf sie den Eindruck eines rundum in sich gefestigten und verläßlichen Menschen gemacht. Dann jedoch hatte er sie eines Tages einfach genommen und sie geliebt, ohne auch nur soviel wie ein Lippenbekenntnis zu den Ritualen abzulegen, ein Vorgehen, das sie so verdutzte, daß sie völlig außerstande gewesen war, dagegen aufzubegehren. Die ganze Familie flößte ihr Schaudern ein, aber ihr rücksichtsloses Benehmen war für sie ein aufregendes Erlebnis gewesen, das ihrem eigenen Leben den gleichen Nervenkitzel schenkte, den ihr die Physik verursachte.

Und wie sehr es doch ihrem Dasein der Eingeschränktheit angemessen wirkte, daß man nun diese Familie und sie für immer voneinander trennen wollte! Da war sie nun soweit, ihr erstes Kind zu gebären, und keine Familie war an Ort und Stelle, um an ihrer Freude teilzuhaben. Joesai fehlte ihr. Könnte sie wenigstens bei Noe ihren Kummer ausweinen! Aber inzwischen fürchtete sie sich mehr vor ihnen allen, als sie es an jenem ersten ebenso unheimlichen wie wundervollen Abend getan hatte.

Aesoe hielt sie allesamt unter Beobachtung.

Sie mochte keine zusätzliche Leckerei bei der Totenfeier der maran-Kaiel abgeben. Doch wie sie sich danach sehnte, Hoemeis scheue Wachsamkeit zu unterlaufen und seine Tiefen zu ergründen, beim Zurückkehren an die Oberfläche ein Erröten und ein Lächeln, das er verhehlt hatte, sich durchgesetzt haben zu sehen. Wie gerne sie sein sorgenvolles Stirnrunzeln glättete! Wie sehr hätte sie in eben dieser Stunde sein Lächeln brauchen können!

Gewiß gab es Freunde und Bekannte, die die Geburt freudig mit ihr feiern, die sich um sie kümmern würden, aber was sie wollte, das war ihre Familie, und da sie diese nicht haben konnte, zog sie es vor, ihr Kind allein zur Welt zu bringen. Sie spürte die erste Wehe, fast noch zu schwach, um sonderlich aufzufallen. Das Kind bewegte sich in ihrem Schoß. *Ich bin völlig allein,* dachte sie und legte eine verborgene Taste um, die in den Unterkünften ihrer Bediensteten eine Klingel zum Läuten brachte. Dabei handelte es sich um eine ihrer albernen Spielereien. Eine Glocke mit Klingelzug hätte den gleichen Zweck erfüllt und nicht erst umständlich mit einer elektrischen Anlage betrieben werden müssen.

Unter der steinernen Wölbung der Pforte erschien Yar. »Du hast geläutet?« Sie stand beklommen da, ein junges Mädchen aus dem Kinderhort, das sich an die fremdartigen Neuerungen, die mit der glücklichen Wendung seines Lebens einhergingen, noch nicht so recht gewöhnt hatte. Yar wohnte mit einem von Kathein für sie ausgesuchten, jungen Burschen zusammen. Das Paar liebte sich und bildete den Kern einer neuen Familie, während es Kathein diente und bei ihr Physik erlernte.

»Was könnten wir tun, damit mein Haar schön aussieht?«

»Du hast beschlossen, ihn doch zu empfangen?« fragte Yar aufgeregt nach, obwohl sie sich eindeutig mehr für die Belehrungen über Leuchterscheinungen und Bewegungsgrößen interessierte, wie Kathein sie während des Zurechtmachens der Haare zu erteilen pflegte.

»Nein. Es geht mir ausschließlich um mich selbst. Falls Hoemei noch einmal erscheint, ist's deine Pflicht, ihn fortzuschicken.«

»Ich werde so voller Ehrfurcht sein, daß ich für ihn kein Hindernis sein kann.«

»Du kannst ihm ja sagen, wie unverschämt er sich benommen hat.«

Yar kicherte. »Vielleicht könnte ich meine schwachen Ärmchen ausbreiten, um ihm den Weg zu versperren. Vorsichtshalber werde ich aber wohl lieber Naschwurm-Küchlein backen. Wie soll dein Haar aussehen?«

Kathein warf den Kopf in den Nacken, ging zum Spiegel und setzte sich davor. Plötzlich keuchte sie auf und klammerte sich an die Armlehne des Sessels. »Herrin!« schrie Yar.

»Schon gut. Die Wehen haben eingesetzt. Ich werde außer Haus gehen.«

»Du mußt dich niederlegen.«

»Nein, es ist mir wichtig, wie mein Haar aussieht«, erwiderte Kathein halsstarrig, als wolle sie dem Lauf der Welt befehlen, sich heute morgen nach ihrem schriftlich festgehaltenen Tagesablauf zu richten. Aber diesmal ließ die Wehe nicht gleich wieder nach. Sie blieb spürbar, nahm für die Dauer einiger hundert Herzschläge an Heftigkeit noch zu, ehe sie schwand. »Schon vorbei«, sagte Kathein. »Jetzt kannst du meine Haare machen.«

»Die Wehen gehen nicht einfach so vorüber. Ich habe im Kinderhort die Maschinen beim Gebären gesehen. Ich werde die Geburtshelferin holen. Leg du dich ins Bett.«

»Nein.«

»Bitte«, beharrte Yar und zupfte am Ärmel ihrer Herrin.

Kathein dachte nach. Sie seufzte. Soweit war es also nun gekommen. Jetzt war es vollkommen ausgeschlossen, Hoemei noch zu empfangen, falls er kam, sollte der Gott des Himmels gepriesen sein für die eingetretene Verhinderung. Mit unbeholfenen Schritten begab sie sich hinunter in die Küche. Yar half ihr die Treppe hinab. »Hol Reimone. Er soll einen Palankin kommen lassen. Die Ivieth sollen damit am Blaudorn warten. Ich treffe mich mit ihnen an der Straßenecke.«

»Du solltest daheim bleiben! Die Geburtshelferin kann herkommen.«

»Kleines«, sagte Kathein verärgert, »ich will das Kind allein entbinden. Und jetzt erledige, was ich dir aufgetragen habe.«

Yar starrte sie an, offensichtlich entsetzt, aber dann eilte sie davon. Kathein suchte sich einen Schlauch voll Wasser, einige Lebensmittel, ein paar Wickel aus aufgerauhtem Stoff, Streichhölzer, eine Fackel mit Ersatzstäben, ein Messer, Garn, ein Stückchen gelbe Kreide und Räucherkegel aus getrockneten Kaiel-Eingeweiden zusammen. Sie rollte alles in eine Matte und schob sie in ein Traggestell, das man sich auf den Rücken lud und an einem Stirnband hielt. Yar ging hinter ihr und stützte die Last, bis sie Reimone begegneten, der mit den Ivieth-Trägern nahte. »Sprecht zu niemandem davon«, ermahnte sie aus dem Fenster der Sänfte. Der Palankin schaukelte ein wenig, als die Ivieth das Gewicht auf ihre Schultern verteilten. Kathein zog mit dem Finger den Kreis, der das Symbol Gottes war, und Yar und Reimone erwiderten das Zeichen.

»Möge Gott beim ersten Schrei des Neugeborenen über ihm am Himmel stehen«, sagte Yar, während ihre Herrin in einem Zwielicht, das bereits an düstere Dämmerung grenzte, die Straße hinab entschwand.

Als die beiden Ivieth-Träger am Bestimmungsort anlangten, gingen gerade Getas hellste Sterne auf, Stgi und Toe, und Kathein hatte, an die Lehne des reichverzierten Sitzes geklammert, eine Reihe weiterer Wehen durchgestanden. In den Fenstern des ununterbrochenen Rings aus Gebäuden, der den Heiligen Hügel umgab, glommen biolumineszente Leuchtkörper. In einigen Fenstern flackerten Lampen. Kathein war aufgrund ihrer Geschwächtheit nicht sicher, ob sie noch zu laufen vermochte, aber ihr Körper, ganz auf Gehorsam eingestellt, unterwarf sich auch diesmal ihrem Willen. Sie stieg aus der Sänfte, legte sich das Tragband ihrer Last gegen die Stirn, entlohnte die hochgewachsenen Ivieth-Träger mit einer Münze und entließ sie.

Erst als sie allein war, fand Kathein die Kraft, um sich dem Spitzbogen zu nähern, der in eine Durchfahrt unter einem der Gebäude mündete, die rings um den Hügel standen. Sobald sie den Kreis der Häuser durchquert hatte, gab es kein Leben und Treiben und keine Helligkeit mehr, abgesehen vom Sternenschein und vielleicht dem Glimmen der sonderbaren fliegenden Glühstichler. Die Stadt Kaiel-Hontokae entschwand im Handumdrehen hinter Kathein.

Sie empfand keine Furcht. Sie kannte die Katakomben der Gräber der Verlierer in- und auswendig und schrak vor ihrem schlechten Ruf nicht im geringsten zurück. Auf gewisse Weise waren sie das Sinnbild ihres Lebenswerks, denn das heilige Gerät, mit dem sie sich so besessen befaßte, war – zusammen mit dem Kristall, von dem sie von Anfang an geglaubt hatte, daß er das Geheimnis der Versteinerten Stimme Gottes barg – in ihnen gefunden worden, eingeschlossen im Gemäuer.

Zu den Katakomben selbst gab es vier rundlich beschaffene Eingänge und ein unregelmäßiges Loch an einer Stelle, wo ein Stollen eingestürzt war. Mühselig suchte sie sich den Weg zu dieser Öffnung, die in den Balladen Schlund der Südlichen Toten genannt wurde. Sie brauchte eine Fackel und mußte ihre Last ablegen, um eine hervorzuholen. Diese Anstrengung rief neue Wehen hervor. Sie mußte eine

Verschnaufpause einlegen, kniete am Erdboden nieder, die Beine gespreizt, jammerte ihre Laute des Schmerzes einsam hinaus in die Nacht, flehte das Kind an, noch zu warten.

Gott erhob sich über die Wälle im Süden, während sie noch vor sich hinstöhnte, und zwischen ihren Seufzern schaute sie zu Ihm auf, von Seinem Anblick an Seinem Himmel, an den Er nun emporschwebte, mit jener Ehrfurcht erfüllt, die seit jeher alle Getaner in der Gegenwart ihres Gottes empfunden hatten. Die einzelnen Wehen dauerten nun länger, ließen erst wieder nach, als Er sich im Westen dem dunklen, nur als dünne Sichel sichtbaren Grimmigmond nahte.

Kathein setzte die Fackel in Brand. Sie mußte sich jetzt beeilen. Sie schleppte ihren so plump gewordenen Körper hinab durch die unheimlichen Stollen. Man kannte kein älteres Bauwerk als diese Katakomben. Kathein betrachtete diesen Irrgarten unterirdischer Gänge nicht als das Werk von Menschen, sondern als ein Werk Gottes aus jener Zeit, als Gott noch zu den Menschen sprach. Sie wußte, daß die Tunnel mit so etwas wie einer Klinge aus Hitze in den Fels geschnitten worden waren, die jedes Feuer übertroffen hatten, das ihre besten Töpfermeister zu entfachen verstanden. Die Wände waren mit einer fingerdicken Schicht erstarrter Schmelzmasse überzogen. Es gab überdeutliche Beweise dafür, daß damals Felsgestein verdunstet sein mußte.

Die Balladen erzählten von Reichtümern, die es hier unten geben sollte, von metallenen Särgen und Maschinen von unglaublicher Feinheit, aber Grabräuber hatten längst fortgeschafft, was diese Räumlichkeiten einmal enthalten hatten. In späterer Zeit hatten Clans diese und jene Muster und Zeichen in die Wände gekerbt und ungefüge Heiligtümer errichtet. Irgendwann, lange vor dem Beginn der geschriebenen Geschichte, hatte es in der untersten Tiefe einen Kindertempel gegeben, in dem man Kalothi bewertete und der ein nahes Dorf mit Fleisch, Bein, Leder und vielleicht auch geweihten Reliquien belieferte. Keine Stätte war dem Menschen des Heute ferner; doch kein Ort war Gott näher. Hier hatte das Menschengeschlecht versagt, und hier sollte die Menschheit sich zu neuer Größe zu erheben beginnen.

So war es prophezeit worden.

Zu guter Letzt vermochte Kathein die Schmerzen nicht länger zu ertragen und entschied sich für eine gewölbte Felskammer, die sich noch ein Stockwerk über der tiefen, entlegenen Ebene befand, die sie zu erreichen gehofft hatte. Schales Wasser sickerte aus Rissen im Gestein. Sie breitete die Matte am Boden aus. Die Fackel flackerte, flammte noch einmal auf und erlosch. Kathein ächzte ihre gedehnten

Atemzüge im Takt mit den Wehen in die Dunkelheit hinaus, bis das Kind aus ihrem Leib befreit war, sie den Säugling in den Armen hielt, Joesais Sohn.

Ihre Finger tasteten über den Boden, suchten das Messer. Inmitten der Finsternis durchtrennte sie die Nabelschnur. Sie dankte – noch immer im Dunkeln – dem Himmelslicht, das Gott war, während sie das blutige Kind an ihre Brust hielt, seine Ungestümheit wärmte, unterdessen langsam wieder zu Kräften kam. Erst im Anschluß an die Nachgeburt zündete sie die Fackel von neuem an. In die Wände gehauene Ungeheuer entblößten im unsteten Fackelschein ihre Fänge und bedrohten Madonna und Kind. Sie entzündete an der Glut der Fackel die Räucherkegel aus gepreßten Kaiel-Innereien. In der Prophezeiung hieß es, kaielischer Weihrauch werde Den Einen Der Zu Gott Spricht bei seiner Geburt mitten unter den Gräbern der Verlierer begrüßen.

Behutsam hüllte sie den Säugling in einige lange Streifen aufgerauhten Stoffs, bis er sich beruhigte. *Wie Gott die Menschen, so habe ich dies Kind aus einer sorglosen in eine harte Welt gebracht.* Der Knabe war so winzig. Kathein weinte leise. Das war das einzige Geschenk, das sie ihrem geliebten Joesai noch anbieten konnte – ihn zum Vater des Erlösers zu machen. Als sie ans Licht eines neuen Tages zurückkehrte, war sie vollauf von Stolz erfüllt, und ihre Schwäche konnte ihr nichts anhaben.

14

Dränge anderen deine Fürsorge hinsichtlich der Schwachen nicht auf, aber setze dich mutig für sie ein. Es wird Zeiten geben, in denen Mut nicht mehr gilt als flüchtige eitle Torheit; und es wird Zeiten geben, in denen nur die Mutigen es wagen, mutig zu sein.
Oelita die Gütige Ketzerin in *Sinnsprüche einer Regelbrecherin*

Im Freien standen Männer und bewachten das bescheidene Häuschen, das auf einer der Anhöhen oberhalb von Trauerweilers Tempel in einem Gebiet verwinkelter Straßen und Treppen und mit Kopfsteinpflaster befestigten Seitengäßchen stand. Anscheinend gab es keinen Vordereingang, deshalb führte der Junge Teenae durchs Hinterhaus zu Oelita, steinerne Stufen hinunter in ein dem Meer zugewandtes Zimmer mit Fenstern aus blasig-grüner Bleiverglasung. Das schüchterne Bürschlein, das Teenae begleitete, verstand sich nicht darauf, Leute einander vorzustellen; es wand sich nur verlegen auf der Stelle. Oelita stand aufrecht, als Teenae eintrat. Ihre Augen begegneten Teenae mit so offener Klarheit, daß Teenae befürchtete, sie wisse bereits alles, und dies Treffen sei eine Falle. Diese verwundeten Handgelenke.

»Woher hast du denn nur ein so schönes Kleid?« platzte sie heraus, um ihre Furcht zu übertünchen.

»Von einem Bekannten. Die oz'Numae weben solche Gewänder in einem Stück. Mein Bekannter hat mir erzählt, daß die oz'Numae ein kleiner Clan sind, der auf den Inseln des Meeres der Versunkenen Hoffnung lebt.«

»Dann kommt es ja wahrhaftig aus weiter Ferne! Aus Landen, über denen Grimmigmond am *östlichen* Horizont steht. Bis dorthin ist's eine lange Reise über Land.«

»Du selbst bist fremd in Trauerweiler«, sagte Oelita. »Du stammst von weither.«

»Gewiß, aber die Trauer als solche ist niemandem auf Geta unvertraut. Du allerdings bist eigentlich keine Fremde für mich. Ich habe deine *Sinnsprüche einer Regelbrecherin* –« – das war gelogen – »– schon vor langem gelesen.«

»Zeilar gom-n'Orap hat erwähnt, daß du eine kleine Ausgabe des Buchs verlegen möchtest.«

Aha, dachte Teenae, als sie das Interesse in Oelitas Tonfall bemerkte. *Also habe ich den richtigen Köder ausgeworfen.* Sie griff in eine Tasche und brachte eine in Kaiel-Hontokae gedruckte, sehr feine Ausgabe eines Buchs über Kol zum Vorschein. Noch ein Köder. »Hier siehst du ein Beispiel unserer Kunstfertigkeit.«

»Herrlich«, sagte Oelita neidisch, indem sie darin blätterte, die säuberlich genähte Bindung betastete. Bei den Stgal gab es kein so dünnes Papier, und auch der Druck in den Küstenlanden war allgemein weniger sauber und deutlich.

»Ich würde es freudig begrüßen«, erklärte Teenae, »wolltest du meine handgeschriebene Abschrift deiner *Sinnsprüche* auf Fehler durchsehen. Es könnte ja sogar sein, daß du infolge wachsender Weisheit einige Änderungen einzuarbeiten wünschst.«

»Ich habe die ganze Nacht lang darüber nachgedacht, in der gesamten Zeit, seit Zeilar mir die gute Neuigkeit deines Interesses zur Kenntnis gegeben hat. Doch laß uns später über das Geschäftliche reden, wenn wir uns besser kennen.«

Ein kleines Mädchen kam ins Zimmer geschlichen und kroch unter den Tisch, als gehöre es sich, daß Kinder sich weder hören noch sehen ließen. Es sprach mit merkwürdiger Singsangstimme. »Toeimi will am frühen Morgen nach Fehlstartingen gehen. Er möchte wissen, ob er irgend etwas für dich mitbringen kann.«

Oelita kniete nieder und lächelte. »Gleich hinter den Ständen der Kesselflicker liegt ein kleiner Laden, bei dem's Wurzkraut zu erstehen gibt. In Trauerweiler gibt's überhaupt kein Wurzkraut.« Sie betrachtete ihre Handgelenke. »Ich kann's gebrauchen, um die Heilung zu unterstützen. Das ist alles, mein kleiner Pißkäfer.« Das Mädchen wartete ungeduldig, während Oelita ihm noch zärtlich den Schopf zauste, dann kroch es unter dem Tisch hervor und rannte hinaus. Oelita widmete ihre Aufmerksamkeit wieder Teenae. »Hast du Lust zu einem Spiel?«

»Kol?«

Die Selige lächelte erneut. »Ich bin Kol-Meisterin. Gegen mich anzutreten, dürfte dir kaum Freude bereiten. Vielleicht lieber Schach?«

»Kol.«

Teenae achtete im Verlauf des Spiels auf Hinweise, die ihr Aufschluß über Oelitas innere Eigenschaften geben mochten; von dem Augenblick an, da sie zu würfeln anfingen, um aus zahlreichen verschieden geformten Bestandteilen das Spielfeld ineinanderzufügen, achtete sie wachsam auf entsprechende Anzeichen. In der Tat zeichnete sich bald ein Verhaltensmuster ab. Anscheinend besaß die Ketzerin die Neigung, sich im Spielverlauf Land nur anzueignen, um es zur Sicherung des eigenen Nahrungsbedarfs zu nutzen, so daß Ausleseverfahren immer seltener zur Anwendung gelangten. Teenae ging dagegen mit der Übernahme beherrschender Schlüsselstellungen vor. Überraschenderweise verteilte Oelita die Lasten unausweichlicher Zwangslagen gleichmäßig auf ihre sämtlichen Vasallen und erschwerte dadurch ihr Verzehrtwerden. Das war eine äußerst ungewöhnliche Art der Verteidigung, und sie spielte sie erstaunlich gut. Oelita vermochte *sehr* weit vorauszuschauen – doch es war ohne Zweifel immer besser, alle Nachteile einer Schwäche einem Vasallen allein aufzuerlegen und ihm die Selbsttötung zu gewähren. Oelita hätte gewinnen können, wäre sie dazu bereit gewesen, häufiger Vasallen zu opfern, aber sie verzichtete lieber auf Einfluß, als daß sie einen Vasallen aufgab, und infolgedessen konnte Teenaes rücksichtsloser o'tghaliescher Verstand, indem er sich diese schwache Seite von Oelitas Art und Weise des Spielens zunutze machte, zielstrebig auf ihre Niederlage hinarbeiten.

Und dabei erkannte Teenae, daß die Kaiel dazu imstande waren, Oelita zur Strecke zu bringen. Man brauchte nur irgend jemandes Leben zu bedrohen, und Oelita würde umgehend eingreifen und sich der gleichen Gefahr aussetzen. Weder besaß sie die Bereitschaft zum Töten, um ein Leben zu retten, noch fühlte sie sich dazu in der Lage, untätig zu bleiben, wenn jemand dies Leben auszulöschen gedachte. Genaues Durchdenken des Verlaufs, den das Spiel nahm, zeigte Teenae, daß es stets diese Art von Widersprüchlichkeit war, die den Angelpunkt ihrer vernichtenden Attacken abgaben.

Dieser schwache Punkt Oelitas erinnerte Teenae an die Lehren der kembri-Itraiel. Danach waren jene, die keine Bereitschaft aufbrachten, zu töten, verführerisch leichte Opfer und daher Urheber endlosen Zwists, wogegen jene, die über die Bereitschaft und die Fähigkeit zum Töten *verfügten*, sich jederzeit dazu *entschließen* konnten, ein friedfertiges Leben zu beginnen. Wer sein Leben, weshalb auch immer, besonders schätzte, mußte zwangsläufig in ein Spiel verwickelt werden, in dem sein Leben als Einsatz galt.

Teenaes Überlegungen waren von eher mathematischer Natur. Für ihre Begriffe durfte ein Stratege durchaus danach trachten, dem Tod möglichst wenig Opfer zu bringen, doch der Versuch, den Tod völlig zu *beseitigen*, verleitete zu einer so falschen Anwendung der verfügbaren Hilfsmittel und Möglichkeiten, daß im Ergebnis der Tod eine reichere statt eine geringere Ernte halten konnte. Besonders dann, wenn man gegen Teenae spielte.

»Du hast eine gnadenlose Seele«, meinte Oelita, als sie mit einem Lächeln ihre Niederlage eingestand.

»Nur wenn ich Kol spiele. Ansonsten habe ich ein weiches Herz.«

»Möchtest du zum Abendessen bleiben?«

Teenae lachte vergnügt. »Es wird mir eine Freude sein, Zeit und Brot mit dir zu teilen.«

»Soll ich einen Läufer ausschicken, damit er versucht, deinen Gatten ausfindig zu machen? Ich bin ihm für die Hilfe, die er mir geleistet hat, wahrlich sehr zu Dank verpflichtet.«

Plötzliche Wachsamkeit befiel Teenae. »Joesai ist bestimmt verhindert. Er ist ein Mann, der stets nur ans Geschäft denkt. Seine Zeit ist immer für viele Zwielichte im voraus verplant. Es ist nicht ohne Verdruß, mit einem solchen Mann zusammenzuleben.« Sie zwinkerte mit den Augen. »Ohne meinen anderen Gemahl würde ich an Langeweile sterben.«

»Ich hatte den Eindruck, daß er sehr freundlich ist.«

Oelita bereitete das Essen an ihrer mitten im Zimmer befindlichen Kochstelle auf schwach glimmender Glut zu. Wohlgelaunt plauderte sie mit ihrer neuen Bekannten über die weite Welt und über Bücher. Teenae bemerkte, daß sie sich bei jeder Erwähnung der Kaiel gleich verkrampfte.

»In Kaiel-Hontokae«, erkundigte Teenae sich versuchsweise, »bist du noch nie gewesen, oder?«

»Dorthin würde ich mich nicht wagen. Die Kaiel-Priester hätten's gleich wegen Ketzerei auf mich abgesehen. An dem Spielchen, das daraus entstünde, fände ich keinen Spaß, und sie kämen auch nicht auf ihre Kosten. Ich gäbe einen ziemlich zähen Verurteiltenbraten ab.«

»So sind die Kaiel ja nun auch wieder nicht.«

»Sie sind so selbstsicher in bezug darauf, daß sie recht haben, so überzeugt von ihrer angeblichen Bestimmung.«

»Aber jemand, der die völlige Sicherheit hegt, im Recht zu sein, verspürt doch keinerlei Bedürfnis, Leute mit anderen Meinungen zu verfolgen«, sagte Teenae friedlich. »Bloß jene, die deswegen, ob sie im Recht sind, *Un*sicherheit empfinden, haben das Verlangen, Ketzern nachzustellen.«

»Du bist also der Ansicht, es wäre ungefährlich, nach Kaiel-Hontokae zu gehen?«

»Kaiel-Hontokae ist die eine Stadt auf ganz Geta, wo man abweichende Überzeugungen nicht fürchtet.«

»Aber die Kaiel sind schlichtweg blutdürstig! Sie verzehren Kinder. Einfach abscheulich. Ich möchte nichts mit ihnen zu schaffen haben.«

»Die Stgal haben deine Kinder verzehrt«, erwiderte Teenae streng logisch, »und doch besitzt du Mut genug, um unter ihnen deine Lehren zu verbreiten.«

Oelita zuckte wie unter einem Stich zusammen. »Sich mit Öl zu begießen und Feuerstein zu schlagen, um einer fremden Stadt Licht zu geben, ist bloß eine sinnlose Geste.«

»Ich kenne Kaiel-Hontokae. Ich könnte mich für deine Sicherheit verbürgen.«

»Ich sollte eigentlich wirklich fort«, sann Oelita ernst. Sie entsann sich daran, welchen Preis ihr närrischer Zorn gegen die Kaiel, der von ihr auf Nonoeps Gehöft an den Tag gelegt worden war, sie gekostet hatte. »Wahrscheinlich hast du schon vernommen, daß die Mnankrei sich vorgenommen haben, mich umzubringen«, sagte sie. »Aber andererseits«, fügte sie wütend hinzu, »müßte ich bleiben und den Kampf mit ihnen aufnehmen. Ich gestehe, ich fürchte mich.«

»Laß mich dir zu etwas anderem raten. Du hast hierzulande bedeutenden Einfluß. Wie du weißt, ist den Kaiel sehr daran gelegen, in dieser Gegend ebenfalls Einfluß zu gewinnen. Ich glaube, sie würden mit dir einen Handel eingehen.«

»Was könnten sie mir denn bieten?« hielt ihr Oelita bitter entgegen. »Würden sie mir zuliebe Kinder zu fressen aufhören?«

»Sie könnten dir Zeit verschaffen, Schutz bieten. Wie lange werden die Stgal noch eine Rolle spielen? Die Welt ist in Umwälzung begriffen. Deine Schriften haben dir in Kaiel-Hontokae Freunde gemacht.«

»Ich werde darüber schlafen. Erzähl mir mehr über diese geheimnisvolle Stadt. Wir hören hier nur die wildesten Gerüchte.«

Der Duft der Mahlzeit lockte aus der Nachbarschaft neugierige Kinder an. Nachdem sie sich erst einmal hereingetraut hatten, verleiteten sie Teenae zum Spielen und kletterten auf Oelita herum. Schließlich scheuchte Oelita sie hinaus, aber an der Tür grüßte sie ein nasenloser Mann, der im gleichen Augenblick kam, um ihr eine ihrer Schriften zurückzubringen. Die zwei Frauen unterhielten sich für eine Weile mit ihm, tauschten Meinungen über Glaubensfragen mit ihm aus, bis er sich schließlich wieder verabschiedete.

»Wie leichthin du mit Verbrechern umgehst!«

»Er ist vollständig harmlos«, rief Oelita ungnädig. »Nach der letzten Hungersnot hat er einen Laib vom ersten Brot gestohlen, das nach der Ernte wieder erhältlich war. Einen Laib Brot! Hast du jemals irgendeinen gefährlichen Verbrecher herumlaufen gesehen?! Die tatsächlich gemeingefährlichen Leute bekommen schnell die Gelegenheit, ihren Beitrag zum Überleben der Menschheit zu leisten.«

»Er schätzt dich offensichtlich sehr«, entgegnete Teenae. »Du gibst ihm Hoffnung.«

»Er bedarf der Hoffnung, der arme Kerl. Möchtest du zur Mahlzeit eine Brühe? Ich verwende gemeine Pflanzen, aber sie ist trotzdem unschädlich. Ich bin in dieser Hinsicht sehr vorsichtig.«

»Eine kleine Schale voll.«

Das Gespräch kam zwanglos auf den etwaigen Druck von Werken Oelitas zurück. Ihr lag offenbar sehr viel daran, aber sie bemühte sich, es sich nicht anmerken zu lassen. Sie erachtete andere ihrer Bücher für wichtiger als die *Sinnsprüche*. Sie wandte der Kochstelle den Rücken, um aus einem Haufen wirr angehäuften Zeugs ihr neuestes Werk hervorzukramen, und in ihrem Eifer, Teenae die Blätter zu zeigen, hätte sie mit einer schwungvollen Armbewegung beinahe die aufgestapelten Schaukästen voller Insekten umgeworfen.

»Hier ist noch ein derartiges Durcheinander, ich bin erst vor kurzem umgezogen und habe hier weniger Platz.«

»Deine Insektensammlung ist ziemlich umfangreich.«

»Sie stammt von meinem Vater.«

Teenae begutachtete die zierlichen Werkzeuge zum Sezieren der Tiere und das Mikroskop, das früher zum Untersuchen und Einordnen der Insekten gedient hatte. Das Mikroskop stand neben einer Sammlung von Gestein.

»Ist das hier Glas?« Einer der Steine verblüffte Teenae so sehr, daß sie darüber das Manuskript in ihrer Hand vergaß.

»Für Glas ist's zu hart. Und um Diamant zu sein, hat's nicht die richtige kristalline Form. Ich glaube, Diamanten sind auch nie so groß.«

»Woher hast du dies Stück?«

»Als Kind habe ich Steine gesammelt. Das Ding da habe ich beim Schwimmen entdeckt. Es lag im Meer, von Tang überwuchert, und ich hab's mitgenommen.«

»Im Meer?«

»Mein Vater hat mir das Schwimmen beigebracht. Es ist völlig ungefährlich.«

»Joesai sagt, solche Kristalle enthielten die Versteinerte Stimme Gottes.«

»Und wenn wir ihn ans Feuer legen, wird Gott sich am Herd niederlassen und uns Geschichten erzählen«, spottete Oelita.

»Er spricht über das Erbgut«, erwiderte Teenae; sie schmollte ein wenig.

»Wie ein Priester, wenn er sich am Whisky berauscht hat?«

»Erlebt habe ich's noch nie.«

Oelita lachte. »Aber du hast's dir angehört. Glaubst du, daß der Fels droben am Himmel jemals zu irgendwem gesprochen hat?«

Da bin ich sicher. »Ich weiß nicht«, sagte Teenae jedoch, um einer Auseinandersetzung aus dem Weg zu gehen. Sie wußte nicht, was sie mit dem Manuskript anfangen sollte, das Oelita nun anscheinend auch vergessen hatte.

»Was für ein abergläubisches Volk wir doch sind!« schimpfte die Gütige Ketzerin. »Es gibt für alles eine vernünftige, einleuchtende Erklärung. Man könnte Balladen singen, denen zufolge Gott die Insekten nach Geta gebracht hat, und... Aber man kann weit zurückverfolgen, wie sie sich entwickelt und verändert haben, um auch unter den härtesten Bedingungen bestehen zu können, bis sie jede noch so kleine Nische des Lebens ausfüllten. Mein Vater hat selbst in der trockensten Wüste Leben vorgefunden! In Steinen hat er die Panzer von Insekten entdeckt, die's heute gar nicht mehr gibt. Hast du eine Vorstellung davon, wie lange es dauert, bis aus so weicher Erde, daß darin ein Insekt steckenbleiben kann, fester Stein entsteht? Jahrtausende! Und die Balladen behaupten, die Menschheit sei sozusagen gestern mittag in einer Rauchwolke hier erschienen.«

»Überreste früherer Menschen findet man aber keine.«

»Schließlich machen wir aus den Knochen ja auch Suppe«, rief Oelita und setzte ihrem Gast die Speisen vor, gleich neben ihr neues Werk.

»*Meine* Familie *sammelt* Knochen.«

»Wir werden schon noch menschliche Überreste finden. Du wirst sehen. Es hat ja noch nie jemand ernsthaft gesucht. Und man sucht nicht, weil man's nicht wagt! Und alte Werkzeuge aus Bein *sind* ja bereits gefunden worden.«

»Aber aus neuerer Zeit.«

»Teenae! Wir sind ein Insekt, das erst in neuerer Zeit mit dem Herstellen von Werkzeugen begonnen hat. Und früher gab's weniger von uns. Unsere Entwicklung zu Höherem hat sehr schnell stattgefunden.«

»Weil wir die Unfähigeren *verzehrt* haben.« Teenae hatte von vornherein auf diesen Widerspruch in Oelitas Philosophie zu sprechen kommen wollen. Oelita verurteilte den Kannibalismus, während sie gleichzeitig die Behauptung vertrat, die Menschheit verdanke dem Kannibalismus ihre Lebenstüchtigkeit.

»Jawohl«, lautete die trotzige Antwort, »weil wir die weniger Fähigen unter uns *verzehrt* haben! Die Leute mißverstehen mich ständig.

Sie behaupten, ich würde den Wert der Kalothi in Abrede stellen. In Wahrheit glaube ich sehr wohl an die Kalothi. Sie hat uns dahin gebracht, daß wir uns aus Insekten entwickeln konnten, sie bestimmt unser Schicksal. Unsere Entwicklung ist noch längst nicht beendet, und ich will keineswegs, daß sie zum Stillstand kommt. Aber wir müssen uns nicht gegenseitig *auffressen*, um uns weiterzuentwickeln! Es gibt andere Möglichkeiten. *Ich* kann mir jedenfalls andere Wege vorstellen.«

Während Teenae nachdenklich aß, entstand eine längere Gesprächspause. »Was für Mittel«, erkundigte sie sich schließlich, »würdest du denn vorschlagen?«

»Ein Weg wär's, daß wir Frauen uns zusammentun und darauf bestehen, nur Kinder von Männern mit hoher Kalothi zu empfangen. Und andere Frauen, die fehlerhaftes Erbgut haben – so wie ich –, könnten aufs Kinderkriegen verzichten. Das wäre ein anderer Weg.«

Sie setzten ihren Gedankenaustausch während des Essens fort, aber Teenae versuchte nie, mit ihren Meinungen recht zu behalten. Oelitas Unkenntnis auf allzu vielen Gebieten war zu tiefgreifend, als daß es sich verlohnt hätte, ihr mit logischen Gesichtspunkten entgegenzutreten. Es *gab* einen Gott. Wenn man die entsprechenden Grundkenntnisse besaß, war diese Tatsache offensichtlich und unanzweifelbar. Ohne solche Grundkenntnisse konnte man lediglich auf den Glauben bauen. Oelita besaß weder Wissen noch Glauben. Sie war ein unwissendes, ungebildetes, durch selbsterlernte Halbgescheitheit verdorbenes Mädchen vom Lande. Teenae mochte sie, aber bei dem Gedanken, sie heiraten zu sollen, grauste es ihr. Aesoe war ein geistesgestörter Träumer. Sobald Oelita in Kaiel-Hontokae war, würde sie Aesoe davon überzeugen können, daß es eine sinnvollere Lösung gab, als sie zu verheiraten.

Ach, Kathein, wie ich dich liebe!

Die Sonne war längst untergegangen, als die beiden Frauen sich zur Genüge ausgesprochen hatten. Sie räumten gemeinsam ab und spülten das Geschirr. Teenae las einen Teil des neuen Manuskripts. Sie nahm ein kleines Geschenk von Oelita entgegen und überreichte ihr ihrerseits eines, das ihr das Versprechen einbrachte, sie würden sich demnächst erneut zum Essen zusammensetzen.

»Bald?«

»Bald.« Oelita lächelte.

Schwere Brecher, die der Wind aufpeitschte, verspritzten salzige Gischtflöckchen über das ganze Dorf. Die Nacht bestand aus vollkommener Schwärze, denn mit dem Sonnenuntergang verdunkelte sich auch Grimmigmond. Nur der Sternenschein erhellte Teenaes Heimweg ein wenig. Sie gedachte ihren Triumph über Joesai wirklich bis ins Letzte auszukosten. Immerhin war es ihr nun gelungen, den ersten Schritt zu regelrechten Verhandlungen zu tun, und dieser Erfolg bereitete ihr ein erhebendes Gefühl.

Von hinten legten sich Finger über ihren Mund und dämpften ihr Aufbegehren, während zwei andere Männer ihren heftigen körperlichen Widerstand mit eisenharten Griffen rasch brachen.

15

Im Laufe seines Lebens wird ein Mensch alle Steine beschreiten, die im Fluß liegen, die großen wie die kleinen, die flachen und die schlüpfrigen. Der Stein, den er falsch beurteilt, wird ihn das Leben kosten. Der Unbarmherzige kennt die Barmherzigkeit nicht, und so geschieht es, daß seine Füße, wenn er Barmherzigkeit bräuchte, diese nicht finden können. Wer zu stolz ist, um seine Fehler einzugestehen, macht sich zu einem Narren, der es versäumt, rechtzeitig auf einen anderen Stein überzuspringen. Ein Mensch, der in gefahrvollen Wassern lebt und kleinlich einen Argwohn dem anderen weichen läßt, wird nie dazu imstande sein, den Fluß zu überqueren, weil er selbst den festen Steinen nicht traut.

Foeti pno-Kaiel, Kinderhort-Lehrer der maran-Kaiel

Joesai empfand Beunruhigung, aber noch war er nicht ernstlich besorgt. Er hatte Teenaes Zettel gelesen und sich gehörig geärgert, weil sie sich ausgerechnet in diesem Ort, in dem zwei Kaiel-Familien ermordet worden waren, außerhalb seines Schutzes begab; aber sie hatte nicht versprochen, vor Sonnenaufgang zurück zu sein, und Getas Sonne stand erst einen Durchmesser überm Horizont. Noe, Gott segne sie, wäre niemals einfach weggegangen, sie hätte sich vorher mit allen anwesenden Angehörigen beraten, aber Teenae war eben Teenae. Sie mochte Geheimnistuerei. Fünf von Joesais Begleitern hatten sich unauffällig auf die Suche nach ihr gemacht.

Verdammnis! Ich werde ihr die nackten Weizenkuchen verhauen, wenn sie wieder da ist. In seiner Unruhe hatte er den Gasthof verlassen und stapfte an der ausgedehnten Hafenanlage entlang. *Sollte jemand ihr etwas angetan haben, werde ich denen das Fell abziehen und sie den Bienen zum Fraß aufhängen, daß Heulen und Zähneklappern sie befällt!*

Er drehte sich um, und da sah er Eiemeni über den Granit der Hafenmauer kommen, gefolgt von Oelita und vier ihrer grimmigen Kerle. Die Art und Weise, wie sie alle sich näherten, kündete von Unheil. Sie hatten es eilig. Ihre Kleider flatterten im Wind, der vom Meer wehte.

Ohne Zweifel brachten sie Neuigkeiten über sein Weib. Plötzlich argwöhnte er, Oelita könne die von ihm betriebene Täuschung durchschaut und nun einen mörderischen Gegenschlag eingeleitet haben. *Wenn Teenae in Gefahr schwebt, bringe ich sie um!* Als Oelita so nahe heran war, daß er ihr Gesicht erkennen konnte, sah er, seine Befürchtung war berechtigt. »Teenae!« knirschte er, indem er seine Wut unterdrückte und sein Gemüt mit Mäßigung erfüllte, jedes Gefühl verdrängte, sich auf alles gefaßt machte.

»Die Mnankrei haben deine Gattin in ihrer Gewalt!« Oelitas Stimme klang bekommen. »Es ist meine Schuld!«

Natürlich glaubte er ihr nicht. Sie selbst hatte dieses starrköpfige Kindweib in Gewahrsam genommen und gedachte sich jetzt mit irgendeinem bösartigen Scherz an Joesai zu rächen. »Das mußt du mir näher erklären.«

»Deine Gattin hatte kaum mein Haus verlassen, da haben sich vier Schurken ihrer bemächtigt. Zwei meiner Leibwächter, die ihr zu ihrem Schutz gefolgt waren, haben noch einzugreifen versucht. Einen haben die Halunken niedergeschlagen, aber dem anderen ist es gelungen, sie unbemerkt zu beschatten.« Ein großer, stark zernarbter Mann verbeugte sich vor Joesai. »Ich habe keine Ahnung«, ergänzte Oelita atemlos, »warum sie Teenae überfallen haben. Vielleicht hat man sie mit mir verwechselt.«

»Die Leute, die dir den Ritus des Todes auferlegt haben?« fragte er nach, ohne sich die geringste Spur seines Unglaubens anmerken zu lassen.

»Die Mnankrei, ja«, sagte sie. »Ich begreife diese Leute nicht.«

Das war ein starkes Stück von Irreführung an diesem Tempel-Spieltisch! »Wo befindet sie sich jetzt?« *Und was ist dein Preis?*

»Auf ihrem Schiff. Es ist gestern eingetroffen und hat vor der Hungersnot im Süden gewarnt.«

Joesai nickte Eiemeni zu, und der Bursche entfernte sich im Laufschritt. Oelitas Miene drückte Mitgefühl aus. Sie erregte den Eindruck, nicht weniger gut lügen zu können als Joesai selbst. Er wagte nicht, seinen Verdacht offen auszusprechen, weil er fürchtete, dadurch in eine von Oelita gestellte Falle zu tappen. Ihre Verschlagenheit steigerte seine Achtung vor ihr gewaltig. Sie gab sich nicht damit zufrieden, sich auf Verteidigung gegen die Angriffe einzustellen, die ihr drohten, sie ging ihrerseits gnadenlos zum Angriff über. So etwas hatte er noch nie erlebt. »Ich liebe das Weib«, sagte er düster und blickte der Ketzerin fest in die Augen. »Wer Teenae ein Leid zufügt, den werde ich vernichten.«

Oelita berührte seinen Arm. Ihr tückisch gemimtes Mitleid erboste ihn insgeheim aufs äußerste.

»Weshalb ist sie bei dir gewesen?« fragte er nach.

»Wir haben über meine Vorstellungen geredet, die ich schon seit längerem in bezug auf den Druck meiner Schriften hege. Aber wir haben nicht besonders ausführlich darüber gesprochen. Vorwiegend haben wir Kol gespielt und uns über Sanftmut und die Gründe unterhalten, aus denen die Menschen davon absehen sollten, einander zu schaden. Deine Gemahlin war der Ansicht, sie könne mir dabei behilflich sein, eines meiner Bücher in Druck zu geben.«

Also damit hast du sie umgarnt, dachte Joesai und sah in Teenae das Opfer der Umgarnung. Er verwünschte sich selbst. Während der ganzen Zeit, in der er Oelita an der Küste entlang heim nach Trauerweiler geleitet hatte, war sie sich darüber im klaren gewesen, wer er tatsächlich war, hatte ihn nach Schwächen ausgehorcht und ihren Gegenzug vorbereitet. Und nun brachte sie die Frechheit auf, sich damit vor ihm persönlich zu brüsten. Aber solange sie sich unschuldig gab, hatte er keine Wahl, er mußte sich ebenfalls ahnungslos stellen. »Ich will sie wiederhaben«, sagte er.

»Sie sind noch da.«

»Wer?«

»Die Mnankrei.« Sie deutete ungeduldig aufs Meer. »Ihr Schiff.«

Er konnte nicht anders, rang sich ein gequältes Lächeln ab. Sie spann ihr Garn gut. In der Tat lag weit draußen in der Bucht, die Segel gerafft, ein mnankreisches Frachtschiff vor Anker. Er glaubte nicht einen Augenblick lang, daß Teenae sich an Bord befand. »Was glaubst du, was *sie* von ihr wollen?« fragte er mit gemäßigtem Spott. »Könnten sie's auf Lösegeld abgesehen haben?«

Oelita spähte voller Haß und Wut nach dem Schiff aus. »Was glaubst du, was sie von *mir* wollen? Ich werde dir Teenae zurückholen. Ich habe noch eine Rechnung mit ihnen zu begleichen.«

»Ein hartes Wort aus dem Munde der Gütigen Ketzerin.«

Flüchtig lächelte sie und brachte die Unverfrorenheit auf, ihn an der Nase zu ziehen. »Es gibt immer Möglichkeiten genug, Rechnungen ohne überflüssige Roheiten zu begleichen, mein chitinherziges Männchen. Gib acht, wie ich's anstelle! Ich bin durchaus nicht machtlos. Diese Schufte glauben, sie können dein Weib als Köder benutzen und mich so in eine Falle locken. Aber sie werden's sein, die in meine Falle gehen.«

Eiemeni kam auf der Ufermauer zurückgestapft. »Es stimmt. Man hält sie dort auf dem Schiff fest.« Eiemenis Blick ruhte auf Joesai.

Zum erstenmal schaute Joesai mit echter Betroffenheit zu dem Schiff hinüber. Er unterdrückte seine Bestürzung. Es empfahl sich, überlegte er, nichts zu überhasten. Eiemeni war noch zu jung, um zu erkennen, auf was für unglaublich verschlungenen Umwegen man in eine Falle geraten konnte. Ein Magier vermochte jemanden davon zu überzeugen, sein Kopf sei voller Kieselsteine.

Joesai erwog verschiedenerlei mögliche Hintergründe. Falls Oelita mit den Mnankrei im Bunde stand, war seine Vortäuschung eines von den Mnankrei auferlegten Rituals des Todes von Anfang an ohne weiteres zu durchschauen gewesen. Aber wenn ein solches Bündnis wirklich bestand, dann war Oelita wahrhaftig eine überaus gefährliche Frau, und es würde mit ernsten Gefahren einhergehen, Teenae befreien zu wollen – falls es sich nicht gar als unmöglich erwies. *Ich werde gezwungen sein, mit Oelita zu verhandeln.*

Oelita verabschiedete sich mit der Zusage, sich wieder blicken zu lassen. Joesai sammelte im Gasthaus die maßgeblichen Strategen seiner Schar zu einer Erörterung des künftigen Vorgehens um sich, während er weiterer Nachrichten harrte. Gerüchte besagten, im Tempel wären Mnankrei-Priester, die den Stgal so viel Weizen zu liefern anboten, wie erforderlich sein sollte. Schließlich kehrte einer von Joesais Kundschaftern mit breitem Grinsen im Gesicht zurück. Er war als »Hafenwart« an Bord des Mnankrei-Schiffs gewesen und hatte tatsächlich, während er vorgab, die Einhaltung der Hafenbestimmungen nachzuprüfen, unter Deck Teenae zu sehen kommen. Sie lag nackt in Ketten.

Mehr brauchte Joesai nicht zu wissen. »Wir werden das Schiff versenken«, sagte er. *Wenn sie wieder bei mir ist, werde ich sie selbst fortan in Ketten halten,* dachte er mißmutig, ohne es ernst zu meinen. Dann berief er eine Sitzung zum Festlegen eines geeigneten Plans ein.

16

Das glanzvolle Njarae-Meer ist die Züchterin unserer Fähigkeiten. Verhält es sich denn nicht so, daß es den achtlosen Seemann ersäuft?

Redensart der Mnankrei

Seepriester und Windmeister Tonpa saß in seinem mit Schnitzwerken verzierten Drehstuhl, das lange Haar mit dem Bart verflochten, ins Gesicht die übliche Darstellung einer emporgeschwappten Woge tätowiert, und betrachtete Teenae, die nackt, an Händen und Füßen mit Ketten aus Messing gefesselt, vor ihm stand, den Kopf hoch erhoben, bewacht von zwei Seeleuten in strammer Haltung. Der Anblick des nachgerade winzigen Mädchens rief in ihm väterliche Belustigung hervor, doch hatte er den festen Entschluß gefaßt, sie sorgsam zu verbergen, um die Kleine gehörig erschrecken zu können.

Am Zittern ihrer Mundwinkel vermochte Tonpa abzulesen, daß ihr die Erniedrigung, der man sie aussetzte, nicht sonderlich gut behagte. Wahrscheinlich schwieg sie beharrlich, um zu verhehlen, daß sie kurz davor stand, in Tränen auszubrechen. Diese Kaiel, die ihr Erbgut mit Genen aus den Unteren Clans verwässerten, waren nichts als Schauspieler. Sie zählten zu jenen, von denen das Sprichwort sagte, daß sie nur an einem ruhigen Tisch am Spiel teilnehmen konnten.

»Nach wagemutigem Bestehen eines Sturms«, sagte er mit großem Ernst, »sind wir hier eingetroffen, nachdem wir Nahrung in den Süden geliefert hatten. Dieser Hafen liegt abseits des Seewegs, den wir für gewöhnlich auf der Rückfahrt nehmen, aber wir haben es für unsere heilige Pflicht gehalten, vor der Käferplage zu warnen, die Hunger über die südlichen Stgal-Gemeinden gebracht hat, denn indem der Weizen heranreift, muß der Befehl sich auch hier bemerkbar machen. Und was finden wir hier? Lügen. Gegen uns Mnankrei gerichtete Verleumdungen. Das werden wir nicht dulden.«

Er wartete auf eine Antwort. Doch sie schwieg weiterhin, stand nur in steifer Verkrampfung da, ihre Miene zeigte gelinden Widerwillen, als werde ihre Bergbewohner-Nase vom Geruch des Schiffs nach Salz und lebendigen Geschöpfen der See belästigt.

»Wir haben von der Schandtat vernommen, die man an einer der am meisten geachteten Frauen der hiesigen Gemeinde begangen hat. Gewiß, sie mag eine Ketzerin sein. Freilich predigt sie Falsches und Torheiten. Aber sie lügt nicht. Wer also kann der Urheber dieser Lügen sein? Die schlichtmütigen Menschen, die hier leben, sind allzeit dazu bereit, Lügen über die Mnankrei ebenso Glauben zu schenken wie Lügen über die Kaiel, sie forschen nicht weiter nach Wahrheit. Wir aber *sind* die Mnankrei, und deshalb suchen wir nach dem Quell dieser bösartigen Lügen. Es liegt nahe, daß wir die Kaiel verdächtigen. Sind die Kaiel denn nicht verrufen für ihre hinterlistigen Lügereien und ihren Hochmut? Die Insekten namens Kaiel verbreiten falsche Düfte, um andere Insekten zu beeinflussen. Die Priester-Insekten, die sich den gleichen Namen zugelegt haben, verspritzen Unwahrheiten und verfolgen dabei den nämlichen Zweck. Aber die salzige Gischt des Meeres, die unsere Nasen reinigt, feit uns gegen solche Täuschungen. Fiel's uns etwa schwer, dich aufzuspüren? Einen Tag hat's gebraucht. Gegen deinen Willen stehst du auf *meinem* Deck, bar aller Würde, nackt und in Ketten. Auch wir haben Spione. Unsere Kundschafter sind weit tüchtiger als die euren. Haben wir nicht schon immer Woche für Woche auf geistige Überlegenheit gezüchtet, während ihr Säuglingsfresser auf Hungersnöte wartet, um euch von ihnen anzeigen zu lassen, daß es an der Zeit zur Auslese ist?« Er schwieg für ein Weilchen und säuberte sich mit der Spitze seines Dolchs die Fingernägel. »Eine Kaiel als o'Tghalie. Echt kaielische Irreführung. Doch vergeblich. Der Wind, der unsere Segel bläht, braucht keine Füße. Nun sprich! Verteidige dich oder lege ein Geständnis ab!«

Um ihr geheimes Entsetzen zu meistern, ballte die Gefesselte ihre Hände zu Fäusten, atmete tief durch, so daß sich ihre vollen Brüste hoben und senkten, aber sie verweigerte jede Antwort.

Tonpa schleuderte den Dolch, der sich in die Planken des Decks bohrte, steckenblieb und in Schwingungen verzitterte. Einer der beiden Seeleute zog die schmale Klinge heraus und gab sie Tonpa mit einer Verneigung zurück. Der Windmeister wandte seinen Blick nicht von Teenae. Von einem Schiffsjungen, der eine Stiege heraufklomm, nahm er eine Schale mit warmer Suppe in Empfang, ohne sein nacktes Opfer aus dem Fangnetz seines Blicks freizugeben. Er begann ungeduldig zu werden.

»Die Frau, der ihr den Tod wünscht, die ihr so feige überfallen und die Schuld uns Mnankrei zugeschoben habt, wird an Bord kommen. *Du* weißt, daß sie hier keiner Gefahr ausgesetzt ist. Eurer Lügen wegen war sie jedoch nur schwer von unserer Gutwilligkeit zu überzeugen. Ich mußte ihr Geiseln zur Verfügung stellen. Du wirst ihr gegenübertreten müssen.« Er sah Teenae zusammenzucken und lachte das Große Lachen. »Sie kennt die Wahrheit nicht.« Er sah, wie Teenae ein wenig in ihrer Haltung zusammensackte. »Aber ich kenne sie.« Er beobachtete, wie Teenae den Kopf kaum merklich zur Seite wandte. Sie stand dicht vor dem Zusammenbruch. »Ich lasse dir die Wahl. Du kannst vor sie treten und weiter schweigen – dann darfst du durchs Ritual der Selbsttötung deinen Beitrag zur Küche dieses Schiffs leisten, dessen Besatzung so viel gewagt hat, um jenen Nahrung zu bringen, die vom Hunger bedroht sind. Oder du kannst ehrenvoll die Wahrheit bekennen – in welchem Fall du damit davonkommen wirst, daß dir für das Verbrechen der Verleumdung lediglich die Nase aus dem Gesicht geschnitten wird. Sprich!«

Teenae starrte ihn mit einem Haß an, der ihre Furcht verscheuchte – doch nur für einen Augenblick. Tonpa zuckte mit den Schultern, gab sich mit Vorbedacht gleichmütig und doppeldeutig. »Eine lange Fahrt liegt hinter uns. Von mir aus sei verstockt. Die Mannschaft wird gegen den Genuß von frischem Fleisch nichts einzuwenden haben.« Er bemerkte, daß Teenaes Blick zwischen den zwei Wächtern hin- und herhuschte. Beide grinsten. Ihr Zorn wich wieder der Furcht; er hatte sie endgültig in die Enge getrieben.

»Ich werde Oelita die Wahrheit sagen«, versicherte sie widerwillig. »Aber nicht um meines Lebens willen.«

»Natürlich nur, weil du ein so ehrbares Weibsbild bist.« Diesen Seitenhieb konnte er sich schlichtweg nicht verkneifen. Auf seinen Wink schafften die Wächter Teenae fort.

Tonpa folgte ihnen gemächlich unter Deck, und unterwegs fiel seinen stets wachsamen Augen auf, wie eines der Besatzungsmitglieder der Gefangenen nachstierte, als die Wächter sie vorüberzerrten. Bei dem Seemann handelte es sich um Arap, einen hochaufgeschossenen Jüngling, größer noch als Tonpa, im Sturm dank seines unermüdlichen Einsatzes von großem Nutzen. Er war noch jung, sehr jung; bisher bestand sein Bart nur aus ein wenig Flaum, aber er verstand sich gut auf Frauen, diese übermütige Seele von einem Burschen, er war mühelos dazu imstande, eine Matrone, die doppelt so alt war als er, glauben zu machen, sie sei wieder jung, und er versäumte keinen Versuch.

»Was 'ne Verschwendung«, seufzte er, an seinen Meister gewandt, und seine offene Hand vollführte eine Bewegung, als wolle er damit dem runden Gesäß der Frau die Seligkeit entpressen.

»Gar nichts wird verschwendet«, entgegnete Tonpa, um Arap herauszufordern. »Jeder Finger von ihr besteht aus magerem Fleisch.«

»Windmeister! Herr! Wie kannst an so etwas denken?! Ein hübsches Frauenzimmer wie die da? Laß mir's Appetithäppchen kosten. Das Schnitzel sei dein.«

»Sie würde dir die Augen auskratzen.«

»Doch nich mich, Herr.«

»Folge mir«, gebot Tonpa unvermittelt.

Arap erbleichte. »Herr, wenn ich dir geärgert hab'...«

»Du hast mich nicht verärgert.« Der Mnankrei-Priester nahm Arap, der einem der Unteren Clans angehörte, mit in seine prunkvolle Kabine und ließ ihn sich vor dem Tisch in den mit Samt bezogenen Sessel setzen, im geheimen durch das Unbehagen des Jünglings erheitert. Der Clan-Kodex gestattete es einem Seemann nicht, die Kabine des Schiffsherrn zu betreten, und Arap war nie zuvor in Tonpas Unterkunft gewesen. Er hätte lieber nicht auf dem Samtsessel Platz genommen, doch andererseits mußte er allen Befehlen gehorchen. Die Räumlichkeit machte auf ihn großen Eindruck.

»Soll ich die Kleine in deine Hand geben?« foppte Tonpa ihn.

Arap brach der Schweiß aus. »Wir könnten wohl alle Mann uns' Spaß an ihr haben, Herr. Vielleicht sollt ich ihr zurechtstoßen, bis se sich nich mehr soviel wehren tut.« Die unklare, doch jedenfalls heikle Lage, in die der Seemann geraten war, flößte ihm in zunehmendem Maß Entsetzen ein. Er saß in der Falle, und was er auch von sich geben mochte, es konnte nur falsch sein. Allmählich kam ihm ein gräßlicher Verdacht. Der Windmeister war dafür bekannt, daß er seine Mannschaft am Ohr führte. »Herr, du wirst mich doch nich den Auftrag geben, se zu schlachten? Mein Ehrenwort, Herr, in so ein Kunst bin ich unbewandert.«

»Du denkst reichlich schlecht von mir, Arap.«

»Nee, Herr.«

»Ich weiß genau, was du unter Deck fortwährend über mich erzählst!«

Innerlich begann Arap sich aufs Kielholen gefaßt zu machen. »Sind ja bloß Scherzchen, Herr«, sagte er hilflos.

»Ich teile dich den Männern zu, die diese Teenae zu bewachen haben. Während deiner ersten Wache wirst du ihr nur zulächeln und ihr ohne viel Aufhebens ganz kleine Gefälligkeiten erweisen. Andere Männer werden in ihrer Hörweite ausgiebig und grobschlächtig besprechen, auf welche Weise man sie am schmackhaftesten zubereiten könnte. Sobald sie hinlänglich eingeschüchtert ist, kannst du dich ihr von deiner sanftesten Seite zeigen. Du mußt den Eindruck erwecken, als wärst du von ihr so hingerissen, daß du für sie sogar dein Leben wagen würdest. Erzähle ihr deine Scherzchen über mich. Vor allem –« – dies fügte er mit kauziger Belustigung hinzu – »– den einen, der davon handelt, wie ich Wasser schöpfe, der wird seine Wirkung nicht verfehlen.«

Arap war einer Ohnmacht nahe.

»Sorge dafür, daß sie mich für ein Ungeheuer hält. Plaudere ihr gegenüber unsere Pläne aus, ganz genau so, wie du in sie eingeweiht worden bist.«

»Herr, aber...«

»Dann verhilf ihr zur Flucht.«

»Soll der Wind denn ihre Beine haben?«

»Ich habe nicht gesagt, daß du dir nicht nehmen darfst, was sie dir aus Dankbarkeit womöglich freiwillig bietet. Aber wende keine Gewalt an, oder ich lasse dir fünfzig Peitschenhiebe aufzählen. Falls überhaupt, so nässe dein Bugspriet mit Behutsamkeit.«

»Herr, ich bin doch dem Haufen zugeteilt, das an Land gehn und die Getreidespeicher anzünden soll.«

»Ich weiß.«

»Und *das* soll ich der flüstern?«

»Das habe ich dir soeben befohlen.«

»Und ich kann mit ihr machen, was ich will, wenn se mir läßt?«

»Wenn du's gescheit genug anstellst. Ich bezweifle, daß es dir gelingt. Auf jeden Fall muß ihr die Flucht gelingen.«

An der einzigen Pfortluke, die Teenae sehen konnte, glommen trübe das Licht des Tages und dann die Helligkeit der Nacht. Alle erdenklichen Gerüche durchzogen in dem finsteren Verschlag, in dem sie angekettet war, die Luft, und sie konnte den jungen Kerl, der ihr zu essen brachte, kaum erkennen. Es war derselbe, der freundlich zu ihr gewesen war, während der Schiffskoch und seine Helfer sich unten gezeigt und zotige Scherze von mehr als zweifelhaftem Geschmack gerissen hatten. Gegenwärtig lag ihr gar nichts an irgendwelchem Essen, aber sie war es hinunterzuwürgen bereit, wenn sie – und wäre es nur für ein Weilchen – zu diesem Zweck die Ketten loswerden konnte. »Bitte nimm mir die Ketten ab, damit ich essen kann.«

Das wollte der Jüngling durchaus nicht tun, aber er kauerte sich neben sie und fütterte sie recht fürsorglich mit dem Haferschleim. »Brauchst dir vorm alten Zopfbart nich fürchten. Mehr als Kielholen macht er nie mit wem. Auf Abmurksen steht er nich, selbst wenn's 'ne anständige Mahlzeit bedeutet. Aber freilich haben die Männer sich beschwert über den Fraß hier, und manchmal is er einfach gezwungen, was für'n lieben Frieden zu tun. Ich hatte vermutet, daß er dir zur Schiffshur macht, das wär 'n großes Glück für dir gewesen, dann hätte ich mir um dir gekümmert.« Sie wich so weit zurück, wie die Ketten es zuließen. »Für dir tät ich sogar 'n Bad nehmen.« Er bot ihr den Haferschleim erneut an. »Zieh nich so 'n Gesicht. Wir kriegen selbst nichts, was besser wär. Laß dir nich bange sein. Er will dir ja gehen lassen.«

»Ohne Nase!« Sie schluchzte.

»Du hast 'ne schöne Nase. Vielleicht darf ich se als Andenken behalten.«

Teenae bespie ihn mit Haferschleim, befallen vom Großen Lachen, genau wie er es beabsichtigt hatte.

»Was hat er zu dir gesagt?« fragte der Jüngling, der größer war als Teenae. »Er is 'n gemeiner Wind, er stampft auf 'm Deck rum und macht bloß auf gottesfürchtig, während er mit unsereins mault und tut, als ob wir nicht 'nug täten mit Setzen und Reffen von denen Segeln.«

»Er hat zu mir gesagt, die Kaiel seien miese Lügner und die Mnankrei allesamt Heilige.« Sie lachte.

Verstohlen lugte Arap über die Schulter. »Wir von denen Unteren Clans kriegen kaum was anderes zu sehen als 's Taulager. Heilige! Ich will dich mal was sagen. Tu meiner Seel zugunsten der armen Leut von Trauerweiler 'n Gefallen. Sobald du von Bord bist, mußt du sie warnen. Zur nächsten Mitternacht gehen 'n paar von uns an Land, um an die Getreidespeicher dort auf 'er Halbinsel Feuer zu legen, damit wir denen Leut angehen und ihnen Weizen verscherbeln können. Das is der Grund, wofür wir hier sind. Um die Stgal zu kielholen. Der alte Zopfbart kann 'n zartes Fleisch wie dir nich allemachen, aber tausend Leut dem Hungertod ausliefern, das kann er.«

Sie wollte sich dazu äußern, aber er legte ihr eine Hand auf den Mund. »Kein Wort mehr drüber, oder willst de, daß ich in die Suppe komm?! So, wie wär's nun mit 'm kleinen Kuß, eh ich geh?« Er schlang seine Arme um sie.

»Rühr mich nicht an!«

»Was für 'ne dummes Zeug für'n angekettetes Mädchen.« Er küßte sie, gab ihr den Kuß eines großen Jungen, der schon zu lange von Zuhause fort war und sich danach sehnte, eine Frau zärtlich umarmen zu können. Wenn man einen solchen Kuß bekam, wirkte der Tod weniger gegenwärtig.

»Wann kommt Oelita an Bord?« fragte Teenae.

»Das is verabredet für nach Sonnenaufgang.«

»Und wann wird Tonpa mir die Nase abschneiden?«

»Wenn die Frau wieder von Bord geht.«

»Warum nimmst du mir nicht die Ketten ab?«

»Ich glaub, du denkst an Flucht.« Er grinste.

»Ich denke an meine Nase.«

»Man würde mir bei lebendigem Leib die Haut abziehen und mir in Salz legen, wenn ich dir losmache.«

»Du kannst doch zusammen mit mir fliehen.«

Fahle Helligkeit Grimmigmonds fiel in dem Schiffsgefängnis an die Wand und erhellte mit ihrem Widerschein Teenaes Beine so schwach, daß das Narbenmuster unsichtbar blieb und ihre Beine denen eines blutjungen Mädchens glichen. Arap empfand begehrliche Lust. Er konnte tun, was er mochte, ohne unangenehme Folgen befürchten zu müssen. Bedächtig strichen seine Hände über ihre Schenkel, streichelten sie, glitten langsam abwärts zu den Ketten an ihren Füßen, sich darüber im klaren, daß sie ihm nicht in den Arm fiel, weil er kurz davor stand, zu tun, was sie von ihm getan haben wollte. Sie blieb stumm. Seine aus Erregung unruhigen Finger fummelten an den Schlössern der eisernen Schellen, die ihre Fußgelenke umschlossen. »Eigentlich sollte ich das nich machen«, sagte er lasch.

»Die Handgelenke auch«, forderte sie.

»Nein«, antwortete er.

Er legte einen Arm um sie, streichelte mit aller Zärtlichkeit, deren seine Hand fähig war, ihren Körper. Weder ließ sie sich Anzeichen von Widerwillen anmerken, noch gab sie ihm irgendwelche Zeichen der Ermutigung. Die vollkommene Macht, die er in diesem Augenblick besaß, verdroß ihn lediglich. Im Besitz von soviel Macht kam man um jedes Vergnügen. Er hätte es lieber gesehen, von ihr gemocht zu werden. Allmählich erschloß er sich ihren Körper, bändigte unnachgiebig jedes voreilige Überschäumen des eigenen Verlangens. Einmal schmiegte sie sich mit kaum wahrnehmbarer Regung an ihn. Triumph bemächtigte sich des Seemanns. Die Mühe begann sich auszuzahlen.

»Du riechst sonderbar«, sagte Teenae sachlich.

Beschämt besann Arap sich darauf, daß er kein Bad genommen hatte. Er ließ von ihr ab. »Geh nicht weg«, bat Teenae erschrocken.

Doch er war dermaßen in Panik geraten, daß er schnurstracks einen anderen Teil des Schiffs aufsuchte, wo er sich ungestört in Salzwasser waschen konnte. Er rieb seine wichtigsten Körperteile, bis sie rot angelaufen waren. Dann kehrte er mit ein paar alten Decken, die ihr als Kissen dienen konnten, zu ihr zurück, traf sie an, wie sie sich erfolglos mit den Handschellen beschäftigte. Sie weinte.

»Du bist wieder da«, stellte sie gereizt fest.

»Ich habe Decken geholt, damit du's bequemer hast.« Er warf die Decken auf die Planken, drängte Teenae darauf nieder und versuchte, sie zu nehmen, in sie einzudringen, aber sie hielt die Beine geschlossen. »Wie soll ich dich denn richtig umarmen können, wenn du mir nicht diese verdammten Handfesseln abnimmst?!« In ihrer Stimme grollte eine Andeutung von Ärger.

Er beeilte sich und schloß die Handschellen auf; Teenae nahm ihn in die Arme, und sie fanden eine weniger anstrengende Stellung, in der er sie nachdrücklich festhielt, während er seiner Begierde ihren Lauf ließ, weil er befürchtete, sie könne zu früh die Flucht ergreifen. »Du bist 'ne schöne Frau. Auf dir könnt ich stehen. Du bist die schönste Frau, wo ich je hatte.« Er redete weiter, um ihr das Gefühl zu vermitteln, wirklich geliebt zu werden, wie Frauen es mochten, und je unbeteiligter sie seine heftigen Stöße hinnahm, um so mehr redete er. Für eine Weile ging er ganz in seinem Genuß auf, aber als der Höhepunkt überschritten war und er in seinen Armen eine schweißbedeckte Frau sah, die im Liegen den Kopf zur Seite gedreht hielt, in Gedanken gänzlich andernorts, da verspürte er doch eine gewisse mitleidige Besorgnis. »Woran tust du denken, Schatzi?«

»An meine Nase«, sagte sie ruhig.

Sie lauschte aufmerksam, während er sie darüber aufklärte, wie sie fliehen könne. Sie mußte warten, bis Araps Ablösung kam. Danach sollte sie mitzählen, wie oft der nächste Wächter vorbeistapfte. Sobald er zum viertenmal vorübergekommen war, mußte sie bis fünfzig zählen, dann die unverschlossenen Handschellen abstreifen, durch die Pfortluke – von Arap geöffnet – ins Meer springen und an Land schwimmen.

Der Zeitpunkt nahte. Sie zählte begleitet von ihrem Herzschlag bis fünfzig, sprang zu der engen Luke in der Schiffswandung und zwängte sich hindurch, hing einen Augenblick lang an den Fingerspitzen, bevor sie sich mit den Füßen voran in die vom Mondschein erhellte Bucht fallen ließ. Noch nie hatte sie in Wasser geschwommen, das ihr bis über den Kopf reichte, und in keinem größeren Gewässer als in einem See, den ein Fluß speiste. Doch das spielte jetzt keine Rolle. Sie war bereit zum Fliegen, falls es sein mußte.

Das Salzwasser schlug über ihrem Kopf zusammen, der jedoch gleich darauf wieder die Wasseroberfläche durchstieß, und sie hörte Geschrei vom Oberdeck. Ihr Sprung war beobachtet worden. Einen Herzschlag lang konnte sie nachempfinden, wie es im Kinderhort für ihre Ehemänner gewesen sein mußte, in denen sie damals Prüfungen auf Leben und Tod zu bestehen hatten. Schrecken und Hoffnung. Doch da nahm ihr o'tghaliescher Verstand die Sache in die Hand. Dies war eine Bewährungsprobe jener Art, für die man ihresgleichen gezüchtet hatte. Es galt Schwierigkeiten zu bestehen. Ohne daß sie selbst gewußt hätte, wie sie es tat, verfiel ihr Körper in kraftvolle Schwimmbewegungen, die sie mit möglichst geringem Aufwand durchs Wasser gleiten ließen.

17

Der räuberische Nota-aemini greift nie einen anderen seiner Art an, so daß der harmlose, wohlschmeckende Käfer, der deshalb zurecht den Namen Falscher Nota-aemini trägt, aus Vorsicht ein Tarnkleid trägt, in dem er seinem Feind ähnelt. Doch das Leben ist zu wechselhaft, um einer bestimmten Lösung längeren Bestand zu gönnen. Vom Narkie, einem wesentlich kleineren Beutetier des Nota-aemini, gibt es mittlerweile eine Abart, die in ihrem Aussehen die friedlichen Partnertiere nachahmt, die gemeinsam mit dem Falschen Nota-aemini dessen Bau bewohnen – aber um in diesem neuartigen Heim überdauern zu können, in dem es keine seiner natürlichen Nahrungsstoffe gibt, hat diese Abart das Gehirn des Wirtes zu seinem Leckerbissen auserwählt.

Rial der Wanderer; wie er seiner Tochter Oelita diktierte

Gaet fuhr die fünfte Ausführung des sparsam zusammengebauten Skrei-Rads durch Kaiel-Hontokae, zog viele Blicke auf sich und einen Schwarm Kinder hinter sich her, die ihm mit ihrem hellen Gelächter der Begeisterung etliche Häuserblocks weit nachliefen. Das Dreirad besaß an den beiden vorderen Rädern eine gesonderte Aufhängung, neun Gänge in einer gedrängt angelegten Gangschaltung sowie hinten ein Steuerungsrad, das größer war als bei vorherigen Ausführungen. Das Gestell war verlängert worden und konnte nun zusätzlich zur Beförderung von Lasten dienen.

Bisweilen mußte Gaet es über Hindernisse hinwegheben, aber im allgemeinen bewährte es sich auf den durch die Ivieth betreuten Bergstraßen gut. Dies war keineswegs die neuste Ausführung. Die besten in der Stadt ansässigen Denker des og'Sieth-Clans arbeiteten bereits an einem noch leichteren Zweirad zur besonders schnellen Beförderung von Personen, das keine Aufhängung haben sollte und anscheinend dazu imstande war, ein lotrechtes Gleichgewicht durch Kreiselwirkung aufrechtzuerhalten, ganz genau wie bei einem Kreisel, wie Kinder ihn als Spielzeug hatten. Noch verzögerten weitere Fortschritte sich durch Schwierigkeiten mit der neuen, leichtgewichtigen Gangschaltung, die eigentlich gut hätte arbeiten sollen, sich tatsächlich jedoch durch die unglückselige Neigung auszeichnete, zu klemmen und sogar zu brechen.

Die Fahrt durch die Stadt erinnerte ihn an nichts so sehr wie an die Läufe, die er früher als Kind auf den Schultern von Ivieth mitgemacht hatte, nur vermochte er auf geraden Strecken der Hauptstraße eine unerhörte Geschwindigkeit zu erreichen, die schneller war, als irgendein Mensch laufen konnte. Benjie, der hiesige Obermeister der og'Sieth, hatte ihm empfohlen, das Skrei-Rad auf der Rundfahrt nicht zu schonen, weil man noch erheblich mehr Erkenntnisse über die Art und Weise, wie sich der Verschleiß bemerkbar machte, sammeln mußte, ehe man dazu übergehen durfte, das Fahrzeug in größeren Mengen herzustellen. Fünfzig Stück zu haben, für deren jedes man jede Woche das gleiche Ersatzteil brauchte, wäre ein großes Ärgernis.

Die Gebäude sausten vorüber, die Kinder konnten nicht mehr mithalten und blieben zurück, und er nahm die Straßen, die zwischen den Hügeln der Stadt verliefen. Während er übers Kopfsteinpflaster dahinholperte, dachte er bei sich, daß ein Mann später, wenn diese Fahrzeuge solche Alltagsgegenstände geworden waren wie Schuhe, nicht mehr soviel Zeit weitab von seinen Gattinnen zu verbringen brauchte.

O Gattinnen! Sie waren der Grund seiner Eile. Er freute sich darauf, Noe wiederzusehen. Da Teenae verreist war und Kathein ihm verboten, lebten er und Hoemei gegenwärtig beinahe in einem Zustand der Keuschheit.

Gaet stellte sein Skrei-Rad unbeaufsichtigt vor den Mauern des Großen Klosters von Kaiel-Hontokae ab. In einer Stadt, in der man sogar kleine Gauner verzehrte und zu Leder verarbeitete, kamen zwar bisweilen Diebstähle vor, aber die Dieberei war kein unter der Bevölkerung allzu verbreitetes Gewerbe. Das Große Kloster stand am Fuß eines kleinen Hügels und erstreckte sich um dessen halben Umkreis; es war ein gewaltiges, steinernes Gebäude, ein kaielisches Heiligtum und die Wurzel aller Technik der Kaiel. Niemand außer wahren Kaiel durfte sich innerhalb seiner Mauern blicken lassen. Nachdem er im Altarraum ein Gebet zum Gott des Himmels emporgesandt hatte, strebte er geradewegs zu Noes Klause. Ein schwacher Geruch nach chemischen Lösungsmitteln hing in der Luft. Sein Weg führte ihn an einem uralten Buntglasfenster und Reihen steinerner Säulen vorüber. Er mußte etliche Treppen ersteigen und einen langen Flügel des Gebäudes durchqueren, um in einen dritten Flügel zu gelangen.

Er betrat Noes Gemach auf Zehenspitzen; die Klause war vollständig ausgestattet, weil Noe – wie viele Getaner – mehrere Wohnsitze unterhielt. Sie schlief auf großen, in Gelb und Blau gefärbten Kissen, deren Weichheit ihrer Gestalt jegliche Umrisse nahm. Er überlegte, ob er sie vielleicht nicht wecken, womöglich nur für ein Weilchen stillvergnügt bei ihr sitzen und dann wieder gehen solle. Hoemei hatte erwähnt, sie sei ziemlich übernächtigt.

»Hallo«, sagte sie schläfrig.

»Ich wollte dich nicht wecken.«

Mit ihrem geschmeidigen Körper vollführte sie eine verführerische Gebärde des Anlockens. »Mein Nickerchen ist vorbei. Ich brauche deinen starken Liebeskolben, um mich aufzumuntern.« Als er neben ihr lag, begann sie ihn langsam zu entkleiden, gab jedoch aus Schlaffheit bald auf und ließ ihn den Rest selber erledigen, dann zog sie ihn zu sich unter die Decke.

»Mmmmm...«, machte sie voller Entzücken. »Du fühlst dich so kühl an.«

»Du bist ganz warm. Mir ist zumute wie einem Laib Brot, der gerade gebacken wird.«

»Mmmmm...« Sie döste wieder ein, aber irgendein Winkel ihres Bewußtseins blieb wach und heizte Gaets Begierde an, und sie gaben sich – indem Noes Teilnahmslosigkeit immer mehr schwand – der Liebe hin, bis sie aufschrie und sich krampfartig aufsetzte, um ihre Arme um den eigenen Leib zu schlingen.

»Was machst du in der Stadt? Ich dachte, du wärst in den Bergen.«

»Ich erprobe Kugellager.« Gaet lachte.

»Hoemei hat erzählt, daß du dich mit dem Bau von Fahrzeugen befaßt. Ich hab's ihm nicht glauben wollen. Er sagte, sie seien so leicht, daß zwei Mann sie heben könnten.«

»Ich kann das meine allein heben. Diese Dinger sind schnell. Rechtzeitig bevor an der Küste die Hungersnot ausbricht, werden wir fünfzig Stück gebaut haben, möglicherweise sogar siebzig. Allerdings nur, wenn ich noch früh genug geeignete Handwerker auftreibe, die mir diese verfluchten Kugellager anfertigen.«

Sie lachte hell auf. »Nur Hoemei kann dich dazu bringen, Arbeiten zu verrichten, wie sie bei einem Clan von Gewerbetreibenden üblich sind.«

»Nur Hoemei kann dich dazu bewegen«, erwiderte er, »überhaupt irgendeine Arbeit zu erledigen.«

»Ich muß sagen, Herumbummeln im Tempel führt zu mehr als ein Arbeitseinsatz von fünfzig Jugendlichen, die frisch aus dem Kinderhort entlassen sind. Das Große Kloster ist für Menschen wie ein Schnellkochtopf. Es gibt so viel zu tun!«

»Kommt irgend etwas dabei heraus?«

»Darauf kannst du dein Münzgeld wetten! Ich habe zehn Arbeitsgruppen gleichzeitig darauf angesetzt. Die Leutchen fürchten mich. Sie glauben, ich würde sie für die Suppe verwerten, wenn sie keine überragenden Leistungen vorweisen können. Aber rate mal, wer wochenlange Arbeit erspart hat.«

»Für den Fall, daß du wach bist, habe ich dir Honigplätzchen mitgebracht.«

»Ist das alles, an was du denken kannst? Mich zu mästen, damit du mehr zu begrapschen hast? Niemals hörst du mir zu.«

»Also gut, wer war's denn, der uns wochenlange Arbeit erspart hat?«

Sie biß in ein Honigplätzchen. »Unsere Verlobte.«

»Kathein?«

»Nein. Oelita. Wir wollten eine Nachricht senden, daß man uns ein paar dieser Weizenfresser-Unterzängler besorgen solle, aber ehe wir überhaupt dazu kamen, die Botschaft loszusenden, hat ein umherziehender Glasbläser uns einige solche Käfer gebracht. Allem Anschein nach ist Oelita eine sehr wachsame Weibsperson. Sie hat vor einiger Zeit eine Handvoll dieser Käfer aufgesammelt und sie einem abtrünnigen Stgal-Priester gegeben, der entgiftete gemeine Gewächse züchtet. Immerhin war er weltlich genug eingestellt, um die Tiere unserem Großen Kloster zukommen zu lassen. Außerdem hat Oelita eine an Einzelheiten bemerkenswert reichhaltige Beschreibung des Lebenskreislaufs der Unterzängler verfaßt.«

»Besitzen die Tiere menschliche Gene, so wie Hoemei behauptet hat?«

»Zweifellos. Es handelt sich um ein unglaubliches Verbrechen. Es wird sicher zum Gerichtsfest gegen die Mnankrei führen. Der gesamte Clan muß heruntergestuft, am besten mit Stumpf und Stiel ausgemerzt werden.«

»Eher wirst du Grimmigmonds Sichel als Halsschmuck tragen, als daß es dazu kommt. So was ist ausgeschlossen. Man hat's mit den Arant versucht... und trotzdem sind wir heute hier.«

Ihre Augen funkelten. »Wir sind Kaiel – keine Arant!«

Er lachte. »Wie ich sehe, glaubst du an unsere gefälschte Clan-Geschichte.«

»Wahrhaftig, man läßt zu viele Gottesleugner deines Schlages aus den Kinderhorten entfleuchen.« Noe war an erster Stelle eine patriotisch gesonnene Dame.

Gaet verzichtete auf die Mühe, ihr in Erinnerung zu rufen, daß die Kinderhorte im wesentlichen auf Überlegungen der Arant zurückgingen und daß es die von Gott geschaffenen Brut- und Zuchtmaschinen, die der Ursprung der Arant-Ketzerei gewesen waren, höchstwahrscheinlich wirklich gegeben und man sie im Laufe des gegen die Arant gerichteten, greulichen Kreuzzugs vermutlich vernichtet hatte. Statt dessen wechselte er den Gesprächsstoff. »Ich denke mir, es besteht zumindest ein Grund zu der Annahme, daß Trauerweiler den Mnankrei die kalte Schulter zeigen kann. Man hält dort genug Vorräte in den Speichern. Die Stgal werden sich erst beugen müssen, wenn ihre Vorräte aufgezehrt und die Unterzängler dann noch immer eine Gefahr bedeuten.«

Noe lächelte selbstgefällig. »Wir kennen bereits das Ritual, mit dem wir die Unterzängler unschädlich machen können. Es läuft noch nicht göttlich glatt ab, aber es wird bald soweit sein.«

»Das nenne ich flink gearbeitet!«

»Ich bin eine flinke Frau«, schäkerte sie. »Was glaubst du wohl, warum du beim ersten Herzschlag unseres Kennenlernens sofort in Liebe zu mir entbrannt bist?«

»Du meinst, es lag nicht am vielen Geld deiner Familie?«

»Entsinnst du dich nicht mehr?« hänselte sie ihn, indem sie sich Honig von den Fingern leckte. »Es ist gewesen, unmittelbar nachdem ich dir diesen besonders anregenden Trank gereicht hatte. Mit einem Auszug von Sklavendrüsen.«

»Ist es das, was du auch mit den Käfern beabsichtigst – willst du ihnen was in die Getränke geben?«

»Wir brauchen bloß drei künstliche Gene zu synthetisieren.«

»Wozu denn das?«

»Ein Unterzängler trägt unter seinem Rückenpanzer bis zu hundert winzige Partnertiere mit sich, die der einzige Quell der Flügelschmiere sind, die er benötigt, um während der Wanderflüge die Schwingen unablässig in Bewegung halten zu können. Wenn Unterzängler zu überreichlicher Ernährung Gelegenheit haben, beginnt ihr Bestand sich auszudünnen. Der Tod eines Unterzänglers löst bei seinen Partnertieren die Begattung und Vermehrung aus, und die Larven fressen den toten Käfer auf. Wenn die Tiere ausgeschlüpft sind und Flügel ausgebildet haben, fliegen sie davon und suchen sich lebende Unterzängler als Wirte, und sobald die entsprechenden Unterzängler ausreichend mit Partnertieren belegt sind, machen sie sich auf den Wanderflug. Wir haben nun einen Weg gefunden, durch den wir das menschliche Eiweiß in der bewußten Unterzängler-Abart dazu verwenden können, bei den Partnertieren die Begattungstätigkeit einzuleiten, während der Unterzängler noch lebt, so daß die hervorgebrachten Larven seiner Partnertiere ihn lebendig auffressen. Die Larven reifen heran und machen andere Unterzängler ausfindig. Falls ein Unterzängler zu der von den Mnankrei künstlich erzeugten Abart gehört, setzt unverzüglich erneut die Vermehrung ein, falls nicht, gehen die Partnertiere zu ihm eine ganz gewöhnliche Beziehung ein.«

»Schlau. Wer hat sich das ausgedacht?«

»Ich, du Lümmel!« Sie gab ihm einen zärtlichen Knuff zwischen die Schenkel. »Und zwar, als ich Oelitas Schilderung des Lebenskreislaufs der Unterzängler gelesen habe. Zieh dich an. Ich werd's dir genauer zeigen.«

»Ich habe mich doch gerade erst ausgezogen!«

Das Labyrinth des Großen Klosters umfaßte in seinen Mauern wohl ein gutes Drittel des gesamten Reichtums der Kaiel. Selbstverständlich sah man dort Gobelins und Prunkfenster, Vergoldung und silberne Einlegearbeiten, aber das waren lediglich Äußerlichkeiten fürs Auge. Das Kostspieligste im Großen Kloster war die Vielzahl von mit höchster Sorgfalt und Feinheit hergestellten biochemischen Apparaturen, waren staub- und keimfreie Räumlichkeiten, elektronische Betrachtungsgeräte und Anlagen zur Erstellung von Silberabdrücken, dank derer man das Aussehen einer einzelnen Eiweißfaser auf boranastatischem Plastik festhalten konnte. Es gab Räume, in denen genetisch veränderte Zellen, die von Kleinstlebewesen stammten, in Ansammlungen kompliziert zusammengesetzte Chemikalien erzeugten. In diesem Labyrinth waren aus menschlichen und künstlichen Genen schon die Vorgängerinnen von Gaets Wirtsmutter geschaffen worden. Selbst unter den Priester-Clans, bei denen man sich mit planmäßigen Zuchtverfahren und Biochemie gut auskannte, galten die Kaiel als Magier.

Während Noe döste, den Kopf auf die Tischplatte gestützt, sah Gaet sich einige aufschlußreiche Silberabdrücke an und sann über Hunderten von Abwandlungen denkbarer Gen-Ketten, die man den Partnertieren – ausgesprochen schnellen Brütern – eingesetzt und an ihnen erprobt hatte. Dergleichen war nicht sein Fachgebiet, aber er war dazu imstande, sich einen ausreichenden Überblick davon zu verschaffen, was Noes Arbeitsgruppen an Leistungen vorweisen konnten. In der getanischen Sprache benutzte man für »Priester«, »Führer« und »Biologe« dasselbe Wort. Wer kein ausgezeichneter Biochemiker war, verließ die Kinderhorte niemals lebend.

»He, das hier sieht aber sehr vielversprechend aus!«

Noe schrak auf und widmete der Ursache seiner Begeisterung einen schlaffen Blick. Sie lächelte stolz. »Es ist umständlich, aber meine Kindchen arbeiten daran, den Ablauf effektiver zu gestalten.«

»Du bist ja noch immer müde.«

»Ich bräuchte die Winde der Berge in meinem Gesicht.«

»Wie wär's mit einer Fahrt auf meinem Skrei-Rad?«

»Ist das gefährlich?«

Es war gefährlich, also gefiel es ihr außerordentlich, schneller dahinzurasen, als Menschen zu laufen vermochten, an Gaets Rücken geklammert. Der Erdboden flog unter ihren Augen dahin wie in einem Augenblick erhöhter Gefahr, unmittelbar bevor ein Segelflugzeug wieder am Boden aufsetzte, aber es gab keine Stöße und Erschütterungen, kein Auseinanderbrechen von Tragflächen – man schwebte nur über der Erde wie in einer endlosen Folge von Höhepunkten geschlechtlicher Erregung und Lustempfindung.

18

Man beobachte, wie ein wahrer Windmeister den Maelot fängt. Das Geschöpf wird nicht sofort aufs Deck gezogen. Der Maelot ist stark, und die Leine ist schwach. Man läßt den Vierbeiner fliehen, bis er alle Hoffnung verloren hat. Dann ist er schwächer als die Leine.

Mnankrei e'Nop der Zeitenfeste vom Tempel der Wilden See

Windmeister Tonpa wartete in einem Ruderboot hinter seinem Schiff, als das Geschrei erscholl. Er hätte Teenae leicht einholen können, aber er ließ seine Ruderer weit genug hinter ihr bleiben, um ihr eine gewisse Hoffnung zu lassen, andererseits jedoch schnell genug rudern, um zu bewirken, daß Teenaes verzweifelte Hoffnung ihre Körperkräfte bald erschöpfte.

Als sie sie schließlich ins Boot zerrten, ging Teenae mit den Fingernägeln auf ihn los, und die Seeleute mußten ihre Füße fesseln, während er sie festhielt. Sie zogen sie an einem Strick hinter dem Boot durchs Wasser — mit dem Gesicht nach unten. Sie mußte mühsam um jeden Atemzug kämpfen. Tonpa ließ sie während ihres heftigen Aufbäumens nicht aus den Augen. Sobald ihre Kräfte zu schwinden drohten, müßte sie ertrinken, und es würde erforderlich sein, sie wiederzubeleben.

Das Ruderboot schaukelte unbehelligt zurück zum Schiff. Dort hievte man Teenae an ihren gefesselten Füßen in die Höhe, und die Seeleute ließen sie mit unbekümmerter Rücksichtslosigkeit gegen den Schiffsrumpf prallen, dann an den Füßen baumeln, während Tonpa sich Zeit ließ und gemächlich an Bord zurückkehrte.

Der Seepriester machte sich nicht die Mühe, mit ihr zu sprechen. Er mißachtete die Kratzer in seinem Gesicht. Mitleidlos sah er zu, wie seine Männer sie an allen vier Gliedmaßen auf qualvolle Weise mit der Takelage verknüpften, als wären die vier Glieder die Zipfel eines Segeltuchs, das die Stelle des gerefften vorderen Topsegels einnehmen solle. Dort oben würde ihr Gemahl sie in der Dämmerung sicherlich sehen, ihre Gestalt erkennen können, wie sie kopfüber unter der Rah hing, vielleicht sogar mit rosigen Umrissen.

Auch Arap mußte in die Takelage, aber Tonpa gewährte ihm die

Gnade, in aufrechter Haltung und weiter unten bleiben zu dürfen. Tonpa versicherte Arap, man entsinne sich zeitlebens besser an ein von Schmerz verstärktes Vergnügen. Und dann lachte er. »Wie sollte ich sie sonst davon überzeugen, daß sie ihrem Gatten klarmachen muß, es sei die volle Wahrheit, was du ihr erzählt hast?«

Als zusätzliche Vorsichtsmaßnahme ließ er das Schiff – leise und ohne Warnlichter – aus der Bucht auslaufen, um etwaige Befreiungsversuche, die ihr Ehemann unternehmen mochte, zu vereiteln. Solche Anstrengungen konnte er sich ohnehin sparen. In der Morgenfrühe würden sie wieder in die Bucht einlaufen, und was von Teenae übrig war, sollte ihr Mann durchaus zurückerhalten.

Sobald die Sterne zu verblassen begannen und Getas Sonne noch ganz zaghaft hinter den Bergen auf das Njarae-Meer herablugte, senkten zwei grobe Seemänner Teenae herab aufs Deck und überschütteten ihren erschlafften Körper mit Salzwasser, um sie wieder zur Besinnung zu bringen. Sie rieben sie trocken und rissen dabei rohe Witze. Ein zuvorkommender Seemann schor ihr den Mittelstreifen ihres Schädels. Man gab ihr zu essen. Die ganze Zeit hindurch sprach sie kein Wort. Anschließend hielt man sie für eine Weile wieder unter Deck gefangen, und zu guter Letzt brachte man sie von neuem, noch immer nackt, an Deck und führte sie vor Oelita. Lieber wäre sie am Mast gestorben, als diese Gegenüberstellung erleben zu müssen. Nicht nur Oelita war an Bord gekommen, sondern auch zahlreiche Ortsansässige, die sie kannte. Ungläubig ließ Oelita sie etliche Male wiederholen, was sie zu sagen hatte, für Teenae eine besonders schlimme Folter.

Schließlich wandte Oelita sich an Tonpa. »Spricht sie unter Zwang?« erkundigte sie sich erregt, aber mit streng bemessenem Nachdruck. »Zwingst du sie dazu, das zu sagen?«

»Bist du vielleicht der Ansicht, jemand würde unter Zwang etwas Falsches aussagen? Ja, natürlich habe ich sie gezwungen. Kannst du dir vorstellen, es sei ihr angenehm, diese Wahrheit zu bekennen? Sie spricht die Wahrheit, weil ihr andernfalls der Tod droht.«

»Sie macht den Eindruck, als sei sie schlecht behandelt worden.«

»Ich war durch nichts dazu verpflichtet, sie gut zu behandeln.«

»Was soll mit ihr geschehen?«

»Wir werden ihr die Nase abschneiden, weil sie uns Mnankrei verleumdet hat, danach kannst du sie haben und mit ihr verfahren, wie's dir beliebt.«

»Ihr werdet ihr überhaupt nichts antun, oder ich werde die Mnankrei in einer Art und Weise verleumden, wie ihr es euch heute noch gar nicht auszumalen vermögt!«

Der Seepriester lachte gedämpft auf. »Aha, die Gütige Ketzerin spricht, die selbst ihren ärgsten Feinden verzeiht. Verbrecher womöglich mit Blumen überhäuft. Nun gut, es sei.« Er verbeugte sich. »Uns ist Unrecht, dir jedoch das größere Unrecht angetan worden.«

»Darf ich mit ihr allein sprechen, damit sie mir nicht unter dem Eindruck der Martern antwortet, mit denen du sie zum Reden gebracht hast?«

»Gewiß.«

Unter Deck, völlig ungestört, schlang Oelita ein Tuch um Teenaes Schultern, um sie gegen dic Kühle, die am frühen Morgen auf dem Meer herrschte, zu schützen. »Warum? Sag mir, warum!« Teenae schüttelte den Kopf. »Warum?!« beharrte Oelita mit der Gewaltsamkeit eines Sturms.

»Es ging darum, dir einen Antrag zu machen«, antwortete Teenae mit schwacher, kaum vernehmlicher Stimme, während sie auf die Planken niederblickte.

»Was wolltet ihr?« Oelitas Stimme klang feindselig, weil sie nichts begriff.

»Um dich zu heiraten.« Entgeistert starrte Oelita sie an. Teenae befand sich in einem aus Entsetzen wie gelähmten, aufgelösten Zustand. »Unsere Ehegemeinschaft ist unvollständig. Wir brauchen noch eine Gattin.«

Endlich erweichte die ruhige Verwunderung, die man den wahrhaft Verrückten entgegenbringt, das Herz der Ketzerin von Trauerweiler. »Ist das eine kaielische Sitte, die Braut zu ermorden?« forschte sie so gelassen nach, als frage sie nach dem Wetter.

»Falls du überlebst, bist du unserer würdig.«

»Und ihr glaubt, nach einer derartigen Werbung würde ich euch meinen Grall überreichen?« Der Grall war das Geschenk, das die Braut mitbrachte, ein schön zurechtgemachtes Schichtwerk aus heiligen und gemeinen Speisen. Teenae ließ den Kopf hängen. »Bist *du* auf diese Weise umworben worden?«

»Nein«, sagte Teenae in versonnener Zerstreutheit. Ihr Verstand arbeitete noch nicht wieder richtig. »Meine Gatten nahmen mich mit in die Berge. Sie sangen Lieder. Ich war noch ein kleines Mädchen. Ich hatte noch nicht einmal Brüste. Sie waren so nett zu mir.« Sie fing zu weinen an. »Verstehst du denn nicht?! Es ist nicht der Einfall unserer Ehemänner gewesen, dich zu heiraten. Sie haben dazu den Befehl erhalten. *Wir* wollen eine andere.« Sie schluchzte. »Alles ist so schwierig und verworren. Joesai ist der falsche Mann, um ihn zu dir zu schicken, aber andererseits mußte jemand wie er gehen, weil alle Kaiel, die sich bisher an der Küste haben blicken lassen, ermordet worden sind, und er ist ein Mann der Gewalt und kennt das Handwerk des Mordens, während mir die Aufgabe zugefallen ist, ihn zur Zurückhaltung zu bewegen, und es ist mir nicht gelungen.« Teenae fügte einiges mehr hinzu, jedoch nichts, das verständlich gewesen wäre.

Die ältere Frau führte die jüngere in den Empfangsraum des Windmeisters. »Wir werden nun gehen«, erklärte sie mit einer Entschlossenheit, die verhieß, daß jeder Versuch eines Mnankrei, sie aufzuhalten, ihm übel bekommen müsse. Man ließ sie gehen, ihren Arm um Teenaes Schulter, weil man hatte, was man wollte – Zeugen genug, die von der Hinterlist und der Schwäche der Kaiel berichten konnten.

Inmitten einer schweigsamen Schar auf der Ufermauer des Hafens vereinte die Ketzerin Joesai wieder mit seinem Weib. »Nimm dich ihrer an.«

»Ich danke dir für den Gefallen, den du uns erwiesen hast«, sagte er verlegen und mit verkrampfter Umständlichkeit.

»Ich bin froh, dich wiederzusehen«, sagte Teenae leise zu ihm und verbarg ihre Nacktheit an der Brust des Gatten.

»Ich habe sie zurückgebracht, ohne auch nur einen Menschen zu töten.« Oelita begegnete Joesai mit entschiedenem Trotz.

Joesai lachte, weil er überglücklich war, Teenae wieder in den Armen zu halten. Sein Lachen lohte wie ein Schmelzofen, wenn er Stahl schmolz. »Aber bedenke die Schmach, die man meinem Stolz angetan hat.« Seine Finger strichen durch Teenaes langes Haar. »Um die Glut meines Rachdurstes zu löschen, werden sie alle sterben müssen.«

»Es ist falsch, zu töten«, widersprach Oelita.

»Unsinn«, beharrte Joesai.

»Ich verachte diese Art von Falle, die du mir gestellt, diesen Betrug, den du dazu benutzt hast, ich verachte, was ihr beide getrieben habt.«

»Das nächste Mal werden wir uns mehr Mühe geben, um deiner Achtung würdig zu sein«, entgegnete er spöttisch.

»So! Du willst mich also nicht in Frieden lassen?!«

»So leicht durchschaust du mich?«

»Ja. Du bist ein Kaiel. Ein restlos dem Rituellen verfallenes Geschöpf bist du. Rituale, das ist die Pest ganz Getas.« Ihre Stimme verriet Furcht. »Ich werde dich überleben!«

Joesai fletschte die Zähne und grinste wie ein Totenschädel. »Das würde ich dir nicht empfehlen. Dann müßtest du mich nämlich heiraten.«

Seine Überheblichkeit erfüllte Oelita mit einem stürmischen Gemisch von Zorn und Grausen. »Ich werde euch den Grall vergiften!« schleuderte sie ihm entgegen, ohne sich darüber im klaren zu sein, was sie da redete.

Joesai konnte seiner Heiterkeit nicht Herr werden. Da er nun Teenae wieder bei sich hatte, waren jede Unsicherheit und Beunruhigung von ihm gewichen. »Es ist falsch, zu töten«, höhnte er. Schon seit einer Weile bemerkte er, wie sich ringsum ein feindlich gestimmter Menschenauflauf bildete. Nun winkte er seine Begleiter in eine Verteidigungsaufstellung und gab den Befehl zum Abzug.

Kaiel umringten Teenae, in ihrer Mitte gewann sie raschen Schritts Abstand von der erbitterten Menge. Weit draußen in der Bucht ging das Mnankrei-Schiff im trüben Licht düster in den Kämmen der nimmermüden Wogen auf. Erst jetzt begann Teenae richtig zu begreifen, daß sie lebte, sogar in Sicherheit war, und nun brandete in ihr Wut empor.

»Mögen diesem Schiffsblutegel Tonpa die Tätowierungen in Eiter aufgehen! Ich werde ihm nie verzeihen. Niemals!« Sie betastete ihre Nase. Sie war noch vorhanden. »Joesai, töte ihn für mich! Du bist der Mann für so etwas. Ich will ein neues Paar Stiefel haben.«

Joesais Gedanken galten dem unmittelbaren Davonkommen. »Erstens werden deine Füße sich erst einmal ein paar neue Schwarten anlaufen müssen. Zweitens könnte man genausogut zum Mond zu rudern trachten. Drittens...«

Doch sie befand sich nicht in der Stimmung, um sich mit Sprüchen abspeisen zu lassen. »Bring ihn heute nacht um, solange mein Haß noch heiß genug brennt, um seinen Tod vollauf genießen zu können.«

Joesai lachte. »Er kann wohl von Glück sagen, daß er nicht den Fehler begangen hat, dich auch noch beim Kol zu schlagen.«

»Du wirst beim kommenden Tiefstand die Gelegenheit haben, ihn zu töten.«

»Wieso?«

»Beim nächsten Tiefstand kannst du ihm die Gurgel durchschneiden!«

»Was soll denn geschehen«, fragte er bedächtig nach, »wenn um Mitternacht der Halbmond zu sehen ist?«

»Eine Horde Mnankrei kommt an Land, um auf der Halbinsel die Getreidespeicher niederzubrennen.«

19

Das Rad der Kraft hat vier Speichen – Treue zu sich selbst, Treue zur Familie, Treue zum Clan, Treue zum Menschengeschlecht.

Es heißt, daß die erste Treue dem Selbst gilt, denn wenn das Selbst nicht ein unversehrtes Ganzes ist, wie könnte man da erst eine Familie, einen Clan oder gar die gesamte Menschheit beisammenhalten? Doch ich sage euch, ein selbstsüchtiger Mensch gleicht einem Rad mit nur einer Speiche, das alsbald zerbrechen muß, er ist ein Tölpel, der versucht, die Felsen des Mount Nae allein mit eigener Schulter zu bewegen.

Andere meinen, die erste Treue müsse der Familie gelten, denn genössen Weiber und Kinder keinen Schutz, wie könnte es da noch lange Menschen geben? Doch ich sage euch, eine Familie selbstloser Menschen, die sich gegen ihren Clan stellt und zum Wohle ihrer Kinder im Namen der Menschheit zu handeln behauptet, wird nicht von langem Bestand sein.

Wieder andere haben die Ansicht verbreitet, die erste Treue gebühre unbedingt dem Clan, denn ist es nicht der Clan, der Berge versetzen und mit furchterregender Macht gegen das Böse zu Felde ziehen kann? Doch ich sage euch, ein Clan, der von Treue zu sich selbst beherrscht wird, muß seinen Familien den Untergang bringen und zuletzt selbst vergehen.

Es ist gesagt worden, die Treue zur Menschheit sei die erste Treue, denn wie sollten wir uns ohne Reinheit des Erbguts noch hoffnungsvoll den Gefahren entgegenstellen können? Doch ich sage euch, ohne ihre Clans und Familien und das Selbst des Einzelnen besäße die menschliche Rasse kein Herz.

Das Rad der Kraft hat vier Speichen – jede muß gleich stark sein und sich mit den anderen im Gleichgewicht befinden, oder das Rad wird gar keine Kraft haben.

Erzprophet Tae ran-Kaiel anläßlich seines
ersten Festes der Biene

Kathein war Aesoe nie zuvor begegnet. Sie hatte keine Vorstellung, wie er aussah, denn jedesmal, wenn sie einander auf Sichtweite nahegekommen waren – einmal war sogar bloß eine Armlänge Abstand zwischen ihnen gewesen –, hatte er sie angeschaut, und sie hatte den Blick nicht zu erwidern gewagt, sondern die Augen zu Boden gerichtet. Sie spürte seine Ausstrahlungskraft bis tief in ihre Lenden, so wie ein Gesicht noch die Sonne spüren konnte, selbst wenn die Augen sich von ihr abwenden mußten. Sie wußte nicht, was sie von dieser Vorladung zu seinem Landsitz halten sollte.

Zwei Ivieth aus seiner persönlichen Dienerschaft holten sie mit einer im Innern prachtvoll ausgestatteten Sänfte ab. An dem mit Schnitzereien verzierten Tor des Landhauses erwartete sie eine Amme und nahm den Säugling in Obhut. Eine andere Frau geleitete sie zu einem warmen Bad, in dem eine Dienerin und ein Diener sie wuschen und danach an den Ohren und Brustwarzen mit Duftstoffen salbten, ehe sie Kathein in weiche Gewänder hüllten, wie sie für eine Audienz beim Erzpropheten als prächtig genug gelten konnten.

Nicht einmal jetzt, als sie sein Großgemach betrat, vermochte Kathein ihren Blick zu ihm zu heben. Es geschah mit echter Erleichterung, als sie sich förmlich-feierlich tief verneigte und mit der Stirn den kühlen, steinernen Fußboden aus glattem Granit berührte. Man spielte Musik; gedämpfte Töne von Saiteninstrumenten erklangen, dazu ein Zungeninstrument. Ihr Blick hatte beim Eintreten, indem sie Aesoes Augen mied, die Musikanten gestreift. Sie sah die zierlichen Frauen noch bei der Verbeugung vor sich.

Sie gehörten den Liethe an, diese kleinen Schönheiten, bekleidet mit Stoffen, in die man die zarten Schwingen der Hoiela eingewoben hatte und die harmonisch abgestimmt waren auf die Wandbehänge der Räumlichkeit. Aesoe schätzte sie wegen ihrer Seltenheit. Wußte überhaupt irgend jemand, wer sie züchtete? Der Volksmund sprach davon, daß die Liethe aus dem mit Inseln durchsetzten Meer stammten und auch wieder dorthin entschwänden.

Wenn der Käufer ein Priester war, verkauften sie sich gegen Gold, aber sie waren keine Sklaven. Es war möglich, daß eine Liethe eines Tages ihren Herrn verließ, doch für sie fand sich eine andere ein. Aesoes drei Liethe besaßen alle die gleiche Gestalt und das gleiche Gesicht. Gerüchte munkelten von Fortpflanzung durch Jungfernzeugung. Ebenso wollten Gerüchte von so etwas wie Mustern von äußerlich verschiedenen Erscheinungen wissen. Einem Bekannten Katheins hatte einmal jemand weit jenseits der Itraiel-Ebene anvertraut, die Liethe würden ihre Söhne sofort nach der Geburt erdrosseln. Verschleierte Töchter sollten bei ihnen kommen und gehen. Man scheute sich nicht, laut auszusprechen, daß jeder, dem eine Liethe diente, allmächtig werden könne. Gleichzeitig flüsterten die Leute, daß ein Mann, der einmal eine Liethe genommen hatte, ihr Sklave sei. Welcher Art immer ihre Macht auch sein mochte, sie spielten zauberhafte Musik.

Eine Hand von eherner Stärke hob Katheins Kinn an. »Ich habe mich immer schon gefragt, von welcher Farbe wohl deine Augen sind. Stets habe ich nur die Länge deiner Wimpern bewundern dürfen.« Sie schaute auf und in das von vieler Heiterkeit faltige Gesicht eines Mannes, dessen offene Bluse krause, weiße Brustbehaarung sehen ließ. Aesoe war ein alter Mann, besaß aber die schwungvolle Anmut eines Schmieds in voll entfaltetem Arbeitseifer. Weil die Prophetien, die er schon in jugendlichen Jahren in den Archiven hinterlegte, sich als zutreffender herausgestellt hatten als die Visionen jedes anderen Kaiel, war er zum Erzpropheten aufgestiegen. Das war das Verfahren, nach dem die Kaiel ihr Oberhaupt wählten. Aesoe würde Erzprophet bleiben, bis er starb, zurücktrat oder ein Kaiel ihn ablöste, dessen Visionen sich als noch klarer erwiesen.

Aesoe flößte Kathein Ehrfurcht ein. Sie, deren größte Geschicklichkeit darin bestand, in bezug auf die schlichte Welt des Lichts, des Steins und der ruhelosen Atome Voraussagen zu treffen, vermochte sich mit Aesoes Gabe, die Zukunft zu sehen und zu lenken, nicht im allerentferntesten zu messen. Die Fähigkeit, nicht nur einen Blick in die Zukunft zu werfen, sondern auch dafür zu sorgen, daß das Geschaute wahrhaftig *zutraf*, machte die halbe Bedeutung eines Propheten aus. Aesoe zählte zu Katheins persönlichen Gottheiten. Der Gott des Himmels war ein trostreicher Beschützer. Vor Aesoe jedoch empfand sie Furcht.

Er ergriff ihre Hand. »Ich habe dir beklagenswerte Unannehmlichkeiten verursacht«, sagte er, »dennoch ich beklage sie nicht.«

»Meine Trauer lastet noch zu sehr auf mir, als daß ich dein Wort verstehen könnte.«

»Traurigkeit ist eine Krankheit der Jugend.«

»Bist du nie traurig?«

»Niemals.«

»Ich bin traurig.«

»Die Sippe der maran-Kaiel ist entbehrlich. Du bist es nicht. Das ist der ganze Unterschied.«

»Wie kannst du so von ihnen sprechen?! Sie sind wundervolle Menschen. Ich weiß es. Ich habe sie geliebt.«

»Hoemei zu verlieren, würde mir mißfallen. Die Sonne mag einstmals den Tag erhellen, an dem er Erzprophet wird. Auf Gaets Totenfeier könnte ich ihm in seinem Nachruf Schmeicheleien sagen, ohne daß sie mir im Halse steckenbleiben. Und für Joesai kann ich nichts tun. Ein ungeduldiger Esser fällt in den Suppentopf, sagt das Sprichwort. Noe zu verlieren, würde lediglich in jenen Kreisen Aufsehen erregen, in denen jeder Anlaß zum Aufsehen schnellstens wieder vergessen wird.«

»Und meine geliebte Teenae?«

»Ich weiß nicht, ob ich Teenae mag oder nicht. Ich habe sie nie beschlafen.«

»Du bist hartherzig.«

»Ich bin großmütig. Ich biete ihnen Oelita. Sie können diese Gelegenheit nutzen und sich mit ihr zu ruhmvollem Erfolg verhelfen. Oder sie erleiden einen Fehlschlag. Eine andere Möglichkeit, uns noch in dieser Generation in den Besitz der Küste zu bringen, sehe ich nicht. O ja, wir haben noch andere tüchtige Familien, die reif für viel Macht sind. Aber welche von ihnen befleißigt sich einer so törichten Halsstarrigkeit wie die maran-Kaiel? Dich wage ich keiner Gefahr auszusetzen. Wäre unsere Zahl doppelt so groß und wären die Mitglieder unseres Clans doppelt so klug, dann würde ich dich ersuchen, die Sache in die Hand zu nehmen.«

»Wenn du eine so hohe Meinung von mir hast, können wir sicherlich verhandeln.«

Er lächelte. »Solang's nicht um Liebe geht, sondern nur um Physik.«

»Ich möchte eine bestimmte Apparatur bauen.«

Aesoe lachte. »Bloß eine Apparatur? Ich hatte die Absicht, dir viel mehr anzubieten. Wie würde es dir gefallen, einen eigenen Clan zu führen?«

Wollte er sie verhöhnen? Das war ihr größter Traum. Bereits als Kind hatte sie eine eigene Clan-Tätowierung entworfen, die sie heute zwischen ihren Brüsten trug. Es handelte sich um einen unerfüllbaren Wunschtraum, aber zu hören, wie Aesoe ihr seine Verwirklichung vorschlug, brachte ihr Herz zum Pochen, wenngleich sie nicht bezweifelte, daß er sich mit ihr nur einen grausamen Scherz erlaubte. »Eine solche Führerschaft zu vergeben, liegt nicht bei dir«, erwiderte sie mit steifer Zurückweisung. Nur eine Versammlung konnte einen neuen Clan ins Leben rufen. So wie die Versammlung des Schmerzes die Kaiel begründet hatte.

»Wenn wir die Geschichte der Clans betrachten, welchen Clan sehen wir dann, der ohne eine Versammlung gegründet worden ist?«

»Es gibt keinen solchen Clan.«

»Doch. Die Liethe.«

Sie erforschte ihr Gedächtnis, entdeckte bezüglich der Liethe jedoch nichts außer Hörensagen, Rätselhaftigkeiten und Furcht. »Auch ihrem Entstehen muß eine Versammlung vorangegangen sein.«

»Nein. Eine einzelne Frau hat die Liethe erschaffen. Und so soll es noch einmal sein. Du kannst als Muster zur Auswahl haben, wen immer du willst, bis zu hundert verschiedene Personen – aus den Handwerker-Clans, aus den Kinderhorten, von den Kaiel. Sie müssen nur gut in Physik sein. Du sollst zu deiner Verfügung haben, wen du brauchst, und wenn ich ihn seiner Familie entreißen muß! Du wirst allein über ihre Sitten und die Zuchtregeln bestimmen. Dein Auftrag lautet, den neuen Clan mit deinen eigenen, besonderen geistigen Begabungen auszustatten – sie sogar noch zu vervollkommnen, wenn möglich. Ich habe prophezeit, daß die Kaiel sich einmal ganz Geta untertan machen werden – allerdings vorausgesetzt, daß es uns gelingt, unsere vorzüglichsten Fähigkeiten zuverlässig nachzuzüchten. Das ist der Grund, warum ich deine heikle Beziehung zu den maran-Kaiel, die vielleicht ganz liebenswert, aber deiner unwürdig sind, nicht dulden kann.«

Er mußte schwachsinnig sein. Konnte sich plötzlich auf so eine Weise Altersschwachsinn bemerkbar machen? Sie starrte ihn fassungslos an. »Du kannst doch nicht...«

»Ich kann! Ich bin eine Versammlung eines Einzelnen! Ich tu's!«

Kathein sank – gänzlich entkräftet – zurück auf die Knie, senkte das Haupt bis auf den Boden. »Zu viel der Ehre für mich.«

Rasch kniete er neben sie nieder und nahm ihren geneigten Kopf in seine starken Hände, die schon zahlreiche Frauen geliebkost hatten. »Wie erfreulich, dich nicht länger so traurig zu sehen! Ich habe das Gefühl, dir gefällt mein Geschenk. Vielleicht haben wir nun Zeit, um unsere gemeinsamen Interessen auch auf den Kissen miteinander zu teilen?« Er lachte leise vor sich hin. Sein Lächeln war so breit, daß es ihm schwerfiel, sie zu küssen.

Kathein geriet vollends durcheinander. »Ist das die Veranlassung, weshalb du mich vorgeladen und mir die Erfüllung meines größten Wunsches, die zugleich ganz Geta unterwerfen soll, angetragen hast – daß du mich begehrst?« In ihrer Stimme schwang ein Anklang von Schärfe mit.

Er richtete sie auf, von ihrem Mißmut unbeeindruckt. »Es ist eine unheimliche Sache, Erzprophet zu sein. Ich sehe aus deinem Leib Kaiel-Macht hervorgehen – diese Vision ist von schönster Klarheit –, aber wer kann sagen, ob das eine Zukunft ist, in die ich blicke, weil ich ein Prophet bin, oder weil mein Verlangen nach dir mich dazu anstiftet, die Grundlagen dieser Zukunft zu schaffen? Wer kann das wissen? Ich jedenfalls weiß es nicht.« Er zeigte sich belustigt.

Kathein entzog sich ihm. »Geleite mich in mein Zimmer«, forderte sie Aesoes Diener auf. Mit einem Blick zurück sah sie eine der Liethe Aesoes Seite aufsuchen. Sobald sie sich sicher in dem ihr zugewiesenen Zimmer befand, schob sie die Möbel an die aus dickem Holz gefertigte Tür und warf sich dann aufs Bett, schluchzte ihre Liebe zu Joesai, zum sanften Gaet, zum schüchternen Hoemei und zu Teenae heraus, deren Kuß so zart war wie Hoiela-Schwingen, und zu Noe, die ihre Liebe so leidenschaftlich erwiderte. Nie wieder sollte sie Noe berühren, nie mehr die Narben ihrer Tätowierungen küssen dürfen. Der mächtigste Mann auf Geta hatte ihren Körper gesehen, und es gelüstete ihn danach. Sie schluchzte, schluchzte und schluchzte, und am Ende hatte sie keine Tränen mehr; und da...

Wumm.

Ihr Kopf ruckte in die Richtung, woher sie das Geräusch vernommen hatte. Das Fenster war aus dem Rahmen gehoben worden. Im Geviert des Fensters kauerte Aesoe, die Zähne zu einem Grinsen gebleckt wie eine fleischfressende Ei-Heuschrecke kurz vor dem Sprung.

»Du!«

»Du hast doch nicht etwa geglaubt«, höhnte er, indem er ins Zimmer kletterte, »du könntest mich damit aufhalten, daß du einfach die Tür versperrst?«

»Ich verweigere mich dir! Ich werde dich über und über zerkratzen!«

»Nein, keineswegs.« Er lachte. »Würdest du mich abweisen, wäre ich nicht hier. Daß du mein wirst, ist eine Voraussage, die ich ohne zu zaudern den Archiven überantworten würde.«

Sie stieß ihn vor die Brust, drehte den Kopf seitwärts, während er sie auf Wangen und Augen küßte und um ihre Kehle ein goldenes Halsband legte, das einen von lietheschen Händen eingesetzten, trüben Edelstein aufwies.

»Du liebst mich nicht«, jammerte sie.

»Natürlich liebe ich dich. Du bist das aufreizendste Weib, nach dem ich jemals eine volle Woche lang geschmachtet habe.«

20

Die Fei-Blume, die das schwangere Geich-Weibchen fängt, kostet die Eier der gefräßigen Geich-Larven, die im Leibe des Weibchens lauern, nur flüchtig.

Stgalisches Sprichwort

Der Ort der Handlung war vom Gasthof auf ein Schiff verlegt worden. Unter Deck befragte Joesai seine Gattin mit der von Vorbehalten geprägten Gründlichkeit des Sachkundigen und mit aller Ausführlichkeit. Eiemeni, der Fachmann des Bnaen-Verfahrens zur genauen Gedächtniserforschung war, half ihm dabei mit besonderen Fragen. Es erschien unwahrscheinlich, daß Teenae recht hatte. Warum sollten die Mnankrei das unnütze Wagnis auf sich nehmen, Getreidespeicher der Stgal zu brandschatzen, während ihnen doch daran lag, mit den Stgal die Lieferung mnankreischen Korns auszuhandeln?

Teenaes Geduld schwand. »Du spielst hier den von Zweifeln zermarterten Toren, während du jetzt dein Messer wetzen solltest. Wir müssen die Einwohner der Ortschaft warnen und einen Hinterhalt legen. Dann werden wir für die Leute hier Helden sein und dein blödsinniges Verhalten gegenüber Oelita wettmachen können, die grobschlächtige Art und Weise, wie du deine *Verlobte* behandelt hast.«

»Gegenwärtig kämen wir nicht einmal damit durch, würden wir die Mnankrei beschuldigen, sich den Hintern mit Salzwasser zu waschen. Kann sein, nächste Woche.«

»Ich habe dir genau gesagt, wie und wann sie den Überfall durchführen werden.« Teenae beherrschte sich wieder. »Das ist's, was von Bedeutung ist, nicht das, was die Leute denken.«

»Du hast gesagt, daß *Arap* es dir erzählt hat«, bemerkte Eiemeni.

»Du steckst noch immer voller Zorn und wünschst schnell deine Rache«, sagte Joesai.

»Natürlich will ich Rache!« schimpfte Teenae.

»Rache ist ein Geduldsspiel für jemanden, der seine Leidenschaft zu zügeln vermag.«

Die zierliche Frau spürte, daß sie vor einer Mauer aus Stein stand, und sie verlegte sich auf eine andere Taktik des Vorgehens. »Genau deshalb habe ich ja *dich* zum Werkzeug meiner Rache ausersehen.« Sie klammerte sich an seinen Arm, als bedürfe sie noch immer seines Schutzes, doch sie lächelte dabei unablässig. »Ich bin nur eine Frau mit überschwenglichen Gefühlen und würde bloß alles verderben.« Sie schwieg einen Augenblick lang. »Deshalb mußt du dich meiner annehmen«, fügte sie gereizt hinzu.

»Ho«, sagte Joesai, der spürte, daß sie ihn provozierte, dem jedoch daran lag, sie zur Vernunft zu bringen. »Es ist schlichtweg *un*logisch, daß die Mnankrei ausgerechnet jetzt versuchen sollten, hier Getreidespeicher niederzubrennen. Damit würden sie ja bei den Menschen des ganzen tugendhaften Anscheins verlustig, den sie sich geben.«

»Sie könnten die Schuld ja auf uns schieben«, meinte sie boshaft.

Dieser für seine Begriffe eher kaltblütige Gedanke veranlaßte ihn dazu, ihre Geschichte plötzlich ernstzunehmen. Er schickte sie hinaus, und vier seiner engsten Ratgeber machten sich daran, die Angaben, die Teenae an Bord des mnankreischen Frachtschiffs erfahren hatte, mit aller Sorgfalt zu überprüfen. Zum Schluß befanden sie, daß es sich wahrscheinlich um die Erfindung eines jungen Burschen handelte, der sie augeheckt hatte, um eine schöne Frau zu beeindrucken, aber um Sicherheit walten zu lassen, empfahlen sie, davon auszugehen, daß die Geschichte stimmen könne.

Joesai ließ auf dem Schiff nur eine kleine Mannschaft zurück und schlich mit seinen restlichen Begleitern hinaus zur Halbinsel, wo sie sich im näheren Umkreis der großen Speicher verbargen. Er verteilte seine Leute auf die günstigsten Positionen. Keiner seiner Späher war zu sehen, doch führten sie Streifengänge durch, die es unmöglich machten, daß irgend jemand unbemerkt an Land kam. Jedes kleinere Wasserfahrzeug, das zu landen versuchte, ließ sich innerhalb weniger Herzschläge im Handstreich nehmen.

Grimmigmond, der reglos am Himmel stand, bedeckte von dessen Fläche sechsmal soviel wie Getas Sonne. Bei Sonnenuntergang bot er einen düster-klotzigen Anblick, aber im Laufe der Nacht, während seine abendliche Sichelgestalt im Zunehmen anschwoll, begann der Mond beträchtliche Helligkeit zu verbreiten. Auf Getas mondloser Seite wäre jetzt im Schutze der Nacht ein überraschender Anschlag möglich gewesen, hier jedoch nicht. Beim Halbmond war Joesai bereits zu der Überzeugung gekommen, daß es längst zu hell war für irgendeinen Überfall. Entweder mußte Seepriester Tonpa es sich anders überlegt haben, oder der junge Kerl, der Teenae von dem Vorhaben erzählt hatte, war ein übler Lügner.

Joesai schaute hinüber zu den Speicherbauten, ohne sich einer besonderen Veranlassung dazu bewußt zu sein, und da sah er in eben diesem Augenblick die orangefarbenen Zungen von Flammen emporlekken und sich ausbreiten. Die Flammen loderten viermal so hoch auf, wie ein Mensch groß war, ehe er das Krachen hörte. Brandbomben! Seine erste Eingebung war, er müsse zum Feuer hinüberlaufen – doch da erkannte er, in welch gräßlicher Lage sie unversehens staken. Die Bomben waren schon vor geraumer Zeit gelegt worden! Vermutlich hatten *kaielische* Uhrwerke sie gezündet.

Es war den Mnankrei gelungen, ihn zweimal an einem Tag zu kielholen!

Weit und breit hielt sich hier kein Mnankrei auf. Joesai und seine Begleiter befanden sich dagegen in der Nähe der Brandstelle, und ihnen würde man die Schuld geben, denn es war ausgeschlossen, zurück in den Ort zu gelangen, ohne daß man sie sah. Sie schwebten in höchster Gefahr. Nur Herzschläge trennten sie noch von ihrer Niedermetzlung.

»Ho!« Er erhob sich und rief laut nach seinen Leuten. »Bildet eine Kette! Lauft!« Das durchdringende Schrillen aus den Warnpfeifen einiger seiner Begleiter unterstrich seine Rufe.

Der einzige Vorteil, den sie im Verlauf ihrer Flucht hatten, bestand darin, daß die Leute, denen sie unterwegs begegnen mochten, sich nicht darauf verstanden, anzugreifen und zu kämpfen. So waren die Kinder der Stgal. Und infolgedessen hielt nichts Joesais Stoßkeil auf, bis er an eine noch im Anwachsen begriffene Menschenmenge auf der Ufermauer geriet, von der Joesais kleines Schiff sich aus berechtigter Vorsicht auf einen Abstand, wie er der Breite eines Grabens entsprach, begeben hatte. Die entfesselte Menge schrak zurück, als die Kaiel vorwärtsstürmten, doch ein kleiner Haufe mutigerer Männer warf sich ihren Reihen entgegen – um im Handumdrehen ins Wasser geschleudert zu werden. Die Menge wich weiter zurück, während Joesai an Teenaes Seite sprang, um seiner Gattin beizustehen.

»Teenae!«

Aber da sank Teenae schon nieder, verwundet durch zwei Stiche, brach zusammen, bäumte sich in einer wie besessenen Anstrengung auf. Wutentbrannt verjagten Joesai und fünf Männer die Menge vom Ufer, während zur gleichen Zeit ihr Schiff wieder anlegte, zuerst zwei Kaiel an Bord nahm, die die verletzte Teenae trugen, dann in disziplinierter Ordnung weitere Mitglieder der Schar sowie am Schluß die Nachhut. Das Schiff stieß nur einmal gegen das Ufergemäuer, bevor es erneut ablegte. Mit einem Griff seiner starken Faust zerrte Joesai den Messerstecher aus dem Wasser, schubste ihn seinen Untergebenen zu und eilte zu Teenae.

Eiemenie kümmerte sich bereits um die auf Deck ausgestreckte Verwundete.

»Weg da, du Fleischpacker. Ich bin der Wundarzt.« Joesai hatte viele Stunden weitgehender Übungen an vom Kinderhort als untauglich verworfenen Säuglingen durchgeführt, bevor man sie ans Schlachthaus weitergeleitet hatte. »Ich brauche ein Tuch!«

Unverzüglich reichte jemand, der hinter ihm stand, ihm eines. Auf Geta bestand keine Notwendigkeit, vor der Vornahme geläufigerer Eingriffe zu sterilisieren. Heilige Körper töteten gemeine Erreger mit solcher Zuverlässigkeit, wie der Heilige Weizen die Käfer umbrachte, die sich an ihm zu mästen trachteten.

»Ich sterbe«, stöhnte Teenae mit schwacher Stimme.

»Ja, ja, freilich. Die Stiche müssen genäht werden.« Joesai antwortete in barschem Tonfall. »Wie soll man den Körper einer o'Tghalie töten können? Ihre Leiber werden aus Chrom, Nickel und Eisen gemacht. Gott mag wissen, woher die o'Tghalie die erforderliche Zusammensetzung der Gene kennen. Sie legen sie durch irgendwelche verdammte mathematische Kunststückchen fest. Aber wie, das verraten sie uns nicht. Das bleibt ihr verfluchtes Clan-Geheimnis.«

»Ich fühle mich so schwach.«

»Das kommt daher, daß du viel deines Blutes verloren hast. Sobald wir die Gelegenheit haben, Otaam für dich anzuzapfen, erhältst du neues Blut zugeführt.«

»Liebster Joesai, auch wenn du jedesmal beim Kol verlierst, wenn du spielst, bin ich doch glücklich... dich zu haben.«

»Halt jetzt dein loses Mundwerk.«

Otaam, der die gleiche Blutgruppe besaß, spendete Teenae von seinem Blut. Joesai wich nicht von ihrem Lager, während sie schlief. Er hielt Wache, bis Grimmigmond wieder in vollem Rund sichtbar gewesen und seine Verfinsterung eingetreten war, bis er von neuem zunahm. Keine Schiffe griffen sie an. Er schwor sich, Teenae die ledernen Stiefel, in die das Clan-Symbol der Mnankrei – die hochgeschwappte Woge – eingeritzt war, eines Tages doch noch zu verschaffen. Wie verrückt von ihm, daß er bedingungslos bereit war, für diese starrköpfige, reichlich törichte Person einfach alles zu tun.

21

Ob du Heiliger oder Unhold bist, durch den Lauf der Zeit und Beharrlichkeit werden jene, mit denen du Umgang pflegst, letzten Endes dazu in die Lage versetzt, mit dir zu tun, was du wie selbstverständlich mit ihnen getan hast.

Arimasie ban-Itraiel, Dobu der kembri: *Belohnungen*

Teenae erwachte in der Morgendämmerung. Von ihrem Hochsitz über den Bergen herab badete Getas Sonne sie blutrot mit Händen, die rötlich über die ganze Bucht fingerten. Ohne sich zu regen, nur mit ihren Empfindungen, erkundete sie den Schmerz der erlittenen Wunden. »Ich könnte zu meiner Stärkung Blut trinken«, sagte sie und meinte das Blut ihres Angreifers.

Joesai stand an der Reling und starrte versonnen auf die Bucht hinaus, bemerkte nicht, daß sie endlich aus ihrem Fieberschlaf erwacht war; er vernahm ihre leisen Worte nicht.

Sie wandte den Kopf in seine Richtung und hob ihre Stimme an. »Ich könnte zu meiner Stärkung Blut trinken«, wiederholte sie verärgert.

»Wäre das klug?« hielt Joesai, noch immer in andächtige Betrachtung versunken, ihr entgegen. »Er ist einer von Oelitas Männern. Sie hat uns gegenüber Gnade walten lassen. Ich stehe in ihrer Schuld. Wir können uns ebenfalls gnädig zeigen. Tae ran-Kaiel hat einmal gesagt, ein Land, in dem man dreimal soviel Freunde wie Feinde hat, ist einem sicher.«

»Einem Mann, der mich zu ermorden versucht hat, verzeihe ich nicht. Ich verachte einen Mann, der mich umzubringen versucht und sich dann fangen läßt. Ich wünsche, daß er dem Menschengeschlecht das größte Opfer entbietet, auf daß die menschliche Rasse rein werde!«

»Die Rache sollte warten können, bis der Schmerz deiner Wunden versiegt ist.«

»Nein.«

Joesai zuckte mit den Schultern. »Es dürfte gefährlich sein, ihn an Deck zu holen und ihm ein Messer zu geben. Er könnte es nach dir werfen.«

»Ständig übersiehst du die naheliegendsten Dinge«, tadelte Teenae ungeduldig. »Binde das Messer an, damit er's nicht werfen kann. Laß ihm einen Arm frei, so daß es ihm möglich ist, sich das Handgelenk aufzuschneiden.«

Und so brachte man den Jüngling, an ein Gestell aus Hartschilf gefesselt, auf Deck und vor Teenae. In seiner Eigenschaft als Priester leitete Joesai die Zeremonie mit dem üblichen eintönigen Sprechgesang ein. Sein Gebaren unterzog sich einem unübersehbaren Wandel. Er sprach nun für die ganze Menschheit.

»Einst hatten wir keine Kalothi. Wir starben an der Unbekannten Gefahr.« In seinem Ton klang das Leid des Menschengeschlechts als Ganzes mit. Dann begann seine Stimme laut zu dröhnen und zu schallen, bis sie selbst das Meer herauszufordern schien. »Da hatte Gott in Seiner Barmherzigkeit mit uns Mitleid und trug uns aus den Unbekannten Gefilden durch Seinen Himmel, auf daß wir Kalothi fänden. Wir vergossen bittere Tränen, als Er uns Geta zur Wohnstatt gab. Wir klagten, als Er uns verstieß. Doch Gottes Herz blieb gegenüber unseren Tränen hart wie Stein. Nur an einer harten Wohnstatt unter Seinem Himmel konnte es uns gelingen, Kalothi zu finden. Und allein mit Kalothi werden wir es wagen können, der Unbekannten Gefahr das Große Lachen ins Gesicht zu lachen.« Joesai brachte die Schwarze Hand und die Weiße Hand des Priesters zum Vorschein, jede mit besonderen Mustern versehen, als seien es Tätowierungen, aus Holz geschnitzt und auf kurze Griffstangen gesetzt. Er hielt sie hoch über den Kopf, so daß er aussah, als strecke er ungewöhnlich lange Arme empor. »Zwei Hände schaffen Kalothi.« Mit einem Hallgeräusch, das halb nach zu Holz gewordenem Lachen, halb nach zu Holz erstarrter Gram klang, legte er die hölzernen Finger aneinander. »Das Leben ist die Prüfung. Der Tod ist der Wandel. Das Leben gibt uns Kraft. Der Tod nimmt uns die Schwäche. Um für die Menschheit Kalothi zu finden, beschreiten die Füße des Lebens den Weg des Todes.« Das kleine Schiff schaukelte schwerfällig auf den Wogen der See. Auf Geta gab es kein Land und kein Meer, wo nicht jederzeit dies Ritual vollzogen werden konnte.

Joesais Stimme sprach in unversöhnlichem Tonfall weiter. »Wir alle tragen zu Gottes Plänen bei. Wir helfen, die Kalothi der Rasse zu reinigen. Manche von uns sind hier, um Leben zu schenken. Einige von uns sind hier, um den Tod zu einem Geschenk zu machen. Der größte und ehrenvollste Beitrag, den jemand leisten kann, ist die Hingabe des eigenen Todes, denn wir alle lieben das Leben.« Er schwieg einen Augenblick lang, aber in diesem Augenblick stahl sich ein leichter Anklang von Spott in seine bemühte Ausdruckslosigkeit. Seine Augen musterten den Jüngling. »Mit Ehrfurcht nehme ich das Geschenk der Ausmerzung deines mangelhaften Erbguts entgegen.«

»Töten verstößt gegen den Kodex«, sagte der Jugendliche in gelassenem Ernst.

»Vielleicht gegen Oelitas Kodex, nicht gegen den meinen!« brauste Teenae in solcher Wut auf, daß in ihren Wunden erneut der Schmerz zu stechen anfing.

»Es verstößt gegen den *kaielischen* Kodex«, höhnte der Jüngling.

Joesai veranlaßte Teenae mit einem durchdringenden, strengen Blick zum Schweigen, ehe sie ein zweitesmal antworten konnte, dann heftete er seinen Blick erneut auf den jungen Mann. Die Schwarze Hand und die Weiße Hand andeutungsweise gekreuzt, entgegnete er ihm in einem Ton, der eher einem Rächer als einem Priester anzugehören schien. »Natürlich. Und wir werden nicht töten. Wir sind nur hier, um dein *Geschenk* anzunehmen.«

»Ich habe kein Geschenk für euch.«

Joesai setzte den Ritus fort, unbeeindruckt von derartiger Gotteslästerung, und holte aus seinem Gewand Gegenstände gewisser sinnlicher Annehmlichkeiten, wie der Empfänger des größten Geschenks sie dem Geber pflichtgemäß anbieten mußte. In diesem Fall ging es um sehr schlichte Freuden, weil sie sich hier auf einem Schiff aufhielten, nicht in einem Tempel. Das Angebot umfaßte klares, sauberes Wasser, die Berührung von glattem Glas, eine Rasur, den Geschmack einer Beere. Der Jüngling lehnte alles ab.

Dann kam der Zeitpunkt zum Aufschneiden der Handgelenke. Doch der Jüngling hielt seine Faust dem Messer mit verstocktem Trotz fern. Joesai stellte den Bluttopf an seinen Platz. Sein Anhang stimmte die Ballade vom Blutstrom an, die auf- und abschwoll wie das kräftige Schlagen eines riesigen Herzens, eines Herzens, dessen Pochen sich verlangsamte und allmählich nachließ, zuletzt verstummte und schwieg. Der junge Mann lachte, um zu beweisen, daß er noch lebte, doch keiner der Anwesenden achtete darauf, denn für ihre Begriffe war er schon tot.

Sorgsam, als sei das Aufschneiden der Pulsadern tatsächlich geschehen, ganz wie jemand, der die Absicht hegte, die Haut eines Leichnams zu gerben, zu zerteilen und daraus einen Mantel aus feinstem Leder zu schneidern, begann Joesai dem Jüngling die Haut abzuziehen, mißachtete die Schreie der Verblüffung und dann des Grauens, die übers Wasser hallten und bis in die Hügel Trauerweilers zu hören sein mußten. Er hatte das Häuten kaum begonnen, da trieben Qual und

Furcht den jungen Burschen dazu, sich eilends an der Klinge des an dem Gestell befestigten Messers das Handgelenk aufzuschneiden. Er flehte um Gnade, um das Aufschieben des Häutens, damit er zuvor Zeit zum Sterben habe, doch Joesai verfuhr weiter wie vorgesehen.

Das anschließende Schlachten ging schnell. Man vergeudete nichts. Das Fleisch legte man in Salz oder hing es in Streifen zum Trocknen auf, Drüsen verwahrte man zur Herstellung von Medizin, Sehnen und Därme zur entsprechenden Weiterverarbeitung, die Knochen nahm man für eine Suppe. Teenae erhielt als ihren Anteil eine Schale voll Blut.

Eiemeni, der für Oelita eine gewisse Bewunderung entwickelt hatte, brachte sein Bedauern zum Ausdruck, während er und Joesai sich neben dem hölzernen Schiffsrumpf das Blut vom Leibe wuschen. Joesai, im Einschäumen seines Haars begriffen, zeigte sich ungerührt. »Der Bursche hatte sich dafür entschieden, sich nach *meinen* Regeln gegen Teenae zu wenden, aber gleichzeitig erwartet, daß Oelitas Regeln ihn vor den Folgen behüten. Oelita hält sich an ihre Regeln und wird daher von ihnen geschützt. Sie ist's, der ich Mitgefühl entgegenbringe.«

Als man die Haut zum Trocknen aufspannte, zeigte man sie Teenae. Sie betastete das besonders gut ausgeführte Muster mit den Weizenkörnern, das Symbol des Ketzertums. Es würde einen recht schönen Schmuck auf einem Ledereinband ihrer Ausgabe von Oelitas Buch abgeben.

Oelita!

Ein Einfall schreckte sie auf, und weil ihr ganzer Körper zusammenfuhr, verspürte sie neue Schmerzen. »Joesai! Ich habe etwas vergessen. In der ganzen Aufregung habe ich vergessen, dir zu erzählen, daß Oelita einen Kristall mit der Versteinerten Stimme Gottes besitzt!«

22

Die Art und Weise, wie du dem Mnankrei Tonpa entgegengetreten und dabei dem dir selber zurechtgelegten Kodex treu geblieben bist, hat außerordentlich starken Eindruck auf mich gemacht. Du hast mit dem Tod gespielt und ihn bezwungen. Wie könnte ich anders handeln, als in jenem Auftreten die zweite Probe von den Sieben Proben zu sehen, die zum Ritual des Todes zählen? Du hast dir meine Achtung erworben. Vielleicht werde ich eines Tages, wenn du lange genug leben solltest, auch deine Achtung erringen.

Joesai maran-Kaiel an Oelita die Gütige Ketzerin

Oelita zerknüllte die Nachricht, die in steiler Schrift auf feinem blauen Papier niedergeschrieben worden war; man hatte sie ohne Nennung eines Absenders abgeliefert, und es fehlte eine Unterschrift. Sie schleuderte sie quer durchs Zimmer ihren vier Ratgebern zu, die sie zu einer Besprechung um sich versammelt hatte. »Manyar!« fuhr sie auf. »Die Mnankrei und die Kaiel zerdrücken uns wie eine Nuß in einem Nußknacker! Wir müssen uns zur Wehr setzen. Es geschieht alles viel zu schnell.«

»Es geschieht immer alles viel zu schnell«, antwortete Manyar und hüllte sich enger in seine Gewandung.

»Und du, Eisanti, ist das alles, was du zu unserer Beratung beizutragen hast, nichts als abgedroschene, höfliche Floskeln, die keinen anderen Zweck erfüllen, als den lieben, langen Hochtag hindurch Geistreichtum zu versprühen, als wäre das hier ein beliebiges Geplauder? Die Mnankrei bieten uns Nahrungslieferungen, während die Kaiel die Bergstraßen ausbauen, die zu uns an die Küste führen. Noch ist keine Hungersnot ausgebrochen, und schon sind Käfer hier und legen ihre Eier ab, auf daß ihre Brut sich an unserem Tod sattfresse! Die Hungersnot wird kommen, gewiß, und sie wird vorübergehen, aber werden wir uns je wieder der Mnankrei-Priester entledigen können, die Tag für Tag unsere Männer und Frauen ins Schlachthaus des Tempels führen werden?! Werden wir jemals wieder die Kaiel-Priester loswerden können, denen angesichts des zarten Fleischs unserer Kinder das Wasser im Munde zusammenläuft? Wir müssen uns ihnen widersetzen.«

Unruhig spielte Eisanti mit seinen Armreifen. »Wir müssen eine gewisse Zurückhaltung bewahren, bis wir stärker geworden sind. Manyar hat recht. Wir können ganz einfach noch keinen unnachgiebigen Standpunkt beziehen. Der Baum muß sich beugen, bis er stark genug ist, um dem Wind zu trotzen.«

»Die Stgal haben schon für *morgen* zu den ersten Ritualen der Selbsttötung aufgerufen. Aber wir *haben* Lebensmittel. Wir wissen ja noch nicht einmal, *wieviel* von der neuen Ernte die Unterzängler überhaupt auffressen werden. Wir wissen ebensowenig, wieviel Nahrung wir werden einkaufen können. Noch wissen wir nicht, ob es nicht möglich ist, mit den übrigen Quellen heiliger Nahrungsmittel auszukommen.«

Der alte Neri meldete sich zu Wort. »Der o'Tghalie Sameese hat errechnet, daß es weniger Tote geben wird, wenn die Stgal bereits jetzt mit den Selbsttötungen beginnen.«

»Was für einen Nutzen haben denn all diese Zahlen, mit denen die o'Tghalie gaukeln?« schnauzte Oelita. »Wenn man die Breite seines Feldes falsch gemessen hat, ist's ohne Bedeutung, die Länge richtig gemessen zu haben, denn man wird die Größe seines Grundbesitzes anhand dieser Messungen nicht berechnen können.«

»Mag sein, sie hat recht«, sagte aus dem Hintergrund des Raumes Taimon. »Vielleicht sollten die Stgal diesmal die Gelegenheit wahrnehmen und ihren Widersachern die Stirn bieten. Wer wollte ihnen nachsagen, sie besäßen dazu keine berechtigte Veranlassung?«

»Es ist unsere Schwäche«, warf Manyar ein, der sich die Fingernägel säuberte, »daß wir stets jene anziehen, die von niedriger Kalothi sind.«

»Genau das ist unsere Stärke«, widersprach Oelita.

Am Ende fällte Oelita, wie sie es stets tat, ihre eigene Entscheidung. Sie wartete, bis sich die Beratung, ohne einen Entschluß gefaßt zu haben, aufgelöst hatte. Ihre Hände ballten sich zu Fäusten. Die Entdekkung, daß ihre Berater, weil sie von hoher Kalothi waren, wenig Interesse daran zeigten, sich gegen die Priester zu stellen, war für sie eine höchst unerfreuliche Überraschung. Doch wie sollte sie eine Ratgeberschaft aus Leuten sammeln können, die eine niedrige Kalothi besaßen? Sie müßte auf jeden Fall das Denken allein erledigen und sich zudem fortwährend mit irgendwelchen Fehlern befassen, so wie dem jenes Dummkopfs, der versucht hatte, der kaielischen Bedrohung zu begegnen, indem er mit dem Messer auf Teenae losging, um sie zu ermorden. *Vermutlich war es immer so,* dachte sie verbittert. *Eine Gesellschaft bewahrt Festigkeit und Zusammenhalt, indem sie jene zu ih-*

rer Beute macht, die am wenigsten dazu imstande sind, sich zu verteidigen.

Letztendlich traf sie ihre Entscheidung aufgrund einer plötzlichen Eingebung. In Begleitung von nur zwei Leibwächtern suchte sie das Ortsinnere Trauerweilers auf, die Gegend, wo das Viertel mit den alten Häusern begann, und versammelte dort um sich eine furchterfüllte Menge jener Menschen, die jetzt am meisten zu verlieren hatten, bildete daraus einen Haufen, der zahlenmäßig stark genug war, um dem einzelnen, der ihm angehörte, Kraft einzuflößen, und dann führte sie diese Schar zum Tempel.

Alle Teile des Dorfes Trauerweiler, die oberhalb des Küstenstreifens lagen, galten als Gelände des Tempels. Der Pfad der Prüfung verlief mühselig um den Tempel, über den Hügel, der den Tempel überragte, und schlängelte sich zwischen den Gärten dahin; jedes seiner Hindernisse diente dem Zweck, die Schnelligkeit, Beweglichkeit und Kraft bestimmter Körperteile zu erproben. Hier überprüften die Stgal die körperliche Kalothi jener, über die zu befinden innerhalb ihrer Zuständigkeit lag. Der Tempel selbst, ein in die Hängegärten eingefügtes Stufenbauwerk, wirkte von weitem wie ein eher bescheidener Stern, doch beim Näherkommen sah man, wie die Spitzen des Sterns zu Hallen anwuchsen, die den Acht Heiligen Nahrungen gewidmet waren, und wenn man sie betrat und den Weg einwärts fortsetzte, erwiesen sie sich als wuchtige steinerne Stützen, die majestätisch emporragten und den Turm trugen, in dessen oberstem Stockwerk sich die Gemächer der Rituellen Selbsttötung befanden. Nichts in Trauerweiler ragte höher auf als dieser Turm. Mochten auch Hügel oder Nebel den Ausblick auf das Dorf verwehren, den Turm vermochte man jederzeit zu sehen. Schiffe benutzten ihn als Landmarke. Von allen Errungenschaften der Stgal war der Tempel zu Trauerweiler die größte.

Im Innern des Turms lagen rund um einen Lichtschacht in Spiralen die Spielzimmer angeordnet, das Ganze scheinbar nur aufrecht erhalten durch die Helligkeit, die durchs Buntglas der hohen, schmalen Fenster hereindrang. Dort konnte ein Getaner Kol oder Schach spielen oder sich anderen Arten des Spiels widmen, die sich ohne ein scharfes Auge, eine sichere Hand, einen schöpferischen Geist, ausgeprägten Farbensinn oder die Fähigkeit, das Erstbeste zu übergehen, nicht gewinnen ließen. Die Stgal-Priester führten unauffällig über die Spiele Buch, so daß jemand allein durch die Pflege des Spiels in seiner Kalothi-Bewertung höhergestuft werden konnte, während der Tempel, indem er für Speise und Trank und das Zuführen männlicher oder weiblicher Kurtisanen bare Münze einstrich, ansehnliche

Einnahmen hatte.

Bei den Getanern stand das Spiel über allem; sie waren dem Spiel in nahezu suchtmäßiger Abhängigkeit ergeben. In Scharen strömten sie in ihre Tempel, um sich dort gemeinsam zu vergnügen, zu lachen und miteinander zu wetteifern. Außerhalb der Tempel mochten sie um Geld oder Gefälligkeiten spielen; in einem Tempel bestand diese Anforderung nicht. Dort spielte ein Getaner mit seinem Leben und hatte daran einen Mordsspaß.

Zu diesem eindrucksvollen Tempel Trauerweilers brachte Oelita ihre bunt zusammengewürfelte Horde von Verlierern, die sich nicht einmal sicher waren, ob sie ein Recht zum Leben besaßen, und noch viel weniger, ob sie über die Fähigkeit verfügten, darum zu kämpfen und zu siegen. Während sie sich der gewaltigen Vorderfront dieser Stätte näherten, an der ihresgleichen sich so oft hatte geschlagen geben müssen, begann etliches von der Aufsässigkeit, zu der sie von Oelita aufgewiegelt worden waren, von ihnen zu weichen. Hier befand sich der Brennpunkt ihres verlorenen Selbstwertgefühls. Ein Mann stolperte, und ein anderer äußerte überlaut eine scherzhafte Bemerkung über des einen Ungeschicklichkeit. Oelita stellte die Leute vor dem Hauptportal auf und unterwies sie, ihre Auflehnung mit vernehmlichen Stimmen hinauszuschreien, aber sobald sie ihnen den Rücken gewandt hatte, blieben sie immer weiter zurück und glichen zusehends einer im Zerbröckeln befindlichen Ziegelmauer, an der geschäftige Menschen vorübereilten, ohne ihr einen einzigen Blick zu widmen.

Im inneren Heiligtum hießen die höchsten Stgal-Priester Oelita als ehrenwerten Gast willkommen. Sie hatten sie bereits erwartet und empfingen sie mit zumindest äußerlicher Herzlichkeit. Man bot ihr einen Platz auf Polstern an, reichte ihr zu trinken und ermutigte sie zu freimütiger Rede. Oelita sprach mit wohlgesetzten Worten über Widerstand gegen sowohl die Mnankrei wie auch die Kaiel und ermahnte insofern zur Vorsicht, als man das Eintreten einer Hungersnot keinesfalls zu früh ausrufen solle. Es gäbe, behauptete sie, andere Mittel und Wege. Andere Nahrungsmittel seien vorhanden. Ihr schwebte insgeheim, wenngleich noch unklar, etwas vor wie Nonoeps Erfolge hinsichtlich gemeiner Pflanzen. Oelitas Strategie fußte darauf, daß sie die Eitelkeit der Stgal ansprach, ihnen versicherte, daß sie so gut wie die Mnankrei und gleichfalls so gut wie die Kaiel seien, und daß sie sich durch wohldurchdachtes, tüchtiges Handeln ihren Gegnern sogar überlegen zeigen könnten.

Die Stgal hörten ihr zu, fragten sie aus, lachten mit ihr; und schließlich ließen sie sie von Wächtern – ohne jede Erklärung – hinauf in eines der Zimmer hoch droben im Turm bringen. Man sagte den Stgal nach, daß sie mit einem Gast in der allerfreundschaftlichsten Stimmung tafeln konnten, um ihn dann erst mit dem Nachtisch zu vergiften. Von der Höhe des Turms aus vermochte Oelita drunten ihre Gefolgsleute zu sehen. Man zerstreute sie nicht; niemand schenkte ihnen überhaupt irgendeine Beachtung. Sie rief durchs Gitter zu ihnen hinunter, doch sie befand sich zu hoch über ihnen. Sie hörten sie nicht. Oelita behielt sie im Augenmerk, bis das Zwielicht anbrach, und bei Sonnenuntergang ging der Haufe in aller Stille auseinander.

Das Turmzimmer, in dem sich Oelita befand, war mehr als bloß behaglich. Hier verwöhnte man jene, die schwach an Kalothi waren, um das Opfer zu ehren, das sie im Namen des Menschengeschlechts brachten. Die auf dem Kalothi-Verzeichnis die untersten Plätze einnahmen, durften in solchen Räumen in ihrer letzten Nacht alles genießen, was man auf Geta schätzte – klares Wasser für die Kehle, Räucherwerk für die Nase, köstlichen Geschmack für die Zunge – aus den Staubgefäßen der Großen Blume Getas – und eine Kurtisane zur Ergötzung des Leibes. Hier konnte man Gold befühlen und sich auf dem feinsten Tuch ausstrecken. Das Fenster jedoch war mit Eisenstangen vergittert. Durch ein solches Fenster, hieß es, bot sich dem menschlichen Auge niemals ein aufregenderer Anblick als der eine, letzte Durchgang des Gottes des Himmels vor dem Hintergrund der Sterne, den der Opferbringer vor dem Morgen noch sehen durfte.

Oelita vermochte nicht zu fassen, daß sie selbst nun in einem solchen Zimmer gefangen saß. Das fiebrige Häuflein Anhänger, das ihr zu Gebote gestanden hatte – war es denn nur ein Trugbild gewesen? Es mußten Gespenster gewesen sein. Sie war allein. War es ein Wahn, zu glauben, daß Worte jemals Menschen zu Taten bewegen könnten? *Die erste Krisis, und schon bricht meine Welt zusammen wie eine Sandburg, über die eine Welle hinwegspült.* Was bedeutete Treue? Was bewirkte, daß Menschen im Guten wie im Schlechten zusammenhielten? *Ich habe gedacht, ich wüßte es.*

Sie versuchte zu begreifen, wie es soweit gekommen sein mochte, daß sie sich jetzt in diesem Zimmer aufhielt. Das verstieß gegen alle Regeln. Sie besaß die höchste Kalothi-Einstufung in ganz Trauerweiler. Und dann lachte sie plötzlich durchs Gitter in den Nachthimmel hinaus. Man durfte die Regeln brechen, wie jeder Kol-Meister sehr wohl wußte – immer vorausgesetzt, man konnte die Folgen eines Bruchs der Spielregeln verkraften. Und welche Folgen sollte ihr Tod für die Stgal-Priester wohl haben können? Eine gewisse Oelita würde sich die Pulsadern aufschneiden und sterben. *Ich werde keine Wahl haben.* Niemand würde sich darum scheren. Das Leben konnte weitergehen, als habe es sie nie gegeben.

Sie starrte trost- und hoffnungslos durch die Gitterstäbe nach draußen, wartete auf Gott, ohne sich irgendwelche besonderen Gedanken zu machen. Und während Gott hoch am Himmel vorüberzog, lachte und weinte sie. Gott war ein Fels. Wenn er unter einem ganzen Volk aufwuchs, das glaubte, Gott sei eine Person, blieb in der Seele jedes Menschen wenigstens ein Rest von Glauben an Gottes vollkommene Tugend und Gerechtigkeit zurück. Aber Gott der Felsbrocken besaß nichts dergleichen. Obwohl sie darüber Klarheit besessen hatte, war diese Tatsache ihr gefühlsmäßig noch nie so deutlich bewußt wie jetzt geworden. Sie war hier, weil es keine Tugend und keine Gerechtigkeit gab. Gott war aus Stein. Das war und blieb alles, was es je mit ihm auf sich gehabt hatte.

Und Oelita weinte.

23

Wer niemals Fehler begeht, hat längst damit aufgehört, noch irgend etwas an Neuem zu unternehmen. Wer stets Fehler macht, ist ein Mensch mit überhöhtem Ehrgeiz und zum Untergang verurteilt. Derjenige jedoch, der verständnisvoll in seinem Handeln Erfolge mit dem Salz des Fehlgehens vermengt, der wird schnell lernen.

O'Tghalie Reeho'na: *Das Einmaleins des Lernens*

Das kleine Schiff und sein einmastiges Begleitboot ankerten in der Nähe eines alten Wellenbrechers, den unablässiger Seegang zertrümmert hatte. Vor langem war von irgend jemandem versucht worden, hier für eine kleine Flotte ein Hafenbecken anzulegen, doch offenbar hatten die Bemühungen aufgegeben werden müssen, weil die felsige Küste nicht der rechte Ort für einen Hafen war und gegenüber Schiffen abweisend, für sie ungeeignet blieb. Joesai hatte sich für diesen Zufluchtsort nur entschieden, weil sich in den Bergen unweit der See eine Niederlassung des o'Tghalie-Clans befand. Man hatte Teenae auf einer Tragbahre durch die von Nebelschwaden durchzogenen Wälder befördert und zur Erholung der Obhut von Verwandten übergeben.

Die schönen Stunden, die er hier mit Teenae verbringen konnte, mäßigten mit der Zeit seinen hartnäckigen inneren Aufruhr. Er wanderte ruhelos durch die waldreiche Umgebung; einmal fand er dabei eine rote Blume mit einem überaus feinen, merkwürdigen Blütenkelch, eine, wie er sie noch nie gesehen hatte, und er brachte sie Teenae mit, weil er wußte, dies kleine Geschenk würde ihr unverhältnismäßig große Freude machen. Er vergaß seine Aufgewühltheit.

»Sie sieht aus wie ein Tempel«, sagte Teenae und lächelte ihn an.

»Ich war oben auf dem kegligen Hügel, um nachzuschauen, ob unsere Schiffe noch sicher ankern.«

»Rechnest du bei diesem milden Wetter damit, daß der Wind sie losreißt?«

»Ich halte es für möglich, daß die Mnankrei uns aufspüren.«

»Dann werden wir einfach zusammen fliehen. Wir sind im Wind schneller als sie. Ich muß es ja wissen, ich selbst habe schon als Segel gedient.« Sie lachte und nahm seine Hand.

Das o'tghaliesche Observatorium übte auf Joesai eine faszinierende Anziehungskraft aus, denn sein größtes Interesse hatte immer schon den Sternen gegolten. Häufig sah man ihn mit einer Flasche und einem Laib Brot in der Abenddämmerung den Pfad zum Observatorium entlangstreben, um dort die Nacht in der Gesellschaft eines Onkels Teenaes zuzubringen, der allerlei Geschichten aus der Jugend dieser starrsinnigen kleinen Elfe zu erzählen wußte. »Jetzt verstehst du sicher, warum wir sie verkauft haben!« Und der Onkel brüllte vor Lachen.

Selbiger Onkel konnte nicht eben als herkömmlich eingestellter Mann bezeichnet werden. Insbesondere war er regelrecht vernarrt in Instrumente, eine Vorliebe, die man unter den o'Tghalie selten antraf. Er war der Abtrünnige, der Teenae Dinge gelehrt hatte, die sie eigentlich nicht wissen sollte. O'tghaliesche Gehirne waren insofern außergewöhnlich, als sie, wenn sie nicht schon als Kinder lernten, im Kopf die schwierigsten Arten des Zusammenzählens und Malnehmens zu bewältigen, diese Fähigkeit nie mehr so recht zu erlernen vermochten. Infolgedessen brachten o'tghaliesche Frauen, weil man ihnen als jungen Mädchen die erforderliche schulische Unterweisung verweigerte, ihr Leben meistenteils als Dienerinnen zu, statt Mathematikerinnen zu werden.

Es erfüllte Joesai mit ehrfürchtiger Bewunderung, wenn er dem »O'Tghalie-Onkel« zuschaute, wie er am Himmel Messungen vornahm und die ermittelten Zahlen durch verwickelte Berechnungen, die er wie nebenbei in einer Atempause durchführte, indem er sein Geplauder unterbrach, in Erkenntnisse verwandelte. Doch »Onkel« zählte nicht zu den Menschen, die sich mit dem Vorhandensein von Rätseln abfanden, und während einer wolkigen Nacht zeigte er Joesai, wie man »die Knöchelchen warf«, ein rechnerisches Verfahren, das er besonders für Leute ersonnen hatte, die keine Mathematiker waren, so daß auch sie mit einigermaßen hinlänglicher Genauigkeit Berechnungen anstellen könnten. Es beruhte auf einem nachgerade unheimlichen Kniff, durch den sich Malnehmen auf nahezu magische Weise in Zusammenrechnung und dann wieder zurückverwandeln ließ. Dieser Kunstgriff begeisterte Joesai so sehr, daß er eines Morgens die Rechenknochen mit in die Unterkunft brachte und hinter dem Kopfende von Teenaes Bett zurechtlegte, so daß sie nicht sehen konnte, was er tat; dann ließ er sich von ihr Malnehmaufgaben stellen, und zu ihrem Erstaunen löste er sie alle richtig.

Joesai erfuhr ferner einige astronomische Tatsachen, die er zuvor nicht gewußt hatte. Einmal erörterte er mit Teenaes Onkel einen philosophischen Standpunkt, den man in einer von Oelitas Schriften finden konnte. Gott sei ein Stein und verhalte sich auch genauso. Joesai hegte die Überzeugung, daß es, da Gott nun einmal kein Stein sei, eine Möglichkeit geben müsse, den Unterschied aufzuzeigen.

»Onkels« Miene erhellte sich sichtlich, und er zerrte Joesai mit sich hinunter in die Bibliothek, um dort in schmuddligen Kladden mit alten Berechnungen zu blättern. Gottes Bahn sei in der Tat mit einem hohen Maß an Treffsicherheit vorausberechenbar, aber es waren in zwei Fällen Unregelmäßigkeiten aufgetreten. Seit man die Beobachtung des Himmels betrieb, hatte Er Seine Bahn ohne erkennbaren Grund zweimal geändert. Keine anderen am Himmel sichtbaren Körper hatten so etwas jemals getan.

Joesai erinnerte sich an Oelitas Kristall und das, was Teenae von ihm erzählt hatte. Er war sicher, daß es sich bloß um ein Stück Glas handelte, aber was, falls es wirklich einer dieser Kristalle war, von denen Kathein einen besaß? Das Rätsel des Schweigenden Gottes war eines der verblüffendsten Geheimnisse Getas, und es mochte ohne weiteres größere Mühe wert sein, jede Gelegenheit zu nutzen, die eine Aussicht bot, es auch nur ein wenig zu lüften. Er hatte schon seit einiger Zeit nicht mehr an Oelita gedacht. Die umwerfende Enthüllung der mnankreischen Absichten – in jener Nacht, als Brandbomben die stgalischen Getreidespeicher vernichteten – hatte ihm insgeheim sehr zu schaffen gemacht. Nun plante er eine Erkundung nördlicher Gewässer. Doch vielleicht lag es im Bereich des Möglichen, daß er, während seine Begleiter mit dem Schiff nordwärts segelten, einen kurzen Ausflug zurück in den Süden machte, um Näheres über Oelitas angeblichen Kristall in Erfahrung zu bringen.

Er lachte sich zwei blutjunge o'tghaliesche Mädchen an, die ihren Müttern ohnehin nur bei der Arbeit in der Papiermühle zur Last fielen, und zog mit ihnen hinaus ins Freie, um sich von ihnen die Stelle zeigen zu lassen, woher die Mühle ihren Lehm bezog. Sie verbrachten den Hochtag fröhlich damit, im Lehm nach Joesais Gedächtnis eine Nachbildung von Oelitas Haus und dessen Nachbarschaft zu formen und den beiden Mädchen, die mit aufgerissenen Augen zuhörten, Geschichten zu erzählen.

Oelitas Haus, so entsann sich Joesai, stand auf der Kuppe einer Anhöhe und besaß eine unzugängliche Vorderfront sowie eine leicht zu verteidigende Rückseite; es glich einer uneinnehmbaren Festung – es sei denn, man war ein Mann wie Joesai, für den das Erklimmen senkrechter steinerner Wälle lediglich eine Frage der Kunstfertigkeit war, für die man nur eines Hammers und einiger spitzer Stangen aus Hartschilf bedurfte. Er stellte sich vor, daß er, wenn er auf sorgsam ausgesuchten Dächern zwei Beobachter mit Flaggen versteckte, mit nur sehr geringer Wahrscheinlichkeit, erwischt zu werden, in das Haus einbrechen konnte. Er hatte bereits Teenae nach sämtlichen Einzelheiten ausgefragt, die sie im Innern bemerkt hatte. Von ihr wußte er genau, wo Oelita den Kristall aufbewahrte. Der Abstecher nach Trauerweiler konnte mehr oder weniger eine Sache des Hinein- und Hinausgehens sein. Nachdem er dort solche Schlappen erlitten hatte, stand ihm ohnehin nicht der Sinn danach, länger zu verweilen.

Zur gleichen Zeit plante er unverdrossen eine vorsichtige Erkundungsfahrt nach Norden, während seine zwei kleinen o'tghalieschen Ratgeberinnen ihm auf die Schultern stiegen und mit vom Lehm schmierigen Händen an seinen Ohren und Haaren zogen.

»Euch gebe ich den Mnankrei zu fressen«, grollte er dumpf, weil eines der Mädchen ihm kräftig die Nase zuhielt.

»Ich werde dich in Ca-ca kochen«, erwiderte das Mädchen, und das andere kicherte.

Joesai erhob sich zu voller Körpergröße und nahm die beiden Mädchen unter die Arme. »Und jetzt geht's ans Meer.«

»Warum zum Meer?! Ich habe Hunger!«

»Weil auf dem Meer die menschenfressenden Mnankrei-Priester leben. *Die* haben erst 'n Hunger!«

Die Mädchen begannen zu kreischen und zu zappeln, aber er beförderte sie zu dem Felssims, von dem aus hier die Leute zum Schwimmen in die See gingen, und warf sie ins Wasser, um sie zu baden und sie nicht mit Lehm besudelt ihren Müttern zurückbringen zu müssen. »Soll ich euch mal mein kleines Segelboot zeigen?«

Für die kurze Fahrt nach Süden hatte er ein schnelles, für drei Personen geeignetes Segelboot erworben, so daß das größere Schiff unabhängig von ihm unter Raimins Befehl in den Norden segeln konnte. Später würden sie sich wieder treffen und einen kühneren Schlag gegen die Mnankrei wagen. Joesai lag viel daran, Teenae das Paar Stiefel zu besorgen, jedoch gedachte er Vorsicht walten zu lassen, was einen etwaigen Vergleich seiner seemännischen Fähigkeiten mit den Künsten eines wind- und wettererprobten Mnankrei-Priesters betraf. Er sah den zwei Mädchen zu, wie sie nackt in dem kleinen Wasserfahrzeug herumtollten. Noch hatte er sich für keine endgültige Strategie entschieden. Nach Süden unterwegs befindliche Weizenfrachter zu versenken, war durchaus eine Versuchung, doch mußte man in einer solchen Maßnahme ein zweischneidiges Schwert sehen, denn sie bedeutete den Hungertod für jene, die dann den Weizen nicht erhielten. Fehlerhafte Einschätzungen in diesem Umfang pflegten Aesoe gehörig zu verärgern. Was würde Aesoe an seiner Stelle jetzt entscheiden? Er würde den Weizen rauben und auf andere Schiffe umladen. Joesai lachte.

»Kommt mit«, rief er seinen beiden inzwischen sauberen Begleiterinnen zu.

»Fang uns doch!«

Ein plötzlicher Sturm brachte Joesais für eine rauhe See allzu kleines Gefährt auf dem Weg nach Trauerweiler beinahe zum Kentern, verzögerte die Fahrt um einen vollen Tag und brach Eiemeni drei Rippen. Als Joesai zur Abwicklung seines beiläufigen Vorhabens an Land ging, fühlte er sich reichlich ernüchtert und verlegte sich ganz auf Besonnenheit. Er hatte sich leicht geschminkt, um seinen durch die Tätowierungen betonten Gesichtszügen ein andersartiges Aussehen zu verleihen und ein Wiedererkennen zu erschweren, doch auf dem heimlichen Umweg, den sie zu Oelitas Wohnsitz nahmen, blieb die Gefahr einer Entlarvung ohnehin gering. Sonderbarerweise konnten sie nur einen Wächter ausspähen, der die Rückseite des Hauses bewachte. An der Vorderseite einzubrechen, war daher noch einfacher als angenommen.

Eine rasche Suche enthüllte, daß in dem Gebäude, seit Teenae sich darin zu Besuch aufgehalten hatte, vielerlei verändert worden war; der Kristall ließ sich nicht auffinden. Joesai hatte keine Zeit für eine mit Gewalt gegen Sachen durchzuführende, gründlichere Durchsuchung. Er wollte auf keinen Fall die Aufmerksamkeit des Wächters erregen, und so trat er, als seine Beobachter mit Flaggen das Zeichen gaben, daß die Luft rein sei, an der vorderen Hauswand hinab den Rückzug an, ließ die Kletterstangen aus Hartschilf achtlos zurück.

Die drei Männer trafen sich auf der Straße wieder; wegen Eiemenis verletzter Rippen war es ihnen nicht möglich, sich der sonst gewohnten Zügigkeit zu befleißigen. Stürmischer Wind fegte über sie hinweg, doch das schlechte Wetter kam ihnen gerade recht, weil Wolken, Regen und Dunst die Sicht allgemein behinderten und ihnen einen Vorwand boten, um die Gesichter hinter Tüchern zu verbergen. Nur wenige Ortsansässige ließen sich unterm freien Himmel blicken.

»Wir müssen herausfinden, wo sie steckt.«

»Das kann Tage dauern. Dafür sind wir nicht ausgerüstet.«

»Wahrscheinlich hält sie sich nicht im Ort auf, andernfalls wäre ihr Haus besser bewacht.«

»Ich werde das klären.« Joesai dachte an mehrere Gaststätten, in denen er womöglich Neuigkeiten erfahren konnte; ein bescheideneres dieser Häuser, in dessen Tür ein kleines Weizen-Symbol gekerbt war, schien ihm besonders geeignet zu sein. Er erkundete die Straße, in der es lag, nach den günstigsten Fluchtwegen, dann ging er klatschnaß hinein, gänzlich in seinen Umhang gehüllt. Er bestellte heißen Met, und als der Zapfer das Getränk brachte, unterhielt er sich wie nebenbei mit ihm.

»Gibt's Neues von Oelita?«

»Sie sitzt noch immer im Turm fest.« Die Stimme des Zapfers erstickte. Der Mann war innerlich grimmig empört.

Joesai genehmigte sich einen hastigen Schluck Met, während er versuchte, diese Mitteilung ganz zu erfassen. Also hatten die Stgal sie eingesperrt. Sie wollten sie umbringen. Unglaublich! »Ein recht unerfreulicher Aufenthaltsort«, murmelte er.

Als er wieder die Straße betrat, stand sein Entschluß, was es zu tun galt, bereits fest. Er musterte Rae und Eiemeni. »Rae, du bist gegenwärtig besser bei Kräften. Lauf zurück zu diesem Gottesgericht von Boot und hole das Späherauge. Eiemeni, ich wünsche, daß du einen brauchbaren Weg vom Turm des Tempels bis in die Ortschaft auskundschaftest. Laß dir Zeit. Präge dir jeden Steg, jeden Stein ein. Ich werde unterdessen den Tempel aufsuchen, um Klarheit über die dortigen Verhältnisse zu erlangen. Wir treffen uns An den fünf Kreuzen wieder, oder wenn's dort zu heikel sein sollte, an Pegel Acht am Ufergemäuer. Ich will versuchen, beim dritten Hochstand Gottes zurück zu sein. Falls ich nicht zur Stelle bin, warte bis zum Hochstand des nächsten Umlaufs.«

Der Tempel stand nur unter leichter Bewachung. Joesai wählte unter mehreren gerade abkömmlichen Kurtisanen. Er nahm eine junge, zierliche Kleine, von der man ihm sagte, daß sie neu im Ort war, ein sehr hübsches nolarisches Mädchen, vermutlich von daheim weggelaufen. Er ersuchte um ein geruhsames Kol-Spiel in einer der kostspieligeren abgetrennten Räumlichkeiten. Nach dem unglückseligen Zwischenfall mit den gebrandschatzten Getreidespeichern waren Unauffälligkeit und Absonderung sehr wichtig. Das Mädchen war zu einer einigermaßen anerkennenswerten Spielweise fähig. Es zeigte sich emsig bemüht, ihm alles angenehm zu gestalten, und er verwickelte es allmählich in eine ausgedehnte Unterhaltung.

Ein Teil seines Innenlebens fühlte sich nicht ganz wohl dabei, einem so lieblichen Kind Erkenntnisse zu entlocken, aber ein anderer Teil seines Gemüts war schon seit langem daran gewöhnt, aus Leuten das herauszuholen, was er zu erfahren wünschte. Das Geheimnis bestand darin, sie zum Reden über das zu bringen, an dem sie selbst Interesse hegten, dann ihre Redseligkeit bis zum Übersprudeln zu steigern und bloß noch zuzuhören.

Das Mädchen war restlos überwältigt von dem Tempel. Er war der schönste Bau, in dem es je tätig gewesen war, und infolgedessen fiel es Joesai leicht, es darüber ins Schwärmen zu bringen. Es dauerte nicht lange, da fing es von den fabelhaften Turmgemächern zu erzählen an. Es bemerkte, daß er in dieser Hinsicht nicht empfindlich war, weil es gefühlsmäßig spürte, daß er eine hohe Kalothi besaß, und das Vorrecht, mit Anwärtern auf das Ritual der Selbsttötung Umgang pflegen zu dürfen, erhöhte die Schwatzhaftigkeit zusätzlich.

»Sicherlich hast du da oben so manchem Trost zu spenden«, sagte er, um bei diesem Gesprächsstoff zu bleiben.

»Im Nordzimmer sitzt schon seit einiger Zeit ein bemitleidenswertes Weib. Ich höre die Frau jede Nacht weinen. Ich verstehe nicht, warum man sie so lange festhält und warten läßt.«

»Bist du ihr zu Diensten gewesen?«

»O nein. Für das Nordzimmer bin ich nicht zuständig. Ich bin ja noch neu, und das ist das vornehmste Gemach im ganzen Tempel. Wenn ich lange genug hier bleibe, darf ich vielleicht auch einmal hinein. Gefallen würde es mir. Wenn ich genug Männern Freuden schenke, darf ich's womöglich später mal.« Das Mädchen lächelte ihn hinreißend an, aber er spürte, wieviel Befangenheit es insgeheim noch empfand.

Er ließ es gewähren, ihm Freuden des Leibes zu bereiten. Der Anfang bestand aus einem heißen Bad, das auf seine verkrampften Muskeln, die in einer vom Sturmheulen durchtosten Nacht nahen Todes auf hoher See über Gebühr beansprucht worden waren, geradezu wundersam wohltätig wirkte. Dies Bad war wirklich das beste, was er sich vor der nunmehr bevorstehenden Anstrengung gönnen konnte. Er bezahlte seine kleine Kurtisane großzügig, so daß sie keinen Zweifel daran zurückzubehalten brauchte, dazu imstande zu sein, Männern Freude zu bereiten.

Die Mehrzahl von Oelitas engeren Anhängern kannte er dank seines geschulten, geübten Gedächtnises noch gut, und nachdem er sie in seiner Erinnerung ausgesiebt hatte, entschied er sich für einen Mann, den er für geeignet hielt, einen stämmigen Schmied, der ebenso sanftmütig war wie von riesigem Körperbau. Als Joesai die Schmiede betrat, befand der Mann sich gerade bei der Arbeit, und die Glut in seinem Schmelzofen machte den Rissen in dessen Ummauerung schwer zu schaffen, so daß sie sich zu weiten drohten.

»Du!« Der Schmied hob ein rotglühendes Eisen, doch Joesai wußte genau, er war harmlos.

»Ich brauche deine Hilfe.«

»Meine Hilfe?!« keuchte der Mann.

Joesai hatte beschlossen, den Schmied durch ein sorgsam ausgewogenes Wortgeplänkel aus Wahrheit, Unwahrheit und Umgarnung für sich zu gewinnen. »Ho! Glaubst du etwa jede Lüge, die von den Stgal in die Welt gesetzt wird?« Er war sich dessen bewußt, man kannte die Stgal hier vor allem für ihre schmierigen Entstellungen von Tatsachen. »Du wirst doch wohl nicht glauben, ich würde der sanftmütigen Oelita ein Leid antun? Was? Wie? Ho!« Er kam sogleich zur Sache. »Es sind doch die Stgal, die sie eingesperrt haben, oder etwa nicht?«

»Du hast sie zu ermorden versucht!«

»Bist du da so sicher?« Joesai log durch Ausweichen. »Die Stgal sind's, die Oelita tot zu sehen wünschen. Zeigt sich das nicht jetzt ganz von selbst? Und wenn die Stgal versucht haben, sie zu töten, liegt's dann nicht nahe, daß sie die Schuld anderen zuschieben? Da nun eine Hungersnot droht, ist das nicht für sie die große Gelegenheit, um die Straßen von der Verunreinigung des Ketzertums zu säubern? Wer weiß, wer die Getreidespeicher in Brand gesteckt hat? Wer hat zu ihnen leichter Zutritt als die Stgal?«

»Dein Weib hat gestanden!«

»Nachdem man's vergewaltigt, mißhandelt und eine Nacht lang am Mast des Schiffs hat hängen lassen. Willst du ein so erpreßtes Geständnis als glaubwürdig bezeichnen?!«

Der Schmied schob das Eisen ins Feuer zurück. »Ihr seid am Brandherd gesehen worden, als die Speicher in Flammen aufgegangen sind.« Er wartete, die Faust noch an dem Eisen.

»Und weshalb hätten wir, wären wir tatsächlich die Brandstifter gewesen, derartig tölpelhaft sein sollen?« schnob Joesai, indem er seinen Gefühlen nun freien Lauf ließ, weil er mittlerweile sicher sein konnte, daß sie nicht die Wahrheit durchblicken ließen. »Wie könnten wir so überaus töricht sein, so etwas vor den Augen aller Leute zu tun? Und zu welchem Zweck? Wir Kaiel haben Weizen, ja, aber wir können ihn euch nicht verkaufen, weil zwischen unserem Land und der Küste die Berge liegen. Bedenke, daß die Mnankrei zur gleichen Zeit, als die Speicher abgebrannt sind, mit den Stgal über Weizenlieferungen verhandelt haben. Vielleicht ist der Brandanschlag von diesen beiden infamen Clans gemeinsam ausgebrütet worden. Dadurch wäre es den Stgal möglich, sich euresgleichen zu entledigen, in der Hoffnung, dann später auch die Mnankrei hintergehen zu können. Die Mnankrei dürften ihrerseits in einer solchen Übereinkunft lediglich den Anfang eines weiterreichenden Plans sehen, der darauf abzielt, die Küste ihrem Herrschaftsbereich einzuverleiben. Meine Gemahlin hatte die Mnankrei belauscht und von ihrer Absicht erfahren, die Speicher niederzubrennen, und wir wollten ihr nicht glauben und haben sie verspottet, und nur vorsichtshalber haben wir uns in der Nähe der Speicher verborgen gehalten, um eine solche Greueltat, falls wirklich jemand sie im Schilde führen sollte, zu vereiteln – doch dabei haben wir in einer Weise versagt, durch die wir nicht allein wie Toren, sondern gar wie die Schuldigen dastehen mußten.« Er wartete nicht auf eine Entgegnung. »Möchtet ihr, daß eure Oelita aus dem Turm befreit wird? Ich hole sie heraus.«

Die Augen des Schmieds waren aus Argwohn zu schmalen Schlitzen verengt. »Warum?«

»Um meinen Namen reinzuwaschen«, log Joesai. »Mir hat's arg mißfallen, wie die Stgal mich hereingelegt haben.«

»Niemand kann aus dem Turm fliehen.«

»Gebt mir eiserne Haken und einen Schraubstock mit rautenförmigem Gestell. Hast du so was? Sonst brauche ich nichts.«

Unter einer Verbindungstür erschien die Mutter des Schmieds, in der Hand einen Lumpen, eine gebrechliche Alte, halb blind, halb taub, in Zeiten des Hungers eine Anwärterin für den Turm. »Wer ist das? Warum schreit ihr hier herum?«

»Ich werde meine Tat von euch beobachten lassen«, versprach Joesai und näherte sich jetzt ermutigt dem Schmelzofen. »Ihr werdet selber sehen können, daß eurer Oelita nichts geschieht. Ihre Freunde können helfen. Wenn ich lüge und ihr darauf besteht, daß ich mich aus der Sache heraushalte, dann bleibt sie im Turm, und ich kann ihr keinen Schaden zufügen. Wenn ich die Wahrheit spreche, wie kann ich ihr schaden, wenn ich sie hinunterbringe, während ihr alle jeden meiner Schritte mitverfolgt?«

»Wovon faselt dieser Mann hier?« krächzte die Greisin in panischem Entsetzen.

»Mutter, der Mann braucht einen Schraubstock.« Der Schmied widmete seine Aufmerksamkeit wieder Joesai. »Von welchem Nutzen soll dabei ein Schraubstock sein?«

»Und eiserne Haken. Ich werde mir sämtliche Schraubstöcke anschauen, die du auftreiben kannst, und den geeignetsten aussuchen.« Er drehte sich der Alten zu und sprach langsam und mit erhöhter, unmittelbar auf die Frau gerichteter Lautstärke, denn sie war offensichtlich schwerhörig. »Und dir, liebe Frau, wäre ich von Herzen dankbar, hättest du eine warme Suppe für mich, ich habe nämlich einen langwierigen Aufstieg außen am Turm vor mir, und so ein Süppchen täte mir ganz wohl. Dein Sohn und ich, wir werden unsere über alles geliebte Oelita befreien.«

Das Weib, nunmehr endlich über alles im klaren, verfiel in Begeisterung.

Joesai, der die Lage nunmehr vollauf in der Hand hatte, trat zum Schmelzofen, bemächtigte sich einer Zange und zog eine glühende Eisenstange aus der Lohe. »Ich brauche eiserne Haken, die zwischen die Steinquadern des Turms passen. Das Eisen hier ist zu dick. Ich zeige dir, wie sie sein müssen.« Er hämmerte auf das Metall ein, bis es die Form annahm, die er wünschte. »So wie dies hier. Können wir davon genug herstellen?«

»Noch nie hat jemand den Turm bestiegen, außer auf einem Baugerüst«, warnte der Schmied, nahm den Eisenhaken und tauchte ihn zum Abkühlen ins Wasser.

Joesai lächelte. Sein Umhang dampfte, und in seinem von Mustern durchfurchten Gesicht stand ihm der Schweiß. »Ho! Eben deshalb wird unser unsinniges Vorhaben, unsere Ketzerin aus den Klauen der Stgal zu befreien, ja gelingen.«

24

Ein mit jemandem geteiltes Geheimnis ist kein Geheimnis mehr.
Sprichwort der Liethe

Die einhundertzwanzigköpfige Karawane erstreckte sich über einen langen Abschnitt der Itraiel-Wüste. Hinter ihr lag die Bergkette, die den Namen Knochenhaufen trug, zu ihrer Linken die undurchdringliche Geschwollene Zunge. Die Landschaft in dieser Gegend war eben oder leicht gewellt, aber grüner, obwohl hier keine größeren als hüfthohe Gewächse gediehen.

Drei klobige Mitglieder des Ivieth-Clans zogen den Wagen, in dem die Frau fuhr. Vier waren es anfangs gewesen, doch einer war unterwegs gestorben. Er hatte der Karawane Fleisch für einen ganzen Tag geliefert. Die Frau, die nach außen hin mit dem Namen Demut auftrat, deren Antriebe jedoch ein geheimer, mit einer eher mörderischen Bedeutung behafteter Name bestimmte, hatte die sehnige Festigkeit gebratenen Ivieth-Fleischs genossen, empfand jedoch das streckenweise Zufußgehen, das seither erforderlich war, um die drei übrigen, überbeanspruchten Ivieth zu entlasten, als weniger angenehm. Mit verminderter Zugmannschaft mußten die Fahrgäste oft selbst Hand anlegen, wenn die Wüstenstraße einmal nicht so gut beschaffen war, und den Wagen schieben.

Am heutigen Abend lagerte die Karawane auf einer Anhöhe, bei der die Ivieth eine trübe Quelle unterhielten, aber keine ständige Siedlung errichtet hatten. Demut lief hin und her, um ihre Glieder zu bewegen, tanzte sogar, weil sie Tänzerin war und die Beweglichkeit ihres Körpers ihr große Freude bereitete. Als sie sich zu weit vom Lagerplatz der Karawane und von der Wüstenstraße entfernte, kam ein riesiger Ivieth ihr nachgetrottet. Die Ivieth gaben mit außerordentlicher Sorgfalt auf ihre Schutzbefohlenen acht.

»Wanderlust ist hier unklug«, sagte er mit vorwurfsvollem Ton in seiner Dröhnstimme.

»Schau mal!« Sie hielt einen Strauß blauer Blümchen in die Höhe, deren Blütenblätter sich an den Spitzen zu dunklem Blaurot verfärbten. »Hast du schon mal so hübsche Blümlein gesehen?« Sie schüttelte die Kapuze vom Schopf und befestigte das Sträußchen in ihrem Haar, machte es dem Riesen mit ihrem kindlich-einfältigen Gebaren so gut wie unmöglich, ihr böse zu sein.

»Es ist unklug, zu berühren, was man nicht kennt.« Der Ivieth begutachtete ihre Beinkleider, um sich davon zu überzeugen, daß sie für einen Spaziergang mitten in der Wüste ausreichenden Schutz boten.

»Diese unschuldigen kleinen blauen Blümchen?« Demut lächelte und schlang ihre schlanken Finger um den Ellbogen ihres selbsternannten Beschützers. Sie ließ sich von ihm durchs Gestrüpp zurück in Sicherheit geleiten, innerlich in gehobener Stimmung über ihren ungewöhnlichen Fund.

In der blauen Blume, von der sie etliche gepflückt hatte, verbarg sich ein Gift, das so selten war, daß es in den einschlägigen Fachbüchern nicht verzeichnet stand. Die Blütenblätter sonderten, wenn man sie erst in der Sonne trocknen ließ und anschließend in Alkohol tränkte, eine süßliche Flüssigkeit ab, deren tödliche Wirkung so stark war, daß schon Tröpfchen davon einen Menschen umbrachten. Das Gift machte zunächst benommen, gerade in dem Maße, als habe man nur einen Whisky zu viel getrunken, erfüllte dann den ganzen Körper mit freundlicher, wie rosiger Wärme, einem angenehmen Gefühl von Trunkenheit, und zum Schluß setzte das Herz aus. Meuchlerfreude war die Bezeichnung, unter der Demut die Blume kannte.

Demuts vollständiger Name war als se-Tufi-87 in den Aufzeichnungen festgehalten, aber man nannte sie im allgemeinen se-Tufi die in Demut wandelt. Wie jede Liethe-Frau trug Demut ihr Stammkennzeichen in Form narbiger Tätowierungen im Gesicht. Der Stamm se-Tufi war durch je sieben Knötchen gekennzeichnet, die wie Perlenschnüre von unterhalb der Augen bis zum Unterkiefer hinab verliefen, ferner mit einem eintätowierten Armreif aus Knötchen am linken Oberarm. Mit der Zahl 87 war sie allerdings nicht versehen, weil jede Liethe eines Stamms mit ihrer Schwester aus demselben Stamm austauschbar sein sollte. Im Gegensatz zu den Körpern aller anderen Frauen blieben die Liethe außer mit ihrer Stammkennzeichnung untätowiert. Demut besaß zudem einen geheimen Namen, den sie in der Nacht angenommen hatte – wie üblich –, als sie ihren ersten Priester verführte – einen weißhaarigen Priester der Saie, nun längst tot. Der Geheimname, den sie in ihrer Brust verborgen trug, lautete Königin des Lebens vor dem Tod, und dieser Name entsprach vollauf ihrem eigentlichen Selbstverständnis.

Nachdem sie ihre wertvollen Blumen gepreßt hatte, nahm sie ihren Messingspiegel zur Hand, um die Schminke in ihrem Gesicht zu erneuern, die eine vollständige Tätowierung vortäuschte, weil ihre Gesichtszüge ansonsten beinahe tötowierungsfrei waren, und deren Anwendung durfte als beachtliche künstlerische Leistung für sich gelten. Für eine Liethe war es tabu, während einer Reise ihre Clan-Zugehörigkeit zu offenbaren. Demut stärkte sich, an ein Rad des Wagens gelehnt, mit Zwieback, Honig und Maisbrei, dann schlenderte sie ins Lager, um den letzten Abend am Feuer der Ivieth zu verbringen, gegen die abendliche Kühle ein Tuch um die Schultern geschlungen.

Sie mochte die Lieder der Ivieth sehr. Die Musikantin in ihr war es, die daran Gefallen fand. Wie die Ivieth Grimmigmond zu beschreiben verstanden! Sie konnte sich überhaupt nicht vorstellen, wie es sein mochte, einen Mond am Himmel zu haben, denn ihr ganzes bisheriges Leben hatte sie auf der fernen anderen Seite des Planeten verbracht. Der Mond schob sich langsam über den Horizont, als erhöbe sich allmählich im himmlischen Backofen ein runder Kuchen, und jeden Tag sah man ihn ein wenig höher stehen. Ihn zu beobachten, war wirklich aufregend.

Die Riesen lachten, hatten ausgelassenen Spaß an ihren Liedern. Wie hätte Demut da dem Drang widerstehen können, eine kleine Harfe an sich zu nehmen und ihnen eine der eigenen Balladen vorzusingen? Der Liethe-Kodex gestattete es nicht, hier ein Lied der Liethe vorzutragen. Die Liethe-Musik war ausschließlich den Priestern vorbehalten. Demut hob ihre wohlklingende, helle Stimme an, so daß man ihr weit über den Umkreis des Lagerfeuers hinaus lauschen konnte.

»Auf dem Berge Kaemenek
Steigt steil ein schroffer Pfad empor zur Höh.
Dort mach ich Rast
Und schau aus auf die Versunkene Hoffnung.

Zornige Winde brausen vorüber
Und geschwinde Wolken verwüsten den Himmel.
In meinem Mantel warm
Schau ich aus aufs Meer der Versunkenen Hoffnung.

Rasch löscht der Sonne blutige Scheibe
Des verflossenen Tages Lohe im Meer.
Die See, sie siedet,
Und rot erglüht die Versunkene Hoffnung.

Nie soll ich sie jemals wiedersehen,
Niemals noch einmal jenen Pfad beschreiten,
Doch allzeit schenkt meiner Seele Ruh
Das Lied der Brandung an der Versunkenen Hoffnung.«

Die Karawane traf bei Nacht in Kaiel-Hontokae ein. Demut bemerkte die Ankunft kaum, so gefangen war ihr Interesse am Mond. Eine Woche lang beherrschte der Mond schon den Horizont und war unterdessen immer mehr emporgestiegen. Nun war er gänzlich aufgegangen. An jedem Tag hatte er stetig abgenommen, bis am Abend nur noch eine dünne, geschwungene Sichel zu sehen war, die über den fernen Gipfeln der Berge stand. Während des gelb-roten, wie an Flammenlodern reichen Untergangs von Getas Sonne hatte die Sichel eine umgekehrte Entwicklung genommen und war angeschwollen, rundete sich merklich, während der Wagen mit Gequietsche westwärts rollte und in einen bläulich-roten Abend vordrang. Grimmigmond! Wie groß er war! Dahin war die mondlose Welt von Demuts Jugend.

Sie verließ den Wagen und wanderte auf den Mond zu, als sei sie von ihm in einen hypnotischen Bann gezogen worden. Selbst die Sterne verblaßten neben ihm in ihrer Pracht. Sein Helligkeitsschein beleuchtete das Land! Demut warf einen nächtlichen Schatten, eine graue Verlängerung ihrer selbst, die sich auf der Straße verlief. Der großartige Grimmigmond erfüllte ihre Füße mit Musik und ihr Herz mit Gesang. Was für eine Nacht zum Lieben in einer Landschaft, die dem weichen, rötlichen Lager eines düsteren, lüsternen Todes glich!

Schließlich bat sie einen Ivieth, sich auf seine Schultern setzen zu dürfen. Sie bedeutete für den Mann kaum eine Last. Sie war ein zierliches Geschöpf, kreuzte vor seiner Brust die Beine und hielt sich an seinem Haar fest. So hockte sie hoch auf den Schultern eines Ivieth, als sie zum erstenmal im Mondschein Kaiel-Hontokae erblickte, die gespenstischen Umrisse der Aquädukte sah, die schemenhaften, regelmäßigen Schattenrisse der Bauten.

Ha! dachte sie, während sie eine Hügelkuppe überquerten und man – noch in beachtlicher Entfernung – die wie leichenhaft aufgedunsenen Eikuppeln des Palastes erkennen konnte, den sie, wenngleich viele Balladen ihn verherrlichten, noch nie gesehen hatte. *Dort haust er, mein Feind, der mein Liebhaber sein wird.* Geschmeidig hob sie ihre Füße auf die Schultern ihres Trägers und richtete sich, die Arme ausgebreitet, in vollkommenem Gleichgewicht auf. Der Ivieth reichte ihr eine Hand, um sie zu stützen. Sie schob mit einem Fuß die Hand beiseite. Ganz gemächlich beugte sie sich vor, vollführte eine halbe Drehung und machte dann einen Kopfstand, ihr Haar mit dem des Ivieths verworren, die Zehenspitzen dem Himmelsgewölbe entgegengestreckt, um einmal einen Palast verkehrt herum zu sehen.

Die Zelle, die man ihr im Liethe-Heim zu Kaiel-Hontokae zuwies, war innerhalb der aus Bimsstein errichteten Mauern eines alten Whisky-Kellers ausgebaut worden. Der Fußboden bot sich zum Ausbreiten einer Matte an, es war Platz zum Aufstellen schlichter hölzerner Möbel vorhanden – aber Wandbehänge oder irgendwelche anderen Annehmlichkeiten gab es nicht. Sie erwachte früh, betete und versetzte sich, um alle Resteindrücke nächtlicher Träume zu verscheuchen, in den Zustand des Leeren Bewußtseins, während ihr Körper der Reihe nach die Drei Grundstellungen einnahm.

Danach machte sie sich ohne Hast ans Werk. Sie verwendete die Dauer eines Sonnenhöchststandes für Gedächtnisübungen, die heute die erneute Einprägung zweier Lieder sowie des Erinnerungsschlüssels zu ihrer genetischen Wissenssammlung betrafen.

Ein Gesicht lugte in ihre Kammer, jemand kicherte und verschwand sofort wieder. Demut sprang auf, die Füße nackt, die weißen Brüste entblößt, und spähte den Korridor hinunter. »Heda!«

Das Gesicht zeigte sich erneut; es gehörte einer Person in einem Haargewand und mit ebenfalls bloßen Füßen. Es sah aus wie lediglich ein Gesicht, das mit nackten Füßen umherlief. *Ihr* Gesicht mit nackten Füßen. Demut kicherte. Ihre Klon-Schwester lächelte zur Begrüßung. »Se-Tufi die lauscht«, sagte die Frau und begleitete das Sichvorstellen mit einer Lauschhaltung ihres Kopfes.

»Se-Tufi die in Demut wandelt«, lautete die ebenso förmliche Antwort Demuts, verbunden mit dem Vorzeigen der flachen Hand und dem Senken der Lider, einer Geste, die als allgemein anerkannte Bekundung von Demut galt. Die Liethe, die zum selben genetischen Stamm gehörten, pflegten solche Zeichen zu benutzen, um sich untereinander zu erkennen zu geben.

»Möchtest du ein Frühstück? Komm.«

Die Küche des Heims war bescheiden, doch standen Behälter mit Weizenmehl und reichlich Töpfe mit eingemachten Erdbienen sowie Kräuter zur Verfügung. »Ich hätte gerne Pfannkuchen mit Honig.«

Die beiden begannen den Teig vorzubereiten und schwatzten währenddessen miteinander, als hätten sie sich schon immer gekannt. »Hast du bereits alles über Aesoes Ruhm vernommen? Du bist meine Ablösung. Er hat mich geschwängert. Diesmal ist's 'n Mädchen.« Das bedeutete: Diesmal brauchte das Kind nicht abgetrieben zu werden. »Die Alte schickt mich nach Hauptheim, damit ich das Kind bekomme. Ich bin noch nie so weit gereist. Ich bin in Oiena geboren worden. Du bist schon ziemlich viel gereist.« Se-Tufi die lauscht hatte längst mit anderen se-Tufi-Schwestern Wissenswertes über Demut ausgetauscht und im Nebenbereich Verhaltensmuster ihrer genetischen Wissenssammlung gespeichert, so daß sie, obwohl sie sich noch nie begegnet waren, einen gewissen Kenntnisstand besaß. »Wie ist das, so weit auf dem Land herumzukommen? Ich werde das Njarae-Meer mit dem Schiff überqueren.«

»Vergangene Nacht habe ich den Mond gesehen!« Demut war noch immer entzückt.

»Ist das *alles*, was geschieht, wenn du reist?! Ich fürchte mich vor Schändung. Bist du schon mal geschändet worden?«

Demut rutschte von ihrem Stuhl, und noch ehe sie eine volle Drehung vollzogen hatte, ging ihre Bewegung in einen Sprung über, der sie – im Kreiseln begriffen – erst wie eine Kugel, dann mit ausgestreckten Beinen gegen die Wand trug, von der sie mit einem dumpfen Geräusch mit den Füßen abprallte. Die Mauer erhielt einen Stoß von ungeheurer Wucht. Demut fiel rücklings auf einen Küchenwagen, und sie kam anmutig wieder auf die Füße, genau an der Stelle, von der aus sie den Sprung begonnen hatte. »Du müßtest mal den verdutzten Ausdruck auf dem Gesicht eines Mannes sehen, wenn du ihm auf diese Weise gegen die Brust springst!« Sie ließ sich wieder am Frühstückstisch nieder.

»Wo hast du denn solche Gewalttätigkeiten gelernt?«

Demut lächelte nur. Derlei Unterweisungen waren Bestandteil ihrer Ausbildung zur Assassine gewesen. »Ach, Reisen besteht hauptsächlich daraus, daß man aussteigen und den Wagen selber schieben muß, wenn unterwegs der eine oder andere Ivieth tot umfällt. Das war eigentlich der interessanteste Tag meiner jetzigen Reise, ich hatte noch nie an einer Totenfeier der Ivieth teilgenommen. Du kannst von Glück reden, daß du mit dem Schiff übers Njarae-Meer fährst. Ich habe schon so viele Gedichte über das Njarae-Meer gelesen, daß in meinem Gehirn Hoiela-Schwingen zu schwirren beginnen, wenn ich nur daran denke. Man stelle sich mal vor, die See bei Nacht, während Grimmigmond am Himmel steht, der Wind die Segel bläht und einer von den Mnankrei, die so reizend zum Anbeißen sind, ist mit dir auf Deck, hat einen Arm um dich gelegt, und du kannst dich in seine Achselhöhle schmiegen, wo's so schön streng riecht. Mir schwinden die Sinne.«

Lauschohr rümpfte die Nase.

Demut bemerkte ihre Ablehnung augenblicklich. Sie empfand Überraschung. Die Liethe waren bereits seit Jahrhunderten Verbündete der Mnankrei. Unter den Liethe herrschte weithin die Meinung vor, daß die Führung, wenn einmal alle Clans vereint sein sollten, bei den Mnankrei liegen werde. Liethe, die mnankreischen Liebhabern gedient hatten, waren darauf stolz. Demut hatte einmal einen Wanderpriester erwürgt, der Botschaften verbreitete, die dem Ziel dienten, den Mnankrei zu schaden. »Die Mnankrei haben Kalothi«, sagte sie. »Die Mnankrei sind schlecht.«

»Käferpisse.« Demut nahm einen Mundvoll Pfannkuchen. »Du hältst dich anscheinend schon zu lange in Kaiel-Hontokae auf. Höchste Zeit, daß du dich mal anderswo umsiehst.«

»Die Kaiel haben im Palast ein magisches Ohr, das die Gespräche der Mnankrei *im selben Augenblick* belauschen kann, in dem sie sie führen. Was diese Seepriester treiben, flößt mir Furcht ein.«

»Wer hat dir was über derartige magische Ohren erzählt?«

»Aesoe.«

»Die Kaiel sind eingeschworene Gegner unserer Mnankrei. Glaubst du etwa alles, was ein fetter alter Priester dir einreden möchte? Die Kaiel haben ihren Spaß daran, Mädchen die Beine auszureißen und sie aufzufressen, einschließlich des Gehirns!«

Lauschohr lächelte belustigt, und ihre Erheiterung ließ die Perlenschnüre auf ihren Wangen sich teilen, als seien sie ein Vorhang. »Ich weiß, daß er so was macht. Danach lacht er sogar. Kürzlich hat er sich irgendein bedauernswertes Kaiel-Weib vorgenommen, und weil die Frau die Tür mit den Möbeln versperrte, drang er durchs Fenster zu ihr. Dank sei unserem Gott für die Bewußtseinsbeherrschung. Ich mußte mich in den Zustand des Leeren Bewußtseins versetzen, um eine ausdruckslose Miene zu bewahren. Aesoe ist ja ein so bewundernswerter großer Lümmel! Ich mache mir Sorgen, daß er bei diesen Aufregungen demnächst einen Herzschlag bekommen könnte.«

Demut schluckte schwer an ihrem Pfannkuchen und riß die Augen auf. »Du liebst ihn!«

»Aber nein!«

»Aber er ist gut darin, dir dein Möschen zu küssen?« spottete Demut.

»Ich werde ihn vermissen«, gestand Lauschohr. »Ich hoffe, seine Tochter wird sich zum größten Stamm auswachsen, den wir Liethe jemals gekannt haben. Er bewundert uns. Ja, wirklich!«

»Nüsch mühglüch!« prustete Demut mit vollem Mund. »Und mit diesem Mann muß ich schlafen?«

»Und er muß für alle Zukunft in dem Glauben bleiben, daß ich es sei, während du ihn verhätschelst«, entgegnete ihre Klon-Schwester.

»Gottes Blitzschlag, das ist was, daran werde ich mich erst gewöhnen müssen.«

»Unsere Alte gewährt dir drei Hochtage, um dein Auftreten zu vervollkommnen.«

Demuts Augen weiteten sich. »So wenig?«

»Sonst wird sie dafür sorgen, daß du nur noch für die Suppe taugst.«

»Verschleißt unsereins eigentlich nie?« Die Heimmutter, soviel wußte Demut, gehörte zur selben se-Tufi-Serie wie sie und Lauschohr. Sie war die berüchtigte se-Tufi die Steine findet.

»Nein, wir verschleißen nicht, wir werden bloß mit der Zeit durchtriebener.«

Demut dachte über diese Äußerung nach. Die Heimmutter lebte bereits seit fünf Lebensaltern Demuts. Das bedeutete jede Menge Gemeinheit. »Weshalb diese Eile?«

»Se-Tufi die bei Nacht singt hat in dieser Woche dafür gesorgt, daß Aesoes Dreiheit vollständig geblieben ist, aber sie hat den Auftrag erhalten, in den Süden zu gehen. Infolgedessen sind nur vier Liethe für drei Rollen da. Ich bin zwar noch für eine Weile zur Aushilfe hier, aber nicht mehr lang.«

»Was für ein Schlag von Null-Kalothi ist denn dieser Aesoe? Er ist dermaßen eigensüchtig, daß er drei Geliebte braucht, und zehntausend Sonnenaufgänge lang merkt er nicht, daß sie unter seinen Augen ein Wechselspielchen treiben, ihm fällt nicht einmal auf, daß sie gar nicht altern? Ist das der Mann, der über sämtliche Kaiel herrscht? Das ist der Mann, der sich Wahnvorstellungen hingibt, die alles Land auf Geta umfassen? Die Mnankrei werden ihm bei lebendigem Leibe das Fell über die Ohren ziehen!«

»Er schläft gerne mit dem Kopf zwischen deinen Brüsten. Und er schnarcht.« Anscheinend machten diese Offenbarungen Lauschohr Spaß.

»Wird mir *das* behagen! Frauen haben Männer schon wegen weit weniger umgebracht.«

»Und wenn er dich Honigbienchen nennt, mußt du dich sofort an ihn schmiegen und an seinem Ohrläppchen saugen.«

Eine andere Frau betrat die Küche, von größerem Körperbau als eine se-Tufi, voller in den Hüften und mit leidenschaftlicheren Gesichtszügen, auf der Stirn ein Muster aus acht Knötchen. Das Kinn wirkte beinahe vertraut. Sie machte eilig das Zeichen der Beere und begab sich zum Rührteig für die Pfannkuchen, doch als Demut mit dem Zeichen der Demut antwortete, stutzte sie und lächelte.

»Dich kenne ich ja gar nicht.«

Sie stellten auf die übliche förmliche Weise einander vor. Die Frau zählte zu einem Nebenstamm der se-Tufi, der noch nicht die volle Reihe möglicher Altersstufen erreicht hatte und erst vor einem halben Lebensalter begründet worden war durch eine genetische Vereinigung von se-Tufi mit be-Mami-Gebärmüttern. Ein solcher Stamm besaß – wie die meisten Liethe-Stämme – keinen Vater.

Drei Vorstellungen später – die Küche hatte sich mit anderen Frauen zu füllen begonnen – zeigte sich unter der Tür plötzlich die Heimmutter und heftete ihren Blick ohne Umschweife auf Demut – sie war die erste wirklich ältere Ausgabe ihrer selbst, die Demut je gesehen hatte. Der Anblick fuhr ihr gehörig in Mark und Bein. Diese Frau war wahrhaftig *alt.* Demut kannte den Stammbaum gut. Die Alte mußte schon dem Tode nahe sein; doch zweifellos war ihr Geist noch stark, ihre Arbeitsweise anspruchsvoll, und sie befand sich nach wie vor rüstig bei Kräften, obschon sie wohl damit haushalten mußte.

»Deine Einweisung fängt sofort an«, sagte die Frau streng.

»Jawohl, Heimmutter.« Demut war aufgestanden und verneigte sich nun.

25

Wenn man einem Feind mißtraut, der Geschenke bringt, wird es dann jemals unter Gottes Einem Himmel eine Einigung der Menschheit geben?

Alleinpriester Rimi-rasi vor der Versammlung der Gottesverehrung

Das Quietschen schreckte Oelita so plötzlich aus dem Schlaf, daß sie sich ruckartig kerzengerade aufsetzte. In heller Panik stellte sie fest, daß das regelmäßig auftretende Geräusch vom Fenster kam. Da sah sie zwischen den Gitterstäben die dicke Schraube, wie sie sich mal zügig drehte, mal verharrte, durch die Drehung zwei schwere Bolzen zusammenzog, die ihrerseits ein starres Gestell gegen die Gitterstäbe drückten, sie auf diese Weise allmählich verbogen und so aus ihrer Verankerung im Stein lösten. Der Anblick war in der Tat bemerkenswert, denn es war vollkommen ausgeschlossen, daß sich draußen vor dem Fenster irgend jemand befand. Oelita schaute für eine Weile zu. Die Schraube drehte sich, stand still, drehte sich weiter, knirschte, widerstrebte, hielt an. Ein Gitterstab lockerte sich, und die Schraubzwinge sackte an den Stangen abwärts aufs Fenstersims. Augenblicklich ergriff Oelita das rautenförmige Gestell und untersuchte, wie es sich zwischen die übrigen Gitterstäbe setzen ließe. Sie mußte die Schraube in Gegenrichtung drehen, bis das Gestell sich wieder zusammengeschoben hatte. »Soll ich das Ding wieder einsetzen?« wandte sie sich verwirrt an den Himmel.

»Ho!« trug der Wind ihr eine Stimme zu. »Damit würdest du mir allerhand umständliche Kletterei ersparen. Irgendwelche Wachen da?«

»Sie schlafen.«

»Ist die verbogene Stange herausgebrochen?«

»Ich glaube, ich kann sie ganz herauslösen.«

»Laß sie bloß nicht rausfallen... das gäbe einen Krach, von dem müßte Gott selbst aufwachen.«

»Wer bist du?«

»Ich bin der geheimnisvolle Käfer auf dem Fensterbrett.«

Für die Dauer etlicher vernehmlicher Herzschläge sagte Oelita nichts, sondern drehte nur an der Schraube und entfernte die gelockerten Gitterstäbe. Jemand oberhalb des Fensters bediente die Schraubzwinge mittels einer langen Eisenstange. Endlich konnte sie den Kopf hinausschieben und nach unten schauen, weit drunten die Mauern des Tempels erkennen. Die Höhe war schwindelerregend. Unter anderen Umständen hätte es ihr nicht davor gegraust. »Kommst du herein, um mir zu helfen?« forschte sie mit einem flauen Gefühl nach.

»Nein. Du kommst raus, um dir selber zu helfen.«

»Ich werde niemals nach unten gelangen!«

»Du brauchst nur durchs Fenster zu kriechen, von da an erledigt den Rest die Schwerkraft.«

»Deine Art von Humor ist mir ziemlich zuwider.«

»Ho! Ich dachte, jetzt wäre die richtige Zeit für ein übermütiges Späßchen!«

Sie hatte keine Wahl. Ihr Herz hämmerte wild, als sie sich anschickte durchs Fenster zu klettern, mit einer Hand nach Halt tastete und nichts als glatten Stein fand. Sobald sie den Mann über sich sah, erstarrte sie vor Entsetzen. Es handelte sich um keinen anderen als Joesai, den kaielischen Mörder. Der Wind, der sie nun davonzuwehen versuchte, und ihre eigenen Erwartungen hatten seine Stimme bis zur Unkenntlichkeit verändert.

»Bereit zur dritten Probe?« Er grinste teuflisch zu ihr herab, wie er dort in nahezu übernatürlicher Haltung auf einem Steinsims stand, einem Sims, das nur einen halben Fußbreit maß.

»Ich steige wieder hinein.«

»Das Zimmer hat als anderen Ausgang nur eine Tür, und das ist die Tür in den Tod. Du hast die Wahl.«

Der Schrecken hatte sie so gelähmt, daß sie nicht einmal mehr imstande war zur Umkehr. »Du wirst mich ohnehin umbringen!«

»Nein.« Er grinste erneut. »Wird nicht nötig sein.«

Sie nahm das Geschirr, das er ihr herunterließ, hergestellt aus der Haut irgendeines unglückseligen Paupers. Es ließ sich um ihre Hüfte legen, zwischen den Beinen hindurchführen und schließen. Der Hüftgurt war mit haltbar befestigten Eisenringen durchsetzt.

Joesai erklärte ihr, wie man die Seile anbrachte und an der Mauer hinabstieg, dabei das Gewicht von Kletterhaken tragen ließ, aber der Wind verwehte einen Großteil seiner Erläuterungen, und sie mußte sich das Verfahren im wesentlichen selbst zusammenreimen. Er wies sie an, sich abzuseilen, während er sicherte, dann ließ er sich hinunter, und sie gab auf die Seile acht. Einmal schrie er sie an, weil sie etwas falsch machte, doch es war bereits zu spät, ein Kletterhaken gab nach, von einem zum anderen Augenblick verflog die ganze Sicherheit, die ihr Seil zu bieten hatte, und sie stürzte. Neues Entsetzen. Aber das zweite Seil straffte sich, und sie prallte hart gegen das steinerne Gemäuer. Trotzdem verschnaufte sie keinen Atemzug lang. Sie verschaffte sich wieder festen Halt und rief zu Joesai hinauf. »Fertig! Los!« Er seilte sich ab und sicherte. »Fertig!« dröhnte seine Stimme. »Los!« Erst als sie ein breiteres Sims auf dem ersten großen Unterbau erreichten, kehrte das Grausen wieder, und sie mußte es niederringen, bevor sie den Abstieg fortsetzen konnten.

»Die vierte Probe wird daraus bestehen, daß du *hinauf*klettern mußt.« Joesai lachte das Große Lachen, während sie sich zu zweit ein Sims teilten, das nur breit genug war für eineinhalb Personen.

»Warum wirfst du mich nicht einfach hinab?!« schleuderte sie ihm heftig entgegen.

»Küß mich, oder ich tu's.« Sie klammerte sich an ihn, doch keineswegs aus Zuneigung. »Wir müssen weiter«, sagte er.

»Ich kann noch nicht.«

Er wartete geduldig ab. Er wartete erheblich länger, als er eigentlich zu warten beabsichtigt hatte. »Du hast mindestens halb soviel Mut gezeigt, wie man benötigt, um am Turm hinabzusteigen.«

»Wenn das eine Probe im Ritual des Todes sein soll, dürftest du mir nicht helfen.«

»Ich helfe dir nicht. Ich trage dich ja nicht auf dem Rücken hinunter, oder?«

Sie gelangten auf das Dach einer Halle. Joesai warf die Seile und das Geschirr einem an günstiger Stelle in Bereitschaft wartenden Helfer aus Oelitas Anhängerschaft zu, nachdem man ihm Zeichen gegeben hatte, daß keine unmittelbare Gefahr bestehe. Dann sprangen sie. Der kleine Haufe von Anhängern, der sie erwartete, hielt für sie Kleidungsstücke bereit, und wenig später befanden sie sich in der Ortschaft. Joesai deutete hinüber zu einer Spieler-Taverne in einer Nebengasse. »Ho! Ich habe nach dieser Kletterei gewaltigen Durst.«

»Nein, nicht«, erhob Oelita Einspruch und zerrte an seinem Gewand. Sie wollte jetzt kein Wagnis eingehen.

»Meinst du wirklich, diese Stgal-Feiglinge würden dir nachsetzen?«

»Immerhin hatten sie den Entschluß gefaßt, mich zu ermorden.«

»Nie und nimmer. Sie waren lediglich dabei, sich eine Entscheidung zurechtzulegen, dank der es dir möglich gewesen wäre, deine allbekannten Ainokie-Gene in die Große Chromosomen-Senkgrube abzuleiten.« Joesai lachte, hob sie auf seine Arme und trug sie zur Taverne, flüsterte Oelita unterwegs zotig ins Ohr. »Und du hast ihnen, während sie in großmächtiger Beratung saßen, durchs Verweisen auf deine hohe Kalothi-Bewertung aufs Haupt gepißt. Heute abend werden sie die Gesichter im eigenen Arsch verbergen.« Im Innern der Taverne stellte er sie auf den Fliesenboden, während ihre Begleiter hinter ihnen die Eingangstreppe heraufdrängten, und vollführte vor den entgeisterten Gästen eine schwungvolle Verbeugung. »Darf ich euch die Gütige Ketzerin wiederbringen?!« Und er packte grob Oelitas Arme, schob die Ärmel hoch und streckte ihre Arme in die Höhe, zeigte den Leuten in der allgemein verbreiteten Geste der hohen Kalothi ihre Handgelenke, die unversehrt gebliebenen Handgelenke. Der Wirt brach in Tränen aus. Sowohl Zecher wie auch Spieler brachen gleichermaßen in Jubel aus, hoben ihre Krüge und Gläser. Ein alter Mann fiel auf die Knie. Mit dem Geld aus Aesoes Schatzkammer spendierte Joesai dem ganzen Haus eine Runde Met.

Oelita saß an einer Tafel, die Finger um ihren Becher voll Met geschlungen, als Joesai ihr eine Handvoll mit scharfen Gewürzen gebakkener Weizenknüppel brachte, um ihrem Durst nachzuhelfen. »Ich begreife dich nicht«, sagte sie. »Ich begreife deinen Standpunkt nicht. Ich kann nicht verstehen, woran du glaubst, nicht einmal, wem eigentlich deine Treue gehört. Weshalb handelst du so, wie du handelst? Wäre es möglich, daß wir mit unserem kleinen Spiel Schluß machen und vielleicht etwas anderes, einfacheres anfangen? Womöglich eine freundschaftliche Partie Schach?«

»Beim Schach verliere ich immer.«

»Ich hab's gemerkt. Du fällst leicht auf gewisse Winkelzüge herein. Ich denke da vor allem an den Zug, wenn dein Gegenspieler eine Figur bedroht – dann beeilst du dich, sie zu decken, und zwei Züge später hast du beide Figuren verloren.«

Joesai knallte seinen mit Met gefüllten Krug gegen Oelitas Becher und lächelte schief. »Dann weißt du also, daß ich für den Brand der Getreidespeicher keinerlei Verantwortung trage?«

»Sicher war ich mir nicht. Ich habe dir ja gesagt, ich kann dich nicht verstehen.«

»Das Leben ist ein Wettlauf mit dem Tod.«

»Nein, durchaus nicht. Das Leben ist Frieden, wenn man Frieden schafft.« Sie blickte in seine Augen und sah den Durchgang eines finsteren Mondes über einem fremden, grünen Planeten. »Frieden?« schlug sie vor.

Er lachte. »Bis morgen.«

Während er sie nach Hause brachte, befehligten Joesais zwei Begleiter einen Geleitschutz aus mehreren Männern, die an jeder Kreuzung, Gasse und Pforte erst wachsame Umschau hielten, bevor das Paar den

Weg fortsetzte. Er versicherte ihr, es drohe keine Gefahr, doch wolle er gründliche Arbeit leisten. Er bot ihr an, sie aus Trauerweiler weg und an irgendeinen Zufluchtsort zu geleiten, an dem sie sich für einige Zeit ungefährdet aufhalten könne.

Als sie einmal an einer Ecke auf einen Bescheid ihrer Vorhut warteten, geschah es, daß Oelita Ungeduld verspürte und an Joesai vorüber die Straße hinaufspähte, ihn dabei berührte, sich mit den Händen an seinem Arm hielt. Bei dieser Gelegenheit fragte sie sich, ob es ihr gelingen könne, ihn zu verführen. Sie war mit ihrer Gunst immer ehrlich gewesen, hatte nie jemandem Versprechungen gemacht, deren Einhaltung ihr unmöglich war, und sie hatte festgestellt, daß aufrichtige Zuneigung zusammen mit ein wenig körperlichem Reiz Männer an sie banden und sie häufig sogar veränderten. Warum sollte sie Joesai nicht für ein paar Tage bei sich behalten?

Aber wohin soll ich mich wenden? Es stand ihr frei, Nonoeps Gehöft aufzusuchen. Für ihre Begriffe war das die naheliegendste Örtlichkeit, an der man in aller Ruhe gegen die Mnankrei eine Verteidigung planen konnte. Nonoep verstand sich darauf, aus allen möglichen Arten gemeiner Gewächse unschädliche Nahrung zu bereiten. Auf diese Weise sollte es möglich sein, die Absichten der Mnankrei zu durchkreuzen. Allerdings war Nonoep ein Stgal, und trotz seiner aufsässigen Natur zeichnete er sich durch die verhängnisvolle Eigenschaft der Stgal aus, angesichts von Vorhaben größeren Umfangs reichlich hilflos zu sein.

Im äußersten Notfall vermochte Nonoep wahrscheinlich Lebensmittel für zehn Personen zu liefern, aber die Herstellung von Nahrung für eine ganze Ortschaft würde ihn übermäßig beanspruchen und daher überfordern. Er war eben ein Stgal, also verträumt, sittenlos, selbstsüchtig, eigen in bezug auf irgendwelche Einzelheiten, sogar in dem Maße, daß er darüber den Blick für Zeitpläne und festgelegte Maßnahmen gänzlich verlor. Nonoep war dazu imstande, einen Riesenkübel Marmelade zu machen und völlig zu vergessen, daß er Töpfe brauchte, um sie darein umzufüllen. Oelita lachte, als sie sich an dies Vorkommnis erinnerte.

Doch wenn Joesai bei ihr blieb, erwies sich eine umfangreichere Herstellung von gemeinen Nahrungsmitteln vielleicht als machbar. Sie konnte dafür sorgen, daß er sich gern in ihrer Nähe aufhielt. Sicherlich fühlte ein Mann sich nicht dazu in der Lage, einer Frau, die ihm mancherlei Freuden bereitete, etwas anzutun. Sie überlegte, wie Nonoep die Anwesenheit eines zweiten Mannes aufnehmen werde. Der Alleinpriester war nicht gerade zahm im Umgang mit anderen

Leuten. Aber sie hatte auch dem Glasbläser ihre Gunst geschenkt, und Nonoep hatte sich nicht daran gestört.

Natürlich war da noch Joesais Gattin. Teenae hatte angedeutet, es sei noch Platz für ein weiteres Weib auf ihren Kissen vorhanden. Sie erholte sich gegenwärtig irgendwo von ihren Verletzungen, und Joesai würde demnächst zu ihr zurückkehren. *Ich habe Teenae gemocht. Teenae hat mich gemocht.* Vielleicht konnten sie gemeinsam etwas ausrichten. Teenae hätte – soviel war Oelita klar – großes Vergnügen daran, den Mnankrei eine Niederlage beizubringen und sie zu demütigen. Wie rücksichtslos sie Kol gespielt hatte!

Was auch geschehen sollte, es mußte bald getan werden. Sobald die Seepriester erst einmal mit ihrem Weizen und ihren Verwaltern eintrafen, war alles zu spät. Es verursachte Oelita Unbehagen, den Kaiel vertrauen zu müssen. Sie waren ebenso gewalttätig wie die Mnankrei. Sie gierten genauso nach diesem Land. Was war der Unterschied, Teenae am Mast aufzuhängen und dem Vorgehen Joesais, der sie, um sie zu ertränken, in einem Korb aus Hartschilf ausgesetzt hatte? *Aber auf Joesai kann ich Einfluß nehmen,* dachte sie. *Heute abend werde ich mich seiner annehmen.*

Als ihr Geleitschutz sie sicher nach Hause gebracht hatte, achtete sie gar nicht weiter auf den Trubel, den ihre Nachbarn veranstalteten, weil sie sie lebendig wiedersahen, auch nicht auf die Weigerung ihrer Leibwächter, aus ihrer Umgebung zu weichen. Sie zeigte Joesai die unwahrscheinlich schöne Aussicht, die man durch die mit hellgrüner Verglasung versehenen Fenster an der Vorderseite des Hauses hatte, von wo aus man auch auf den Tempel ausblicken konnte. Ihr Haus stand oberhalb der Ortschaft auf einer ziemlich hohen Hügelkuppe. »Mir gefällt's hier, aber vor allem habe ich diesen Wohnsitz wegen seiner sicheren Lage ausgewählt.«

»Du wohnst ja fast in der Höhe des Turms.«

»Mein Turm des Lebens, ihr Turm des Todes.«

»Teenae hat an ihrem Besuch bei dir großen Spaß gehabt.«

»Hat sie dir das gesagt?«

»Ja.«

»Ist sie wohlauf?«

»Sie kann wieder drauflosschwatzen. Sie hat mir von deiner Insektensammlung und diesem sonderbaren kleinen Kristall erzählt.«

»Ich entsinne mich, der Kristall hat sie sehr beeindruckt. Sie meinte, die Versteinerte Stimme Gottes stecke darin. Ihr Kaiel seid recht abergläubische Menschen.«

»Ich halte es für Aberglauben, wenn man denkt, Gott sei ein Felsbrocken. Und für gefährlich. Dürfte ich den Kristall einmal sehen? Wahrscheinlich besteht er bloß aus hübschem Glas.«

Oelita war entrüstet. »Es ist *kein* Glas!« Sie ging, um den Kristall zu holen. »Es ist noch alles durcheinander gewesen, als Teenae hier war. Ich bin erst vor kurzem umgezogen und weiß noch nicht recht, wie ich den verfügbaren Platz am besten nutzen kann.«

Joesai nahm den Kristall nahezu andächtig entgegen. Oelita spürte seine Erregung. »Das *ist* eine Versteinerte Stimme Gottes.«

»Und was soll das deiner Ansicht nach bedeuten?«

Das Eintreten des Schmieds, der für Joesais Turmbesteigung die Kletterhaken angefertigt hatte, unterbrach die Unterhaltung. Joesai begrüßte ihn herzlich, legte den Kristall beiseite und zog Oelita näher an sich, um ihr ausführlich zu schildern, was für eine unentbehrliche Hilfe der Schmied geleistet habe. »Ich kann noch gar nicht glauben, daß du gerettet bist«, sagte der Hüne, den Tränen nahe, zu Oelita. Sie schaute ihm zugetan in die Augen. Als sie sich wieder umsah, war Joesai verschwunden, und mit ihm der Kristall.

Daß er sich durch die Rückseite des Hauses abgesetzt hatte, war ausgeschlossen. Er mußte auf dem Balkon sein. Dort bemerkte sie die Dornen aus Hartschilf, die an der vorderen Mauer nach unten verliefen; sie fielen ihr überhaupt nur auf, weil sie vor einer Weile den Abstieg am Turm gemeistert hatte und sie senkrechte Wände nicht mehr in dem Maße wie zuvor als Hindernisse empfand.

Sie wirbelte herum, stürmte zurück ins Haus. »Dieser Kerl!« Sie war außer sich vor Wut. »So ein Dieb! Gottes Fluch! Was für ein Betrüger!« Zügellos erging sie sich in Schimpftiraden. »Maiel! Herzain! Er hat meinen Kristall entwendet! Können wir ihn noch erwischen?! Der Kristall ist nichts wert, aber ich habe ihn selbst gefunden, ich will ihn wiederhaben!«

Einer ihrer Anhänger trat vor. Er gehörte zu den Hartschilfflechtern. »Es ist überflüssig, ihnen nachzulaufen. Ich weiß, wo ihr Boot am Strand liegt. Höchstwahrscheinlich sind sie dorthin unterwegs.«

»Ich will meinen Kristall wiederhaben. Könnt ihr ihn mir zurückholen?«

»Es sind nur drei Männer.«

»Aber ich wünsche, daß ihnen nichts geschieht. Ich verbiete euch alle Roheiten!«

Plötzlich kam sie zu der Einsicht, daß sie sich nicht auf ihre Leute verlassen konnte. Schließlich war es zu diesem sinnlosen Zwischenfall gekommen, daß einer von ihnen auf Teenae eingestochen hatte. Würden sie denn niemals vernünftig werden? »Ich komme selbst mit.« Sie steckte ein Blasrohr ein, eine in Trauerweiler unbekannte Waffe, auf die sie regelmäßig zurückgriff, wenn ihre Anhänger darauf bestanden, sie müsse irgend etwas zu ihrer Selbstverteidigung mitführen. Oelita schätzte diese Waffe, weil sie ebenso harmlos aussah, wie sie wirksam war. Die Pfeile waren in einem Destillat aus der pelzigen Schale des gefürchteten Ei-Kaktus getränkt worden. An sich war allerdings auch der Ei-Kaktus harmlos – ein Mensch, der sich an seinen haarigen Stacheln verletzte, fiel zwar innerhalb von vier Herzschlägen um, aber die Lähmung hielt lediglich zeitweilig an. In echte Gefahr konnte man nur geraten, falls man, wenn man sich stach, allein war und auf den Kaktus niedersank; dann war es denkbar, daß man verhungerte oder durch die Einwirkung der Elemente starb, bis zum Tode bei Bewußtsein, jedoch unfähig zum Regen auch nur eines Muskels.

Sie legten einen Hinterhalt, aber niemand erschien. Nach einiger Zeit war Oelita zum Aufgeben geneigt. Ihr Zorn war verraucht, und die Gefahr, die ihr selbst drohte, die Notwendigkeit, Trauerweiler alsbald zu verlassen, war wieder stärker in ihr Bewußtsein gerückt – da kreuzten die drei Männer plötzlich doch noch auf, fühlten sich allem Anschein nach völlig sicher. Unverzüglich fällte sie mit dem ersten Pfeil den jungen Burschen mit den gebrochenen Rippen. Einer ihrer Männer packte Joesai, und sie überschüttete die zwei sicherheitshalber gleich mit mehreren Pfeilen, setzte sie so beide außer Gefecht. Dem dritten Mann blies sie einen Pfeil unter die Haut, während der Hartschilfflechter und der Schmied ihn festhielten.

Sie nahm ihren Kristall wieder an sich und fesselte die drei Kaiel, ehe sie ihre Bewegungsfähigkeit zurückerlangten. Sie befanden sich bei Bewußtsein. Es bereitete Oelita Vergnügen, die Fesseln mit einem besonderen Knoten zu sichern, den ein Gefesselter nur mit reichlich Geduld und Auffassungsvermögen zu lösen vermochte. Sie ordnete an, daß man am Boot der Kaiel die Schäden behob. Der Sturm hatte es beträchtlich beschädigt; das Segel war zerfetzt. Als sie Joesai mühselig die Finger strecken sah, kauerte sie sich neben ihn, ohne auf den harten, scharfkantigen Kies unter ihren Knien zu achten, wie er überall den Strand bedeckte.

»Das ist die vierte Probe im Ritual des Todes. Verstehst du?« Mit schwerer Zunge murmelte er irgendeine unverständliche Entgegnung. »Wenn ich Männer angreife, die so gefährlich sind wie du, wage ich mein Leben. Das ist die vierte Probe.«

Sie weinte. Sie fürchtete den Tod. Ebenso fürchtete sie um ihre Anhängerschaft. Voller Verzweiflung wanderte sie eine Zeitlang am Strand entlang. Wie sollte sie sich nun an Nonoep wenden können, der doch vor aller Verantwortung die Flucht ergriffen hatte? Sie dachte an ihre aufrichtig geliebte Gefolgschaft. Befand sich darunter jemand, der imstande war zum Führen? Nein. Diese Leutchen waren keine Priester. Sie waren nicht gezüchtet worden, um zu führen. Wie kam es nur, daß man, wenn man sich der Tyrannei von Priestern entziehen wollte, ausschließlich andere Priester um Beistand angehen konnte?

In der Krisis, behauptete man, pflege der Mensch an Weisheit zu reifen. Sie fühlte sich nicht als unwissend. Sie hatte es zu ihrem Grundsatz gemacht, sich mit den Priestern nicht abzugeben. Stets hatte sie an die Kaiel nur mit Grimm gedacht und die Mnankrei verabscheut. Aber waren sie nicht Teile der Menschheit mit den ihnen eigenen, besonderen Begabungen? *Ich hätte unter ihnen predigen sollen. Sie wären den Versuch wert gewesen, sie von meinen Lehren zu überzeugen.* Jetzt war es zu spät. *Ich habe mich vor ihnen gefürchtet.* Wüst-verworrene Gedanken an Ketzerverfolgungen suchten sie heim. Sie entsann sich an das Hinmetzeln der Arant und daran, wie der neue Clan der Kaiel das Gerichtsfest veranstaltete. Grauenvolle Bilder plagten sie.

Während ihrer Wanderung am Strand packte Oelita unvermittelt die Furcht, sie könne sich zu weit von ihren Freunden entfernt haben, und sie machte kehrt. Sie watete quer durchs Wasser der See, um den Rückweg abzukürzen. Ach, Wasser und Gewohnheit, sie hatten viel gemeinsam. Wenn man sich dagegenstemmte, mit Füßen darauf trat, so wie sie es nun in ihrer Eile mit Geplatsche und Gespritze tat, wichen sie beide – das überkommene Verhalten genauso wie das Wasser – einfach beiseite, und sobald man fort war, flossen sie an die vorherige Stelle zurück, als sei nichts gewesen.

Gehorsam flickten ihre Leute Joesais Segel.

Wie eine Sturmbö, die Regen heranträgt, verscheuchte ein plötzliches Aufwallen von Hoffnung ihre trostlose Verzweiflung. Joesai hatte dafür gesorgt, daß sie sich nunmehr weniger vor Prüfungen fürchtete. *Von nun an werde ich tapfer sein.* Sie zitterte, so wie in der Goldbachschlucht, als die Männer sich ihr näherten, so wie in dem Augenblick, als sie sich entschlossen hatte, durchs Turmfenster zu klettern. *Ich werde nach Kaiel-Hontokae gehen.* Sie gedachte den Kristall als Bürgen ihrer Sicherheit zu benutzen.

26

Eine Liethe ist schön, denn der Clan pflanzt nur schöne Körper fort. Doch Schönheit ist zuwenig, um einen Priester für sich einzunehmen. Ein Körper braucht Anmut. Anmut kann nur durch Zucht erlangt werden. Zucht ist nur an einer Stätte der Askese möglich.

Eine Liethe ist klug, denn der Clan pflanzt nur den mit Klugheit begabten Körper fort. Doch Klugheit ist zuwenig, um einen Priester zu berücken. Klugheit braucht Form. Form kann nur durch Zucht erlangt werden. Zucht ist nur an einer Stätte der Askese möglich.

Jene, die von einer asketischen Stätte kommt, hat einen Sinn für Freude, denn was könnte zur Freude in größerem Gegensatz stehen als ihre Abwesenheit? Jene, die von einer asketischen Stätte kommt, besitzt Macht, denn Zucht hat sie zur Meisterin der Freuden erhoben, die von den Mächtigen gesucht werden.

Aus dem lietheschen *Reigen der Balladen*

In einem kahlen Raum stand die se-Tufi, die man an der Lauschhaltung erkannte, vor ihrer se-Tufi-Schwester und hatte die Aufgabe der Lehrmeisterin übernommen. Beide befanden sich in der aufrechten Stellung Ruhender Kraft. Sie bedienten sich des Verständigungsverfahrens, das Neunfacher Quell des Verstehens hieß, um Demut die wesentlichen Kenntnisse über Aesoes bisherige Konkubinen zu vermitteln.

Schon viele se-Tufi hatten Aesoe gedient, aber er war sich lediglich der Gegenwart von drei Liethe bewußt: Honieg, Cairnem und Sieen – drei Personen, die man im Liethe-Heim zu Kaiel-Hontokae nach Maßgabe seiner geheimsten Vorstellungen von Frauen für ihn sozusagen zurechtgeschneidert hatte. Die Älteren belustigten sich köstlich darüber, daß er nachgerade wonnevoll stolz darauf war, drei äußerlich völlig gleiche Frauen anhand dessen unterscheiden zu können, wie sie dachten und wie sie sich bewegten.

Zuerst machte Demut sich mit der Persönlichkeit Honiegs vertraut. Verhaltensmuster.

Lauschohr stieß ein paar geträllerte Laute aus, dann verließ sie die

Stellung Ruhender Kraft und brachte ihren Körper in eine Haltung gespannter Wachsamkeit. Mit der linken Hand zupfte und drehte sie an einer Strähne ihres Haars. Danach nahm sie wieder die Stellung Ruhender Kraft ein und gab Demut das Zeichen zum Wiederholen. Demut hatte zugehört und sie beobachtet. Nun beendete sie die Stellung Ruhender Kraft und ahmte Lauschohrs Bewegungen ganz genau nach. Von den drei Konkubinen spielte nur Honieg mit ihrem Haar, wenn sie sich in angespannter Verfassung befand.

Denkweise.

Eines nach dem anderen nannte Demut die Stichwörter jener Gedächtnisliste mit der Bezeichnung Eigenschaften des Mannes, und Lauschohr antwortete auf jedes aus dem Schatzkästlein ihres Wissens über Aesoe. Nach jeder Antwort schwieg Demut für einen Augenblick, um sich die Auskunft einzuprägen, ehe sie das nächste Stichwort nannte. Es war wichtiger, Aesoes Art des Denkens zu kennen als Honiegs, weil Honieg nichts anderes war als eine Ausgeburt von Aesoes lüsternem Wunschdenken.

»Eitelkeit«, sagte Demut.

»Er glaubt, daß er alles weiß, und infolgedessen kann alles, was er nicht weiß, als Maske verwendet werden«, antwortete Lauschohr. »Wir verbergen uns hinter dem Bild genau der Frau, die er vor sich zu haben wünscht.«

Demut verband den Hinweis mit dem Gedankenbild einer Maske. Dann machte sie sich aufnahmebereit für weitere Angaben.

»Eitelkeit. Folgen.«

»Weil er sich für den einzigen Menschen hält, der alles weiß, fühlt er sich dazu berechtigt, den Fehlern anderer mit Nachsicht zu begegnen. Wenn jemand vor seinen Augen einen Fehler begeht, verwandelt er sich dadurch sofort in einen Lehrmeister.«

Demut prägte sich das Gedankenbild eines allwissenden, auf den Pfahl eines fremden Fehlers gespießten Schulmeisters ein. »Eitelkeit. Einflußnahme.«

»Da er alles weiß, muß er zwangsläufig die Wahrheit lehren, deshalb kann er keinen Ungehorsam dulden, denn Ungehorsam ist demnach ein Abweichen von der Wahrheit. Durch unterschwelliges Androhen von Ungehorsam kann er beeinflußt werden, weil er dadurch in seine schulmeisterische Haltung verfällt und darin befangen bleibt.«

Die Ausschöpfung des Neunfachen Quells des Verstehens erstreckte sich über mehrere Sonnen-Höchststände und wechselte zwischen dem Einüben von Verhaltensmustern und Einprägen der Denkweise ab. Wenn Lauschohr ermüdete, lösten andere se-Tufi sie ab, die gleichfalls schon mit Aesoe zu tun gehabt hatten; Demut dagegen erlaubte man keinerlei Ermüdungserscheinungen zu zeigen. Das Verfahren ähnelte dem Erlernen eines überaus schwierigen Tanzes, um eine Tänzerin so nahtlos ersetzen zu können, daß die Zuschauer nichts merkten. Die harte Beanspruchung erschöpfte Demut, die damit dem lietheschen Streben nach Vollkommenheit ein Opfer brachte.

Verhaltensmuster: Die Gebärden und die Art des Benehmens, welche Aesoe zu der Ansicht veranlaßten, er sehe Honieg vor sich, gingen einher mit gewissen Worten und Redensarten, und das alles stammte aus einem Gesamtangebot von Verhaltensweisen, das die Liethe zu dem Zweck erarbeitet hatten, um alle Möglichkeiten des Verstellens und Täuschens sowie des Rollenspiels ausschöpfen zu können. Dies Gesamtangebot war umfangreich genug, um vielfältige Abwandlungen zu erlauben, zugleich jedoch auch so leicht überschaubar, daß es ein rasches Lernen ermöglichte. Jede darin verzeichnete Einzelheit besaß ein lautliches Kennzeichen, so daß durch ein unheimliches, fremdartiges Trällerlied in einer Silbensprache zu einem vollauf richtigen Auftreten verholfen werden konnte.

Die se-Tufi, dic Demut unterwiesen, sangen ihr auf diese Weise vor, sangen Berichtigungen, und sie sang ihnen nach. Auf fortgeschrittenerer Ebene der Einübung des Verhaltensmusters ahmte eine Schwester in übertriebener tänzerischer Darstellung Aesoe nach, und Demut ging in komischer Selbstvergessenheit mit ganzen Bewegungsfolgen aus der für Honieg eigentümlichen Körpersprache darauf ein. Übertreibung beschleunigte das Lernen. Verhalten war dann am aufschlußreichsten, wenn es sich besonders deutlich von anderem Verhalten unterschied.

Denkweise: Honieg, so erfuhr Demut, war vornehmlich süß, zerstreut und in geschlechtlicher Hinsicht gänzlich unterwürfig. Sie entsprach damit einem von Aesoe erträumten Märchenwesen von Weib, das ihm vollständig ergeben war, aber zugleich für andere Männer so begehrenswert, daß es, wenn es ihm behagte, als reizvolle Lohnspenderin für jene eingesetzt werden konnte, die ihm treu blieben. Sie zu verkörpern, war die leichteste aller drei Rollen, denn sie erlaubte Vergeßlichkeit und verlangte kaum mehr als überreichliche Zauberhaftigkeit und sorgsame Aufmerksamkeit gegenüber den Bedürfnissen der Männer, die Aesoe für wichtig hielt.

Wenn sie sich beleidigt fühlte, drückte Honieg ihren Mißmut durch eine leichte, aber feststellbare Langsamkeit aus, die jedoch bald einer plötzlichen Anwandlung liebevoller Bereitschaft zum Verzeihen wich. Sie verzieh alles. Niemals war sie eifersüchtig. Sie war schnell zur Hand, allzeit zuvorkommend und nimmermüde, legte in der Art, wie sie sang oder sich kleidete oder schmackhafte Mahlzeiten zusammenstellte, Abwechslungsgabe und Einfallsreichtum an den Tag.

Honieg war auch eine in abenteuerlichem Maße vielseitige Liebhaberin; diese Tatsache war eine Widerspiegelung von Aesoes außerordentlicher Gier nach Neuem. Wenn Aesoe sie seinen Kumpanen vorzuführen wünschte, zeigte sie sich willig und mit aufreizendem Gebaren, aber wenn er etwa nachdachte, verhielt sie sich unaufdringlich. Ihre freie Zeit verbrachte sie allein, übte sich im Tanzen, Musizieren und Singen. Bei ganz seltenen Gelegenheiten schrieb sie einmal ein eigenes Lied und trug es dann mit allem, was an Auftritt dazugehörte – aber voller Scheu –, Aesoe vor, falls er es tatsächlich ernsthaft genug so haben wollte, daß er sie dahingehend zu überzeugen vermochte. Sie war so, weil es ihm sehr gefiel, andere Leute von etwas zu überzeugen. Honieg konnte es nicht leiden, wenn jemand mit dem Finger in ihrem Bauchnabel bohrte. Das verhielt sich so, weil Aesoe nicht allzu aufwendige Möglichkeiten kannte, wie jemand sich necken ließ. Ja, Honieg war eine leichte Rolle.

»Und wie ist Cairnem?« erkundigte Demut sich während einer Pause mit Tee und leichtem Gebäck.

»Sie ist kühler. Aesoe hält sie für die größte Künstlerin, deshalb sorgen wir stets dafür, daß das meiste Interesse Cairnems Darbietungen gilt. Wenn Aesoe sie beschlafen möchte, täuscht er immer ihr gegenüber völlige Gleichgültigkeit vor. Sie genießt die Liebe nur, wenn sie die Initiative ergreift, darauf drängt – wenn sie den Mann damit von etwas ablenkt, das ihm wichtig ist. Sie ist herb und gibt sich der Liebe nur in einer Position hin, indem sie auf dem Mann reitet. Beim Höhepunkt der geschlechtlichen Erregung schreit sie auf und verliert alle Selbstbeherrschung. In Aesoes Haushalt ist sie diejenige, die alles plant, die sich dafür einsetzt, daß alles klappt.«

»Worauf beruht ihr Dasein?«

»Wir haben sie aufgrund seines inneren Bedürfnisses geschaffen, auch von einer Frau umgeben zu sein, die tüchtig ist.«

»Und Sieen?«

»Sieen ist die schwierigste Rolle. Sie erfordert geistige Festigkeit und beständiges Mitdenken. Viele Wochen werden noch vergehen, bis du Sieen sein darfst. Die Heimmutter wird dich in dieser Rolle höchstpersönlich unterweisen und dich auf den grundlegenden Wissens- und Fähigkeitsstand bringen. Sieen ist Aesoes Vertraute. Er probt mit ihr dieses und jenes Auftreten, bespricht Einfälle mit ihr, bevor er damit vor die Ratsversammlung tritt. In der Öffentlichkeit hinterläßt sie einen beinahe geistlosen Eindruck, und wenn sie anderen Leuten zu Diensten ist, wirkt sie nur verläßlich. Nur bei Aesoe entfaltet sie ihren vollen geistigen Reichtum, lebt ihr Mienenspiel auf, öffnet sich ihr Körper der Sinnlichkeit.« Lauschohrs eigene Miene erhellte sich bei diesen Ausführungen, als sie sich ihrer eigenen Verkörperungen Sieens entsann. »Sie ist nicht bloß irgendeine Rolle. Sie zu sein, das ist wie Segelfliegen, wenn der Erdboden näherkommt und der Aufwind ausbleibt. Gott! Wenn du Sieen bist, dann lebst du erst richtig! Dann spürst du, du bist eine Liethe. Das sind die Gelegenheiten, bei denen wir von der kaielischen Politik erfahren, ehe sie gemacht wird, und bei denen *wir* kaielische Politik machen.«

»Mit ein wenig Nachhilfe seitens unserer Alten«, ergänzte Demut spöttisch.

»Um Sieen sein zu können, mußt du vorher eine Meisterin in kaielischer Politik werden.«

»Wer entscheidet, wer welche Rollen belegt? Was geschieht, wenn etwa wir beide in ein und derselben Nacht Sieen sein möchten?«

»Der Zufall. Wenn unvereinbare Wünsche auftreten, wird gewürfelt. Aber natürlich nicht vor Aesoes Nase.«

Nach dem Abendessen saßen sechs der Mädchen beisammen und sangen oder spielten irgend etwas, um sich zu entspannen; mit Demut jedoch kannte die Heimmutter keinerlei Erbarmen. Sobald die Heimmutter mit der Unterrichtung der orn-Gazi die nach Beeren lechzt fertig war, kam dies freundliche Geschöpf herein und setzte Demut regelrecht zärtlich davon in Kenntnis – indem sie die soeben erlernten Mittel und Wege der Verführung an ihr erprobte –, daß die hochgeachtete Alte sie zu sehen wünsche.

Die alte Heimmutter saß in ihrem in prunkvoller Behaglichkeit eingerichteten Gemach auf einem großen, runden Polster, das ihr zugleich als Bettstatt diente. Auf ihrem mit silbernen Einlegearbeiten verzierten Tisch brannten zwei Kerzen aus Bienenwachs. An der Wand in ihrem Rücken hing ein prächtiger Wandteppich, dessen Darstellungen die Freuden des Lachens priesen. Neben ihr stand eine niedrige Anrichte aus hellem Holz. Askese war für die Jungen. Inmitten dieser Herrlichkeit wußte Demut nicht, ob sie aufrecht stehen bleiben oder auf einem Kissen Platz nehmen sollte.

Die Heimmutter war die älteste se-Tufi, die sie je gesehen hatte, und sicherlich stand sie dem Tode nicht mehr fern; aber nicht ihr Verstand war es, der sie letztendlich im Stich lassen würde, sondern ihr Herz. Die se-Tufi waren bis vor kurzem der langlebigste Liethe-Stamm gewesen; sie lebten um ein Fünftel länger als der durchschnittliche Getaner, der an Altersschwäche starb. Eines Tages würde man die se-Tufi durch einen Schwesterstamm ersetzen, dessen Mitglieder die gleichen Befähigungen und darüber hinaus eine haltbarere Blutpumpe besaßen. Der Kodex gestattete keinen Stillstand. Kein Stamm konnte auf Unsterblichkeit hoffen.

Für Demut war es ein makabres Gefühl, hier gewissermaßen vor sich selbst am Ende ihres Lebens zu stehen, als habe die Reise durch die Knochenhaufen-Berge und die Itraiel-Wüste sie durch die Zeit in die Zukunft befördert, wo sie nun sich selbst in der Gestalt begegnete, die sie einmal haben würde. Zunächst fiel zwischen ihnen kein Wort. Schließlich erhob sich die Heimmutter, und ihr Anblick gab Demut ein heftiges Verlangen ein, ihr beim Aufstehen, beim Erheben auf ihre Beine behilflich zu sein, doch man half einer Heimmutter nicht, es sei denn, sie forderte dazu auf. Die Frau faßte sie am Arm – in der Höhe der Tätowierung – und führte sie bedächtig zu einigen Kissen in der Nähe der Kerzen. Ihre stumme Geste besagte, daß Bewährung in der Zucht ihren Lohn verdiente. Sie goß – sehr vorsichtig, weil ihre Hand zitterte – Likör in zwei winzige Kelchschalen. Dann seufzte sie und ließ sich wieder nieder, reichte Demut das zweite zierliche Gläschen mit einem Lächeln, das ihr Gesicht in feineren Falten furchte, als irgendein Künstler sie hätte darstellen können.

Demut war müde. Sie sehnte sich nach ihrer Zelle und ihrer Matte, wünschte sich nichts als die Härte des Bodens und die Erquickung des Schlafs; doch diese Augenblicke des Schweigens ließen ihr zumindest die Möglichkeit, sich geruhsam in den Zustand des Leeren Bewußtseins zu versenken. Der Tag wich. Ihr Körper entspannte sich. Im Nichts ihres in innere Stille versetzten Bewußtseins zeigte sich ihr dringlichstes Hauptanliegen, und sie ergriff als erste das Wort.

»Kaiel und Liethe sind von alters her Feinde.«

Das alte Weib lächelte rätselhaft. »Du bist begierig danach, ans Werk zu gehen?«

»Wie lautet meine Aufgabe?«

»Mein Kind, deine erste Aufgabe ist Geduld. Denke nicht weiter als bis an die fünf lusterregenden Stellen von Aesoes Geschlechtsteil.«

Demut fühlte sich ein wenig betroffen. »Ich bin keine Novizin, die tatenlos herumsteht, während Geta sich dreht.«

»Das habe ich bereits vernommen. Du genießt den Ruf, mit hingebungsvoller Geschicklichkeit zu handeln. Aber weißt du, warum du das tun mußt, was du machst? In deinem Gemüt muß die volle Gewißheit herrschen, daß du richtig handelst. Die jeweiligen Folgen hast du allein zu tragen. Was wir Liethe auch im geheimen tun mögen, in der

Allgemeinheit stehen sie stets auf der Seite der Gesetze des Landes, in dem sie leben.«

»Ich brauche nur meine Fähigkeiten voll zu nutzen. Meine Befehle empfange ich von jenen, die weiser sind als ich.«

Die Greisin seufzte auf. »Sag mir, warum die Kaiel und die Liethe Feinde sind?« Darauf wußte die Königin des Lebens vor dem Tod nichts zu erwidern. Die besagte Feindschaft war eine Selbstverständlichkeit. »Du siehst selbst, dein Handeln ist Handeln ohne Denken. Aesoe weiß nicht einmal, daß wir seit jeher verfeindet sind. Er hält uns lediglich für Weibsbilder, die man als Mietlinge anstellen kann und die für den Preis, der zu entrichten ist, ein wahrer Gewinn sind. Er ist in uns vernarrter als viele Männer in ihre Gattinnen. Die Vergeltung wohnt einseitig in der Seele der Liethe.«

»Die Kaiel sind Massenmörder.«

Die se-Tufi-Heimmutter nahm einen winzigen Schluck vom Likör und stellte das Gläschen zittrig wieder ab; Gefühlsregungen brachten ihre gebrechliche Gestalt ins Beben. »Ja? Und ist das etwas, das dich berührt?« Sie äußerte die Frage im Tonfall aufrichtigen Nachforschens, als begreife sie nicht, wovon Demut redete.

»Ich denke an das gegen die Arant veranstaltete Gerichtsfest«, sagte Demut bedachtsam.

»Das war vor langer Zeit. Ich glaube, ich spreche eine Tatsache aus, wenn ich sage, damals gab es keinen Kaiel-Clan.«

»Der unter unseren Füßen begrabene Schutt stammt von den Arant. Die ganze Stadt ist auf den Gebeinen der abgeschlachteten Arant errichtet worden! Man grabe nur, und man wird ihre Kellergewölbe entdecken. Man wird die Schätze finden, die sie versteckt haben, ehe man sie vom Antlitz Getas ausgelöscht hat! Der Kaiel-Clan ist begründet worden, um zu verhüten, daß die Arant jemals wieder von neuem erstehen. Die Kaiel erhielten das Land der Arant und die arantische Münze, und sie haben alles genommen und daher nun das Blut der Arant in ihren Bäuchen.«

»Aha«, sagte die Alte, als sei sie begriffsstutzig. »Aber was geht das uns Liethe an? Wir streben ausschließlich nach zweierlei – nach Schönheit und der Macht, die sich durch Schönheit erringen läßt.«

»Haben wir nicht früher Kaiel-Hontokae immer gemieden wie ein Gift? Diese Ablehnung ist ein Bestandteil unserer Überlieferung. Stets hat diese Einstellung als wichtig gegolten. Warum nun ist in Kaiel-Hontokae ein Liethe-Heim eingerichtet worden? Ich nehme an, daß dahinter Angriffsabsichten stehen.« Natürlich verbargen sich dahinter Angriffsabsichten: Die alte Hexe führte sie bloß an der Nase herum!

»Du hast den Schutt der Arant-Bauten unter unseren Füßen erwähnt. Kennst du den einstigen arantischen Namen für diese Stadt?«

Demut suchte für ein Weilchen in einem weniger benutzten Teil ihres geistigen Archivs. »D'go-Vanieta.«

»Was bedeutet das?«

»Nichts.«

»Wiederhole d'go-Vanieta. Wiederhole das Wort in Gedanken immer wieder, bis du der alten Sprache den Rost heruntergeklopft hast. Ändere die Betonung.«

Plötzlich kicherte Demut. »Ah.« Die Greisin lächelte. »Du hast's herausgefunden.«

»Gottes Vagina?«

»Nun erinnere dich an die Stelle in den Überlieferungen des Gastwirts, in der Liethe den Seemann kennenlernt, der sie dann auf die Insel Vas bringt.«

»Sie hat zu ihm gesagt, sie komme aus Gottes Vagina. Aber damit hat sie den Seemann ja nur aufgezogen.«

»Das bezweifle ich.«

»Du glaubst, sie war eine Arant?«

»Ich habe den Eindruck, sie ist hier geboren worden, ja. Aber eine Arant? Nein. Ich habe in den verschiedenen kaielischen Bibliotheken Nachforschungen betrieben. Einer alten Frau, die Lachfältchen hat und dem Tode nicht mehr fern ist, vertrauen die Menschen ihre innersten Geheimnise an.«

»*Ich* würde dir keine meiner Geheimnisse anvertrauen.«

»Und *ich* würde dir nicht mitteilen, was ich dir nun zu verraten gedenke, wärst du keine se-Tufi wie ich, wüßte ich nicht genau über dich Bescheid und hätte kein Vorauswissen darüber, was aus dir werden wird. Ich möchte nicht sterben, ohne meine ungefragtesten Meinungen weitergegeben zu haben.« Sie schwieg, dann röchelte sie vernehmlich, ehe sie weitersprach. »Ich glaube, Liethe war eine Bedienstete. Ich glaube, sie war häßlich, und die Männer hielten von ihr nichts.«

»Mutter!«

Die Alte genoß ihre kleine Ketzerei so sehr, daß sie sich das winzige Glas nochmals mit Likör füllte. »Ich glaube, sie war eine mit Unwissenheit geschlagene Dienerin, die in arantischen Kellern Tag für Tag die gleiche eintönige Kloningtätigkeit verrichtet hat.«

»Die Arant haben nie klonen können! Nur wir Liethe sind zum Kloning imstande.«

»Wir wissen außer dem, was ihre Feinde ihnen nachsagen, nichts über die Arant, und selbst ihre Gegner sind sich darin einig, daß die

Arant auf jeden Fall großartige Biologen gewesen sind. Die Kaiel kennen sich ebenfalls mit dem Klonen aus. Sie waren immer zum Kloning fähig, aber haben sich dieses Mittels nur selten bedient.«

»Woher weißt du das?«

»Ich habe es hier in Kaiel-Hontokae erfahren. Du nimmst doch sicher nicht an, meine einzige Beschäftigung bestünde darin, kleine Mädchen durchzufüttern?«

»Die Balladen beschreiben Liethe als die schönste aller Liethe.«

»Das versteht sich von selbst. Sie hat uns keine Schriften hinterlassen, keine Forschungsergebnisse, sie zeichnete sich durch eine abgrundtiefe Unkenntnis der Genetik aus. Gatten hatte sie keine. Sie brachte ihre Zeit damit zu, ihre eigenen Abbilder zu klonen, und nicht sie, sondern drei Töchter ihrer Klons sind's gewesen, die hinsichtlich unserer Stämme klare Festlegungen getroffen haben. Eine einzige Seite mit hingeschmierten Gedanken hat sie uns als Erbe mitgegeben, die sich in besessener Engstirnigkeit ausschließlich mit Schönheit und Macht befassen. Denk nach! Wer könnte wohl das Ziel verfolgen, schön zu sein und dank der eigenen Schönheit die mächtigsten Männer der Welt zu beeinflussen?«

»Eine Liethe.«

»Das ist die falsche Antwort, Kind. Dabei ist das Rätsel ganz leicht zu lösen.«

»Ich weiß die Lösung nicht.« Demut befand sich in leicht störrischer Stimmung.

»Stelle dir ein häßliches Weib ohne jegliche Anziehungskraft vor, das von den Männern übersehen wird. Ist das nicht eine Person, die das heftige Verlangen verspüren könnte, diese Art von Schönheit zu schaffen, von der sie meint, sie müsse jene Männer beeinflussen, die von allen Frauen begehrt werden?«

»Ich bin *nicht* häßlich und *kann* Männer beeinflussen.« Demut gab sich trotzig.

Die Greisin lächelte, entsann sich anscheinend an die beste Zeit ihres Lebens. »Und es ist *nicht* dein *Ziel*, schön und einflußreich zu sein. Du *bist* schön und einflußreich. Du träumst vielleicht davon, länger zu leben, als irgendeine se-Tufi je gelebt hat. Vielleicht träumst du davon, den Mann zu finden, der eine Tochter zeugen kann, mit der sich ein prächtiger neuer Liethe-Stamm gründen läßt, dessen Herz besser ist als deins. Kann sein, es liegt dir am meisten daran, das vollkommene Gift zu entdecken. In dieser oder jener Hinsicht kann deine Schönheit gegenteilige Wünsche fördern. Manchmal wirst du's auf Möglichkeiten abgesehen haben, *häßlich* zu wirken, damit du auf Reisen unbehelligt bleibst. Die Ziele eines Menschen sind stets ein Spiegelbild dessen, was er nicht hat.«

»Ich bin gekommen, um Kaiel zu töten.«

Die Heimmutter nickte. »Ich auch. Und ich habe hier den tatkräftigsten Priester-Clan ganz Getas vorgefunden. Möglicherweise werden die Kaiel das heutige Herrschaftsgleichgewicht in Umwälzung bringen. Sie verfügen über ein magisches Ohr, das im Handumdrehen jede Örtlichkeit auf dem gesamten Planeten belauschen kann. Sie haben Instrumente, deren Feinheit nahezu unglaublich ist. Weißt du, daß ein Kaiel ein einzelnes Chromosom aus einer Eizelle mit einer Erfolgsaussicht von eins zu hundert verpflanzen kann? Sie führen sogar genetische Eingriffe an den Eizellen entnommenen Chromosomen durch und verwenden zu diesem Zweck Viren, die sie mit Käfern züchten. Ist dir klar, was so etwas für uns bedeutet? Wir könnten Schwesterstämme züchten, die von allen anderen nur durch ein Chromosom abweichen!«

»Glaubst du, die *Kaiel* könnten ein Werkzeug von Gottes Wille sein, der einer Einigung ganz Getas gilt?!« Dieser Gedanke flößte Demut ein gewisses Grauen ein.

»Nein, mein Kind. Dafür sind die Kaiel viel zu spät entstanden. Gottes Gebot ist bereits erfüllt worden.« Die Heimmutter lächelte ihr aus zahllosen Fältchen gebildetes Lächeln. »Welcher Clan ist in jeder bedeutenden Stadt Getas vertreten? Welcher Clan hat Zugang zu allen politischen Entscheidungen und den Gelegenheiten, bei denen sie gefällt werden?«

»Mutter!«

Die Alte kicherte. »Wie leicht das Herrschen ist, wenn man sich als der Besitz eines Mannes in die Macht einschleicht! Wir sind kein Priester-Clan. Wer würde so etwas von uns denken? Wer hätte sich uns entgegenstellen sollen? Könnte jemand harmloser wirken als eine Frau, die sich vermietet und alles macht, was man ihr befiehlt?«

»Liebenswerte Heimmutter, aber wir tun doch nichts anderes als mit ihnen ins Bett gehen! Wir umschmeicheln sie, wir spielen sie gegeneinander aus, und indem wir ihnen zum Schein gehorchen, bekommen wir von ihnen, was wir wollen...« Ihre Augen weiteten sich.

»Sprich nur weiter.«

»Aber das ist doch nicht die Art und Weise, wie man einen Planeten beherrscht. Dazu muß man Politik betreiben. Wir müßten weitreichende Entscheidungen fällen können.«

»Wie der Priester-Clan, der einmal über ganz Geta herrschen wird?«

Demut schnob spöttisch. »Wir werden's jedenfalls nicht. Wir werden bloß auf der Seite der Sieger stehen. Nur in ihren Betten werden wir an der Macht teilhaben.«

»Und was ist mit den Timalie? Dem Priester-Clan, der's ablehnt, sich Geliebte zu halten? Wie sollten wir uns bei ihm durchsetzen?«

Demut brach ins Große Lachen aus. »Die Timalie haben keinerlei Aussicht auf Erringung der Oberherrschaft!« Sie starrte ihr fünffach älteres Abbild an. »Mutter, ich glaube fast, du meinst es ernst.«

»Natürlich meine ich's ernst. Aber glaube nicht, unsere Macht würde mich sonderlich beeindrucken. Wir haben alles das erreicht, ohne uns dessen bewußt zu sein. Wir besitzen auf diesem Planeten vergleichsweise viel Einfluß, der sich mit der Macht jedes beliebigen Priester-Clans messen kann, aber zugleich ist's so, als hätten wir das Gehirn einer Biene im Körper eines Menschen. Was wäre jämmerlicher als ein menschlicher Körper, dessen Hirn einen vollen Tag braucht, um der Hand eine Botschaft zukommen zu lassen? Herrschen und Handeln gehören zusammen. Mag sein, daß wir stärker sind als jeder andere Clan, sogar als die Mnankrei, aber zur gleichen Zeit sind wir schwach. Wir müssen unsere Vorteile nutzen, aufs Erreichte weiter aufbauen, sonst kann uns binnen einer Generation alles verlorengehen.«

Demut sann über ihren Ehrgeiz und ihren Stolz nach. Urplötzlich sah sie darin nur noch billige Anmaßung und Aufgeblasenheit. »Werde ich jemals wirkliche Demut lernen?!« rief sie.

Die Greisin nahm das junge Mädchen bei der Hand, führte es zu der Bettstatt, drückte Demuts Kopf an ihren ausgetrockneten Busen und streichelte ihr das lange Haar der Jugend. »Nicht wenn du so heranreifst wie ich, dann auf keinen Fall.« Sie schwieg einen Augenblick lang. »Du hast schönes Haar, aber es ist von der Reise spröde geworden. Hier in Kaiel-Hontokae gibt es hervorragende Haarwaschmittel. Ich werde dir welches besorgen.«

Demut war übermüdet. Sie versuchte sich aufzurichten, wieder etwas wacher zu werden, um in ihre Zelle zurückzukehren und endlich zu schlafen. »Nein, nein. Bleib hier. Die Entbehrungen deiner Reise waren Läuterung genug. Eine Nacht mit mir hier in diesem gemütlichen kleinen Gemach wird dir Aesoes Palast nicht vergällen.«

»Warum hast du mich nach Kaiel-Hontokae bestellt?«

»Ich bedarf einer Assassine. Für derartige Aufgaben bin ich zu alt.«

Doch Demut war bereits entschlummert.

27

Es heißt, daß in den westlichen Gebieten der Kalamani-Wüste nur ein Stein Kalothi hat.

Arimasie ban-Itraiel, Dobu der kembri: *Triumphe*

Beim erneuten Durchlesen seiner alten Prophezeiungen, unauslöschlich und für alle Zeit zum Bestandteil der Archive geworden, empfand Hoemei angesichts seiner damaligen Einfältigkeit helles Entsetzen. Aesoe hatte ihn so unterrichtet, wie Aesoe von Tae unterrichtet worden war, und er – Hoemei – hatte seinen Meister nachgeahmt, ohne die Blickrichtung von Aesoes Visionen immer ganz zu erfassen. Nun vermochte er auf einmal mit neuer Klarheit zu sehen.

Die Fortschritte in der Schallstrahlanwendung hatten ihm zu bestürzenden Einsichten verholfen. Aesoe glaubte an ein Geta, dessen gesamte Macht und Gewalt sich in Kaiel-Hontokae ballte. Damit ein solches Herrschaftsgefüge arbeitsfähig war, mußten schnelle Nachrichtenverbindungen zur Stadt und von ihr nach allen Himmelsrichtungen bestehen. Doch Hoemei hatte erst fünfundvierzig Schallstrahlaußenstellen eingerichtet – davon vierzehn längs der Njarae-Küste –, und schon ließ die Menge der Mitteilungen, die ständig eintrafen, sich nicht mehr überschauen und bewältigen. Nunmehr war Hoemei der festen Überzeugung, daß sich Aesoe bezüglich des Umfangs der Vielschichtigkeit einer an einem Ort zusammengefaßten Herrschaft um mehrere Größenordnungen verschätzt hatte.

Hoemeis Visionen traten mit unzuverlässiger Unregelmäßigkeit auf, häufig in Träumen, bisweilen jedoch auch inmitten irgendeiner Unterhaltung, manchmal in voller, farbiger Pracht. Ab und zu saß er lange nach der Bettzeit noch bei Kerzenlicht über seinen Papieren und hörte Getaner aus verschiedenerlei Zukünften Alltagsschwierigkeiten ihrer Zeit besprechen. Er schaute seltsame Maschinen, deren Verwendungszwecke ihn halb vor Rätsel stellten.

Einmal befiel ihn, während er einen Flugerfahrungsbericht las, in dem die Geschicklichkeit des Segelfliegens ins Verhältnis zu seiner Körpergröße gesetzt worden war – erarbeitet von begeisterten Segelfliegern in Zusammenarbeit mit o'Tghalie –, das Bild eines Clans kleinwüchsiger Himmelsbewohner, die mit ihren von Menschenhand gefertigten Schwingen nahezu ohne zeitliche Begrenzung in den Lüften schweben konnten. Ein andermal gab eine Vision ihm von einem Schallstrahl Kenntnis, der ein Flimmerbild übermittelte. Und er sah einen Mann neben einem Fahrzeug mit großen Rädern stehen und Gedanken zu Fragestellungen äußern, die sich zehn Wochenmärsche entfernt auftaten, als seien sie seine eigenen Angelegenheiten.

Wenn er seine visionäre Fähigkeit seiner Willenskraft unterwarf und in bestimmte Bahnen lenkte, um in die besondere Zukunft Ausschau zu halten, der Aesoes Entwurf einer vereinten Welt zugrunde lag, erblickte er ein gewaltiges Lebewesen von Gesellschaft – träge und unbeweglich wie die gepanzerten Eiswürmer im fernen Süden –, geleitet von riesigen Clans, die ungeheure Ströme von Nachrichten sammelten, nach da und dort und hin- und herleiteten, ohne durch ihr Vorhandensein wirklich irgend etwas leisten zu können. Diese Ausblicke beunruhigten Hoemei, weil Aesoes künftige Welt immer auch seine Sache gewesen war, das Ziel, dem er sich verschworen hatte.

Ein o'tghaliescher Freund rechnete für ihn aus, daß ein einigermaßen bewegliches Herrschafts- und Verwaltungsgefüge zusammengefaßter Art mit nur mittelmäßiger Verantwortlichkeit wahrscheinlich mehrere hundertmal mehr Entscheidungsträger haben mußte, als ihm Bürger unterstanden. Hoemei war sehr erstaunt gewesen. Prophezeiungen, so hatte er den Eindruck, erwiesen sich als trügerisches Unterfangen, sobald man die verschwommenen Bildnisse zu ergreifen versuchte, die jenseits der Reichweite der eigenen kurzsichtigen Augen lagen.

Er wendete bei seinen Visionen eine immer schärfere Betrachtungsweise an, um eine ganze Reihe Zukünfte mit an einer Stelle ausgeübter Macht zu sichten, begutachtete manchmal ein Dutzend verschiedener Getas am Tag, jede dieser Welten nach abweichenden Grundsätzen des Herrschens und Verwaltens aufgebaut. Der ineinander verschlungene Wirrwarr ihrer Kulturen bewog ihn schließlich, umfassendere und weitere Ausblicke zu tun. Oft starrte er vor sich hin, ohne sich dessen bewußt zu sein, wo er sich aufhielt, ohne an die Leute in seiner unmittelbaren Umgebung zu denken, als wäre er nicht mehr ganz bei Verstand. Zu guter Letzt brachte er von diesen visionären Forschungsreisen auf den verzweigten Pfaden des fernen Morgen als Ergebnis eine recht schlichte Schlußfolgerung mit.

Zuviel Machtbefugnisse auf *untergeordneter* Ebene mußten dazu führen, daß die Priester dieser Gegend ihre örtlichen Gegebenheiten auf die für sie beste, im Gesamtrahmen gesehen jedoch nichtgünstigste Weise zum Nachteil der Bewohner anderer, entfernter Landstriche nutzten. Solche Fälle entstanden, wenn wichtige Nachrichtenquellen weitab von den Stellen blieben, bei denen Macht und Entscheidungen lagen, so daß Erkenntnisse nicht richtig ausgenutzt werden konnten.

Bei auf *höchster* Ebene zusammengefaßter Macht, die in der Theorie die größten Vorteile für das Ganze erbrachte, weil sie *alle* Nachrichten zu sammeln und zu verwerten vermochte, ergab sich in der tatsächlichen Ausübung allerdings ziemlich rasch ein Überfluß an Mitteilungen, eine Verstopfung der Nachrichtenübermittlung, so daß eine kluge Verwendung der gewonnenen Erkenntnisse gar nicht mehr im Bereich des Möglichen lag, so daß letzten Endes wiederum alles andere als die günstigsten Lösungen dabei herauskamen. Das Zusammentragen von Nachrichten aus einem großen Gebiet an einen bestimmten Ort und ihr dortiges Zusammenfügen beanspruchten mehr Zeit, als die Nützlichkeit der Nachrichten andauerte. Mitteilungen pflegten, so zeigte sich, manchmal schon während ihrer Weiterleitung ihren Wert infolge neuer Entwicklungen zu verlieren, oder sie trafen nicht rechtzeitig ein; oder sie gingen in der riesigen Menge der Nachrichtenströme einfach verloren und konnten nie genutzt werden.

Zwischen diesen beiden entgegengesetzten Wegen – der Möglichkeit des Verteilens der Macht über die gesamte untergeordnete Ebene und der Ballung aller Gewalt an einer Stätte – sah Hoemei zahlreiche ausgewogener beschaffene Welten. Allmählich begann er seine »Theorie von den schnellsten Mitteln des Herrschens« auszuarbeiten und in Worte zu kleiden, welche die Geschichte Getas für immer verändern sollte. Es ließ sich – das war seine Überzeugung – ein Verfahren ermitteln, wie man viele Knotenpunkte des Entscheidungsvermögens so zu einem Netzwerk verknüpfen konnte, daß die Durchsetzbarkeit der günstigsten Entscheidungen mit der Zeit das Schwinden der weniger tauglichen Maßnahmen bewirkte. Die Knotenpunkte mußten auf so eine Weise miteinander verbunden werden, daß es nicht bloß *einen* Weg hinauf zur obersten Ebene der Macht gab. Wer in diesem Gefüge seinen Einfluß behalten wollte, sollte es ausschließlich durch anhaltende Herbeiführung der besten von etlichen denkbaren Entscheidungen und dementsprechend nutzbringenden Lösungen tun können.

Bei der Erarbeitung seiner Vorstellungen von einer idealen Herrschaftsweise erhielt Hoemei sehr viel wertvolle Unterstützung seitens seiner o'tghaliesche Mitarbeiter. Das Grundmuster besaß eine gewisse Verwandtschaft mit der Theorie vom Nachrichtenfluß, die wiederum Übereinstimmung mit der Beschreibung einer in ständiger Entwicklung begriffenen biologischen Gesamtheit von Umweltbeziehungen aufwies.

Nicht alle Anstrengungen Hoemeis waren von vollauf ernsthafter Natur. Eines Abends führte er mit Noe einen freizügigen Meinungsaustausch über eine angenommene Welt, deren Verwaltung einer Vielzahl von Herrschaftshäusern oblag und in der Kalothi-Bewertungen und die Pflicht zum Rituellen Freitod das Schicksal sämtlicher Stufen der Hierarchie bestimmten. Noe holte eine Flasche Whisky. Noch ehe die Flasche geleert war, erwarben sie in ihrer Vorstellung beim nächsten Schlachter auserwählte Stücke ihrer am wenigsten geschätzten Untertanen und ersannen allerlei Rezepte, um den üblen Geschmack zu überdecken.

Das Maß an Arbeit, die Hoemei nach und nach im Laufe eines Tages zu bewältigen lernte, war außerordentlich umfangreich. Er erforschte die Folgeerscheinungen verschiedener Arten des Herrschens und Verwaltens, leitete den Ausbau der Schallstrahlverbindungen, plante die reibungslose Lieferung von Lebensmitteln an die Küste voraus, überwachte die reihenweise Herstellung von Skrei-Rädern und befaßte sich mit der Festlegung einer Strategie, um die Absichten der Mnankrei zu vereiteln, und darüber hinaus hatte er die Verantwortung für die Anlage neuer Aquädukte zu tragen und verfolgte nebenbei noch eine kleine genetische Hypothese, die ihn beschäftigte. Doch auch er hatte seine Grenzen. Auch er konnte, wenn zuviel auf ihn zukam, Schwäche zeigen, und es gab Anlässe, bei denen er es tat.

Ein Schreiber, der den Clei angehörte, jenem unentbehrlichen Unteren Clan, betrat das innerste Allerheiligste von Hoemeis Arbeitsräumen, wo er im großen und ganzen nie gestört werden wollte und man sich, wenn man es doch tun mußte, wegen der schwerwiegenden Besonderheit der Störung tiefer als sonst verneigte. »Ja?« Hoemei war barsch, obwohl er genau wußte, daß niemand dies Zimmer betrat, ohne zuvor gründlich über die Dringlichkeit der Sache, um die es ging, nachgedacht zu haben.

»Soeben ist eine Schallstrahlbotschaft Joesai betreffend durchgekommen.«

»Ist er wohlauf? Irgendwelche Neuigkeiten über Teenae?«

»Die Nachricht stammt von unserer Außenstelle in Soebo, maran.« Der Clei unterstrich die halbförmliche Anrede mit einer weiteren Verbeugung, anscheinend recht widerwillig, mit Näherem herauszurükken. »Die Mitteilung gibt keinen vollständigen Aufschluß –« – er versuchte, die Unannehmlichkeit zu lindern – »– aber ist zweifellos unerfreulich. Hier ist die Niederschrift.«

Hoemei las in äußerster Hast, was auf dem Papier stand. Die Mnankrei hatten ein Kaiel-Schiff aufgebracht und in den Hafen bei Soebo geschleppt. Welche Personen sich auf dem kaielischen Schiff befunden hatten, war nicht festzustellen gewesen, aber ihre Zahl stimmte mit der Stärke der Schar überein, mit der Joesai Trauerweiler aufgesucht hatte.

»Beim Glutschwall von Getas Sonne, was macht er denn eigentlich dort in der Gegend?!« Hoemeis Sorge verschaffte sich Ausdruck in einem Wutausbruch. »Er soll doch in Trauerweiler sein und den Gekkenhelden mimen!«

»Joesai ist ein außergewöhnlicher Priester, maran. Möglicherweise hat ihm die Rolle des Geckenhelden mißfallen, so daß er's übernommen hat, den Gerüchen nachzuspüren, die von Norden heranwehen.«

Hoemei sackte auf seinen Stuhl. »Ja, wahrhaftig, das sieht meinem Bruder ähnlich.« *O mein Gott, dann dürften die Mnankrei auch Teenae haben.* In der Nachricht stand nichts davon, daß sie tot seien, aber die Gefangenschaft bei einem Clan, der aus politischen Erwägungen Tausende von Menschen dem Hungertod zu überlassen bereit war, konnte mit Gewißheit nicht erfreulich sein. Unter Aufbietung beträchtlicher Willenskraft errang Hoemei seine Beherrschung zurück; in seinem Innern erkaltete heißes Eisen zu Stahl. Tod. So war das Leben immer gewesen. Ein Getaner bewahrte sich mit einer großen Familie vor allzu herbem Verlust. Aber zwei Familienangehörige auf einmal zu verlieren!

Er erinnerte sich an das nackte Kind namens Joesai, das ihm im Kinderhort bei der ersten Probe der Kraft, als er noch zu jung gewesen war, um die Gefahr verstehen zu können, aus der Klemme geholfen hatte. Immer war er von kleinerem Körperbau geblieben und nie dazu imstande gewesen, Joesais Dienst irgendwie auf ähnliche Weise zu vergelten, aber schon vielmals hatte er für Joesai ernste Schwierigkeiten vorausgesehen und rechtzeitig eingegriffen, um sie abzuwenden – denn Joesais überstürzte Kraftentfaltungen hinderten ihn oft an vernünftigen Einschätzungen der Lage. Schon immer hatte jeder Joesai nachgesagt, daß dieser ihr Bruder den Tod geradezu umwerbe und daß seine Voreiligkeit im Widerspruch zur Kalothi stehe. Hoemei erwartete bereits seit langem, daß er einmal umkam, und er hatte seinen Magen längst darauf eingestellt; doch anscheinend nicht gut genug.

Mein Bruder! schrie sein Kummer in ihm. Hoemei entsann sich dessen, wie Gaet im Kinderhort nach der ganz besonders greulichen Probe von Messer und Rätsel gelacht hatte. »Wenn Joesai in die Suppe kommt, wird er sich aus den Nudeln ein Boot machen.« Wie sie damals gelacht hatten, wenn der Tod sie so haarscharf verfehlte, daß er ihnen die Brauen stutzte!

Während der Clei-Schreiber wartete und seinen hochgeachteten Priester in einem Zustand wachsender Betroffenheit beobachtete, es vorzog zu bleiben, bis der maran seine offensichtliche Erschütterung in gewissem Umfang gemeistert hatte, kam Hoemei eine Erinnerung an Teenae, an den frühen Morgen nach ihrem Hochzeitsfest, als er wie gelähmt bei der Tür stand, insgeheim besorgt um seine Kindbraut, die mit so nachdrücklicher Leidenschaft von drei jungen Gatten genommen worden war, die sich in ihrer Lust keiner sonderlichen Rücksichtnahme befleißigt hatten. Für geraume Zeit hatte er sie angestarrt, seine Schuldgefühle gaben ihm die Befürchtung ein, sie sei tot, und er wartete im Mondschein vor Beginn der Dämmerung verzweifelt auf Anzeichen von Leben.

Ihr Haupt hatte auf dem Kissen gelegen, dort wo sie Teenae verlassen hatten, die Nase zeichnete sich in scharfem Umriß ab, die Gliedmaßen waren locker ausgebreitet, ein Bein hatte sie angezogen, eine Hand hielt das Nachthemd aus Spitzen, das er ihr geschenkt hatte, und es war noch über die Hüften hochgeschoben, so daß man den Nabel sah. Sie war noch zu jung gewesen, um schon die Hüften einer Frau zu haben, und hatte erst zarte Ansätze jener steilen Brüste gezeigt, die sie später schmücken sollten. Und sie hatte so still dagelegen, daß Hoemei in seinem Bangen Joesai regelrecht gehaßt hatte für die übermäßig heftigen Stöße, die er ihr versetzte, während sie ihre Jungfräulichkeit behoben; sie lag so still da, als sei sie tot, als wäre ihre Kalothi vom fahlen Grimmigmond aufgezehrt worden.

Dann hatte er plötzlich den Eindruck gehabt, daß sie atmete. Was für eine Erleichterung er empfunden hatte! Er trat näher, hielt einen Finger dicht unter ihre Nase, um sich von der Richtigkeit seiner Beobachtung zu überzeugen. Sie hatte den Kopf ihm zugewandt und friedlich-heiter die Augen aufgeschlagen. »Humm«, hatte sie gemacht, als sie sich an den vorangegangenen Teil der Nacht entsann. »Worum ging's hier eigentlich? Bin ich jetzt richtig vermählt?« Sie hatte Hoemei zu sich auf die Kissen gezogen, sich nahezu um ihn geschlungen und war gleich darauf schon wieder eingeschlafen. Hoemei hielt ihre Kinderbrüste umfaßt, fühlte ihr Atmen und war glücklich.

Ich brauche sie, dachte er jetzt, da er sie allem Anschein nach verloren hatte, außerstande zum Weinen.

Er schickte den besorgten Schreiber hinaus und stapfte dann in seinem Arbeitszimmer auf und nieder, hatte den wohldurchdachten Entwurf seiner grundsätzlichen Erwägungen über verschiedene Formen von Herrschaftsgefügen mitten im Satz liegenlassen. Schließlich durchmaß er die wie das Innere eines Eis beschaffenen Stockwerke des

Palastes und begab sich in den Nachrichtenübermittlungsraum; er versuchte, mit dem Schallstrahl Gaet zu erreichen, der sich im Hügelland aufhielt, um den Bau der neuen, eigens für die Skrei-Räder gedachten Straße nach Trauerweiler zu überwachen. Doch Gaet konnte nicht gefunden werden. Hoemei gab eine Botschaft durch, die die beunruhigende Neuigkeit zusammenfaßte und die Gaet durch einen Ivieth-Läufer überbracht werden sollte.

Auf dem Heimweg schleppte er sich – jahrhundertelang, wie es schien – durch ein berserkerhaftes, riesiges Kol in den städtischen Straßen Kaiel-Hontokaes, angelegt von grausamen Spielern, und fühlte sich wie eine hölzerne Figur, bewegt um irgendeines unersichtlichen strategischen Vorteils willen. Noe wußte *sofort* Bescheid, sobald sie nur seine Miene sah. Er brauchte ihr nichts Näheres zu erzählen; er weinte nur. Sie weigerte sich, an den Tod Joesais und Teenaes zu glauben; sie befragte ihn und klammerte sich an die Hoffnung, unterdrückte die eigene Bestürzung, aber Hoemei war von dem Tod der beiden überzeugt und vergoß bittere Tränen.

Noe wehrte sich gegen das Weinen. Sie *hatte* ein geliebtes Mitweib, mit dem sie ihre Gatten teilen durfte; die kleine Teenae war *nicht* tot, und Noe mochte nicht ohne Grund weinen, solange sie ihre Gefühle ganz darauf verwenden konnte, Hoemei zu trösten. Aber als ihr Gemahl schlief, brach sie doch in Tränen aus, die ihr stumm über die Wangen durchs Muster ihrer Tätowierungen rannen wie eine Flut über gepflügtes Erdreich.

28

Zur Zeit, als sich die Arant auf der Höhe ihres Ruhms befanden, waren es die Arant, die sagten, daß Leiden der Größe des Geistes förderlich seien. Die Kaiel denken anders. Es ist Größe, die Leiden verursacht – denn wer vermag schon einen großen Menschen zu verstehen? Und lebt nicht der Alleinpriester in der ständigen Pein, in Welten zu wohnen, die er mit niemandem zu teilen vermag?

Tae ran-Kaiel anläßlich der Totenfeier Rimi-rasis

Der Berggasthof lag in den Ausläufern einer Schlucht hoch zwischen die Gipfel geschmiegt, die eine für diese Jahreszeit ungewöhnliche Schneedecke aufwiesen. Wie alle Gasthäuser an der Langen Straße betrieben auch dies Haus die Ivieth. Alte Träger, die nicht länger die Lasten, wie man sie im allgemeinen auf der Straße zu befördern pflegte, auf sich zu nehmen vermochten, holten Holz fürs Feuer, hielten die Suppe warm und kümmerten sich um Reisende, die im Gasthaus Unterschlupf und Erquickung suchten, ebenso um die noch voll einsatzfähigen Ivieth, die mit Sack und Pack und Wagen vorüberzogen.

Kleine Kinder, stämmiger und breitschultriger als man hätte erwarten sollen, wimmelten durchs Haus, rannten durch die Räumlichkeiten, doch wie rüde sie auch im Umgang untereinander sein mochten, den Gästen des Gasthofs gegenüber zeigten sie sich zuvorkommend höflich. Ihre halbwüchsigen Geschwister waren bereits auf den Straßen unterwegs und trugen die Lasten, wie die Clan-Kalothi es von ihnen verlangte. Ein Ivieth mußte vor Erreichen der Reife seine erste Last verbracht haben, oder man trampelte ihn zu Tode und verzehrte ihn.

Oelita saß allein in einem Winkel, so nah am Feuer, wie es ging, wenn sie trotzdem unauffällig bleiben wollte. Sie befand sich in niedergedrückter Stimmung. Gewöhnlich hätte sie an einem Tisch mit den Ivieth gesessen oder sich mit Reisenden unterhalten, um neue Bekanntschaften zu schließen und über Lachen und Scherzen die Müdigkeit der Füße zu vergessen. Doch sie war hier bereits auf kaielischem Land. Indem die gewellte Hügellandschaft steinigen Hängen und verwundenen Pfaden gewichen war, schroffen Höhen, zu denen sie nur in andächtiger Bewunderung aufschauen konnte, während eisige Winde ihre Gestalt umwehten und zu packen versuchten – so wie den Strauch, der vor ihren Augen vom Wind gelockert und in eine Bergschlucht geschleudert worden war –, hatte ihre Furcht stetig zugenommen.

Den Kristall hatte sie mit einem vertrauenswürdigen Boten vorausgeschickt, und er war wahrscheinlich in Sicherheit – dennoch empfand sie Furcht.

Einer der kleinen Ivieth-Buben flitzte mit einem Lappen herbei und wischte übereifrig den Tisch vor ihr. Dabei bemerkte er ihre Schüssel und schnupperte nach der Brühe, die nicht länger dampfte. »Ich bringe dir 'ne neue Suppe«, sagte er und räumte die Schüssel ab, trug sie behutsam weg, das Augenmerk achtsam auf den Rand der Schüssel gerichtet, weil er schon einmal etwas auf den Fußboden verschüttet und es hatte aufwischen müssen.

Er war im gleichen Alter, wie es ihre beiden Knaben gewesen waren, als man sie in Trauerweiler in den Tempel brachte.

Nach einer Weile kam eine weißhaarige Frau angeschlurft – alt und gebeugt, aber noch immer erheblich größer als Oelita – mit einer neuen Schüssel voll warmer Brühe, gefolgt von ihrem verärgerten Enkel, den es verdroß, daß seine Großmutter ihm diesen Gang nicht zutraute. »Er ist aber eine große Hilfe, zumal wir wegen des Straßenbaus jetzt soviel zu tun haben. Derartig viele Leute habe ich hier kaum jemals zu sehen bekommen!«

Während sie diese Äußerungen tat, traten drei Männer ein und schlugen gegen den Widerstand des aufdringlichen Windes hinter sich die Tür zu. Einen konnte Oelita aufgrund der schillernden Kopfbedeckung aus mit dem Haar verflochtenen Fasern dem Clan der Mueth zurechnen. Einer gehörte zu irgendeinem fernen Clan, den sie nicht kannte. Der dritte Mann war weniger hochaufgeschossen als die zwei anderen Männer, aber sein Auftreten zeichnete sich durch ein so herrisches Gebaren aus, daß ihr klar war, sie sah in ihm einen der berüchtigten Kaiel vor sich.

»Gaet«, rief ein Mann am anderen Ende der Stube und hob seinen Becher. Der Kaiel winkte zum Gruß, begab sich jedoch an einen anderen Tisch und begann dort eine lebhafte Unterhaltung zu führen. Drei Ivieth-Kinder, die offenbar recht vertraut mit ihm waren, liefen herbei und klommen ihm geradezu auf den Rücken, um ihm die obersten Kleidungsstücke auszuziehen. Flüchtig blickte Oelita auf, und da sah sie die Großmutter in starrer Verzückung dastehen und hinüber zu dem Kaiel lächeln; sie wartete, als ob klar sei, daß sie gleich seine Aufmerksamkeit finden müsse. Doch er beachtete sie nicht, ging statt dessen rundum, riß da einen Witz, patschte dort jemandem auf die Schulter, pochte hier mit den Knöcheln der Faust auf eine Tischplatte, zauste einem Kind den Schopf.

»Gaet«, rief die Alte schließlich ungeduldig.

Endlich wandte er sich leutselig nach ihr um. »Du glaubst, ich bin hungrig, hä? Du *weißt,* daß ich hungrig bin. Ich könnte die Rinde von den Bäumen nagen! Was ist in der Suppe?«

»Setz dich zu dieser jungen Reisenden dort, Gaet, die sich völlig ohne Begleitung durch die Berge wagt. An den anderen Tischen ist kein Platz mehr. Ich werde dir schon was auftischen, damit du dir den Bauch vollschlagen kannst.«

Der Mann setzte sich zu Oelita. Seine Hemdbluse war offen, so daß sie das in seine Brust tätowierte Hontokae sehen konnte. Am liebsten hätte sie die Flucht ergriffen, sie wäre tausendmal lieber bei ihren Freunden an der Küste gewesen; aber er lächelte ihr unbekümmert zu. Sie musterte ihn, den Rücken an die Wand gelehnt, und lächelte jenes sanfte Lächeln, das sie einzusetzen pflegte, um Männer zu verführen.

»Wie ist die Suppe an diesem Tieftag?« erkundigte er sich beiläufig.

»Sehr gut.«

»Du bist hier fern von der Küste.«

»Wie sollte ich sonst nach Kaiel-Hontokae gelangen können?« hielt sie ihm entgegen.

»Das ist eine weite Reise. Du mußt einen bedeutsamen Zweck verfolgen, wenn du es auf dich nimmst, eine solche Strecke zurückzulegen.«

»So ist es. Ich hoffe, mich mit Erfolg für das Leben meiner Anhänger einsetzen zu können. Vielleicht werde ich dazu gegen die Überzeugungen der Kaiel auftreten müssen. Aber du mußt auch mit wichtigen Angelegenheiten beschäftigt sein. Wir sind hier von Kaiel-Hontokae nicht weniger weit entfernt als von der Küste.«

»Seit einiger Zeit befasse ich mich mit dem Ausbau der Straße durch die Berge. Eigentlich befinde ich mich jedoch nur aus einem Grund so weit im Westen.« Er lächelte. »Ich bin mit halsbrecherischer Geschwindigkeit herbeigeeilt, weil ich gehört habe, daß eine gewisse schöne Frau ohne Begleitung durch die Berge reist. Ich konnte mich nicht des Eindrucks erwehren, daß sie damit unnötig Gefahr anlockt.«

Oelita zuckte zusammen. Also kannte er sie! Er war geschickt worden. Er mußte es auf den Kristall abgesehen haben. Er gehörte zu Joesais Leuten. *Nein, ihn kann ich nicht gebrauchen. Ich werde ihn abschütteln müssen.* »Würde eine kaielische Eskorte denn Schutz für mich bedeuten?« fragte sie höhnisch nach.

»Aha, dann hast du schon deine Erfahrungen mit Joesai gesammelt«, rief der Mann und schlug mit der flachen Hand auf den Tisch.

Oelitas Herz fing an zu pochen, als er den Namen erwähnte. Hier lief ein Spiel, das sie nicht durchschaute. »Ich möchte keine kaielische Eskorte. Für so etwas ist mir mein Leben zu lieb.«

»Es gibt unter den Kaiel Gruppierungen mit unterschiedlichen Standpunkten. Ist das nicht bei allen Priester-Clans so? Ich gehöre zu der Gruppe um den Erzpropheten, dessen Wunsch es sehr wohl ist, daß du am Leben bleibst.«

»Wer ist Joesai?«

Der Mann namens Gaet lachte über die Eindringlichkeit ihrer Frage. »Joesai ist ein Mann, den man, wenngleich er keiner ist, vielleicht als Alleinpriester bezeichnen könnte. Er hat ausgeprägte Vorlieben und seine eigenen Vorstellungen davon, wie die Dinge sein müßten. Am besten kommt er klar, wenn er weit außerhalb der Reichweite von Befehlen ist, die von Leuten erteilt werden, mit deren Ansichten er nicht übereinstimmt.« Er wurde wieder ernst. »Ich bezweifle, daß du hier von Joesai etwas zu befürchten hast. Wir haben Grund zu der Annahme, daß er mit seiner Schar in der Nähe von Soebo gefangengenommen worden ist.«

»Die Mnankrei haben ihn in der Hand?« Oelita vermochte es kaum zu glauben.

»Wir wissen nur, daß die Mnankrei sein Schiff gekapert und fünfzehn Personen gefangengenommen haben. Er kann also genausogut tot sein.«

»Du lügst!« entgegnete Oelita hitzig. »Er und zwei seiner Männer sind noch vor kurzem mit mir in Trauerweiler gewesen. Ich bin nachts gereist, aus Sorge, von ihnen verfolgt zu werden.« Sie erkannte in Gaets Miene irgendeinen Ausdruck, der keinesfalls auf Vortäuschung beruhte. War es Staunen? Hoffnung? Erleichterung? Sein Verhalten jagte ihr neue Furcht ein. Dieser Fremde war kein Gegner Joesais.

»Als du ihn zuletzt gesehen hast, war da eine Frau bei ihm?«

Ich kann diesem Mann nicht trauen. Er liebt Teenae. »Sie war durch Messerstiche verletzt worden. Er hat sie an irgendeinen anderen Ort an der Küste gebracht, damit sie sich dort erholen kann. Wo Joesai auch sein mag, *sie* ist nicht in Soebo.«

»Dank sei unserem Gott.«

»Hat Joesai dich geschickt?«

»Wohl kaum. Von ihm selbst liegt uns keinerlei Nachricht vor. Hoemei, der zu Aesoes Mitarbeitern zählt, hat mich gebeten, dich sicher nach Kaiel-Hontokae zu geleiten. Hoemei bereitet Hilfslieferungen für die Küste vor. Uns sind gewisse Meldungen zugegangen, nach denen eine Hungersnot bevorsteht. Was kannst du uns dazu sagen?«

»Die Unterzängler verwüsten die Ernte. Die Mnankrei brennen unsere Getreidespeicher nieder. Wir benötigen Beistand.«

»Ein Glück, daß wir uns getroffen haben.«

»Der Preis, den ihr Kaiel für eure Hilfe verlangen werdet, ist zu hoch.«

Gaet lachte abgehackt auf, verfiel jedoch in Schweigen. Mit gespreizten Fingern begann er seine Suppenschüssel zu drehen, während er sie versonnen betrachtete. Oelita fiel auf, daß er nur neun Finger besaß. Einer der kleinen Finger fehlte. Wohlriechender Dampf stieg von der Suppe auf und verflüchtigte sich, ganz wie Gedanken, die kamen und gingen. »Diese Schüssel...«, setzte er an. »Hat 'n hübsches Muster, hm? Diese Mondkinder, die da umherhüpfen, als gäbe es für sie nichts anderes, gefallen mir. Dir auch?«

»Ich habe noch nie solche Formen gesehen, auch keine so miesen, stumpfen Farbtöne.«

»Eine sehr feine Glasur. Die Gefäße splittern leicht ab. Das ist kein Steingut. Solche Töpferwaren gibt's in Kaiel-Hontokae häufig, aber an der Küste vielleicht weniger. Sie werden in einem winzigkleinen Bergdorf gebrannt, und ich spreche überhaupt nur davon, weil die Kaiel vor längerem mit einem Abkommen dafür gesorgt haben, daß diese Waren größeren Absatz finden. Hätten wir solche Töpferwaren jemals benötigt? Kaum. In dem Dorf hat Not geherrscht, und das war der einzige Ausweg. Haben wir irgendeinen übermäßigen Vorteil dabei herausgehandelt? Nein. Wir hätten's tun können. Wir hatten damals dazu die Macht, und wir haben sie noch heute. Aber wir Kaiel sehen beinahe mit der Deutlichkeit von Tagträumen in die Zukunft. Unnachsichtige Verhandlungen mit entsprechenden Ergebnissen, wie vorteilhaft sie zunächst auch sein mögen, führen lediglich zu Zwietracht in der Zukunft, das hat sich immer, immer wieder gezeigt. Es stimmt, daß wir über gewisse Fragen vorzugsweise in schweren Zeiten in Verhandlungen eintreten, ja, denn darin besteht ja unsere Geschicklichkeit, Unheil abzuwenden und in Gutes umzukehren, Arme und Beine, Haupt und Herz, Leber und Arsch glücklich miteinander zu vermählen, aber wir legen's keineswegs vorsätzlich darauf an, Abmachungen einzugehen, die sich später, wenn die Zeiten wieder besser sind, als nutzlos herausstellen.«

»Ihr werdet uns Nahrung gegen Einfluß bieten«, sagte Oelita bitter. »Genau wie die Mnankrei.«

Er schüttelte den Kopf. »Lebensmittellieferungen in dem Umfang, wie die Mnankrei sie von ihren Inseln herüberzuschiffen vermögen, können wir gar nicht liefern. Die Berge und die Entfernung sind große Hindernisse, aber wir können euch den Vorteil bieten, daß es sich unter unserer Herrschaft vernünftiger leben läßt. Nicht die Kaiel haben menschliche Gene den Leibern von Unterzänglern eingepflanzt, so daß Kinder nicht in den Genuß des Weizens gelangen, den ihre Eltern im Schweiße ihres Angesichts angebaut haben.«

»Das haben sie getan? Auch das?!«

»Irgendwer hat's getan.«

»Ihr habt menschliche Gene in den Unterzänglern gefunden, die Nonoep nach Kaiel-Hontokae geschickt hat?«

»Ja.«

»Das ist ja verbrecherisch! Wie gräßlich!«

»Eine krankhafte Entartung der Macht, wie sie dann und wann vorkommt. Wenn ein Priester mehr Macht zu brauchen glaubt, als er benötigt, um Schmied der menschlichen Bestimmung zu sein, dann kann so etwas geschehen.«

Oelita sah vor sich die Flammen, die himmelhoch aus den Getreidespeichern bei Trauerweiler loderten, sah in ihrem Feuerschein deutlich das überhebliche Gesicht des Seepriesters Tonpa. Doch waren die Kaiel denn ehrbarere Leute?

Zu Oelitas Verdruß machte sich Gaet nun daran, auch noch andere Clans herabzusetzen, wohl in der Hoffnung, damit das Ansehen der Kaiel in ihren Augen erhöhen zu können. »Die Stgal haben euch im Stich gelassen. Ihr könntet dort an der Küste ein wohlhabendes Völkchen sein, aber ihr seid arm. In eurem Land stecken mehr Reichtümer als in Kaiel-Hontokae. Trauerweiler könnte eine ganze Flotte von Schiffen haben und es durchaus mit den Mnankrei aufnehmen, aber es ist bloß ein kleiner Hafen. Hat Soebo einen besseren Hafen?«

Sie hatte genug von seinen hinterhältigen Großtuereien. »Und ihr werdet eure Kinderhorte auch bei uns einrichten und dadurch euren Fleischmarkt versorgen!«

Die Antwort kam leichtzüngig und schlagfertig über seine Lippen, als habe er sie schon tausendmal gegeben. »Nur wir Kaiel unterhalten Kinderhorte. Auf diese Weise züchten wir unsere Führungsschicht heran. Wir mischen uns in die Zuchtregeln anderer Clans nicht ein. In Hungerzeiten beugen die Clans, die sich uns zur Treue verpflichtet haben, sich unserem Willen. Sie handeln freiwillig und verschwören sich dem überlegenen Priester-Clan mit ihrem Blut.«

»Wenn ich das Blut in den Tempeln sehe, glaube ich, wir kämen ganz gut ohne die Priester-Clans zurecht.«

Gaet hob die Schultern. »Derlei ist schon versucht worden. Die's versuchten, haben die Hungersnöte nicht überlebt.«

Oelita kam eine flüchtige Erinnerung an ihre Kinder, wie sie sie in ihrer Sacktasche, weil ihre Beinchen unbrauchbar waren, zum Meer getragen hatte. Helle, kluge Äuglein hatten sie gehabt, wenn sie sich ein Nest von Sandkäfern anschauten. Sie spürte Tränen in ihren Augen aufsteigen. Unvermittelt ergriff sie Gaets Hand. »Streite nicht mit mir.«

»Ich stehe auf deiner Seite«, beruhigte er in tröstlichem Tonfall, als ahne er ihre Gedanken.

»Wie sollt ihr denn überhaupt Weizen durch diese Berge befördern? Sie haben keinen Eindruck auf mich gemacht, solange sie für mich nur ein Wort und ein dunstiger Streifen am Horizont waren... aber jetzt bin ich hier, und ich finde die Berge schauerlich.«

»Komm mit.« Er nahm ihre Hand und führte sie hinaus in den Wind, der durch die Schlucht heulte. Oelitas Kleid flatterte. Gaet scherte sich nicht um die Kälte, obwohl er schlotterte. Unterm Grimmigmond, teilweise verdunkelt von den Gipfeln, wirkte die Welt düster und bedrohlich.

»Wir erfrieren ja hier draußen!«

Gaet zog sie näher an sich heran, geleitete sie hinter den Gasthof, wohin das wüste Wehen weniger vordrang, zumal eine zerklüftete Felswand den Standort etwas abschirmte. Sie gelangten zu einer aus leichten Teilen zusammengesetzten Maschine mit drei dünnen Rädern, vom Schneetreiben halb zugeschneit. »Eine neue Erfindung. Das Fahrzeug sieht nicht besonders widerstandsfähig aus, zugegeben, aber seine Benutzung verstärkt die Körperkräfte eines Ivieth in beträchtlichem Maß. Man kann damit nicht mehr bewegen als einen Einmannwagen, aber dafür kommt man wesentlich schneller voran. Wir bauen die Straße aus, damit diese Fahrzeuge künftig freizügig benutzt werden können. Dann kann mit ihnen Weizen nach Westen befördert werden, und auf der Rückfahrt können sie Menschen, die vor der Hungersnot flüchten, in Auffanglager in den Hügeln oberhalb Kaiel-Hontokaes bringen.«

Oelita dachte an die schnellen mnankreischen Schiffe und den guten Hafen Trauerweilers; und gleichzeitig an die Klagenden Berge und den gefahrvollen Weg durchs Tal der Zehntausend Gräber. War dieser Mann sich der Abwegigkeit und Lächerlichkeit seines Unterfangens nicht bewußt – des Einfalls, man könne mit einem derartig zerbrechlich zusammengezimmerten Gefährt eine so furchterregende Landschaft meistern? »Laß uns wieder hineingehen.«

»Du wirkst nicht gerade überwältigt.«

»Wie sollte ich wohl?«

»Ich bin's auch nicht unbedingt«, bekannte Gaet, den ihre Gleichgültigkeit anscheinend recht niedergeschlagen machte. »Aber mehr haben wir nicht aufzubieten.«

Sie lud ihn in ihr kleines Zimmer ein, und er entfachte dort für sie ein Feuer, dann kramte er nach einer gesteppten Decke, mit der sie sich den Rücken wärmen könne. Sein Benehmen war immerhin sehr lehrreich für sie. Auch die Kaiel waren allesamt verschieden. Dieser Kaiel war nicht so gewalttätig wie Joesai. Er zeichnete sich durch leicht ansprechbare Mitfühlsamkeit aus. »Ich muß dir noch eine Frage stellen.« Gaet nickte, indem er noch einen Strunk, der von irgendwelchem Strauchwerk stammte, ins Feuer schob. »Bist du geschickt worden, um mir den Kristall zu entwenden? Ich habe ihn nicht bei mir.« Trotz klang in ihrer Stimme mit. Er hob den Blick, der Schein des Feuers flackerte über die narbigen Tätowierungen in seinem Gesicht. Seine Miene verriet nichts, keine Überraschung, keine plötzliche innere Anspannung. Er wartete lediglich darauf, daß sie weiterspräche. Er hatte nicht verstanden, was sie mit ihrer Frage gemeint hatte; vielleicht stimmte es, daß er sich unterdessen nicht mit Joesai verständigt hatte. »Ich meine einen Kristall«, erläuterte sie, »den Joesai eine Versteinerte Stimme Gottes genannt hat.«

»Du hast so einen Kristall? Ja, wahrlich, an so einem Ding könnte sich Joesais Vorstellungskraft entzünden. Ich habe davon kaum Ahnung.«

Oelita war enttäuscht. Gaet nahm offenbar zu dem Kristall eine vollkommen andere Haltung ein als Joesai. Sein mangelndes Interesse erfüllte sie erneut mit Furcht. Sie hatte ihre Sicherheit vom Wert des Kristalls abhängig gemacht, den die Kaiel – das war ihr Eindruck gewesen – ihm beimaßen, aus welchen abergläubischen Gründen sie es auch auf ihn abgesehen haben mochten. »Ist der Kristall für euch von keinem Wert? Ich habe gedacht, ich könnte ihn gegen Weizen eintauschen.« Ursprünglich hatte sie diesen Einfall für gut erachtet. Nun kam er ihr auf einmal lachhaft vor.

»Ich werde dich einer Frau vorstellen, die ganz bestimmt an dem Kristall außerordentliches Interesse hat.«

»Du beharrst nach wie vor darauf, mich zu begleiten?« Sie fühlte sich nicht mehr allzu sicher.

»Ich muß. Hier ist kaielisches Gebiet. Dir bleibt keine Wahl.«

»Die Kaiel haben mir das Ritual des Todes auferlegt. Ich wollte, dieser kindischen Spielerei könnte ein Ende gemacht werden. Ich wünsche, daß man mich vor solchem Unfug beschützt.«

»Joesai?«

»Ich fürchte mich vor ihm. Ich fühle mich verfolgt, als würde er mir sogar hier in den Bergen nachstellen.«

»Schöne Frau, ich werde dich vor ihm in Schutz nehmen.«

Aufgrund einer unwiderstehlichen inneren Anwandlung begann sie Gaet nach Dolchen zu durchsuchen. Er lachte nur und hockte sich ans Feuer, ließ sich von ihr abtasten.

»Ist der Ritus des Todes eine persönliche Sache Joesais, oder ist er eine Angelegenheit des Clans?«

»Sobald er das Ritual jemandem auferlegt, wird es zur Obliegenheit des ganzen Clans.«

»Dann kehre ich zurück nach Trauerweiler.«

»Nicht nötig. Solche Fälle können auf mancherlei Weise ablaufen.«

»O ja!« brauste Oelita auf. »Zum Beispiel könntest du mich heute nacht umbringen. Ich weiß keinen Grund, warum ich dir vertrauen sollte.«

»Wie viele der Sieben Proben hast du schon bestanden?«

»Drei, hat Joesai gesagt. Ich zähle vier. Außerdem fürchte ich mich nun einmal.«

Gaet ließ sich Erheiterung anmerken. »Anscheinend hat Aesoe bezüglich deiner Kalothi recht.«

»Ich bin bloß eine Frau. Ich bin sterblich. Das Leben selbst ist ein Ritual des Todes, das niemand überlebt.«

Er überlegte. »Ich will dir sagen, was wir machen können. Damit genügen wir sämtlichen Anforderungen. Wir werden nach Kaiel-Hontokae nicht die Straße nehmen. Wir schlagen uns quer durch die Berge, durch die Weiße Wunde. Das wird die fünfte Probe sein.«

»Ihr haltet so wenig von euren eigenen Bräuchen, daß ihr ihrer spottet!« schnob Oelita verächtlich, wich aus Gaets Nähe und ließ sich auf den Kissen nieder, schlang die Decke um ihre Schultern.

Gekränkt sah Gaet sie mit vorwurfsvoller Miene an. »Die Weiße Wunde ist alles andere als ein Gespött. Dieser Berg ist noch immer lebensgefährlich.«

Entsetzen packte Oelita. Er meinte es ernst. »Erst vor wenigen Augenblicken hast du noch versprochen, mich zu *schützen!*« Sie hatte ihre Reise mit dem Gespenst des Rituals in ihrem Nacken gemacht, sich abgehetzt, sich oftmals vergeblich über die Schulter umgeschaut – und nun blickte sie nach vorn und sah diesem Unhold aus unmittelbarer Nähe in die Augen. In Gaets Gestalt wärmte er sich zwischen ihr und der Tür die Hände am Feuer.

»Ich *werde* dich schützen. Nirgendwo ist vorgeschrieben, daß jemand das Ritual des Todes allein durchstehen muß. Verhält's sich etwa nicht so, daß ein Mensch, dem man nicht helfen kann, niedrig an Kalothi sein muß?«

»Es heißt, daß ihr Kaiel von Maschinen geboren werdet, und es ist wahr!« schimpfte Oelita. »Es ist wirklich wahr! Du bist selbst eine Maschine. Genau wie Joesai!«

»Über die Weiße Wunde zu steigen, ist ein aufregendes Erlebnis. Weshalb sollte man einem etwaigen Tod voller Grauen und Schmerzen entgegengehen, wenn man die Wahl hat, sich für einen möglichen schönen Tod zu entscheiden?«

Diese Kaiel! Was für eine Art, mit dem Schreckgespenst des Todes zu leben! Was für ein sittlich entartetes Volk! »Ich will Ruhe! Ich will Frieden! Ich habe immer nur Ruhe und Frieden gewollt!« Sie schrie in ein Kissen, bis Schluchzen sie schüttelte. »Ich möchte endlich von euch Priestern zufriedengelassen werden. Laß mich allein!«

Doch er befand sich schon an ihrer Seite, streichelte ihr Haar. »So einfach ist das alles niemals.«

Während des Aufstiegs am schroffen Hang, der die Nordseite der Weißen Wunde bildete, wurde Gaet inmitten der Wildnis Oelitas Geliebter. Die Gefahr erschöpfte Oelita, und Gaets Zärtlichkeit verhalf ihr jedesmal zu neuen Kräften. Sie begriff selbst nicht, woher es kam, daß sie ihm auf einmal traute, oder weshalb es ihr plötzlich so viel bedeutete, mit ihrer Kraft auf ihn Eindruck zu machen, oder weshalb sie anfing, ihn zu lieben.

Auf der vom Wind umfegten, eisigen, öden Höhe des Gipfels saß sie schließlich da, dicht an Gaet gedrängt, und genoß ehrfürchtig den bemerkenswertesten Ausblick ihres Lebens: unter ihr bläuliche und blaurote Umrisse anderer Berge, voraus eine weite, gelbliche Ebene, die sich bis an den Horizont erstreckte. Sie vermochte sogar den dunklen, länglichen Fleck, der Kaiel-Hontokae war, zu erkennen. Sie befanden sich so hoch, daß der Mond nicht mehr hinter den Berggipfeln stand. Die Sonne ging in der ungeheuren Pracht verschiedener Rottöne auf. Hier oben war der Mensch ein Nichts.

29

Die Mnankrei-Priester behaupten, daß die Zukunft, weil die Vergangenheit bekannt und unabänderlich ist, ebenfalls bereits feststehen müsse – ist es denn nicht auch so, pflegen sie zu argumentieren, daß schon im genetischen Grundmuster die spätere Entwicklung des erwachsenen Menschen bekannt ist? Welche Schandtat sie auch begehen mögen, stets verweisen die Mnankrei auf die geschichtliche Zwangsläufigkeit des Vorfalls – denn wenn die Vergangenheit und die Zukunft gleichermaßen feststehen, so reden sie sich heraus, wie hätte es dann anders kommen können? So wird das Verbrechen von Priestern als unvermeidlicher Schritt in der Entwicklung der Rasse zu ihrer endgültigen Bestimmung gerechtfertigt. Das ist Anmaßung.

Die Mnankrei behaupten, daß ein mnankreischer Priester nach gründlichem Zurateziehen ihrer Lehren in Trance Bilder dieser angeblich festgelegten Zukunft schauen kann. Das ist eine Falschheit.

Jede rückwärtige Übermittlung von Tatsachen durch die Zeit trägt zur Zersetzung der Zukunft bei. Bereits die bloße Einblicknahme in die Zukunft verändert sie. Nicht einmal Gott kann die Erste Regel der Hellsichtigkeit umstürzen.

Besäßen wir eine Fackel, mit der wir das Dunkel der Zukunft zu erhellen vermöchten, so wie Getas Sonne den düsteren Grimmigmond aufhellt, dann würde das, was wir sehen könnten, niemals geschehen.

Manche Ereignisse, so wie die Bewegungen der Planeten, sind von großer zeitlicher Beständigkeit. Wer kann die Bahnen der Himmelskörper verändern? Wenn wir sie betrachten, kommt es dahin, daß wir an eine Vorherbestimmung glauben.

Andere Vorkommnisse, etwa der Brand eines Hauses, haben wenig zeitliche Unabdingbarkeit. Ein Mann, der voraussieht, wie morgen sein Haus brennt, kann rechtzeitig die Kerze löschen, die das Feuer entfacht hätte.

Künftige Geschehnisse mit großer zeitlicher Beständigkeit gleichen den Wassern eines Teichs an der Sohle eines Tals. Zukünftige Ereignisse mit geringer zeitlicher Beharrung sind wie ein sehr wackliger Stein, der in den Bergen auf einem Grat am

Rande der Tiefe steht, und wenn ein Bergsteiger beschließt, ihn fortzuräumen und ihn umstößt, dann wird er in jede Richtung stürzen, die dem Bergsteiger beliebt.

Die Zukunft, die man sehen kann, ist nicht die Zukunft, die sein wird. Prägt euch diesen Grundsatz gut ein, kaielische Kinder, und lernt ihn nutzen. Wer ihn gut beherrscht, kann einmal Erzprophet werden.

Foeti pno-Kaiel, Kinderhort-Lehrer der maran-Kaiel

Hoemei verließ den Nachrichtenraum und streifte ziellos durch den goldenen und alabasternen Prunk des Palastes. Es war keine weitere Mitteilung aus Soebo eingetroffen. Seit Tagen fehlte nun schon jede neue Kunde über das Schicksal Joesais und Teenaes. Er bedurfte irgendeiner Bestätigung ihres Todes, damit sein ruheloser Drang, etwas zu unternehmen, sich endlich mäßigen konnte. Noe drohte, sie wolle zur Nordküste reisen, bei den Verbündeten ihrer Mutter eine Flotte zusammenstellen und damit nach Soebo segeln. Eine soche Maßnahme müßte das größte Unheil heraufbeschwören. Hoemei sah nichts voraus als brennende Schiffe und mnankreische Horden voller Hochstimmung beim Gerichtshof glückloser Kaiel, die nun einmal keine Seefahrer waren.

Er wanderte im Palast umher, bis Essensduft aus dem großen Speisesaal, dessen Betrieb zwanzig Köche beschäftigt hielt, in ihm ein nagendes Hungergefühl wachrief. Der Speisesaal war eine Stätte, an der sich Kaiel trafen und Beschlüsse faßten. Sie waren ein Clan, bei dem man, wenn man gemeinsam arbeitete, gleichzeitig gerne tafelte.

Von der großen hölzernen Tafel, an der nur die mächtigsten Kaiel sich niederzulassen wagten, rief Aesoe ihm eine Begrüßung zu.

Bei ihm befand sich Kathein. Der Anblick fuhr Hoemei in die Glieder.

Um das Paar nicht ansehen zu müssen, richtete er seinen Blick auf die kleine Liethe, ebenfalls in Aesoes Begleitung. Aesoes Liethe waren so kalt wie ein nördlicher Fluß, der dazu verdammt war, stets von Eistrümmern überzufließen, bis sie einen unvermutet auf eine Art und Weise anlächelten, daß einem zumute war, als sei man soeben der größten Liebe seines Lebens begegnet. Hoemei hatte diese Weiber immer gemieden, als wären sie reines Gift, obwohl das schwerfiel, denn Aesoe hielt viel von Geselligkeit und teilte sie gern, als seien sie ein feiner Likör, aufdringlich mit seinen engsten Freunden – eine Gunst, die ihren Preis hatte. Dieser Preis hatte Hoemei nie behagt: er bestand aus unbedingter Treue zu Aesoe.

Die blauen, fleckigen Augen der Liethe beobachteten ihn keck. Früher hatte er diesen Frauen als äußeren Beweisen von Aesoes Macht nichts als Abneigung entgegengebracht, aber er hatte seine Ablehnung abgestreift, als eine der Liethe – er vermochte sie nie voneinander zu unterscheiden – ihm das erste Mal Tee reichte und ihn mit unverhohlenen Schmeicheleien behäufte. Er konnte ihnen nicht oft genug beim Tanzen zuschauen, und sie tanzten häufig auf Aesoes Gastmählern. Manche Leute behaupteten, sie seien sehr klug, doch wie anmutig sie auch sein mochten, für Hoemeis Geschmack waren sie bei weitem zu unterwürfig. Diese Liethe hier bediente Aesoe und Kathein – doch sie aß in ihrer Gegenwart mit einem Selbstbewußtsein, als sei sie ihnen gleichgestellt.

Kathein und Aesoe.

Er empfand Verbitterung. Am liebsten wäre er Aesoe jetzt aus dem Wege gegangen, aber der Erzprophet war mit Kathein gekommen. Die Versuchung war unwiderstehlich. Seit Aesoes Entscheidung hatte sie nicht mehr mit ihm gesprochen. Nun würde sie mit ihm reden müssen.

Er strebte hinüber zu der Tafel. Kathein tat so, als führe sie mit dem Erzpropheten ein ungemein angeregtes Gespräch, und erst, als Hoemei neben den beiden stand, schaute sie ihn an und nickte.

Er nickte ihr zu. Sie sagten nichts zueinander.

»Kathein erzählt mir gerade von einem interessanten neuen Verfahren, das sie ausgeheckt hat und das in den Bereich des Nachrichtenwesens fällt. Sie will weitreichende Wärmewellen vom Mond zurückwerfen lassen.«

»Eine Abwandlung des Spiegeltricks«, sagte Hoemei mit unterkühlter Höflichkeit.

»Nein, nicht«, widersprach Kathein in scharfem Ton. »Die Wellen sind ähnlich wie beim Schallstrahl, nur kürzer und schwieriger zu erzeugen. Wir arbeiten noch daran.«

An Hoemeis Seite stand in wonniger Aufgewecktheit die Liethe und schaute zu ihm auf, bot ihm eine Auswahl von Pasteten zur Ergänzung der trockenen Kekse an. Das war für ihn ein guter Vorwand, um Kathein unbeachtet zu lassen. Im selben Augenblick, als er lächelte, ergriff dies seltsam wenig tätowierte Geschöpf das Wort. »Wenn du hungrig bist, ist der gebackene Spei jetzt genau richtig. Der ist's nämlich, was hier so kräftig riecht. Ich bringe dir welchen.« Die Liethe wartete.

»Honieg, bring auch noch 'n Krug Met mit«, sagte Aesoe.

Die Liethe berührte Hoemei sachte mit den Fingerspitzen, nahm sie unverzüglich wieder fort. »Er hat nicht gefragt, ob *du* tatsächlich Met möchtest. Es gibt heute auch Säfte.«

»Met ist mir recht.«

Als er seinen Blick wieder Kathein zuwandte, bemerkte er, daß sie ihn besorgt musterte. »Hast du Neues von Joesai und Teenae gehört?« fragte sie in förmlichem Tonfall.

»Es besteht kein Grund zu der Annahme, daß sie nicht tot sind.« Er antwortete absichtlich mit grausamer Unverblümtheit.

Kathein schien schrumpfen zu wollen. »Ich habe ihm geraten, vorsichtig zu sein.«

»Für Joesai hat nie irgendwelche Hoffnung bestanden«, sagte Aesoe ernst.

Hoemei fehlten die Worte. In seinen Augen schwammen Tränen, mehr weil er gerade zu Kathein so herzlos gewesen war, als um Joesais willen. Es brauchte geraume Zeit, bis er die volle Selbstbeherrschung zurückgewonnen hatte. Aesoe verzichtete auf weitere Bemerkungen. Kathein fiel es schwer, ihre plötzliche innere Aufgewühltheit zu meistern.

»So, dann erzähl mir mal Näheres über die Schallstrahlen, die du vom Mond zurückwerfen lassen willst. Und was wird die andere Seite Getas zur Unterhaltung beitragen? Ich vermute, du wirst wohl nicht auch mit den dortigen Getanern sprechen wollen?« Er verabscheute die eigene Spötterei, kaum daß er sie geäußert hatte.

Honieg kam mit der Speise, und Hoemei nutzte die Aufmerksamkeit, die ihm die Liethe widmete, wiederum als Vorwand, um den Mund zu halten, während Kathein sich sinnlos in zahlreichen Einzelheiten ihres Vorhabens erging. Unterdessen wandte die Liethe nicht den Blick von Hoemei, und schließlich, nachdem er gegessen hatte, wandte sie sich an Aesoe. »Er ist randvoll mit Gram, Aesoe prime-Kaiel. Wenn es dir gefällt, werde ich mich seiner annehmen.«

»Nein, laß mich mit ihm reden«, sagte Kathein beklommen. »Ich werde mich um ihn kümmern.«

»Du bleibst hier«, befahl Aesoe.

Hoemei verließ die lange Tafel mit schroffer Plötzlichkeit, doch die Liethe folgte ihm mit den fließenden Bewegungen eines Schattens. Das ärgerte Hoemei. »Ich habe nicht um deine Gesellschaft ersucht.«

»Aber ich habe um deine gebeten.« Die se-Tufi die in Demut wandelt sprach mit gedämpfter Stimme. »Du bist mir aufgefallen, und ich wünsche mir schon seit Jahren, einmal mit dir allein sein zu können«, log sie. »Auf in dein Gemach, Hortkind«, fügte sie dann mit sanftem

Nachdruck hinzu, »ehe du zusammenbrichst.«

Es war ihm ebenso rätselhaft wie unangenehm, daß ihn, als sie ihn – mit dem leichten Geträller in ihrer Stimme – »Hortkind« nannte, Aufwallungen des Kummers heimsuchten, und er mußte sich der Gespenster früherer Verluste erwehren. In seinem Gemach zündete sie eine einzelne Kerze an. Ihre Anwesenheit erinnerte ihn daran, wie er sich in seiner Kindheit Frauen auszumalen pflegte, wenn er von ihnen träumte. Solche Frauen hatten sich in jener grauenvollen Nacht der Tückischen Prüfung – nun schon so lange vorüber – über ihn gebeugt. Sie drehte sich ihm zu, und er wußte nicht einmal mehr den Namen des Jahres.

»Es ist nicht recht, daß sie alle tot sind, nicht wahr?« meinte sie, ohne näher zu bezeichnen, von welchen Toten sie sprach.

Er sah vor sich tote Gefährten aus der Kinderhortzeit, Totenfeiern und die Seziertische im Kinderhort, und Sanan, seinen wackeren Bruder, der schon als Knabe in der Wüste hatte sterben müssen. Hoemei weinte. Die Liethe sprach erst wieder zu ihm, als er sich beruhigt hatte, und auch dann nur, um irgendein neues Grauen auszuloten, einen schwarzen Leichnam aus einer Senkgrube zu fischen, ihn von neuem zum Weinen zu bringen.

Er redete über seine Familie, anfangs zusammenhanglos, danach jedoch in ruhiger Leidenschaftlichkeit, und endlich mußte er lachen. Ihm fiel ein, was für eine schlechte Verliererin Teenae war, wenn jemand sie beim Kol schlug. Irgendwann während dieses Geplänkels entfernte sich Demut aus seiner unmittelbaren Umgebung, und als er sie schließlich wieder bei sich bemerkte, sah er sie in gelassenem Ernst in einem Kissen lehnen, die Ellbogen am Fußboden, und ihm aufmerksam zugewandt.

»Sag mir«, erkundigte er sich mit ehrlicher Zuneigung für dies Geschöpf, »wie kommt es, daß ein Mann, wenn er deinesgleichen in die Augen schaut, den Eindruck hat, soeben der Liebe seines Lebens zu begegnen?«

»Weil er mich nicht haben kann«, zog sie ihn auf.

»Hast du bei so etwas nie das Gefühl, deiner großen Liebe begegnet zu sein?«

»Warum sollte ich? Ich kann jeden Mann haben, der mir gefällt. Wie geht's meinem so traurigen Freund denn inzwischen?« Sie lächelte und blickte ihm geradewegs in die Augen.

»Ich glaube, ich bin wieder wohlauf. Ich habe tagelang wie in einem Abgrund vor mich hingebrütet. Du gehst nun wohl besser zurück zu Aesoe. Meinen Dank.«

»Ich bleibe. Aesoe ist der Auffassung, daß du einmal von deiner Arbeit ausspannen und dich erholen mußt. Ich bin auch dieser Ansicht.«

»Welche von euch dreien bist du überhaupt? Ich bringe euch stets durcheinander. Aesoe behauptet, er kann euch unterscheiden.«

»Ich bin die leichtmütige Gespielin. Ich bin schnell erregbar und neugierig. Ich bin begierig auf dich. Aesoe glaubt, ich sei ohne Verstand, aber ich bin viel klüger, als er denkt. Ich brauche bloß jemanden wie dich, der diese Eigenschaft in mir weckt. Möchtest du etwas ganz Freches tun?«

»Du weckst in mir meine Schüchternheit.«

Sie rückte näher, um seine Lenden zu umschlingen. »Ich bin auch schüchtern. Männer meinen von kecken Frauen immer, sie seien nicht schüchtern. Sie glauben, bloß weil wir kühn die Gemächer eines Mannes betreten, in die sich noch kein Weib gewagt hat, würden wir uns nicht schier zu Tode fürchten.«

»Ich bin fest davon überzeugt, daß du dich vor gar nichts fürchtest.«

»O doch, ich fürchte mich. Mich sorgt, was du machen wirst, wenn ich dir jetzt ein Schlafliedchen ins Ohr singe.« Anmutig richtete sie sich auf, schob ihre Finger in sein Haar, indem ihr Leib sich an seinen Körper schmiegte, und legte ihre Lippen an seine Wange. Sie sang beinahe im Flüsterton.

»Wenn Käfer zirpen
Und Kindlein lauschen,
Kann da der Wind noch toben?
Schritte kommen,
Kitzeln am Kinn,
Ein Kinderlächeln mag's loben.«

Sie küßte sein Ohr. »Ich habe nichts als Unsinn im Kopf. Du hast komische Ohren. Weißt du, daß Aesoe behauptet, du hättest ein magisches Ohr und könntest damit alles hören, was irgendwo auf dem Planeten vorgeht? Ist das wahr? Ist das ein kleines magisches Ohr, das ich hier küsse?«

»Könnte man fast sagen.«

»Aesoe sagt, es ist ganz geheim.«

Hoemei lachte. »Er denkt an strategische Vorteile. Ich glaube nicht, daß Geheimnistuerei eine große Hilfe ist. Meine Voraussage lautet, daß die Kaiel viel mächtiger sein werden, sobald das Geheimnis allgemein bekannt ist und jeder ein magisches Auge bauen kann.«

»Das können doch nur die Kaiel.«

»Nein, es ist ganz leicht. Man braucht dazu ein paar Längen Draht und einige Stücke Glas, die man auf magische Weise zusammenbaut, die jeder erlernen kann, mehr ist nicht dabei. Ich kann's dir zeigen.«

»Vermagst du tatsächlich mit fernen Gegenden zu sprechen?« Demut zeigte sich beeindruckt.

»Sicherlich.«

»Auch mit Soebo?«

»Gerade mit Soebo.«

»Du weißt nicht richtig darüber Bescheid, was aus Joesai und Teenae geworden ist, habe ich recht? Kann sein, daß sie noch leben. Ich könnte das herausfinden, wenn du mich mit Soebo sprechen läßt. Aesoe würde mir das bestimmt nicht erlauben, deshalb müßten wir's im geheimen tun. Kannst du ein Geheimnis hüten?«

»Du hast Bekannte in Soebo?« Auf einmal war Hoemei höchst interessiert.

»Natürlich. Wir Liethe unterhalten überall unsere Wohnheime. Wir haben schon für die Mnankrei Konkubinen abgegeben, lange bevor ich geboren worden bin. Wir dürfen auf ihren größten Schiffen mitfahren. Ihre Weiber mögen uns nicht, aber das sind wir gewohnt. Deshalb wissen wir ganz sicher alles, was in Soebo geschieht, ausgenommen das, worüber die Frauen nur unter sich schwatzen.«

Hoemei schlich mit Demut in den Nachrichtenraum und ließ eine Verbindung zu seinen Spionen in Soebo herstellen. Sobald die Verbindung geschaffen war, schob er Demut die runden Hörmuscheln über die Ohren, und sie lauschte offenen Mundes der verknisterten Stimme. Ja, wahrhaftig, wenn sie selber etwas sagte, antwortete der Schallstrahl ihr sogar! Sie unterwies ihren Gesprächspartner in gewissen Einzelheiten einer rätselhaften Geheimsprache, dank der er beim dortigen Liethe-Heim Gehör finden konnte. Sie sagte ihm, damit sei er in die Lage versetzt, die Auskünfte zu bekommen, die er wollte. Der Mann in Soebo versprach, sich in ein oder zwei Tagen seinerseits zu melden.

Demut war hinsichtlich der elektronischen Dämonen, die im weichen roten Schimmern der verschlossenen Behälter tanzten, sehr wissensdurstig. Der Umfang und die schwierige Beschaffenheit der fremdartigen Apparaturen ließ sie erschaudern, und sie hantierte zaghaft an ihnen herum, bis sie einen leichten elektrischen Schlag erhielt, so daß sie bestürzt zurückfuhr. »Du hast gesagt, ich könnte auch so was bauen«, schmollte sie. »Die Maschine mag mich nicht. Sie hat mich getreten! Und dabei habe ich sie nur ein bißchen gestreichelt.«

30

Ein Mensch allein ist ein Krüppel, gleichsam an seine Bettstatt gebunden, ebenso erniedrigt wie erhoben durch die alltägliche Mühsal, über die unbedeutendsten Kleinigkeiten zu siegen, so daß sogar das Schnüren eines Stiefels eine beträchtliche Herausforderung sein mag. Wann kann der Eine mehr erreichen?

Zwei mögen wohlgemut miteinander leben, sich bisweilen stürmischer Höhen des Glücks erfreuen, wenn das Wetter und die Zeiten mit ihnen sind, das Schicksal ihnen hold lächelt und der Tod sie nicht scheidet. In einer solchen Vereinigung muß der Mann der Armut ein Gelübde ablegen: denn sein eines Weib wird so reich wie in seinen Träumen niemals sein können. Die Frau muß in einer solchen Vereinigung Schwächen und Mängel zu schätzen lernen: denn ihr einer Mann wird zu schwer arbeiten müssen, um ihr der beste Liebhaber sein zu können. Wenn die Erwartungen gering sind und das Dasein sich von einer günstigen Seite zeigt, kann ein Zweier sich gut bewähren.

Ein Dreier sucht rastlos nach einem weiteren Gefährten, so wie die Wasser stets das Meer suchen, doch von allen Ehegemeinschaften ist es der Dreier, in dem die geringste Zwietracht herrscht. Ein Stuhl mit drei Beinen wackelt nicht.

Ein Vierer befindet sich an der Schwelle zur Weisheit der Gefühle. Nur Meister der vier Stufen der Liebe und der vier Speichen der Treue vermögen einen Vierer in ausgewogenem Gleichgewicht zu halten, ohne ein Glied der Gemeinschaft zu verlieren. Der Vierer ist für die Spieler des Spiels der Liebe, die das Spiel schon gewonnen haben.

Wie ein Dreier ist der Fünfer im Sinnlichen wechselhaft, aber in den Wandlungen seiner Harmonien gedeiht er um so üppiger. Der Fünfer ist ein Kraftverstärker von großer Wirksamkeit, gestützt auf Treue, Liebe, Erfahrung, Verständigung und Anpassungsvermögen. Die Glieder eines Fünfers sind Adepten des Beilegens von Zwistigkeiten. Man sagt, daß ein Clan, dessen Führer einen Fünfer zustande gebracht haben, in guten Händen liegt.

Ein Sechser ist die Ehegemeinschaft der Vollkommenheit. Die Kinder der Sechser werden die Sterne erben, denn das Zeichen des Sechsers ist der Stern.

Eine der Fassungen der Vorrede zum Treueschwur aus dem *Kaielischen Buch der Rituale*

In Schichten abwechselnd beförderten Ivieth die Sänfte im Laufschritt. Auf der letzten Strecke ihrer Reise blieb Gaet wach, während Oelita neben ihm döste. Er hielt sie im Arm und ließ sie an seiner Schulter ruhen. Die Weiße Wunde lag weit hinter ihnen, und sie befanden sich wieder auf der unebenen Straße, kamen bisweilen an einem der auffälligen Skrei-Räder vorüber. Es geschah nach einem Ruck, der die Sänfte durchfuhr, daß sie über seiner Schulter, als sie die Augen aufschlug, zum erstenmal die Stadt Kaiel-Hontokae auf den gewellten Hügeln ausgebreitet liegen sah. Die Stadt wirkte auf sie gewaltig groß, selbst wenn sie erst einmal nur von der Zahl der Aquädukte ausging, die auf die noch fernen Dächer zuführten.

Als sie hingelangten, dachte Oelita, daß sie eigentlich froh sein müsse, doch inmitten des Irrgartens von Gebäuden, breiten Straßen, Treppen und Gassen, auf die sich ihr ringsum in so rascher, verwirrender Folge, daß ihr davon schwindelte, ein Ausblick auftat, empfand sie in wachsendem Maß vor Furcht regelrechte Übelkeit. Die Stadt roch nicht einmal wie das vom Meersalz verkrustete Trauerweiler, sondern mehr nach einer schalen Mischung von Moder und Pisse. Ihre Furcht war stärker als je zuvor. Sie vertraute Gaet, gewiß, doch rundherum schwärmten andere Kaiel durch die Gegend, so wie die winzigen Halieth-Fliegen sich am Paarungstag aus ihren ausgedehnten unterirdischen Bauten erhoben. In ihrem bisherigen Leben hatte sie sich nicht so eine Stadt vorzustellen vermocht! Sie sah Angehörige vieler Clans, die sie nicht kannte, kantige Gesichter, alle Arten von Kleidung und die unterschiedlichsten Gestalten.

Ihre Sänfte überquerte einen Markt voller Buden, der größer war als der gesamte Marktplatz in Trauerweiler, und die Stadt nahm schlichtweg kein Ende. Herrenhäuser, Tempel, Wohnblocks, Schuppen, Häuschen, Werkstätten, Ställe, Villen und Gartenanlagen – eins reihte sich ans andere. Einmal hielt Gaet die Sänfte an, damit Oelita ausgiebig Umschau halten könne, ließ die Ivieth warten. Das Innere des Gebäudes, in das er sie führte, stand voller Druckpressen, die unaufhörlich neue Seiten hervorbrachten. Ein Junge zog einen Karren mit für die Binderei bestimmten Büchern vorüber. Sie fühlte sich darin wie völlig verloren. Mitten in all diesem gedruckten Geschwätz mußte sie einfach untergehen, niemals würde hier jemand ihre Stimme vernehmen. Ganz plötzlich, als sie sich umdrehte, war Gaet verschwunden. Panik überfiel sie, aber er fand sich beinahe unverzüglich mit zwei Bechern wieder ein.

»Ein wenig Saft für uns. Haben wir uns verdient.«

Sie trank davon, während sie weiterschlenderten. Der mit zahlreichen Herrenhäusern bebaute Hügel, auf dem auch Gaet seinen Wohnsitz an einem der gewundenen Wege hatte, versetzte sie in Staunen. Ihr war nicht klar gewesen, daß er zu den Reichen zählte. Befremdliche Regungen befielen sie. Ihr war, als müsse sie sich ihm zu Füßen werfen – und dabei hatte sie sich noch nie vor irgend jemandem auf die Knie geworfen. Mit einiger Mühe hielt sie das Haupt hocherhoben. Sie konnte es nicht mit ihrem Bild von sich selbst vereinbaren, daß bloßer Pomp sie mit Ehrfurcht erfüllen sollte. Durch wuchtige hölzerne Torflügel führte er sie am Arm in den Innenhof. Noch nie hatte sie außerhalb eines Tempels eine solche Pracht, einen derartigen Aufwand erblickt. Das Haus hätte eine Stätte der Rituellen Selbsttötung sein können.

Gaet lauschte. »Ich glaube, dies Mausoleum steht uns heute ganz allein zur Verfügung.« Er hob seine Stimme an. Ein lautstarker, unverständlicher Ausruf drang aus seinem Mund; er wäre noch über ein Hochgebirgstal hinweg zu hören gewesen. Er lauschte erneut. »Sogar die Diener sind außer Haus. Nun, laß jedenfalls mich dich bei uns willkommen heißen.«

»Es ist mir eine große Ehre, dein Gast zu sein.« Sie verbeugte sich und lächelte ihm zu.

Plötzlich vernahmen sie Schritte. »Gaet! Du hast sie mitgebracht!«

»Mein Erstweib Noe«, stellte Gaet die Frau vor. »Wie stets hat sie sich auch diesmal Zeit gelassen.«

Oelita verneigte sich steif.

»Also du bist diejenige, die hier soviel Aufregung verursacht hat.«

»Sieht sie nicht wahrhaftig aus wie ein Festschmaus für einen leeren Magen?« pries er Oelita an.

»Erstgatte hat einen makabren Sinn für Humor«, sagte Noe herzlich.

»Hoemei muß heute abend heimkommen, falls wir ihn irgendwie erreichen können.«

Noe zwinkerte ihm zu. »Mag sein, wir werden ihn niemals wiedersehen. Eine von Aesoes Liethe hat sich ihn unter die Fittiche genommen.«

»Gottes Häme!« schrie Gaet auf. »Hoemei? Das kann doch wohl nicht wahr sein! Schläft er mit ihr?«

»Zumindest hat er bei unseren jüngsten Liebesspielen einige recht merkwürdige neuartige Stellungen vorgeschlagen.«

»Dann werde ich, sobald wir ein Bad genommen haben, in den Palast gehen und ihn holen müssen.« Gaet lachte. »Ihn befreien, sollte ich wohl besser sagen.«

»Wer sind diese Liethe?« forschte Oelita nach. »Ich habe beobachtet, daß sie unsere Stgal auf Schritt und Tritt begleiten, aber ich weiß nichts über sie.«

»Den Stgal dürften sie *bestimmt* nachlaufen. Um einem Priester zu schmeicheln, tun sie alles.« Noes Stimme bezeugte verhohlene Verachtung für Frauen, die es, um Männern zu gefallen, sogar über sich brachten, hinter ihm zu gehen. »Für *unsere* Männer führen sie Nackttänze vor.«

»Aber nur dann, wenn man's am wenigsten erwartet«, schränkte Gaet wie zur Rechtfertigung ein. »Das letzte Mal, als ich auf einer Feierlichkeit Aesoes war, haben sie uns den Tanz des Sonnenuntergangs gezeigt, und ich könnte nicht behaupten, wir hätten bloß soviel wie die Fläche eines Daumennagels an nackter Haut zu sehen gekriegt.«

»Aber zugeschaut hast du trotzdem«, spottete Noe. Sie wandte sich an Oelita und gab eine Erklärung. »Die Liethe beginnen den Tanz des Sonnenuntergangs in Hellblau. Sie wechseln während des Tanzes mit einer derartigen magischen Geschicklichkeit und Schnelligkeit die Kleidungsstücke, daß man mit bloßem Auge nicht mitverfolgen kann, wie sie's machen. Nach Hellblau kommt Gelb, dann sind Orange, mehrere gestreifte Rottöne, Blaurot und zuletzt Schwarz mit Sternchen an der Reihe. Die Männer drängen sich natürlich nach den besten Plätzen, um einen Blick auf das bißchen an nacktem Fleisch zu erhaschen, was man dabei möglicherweise sehen kann. Wenn alles, was er bisher gesehen hat –« – sie stieß ihren Gemahl mit dem Ellbogen an – »– so viel Brüste oder Schenkel wie in der Größe eines Daumennagels gewesen ist, hat unser armer Gaet sich beim Drängeln wohl nie so recht durchzusetzen vermocht.«

»Eines Tages«, drohte Gaet unheilvoll, »werde ich dich an die Liethe verkaufen.«

»Nein, das wirst du nicht. Dafür liebst du mich viel zu sehr. Außerdem würden sie mich gar nicht kaufen. Die Liethe tragen keinen Körperschmuck.«

»Vielleicht könnten sie dich wenigstens für Leder und Suppe gebrauchen.«

»Die Liethe tätowieren sich nicht am Körper?« Oelita war entrüstet. »Und sie bieten sich Männern auf eine solche Art und Weise dar?«

»Das hier ist eine verkommene Stadt, meine kleine Küstenbarbarin.« Gaet wandte sich wieder an Noe. »Haben wir heißes Wasser?«

»Kommt mit. Ihr seid ja beide völlig verdreckt.«

Im Bad dampfte das Wasser bereits. Oelita bewunderte die Rohre, die das warme Wasser in die erhöhte steinerne Wanne leiteten. Gaet lächelte breit. »Ich fühle mich schon erheblich wohler«, sagte er und tauchte einen Finger ins Wasser, während Noe ihm die Stiefel auszog.

Es flößte Oelita Zagen ein, sich inmitten eines solchen Luxus zu entkleiden, so als solle dies ihr letztes Bad sein. Das Bad war mit Kacheln und Fliesen in Erdbraun ausgestattet, deren rauhe Oberflächenbeschaffenheit sichere Bewegungsfreiheit gewährleistete, selbst wenn es überall glitschig war von Schaum und man auf Seife trat. Die Rohre bestanden aus brünierter Bronze. Eine große Nachbildung eines Kaiel-Käfers, das Hontokae mit Gold ausgelegt, diente dem Zweck, die Badetücher daran aufzuhängen. Zitternd begann Oelita sich zu entblößen.

Doch sie hielt verlegen inne, als Gaet ihr durch verstohlene Zeichen zu erkennen gab, daß sie damit gegen ein Ritual verstieß. *Diese Kaiel!* dachte sie erbittert. *Hat es denn nie und nirgends ein Ende mit ihren Ritualen?!* Dennoch schämte sie sich, weil sie Grund hatte, um sich zu schämen, da sie das Ritual nicht kannte. Noe hatte den Fehler nicht bemerkt.

»Bei uns entkleiden Gäste sich nicht selber«, flüsterte Gaet und trat näher, um ihr mit sanften Händen behilflich zu sein.

»Ihr habt dort an der Küste geschickte Künstler«, sagte Noe und bestaunte die Tätowierungen, deren Muster die weiblichen Formen Oelitas Körper noch betonten.

Noe hatte Waschmittel, Duftstoffe und Seifen aus dem Öl seltener Käfer bereitgelegt, dazu Schwämme aus grobem Gewebe, die sich so wunderbar anfühlten, daß Oelita sich sogleich schwor, einen davon zu stehlen. Noe widmete sich dem Körper ihres Gemahls mit großer Vertrautheit, und als er lockere Reden führte, schob sie ihm ein Stück Seife in den Mund, so daß sein Gelächter einen Schwarm Blasen erzeugte. Oelita war beim Zuschauen wie ausgeschlossen zumute, an die Seite gestellt. Noe war seine Gattin, freilich, aber sie, Oelita, war immerhin seine Geliebte!

Sie hegte einfach kein Interesse an irgendwelchen Ritualen! Sie nahm einen Schwamm und machte sich daran, Gaet selber zu waschen. Er war auch der ihre! Noe störte sich nicht an ihrem Verhalten und verlegte ihre Aufmerksamkeit von Gaet auf Oelita. Die Waschung war nichts anderes als eine zwanglose Zärtlichkeit, ungezwungene Vertraulichkeit. Noe küßte sie sogar behutsam in den Nacken. Es war ein seltsames Gefühl. Oelita war, als vergebe sie sich an mehrere Personen gleichzeitig.

Früher einmal hatte sie daran gedacht, einen Mann zu ehelichen. Viele Liebhaber hatte sie gehabt, weit mehr, als sie sich noch entsinnen konnte, aber all diese Bekanntschaften waren in ihrer Erinnerung eine wie die andere, so als wäre sie irgendwie nie über ihre Jugendjahre hinausgekommen, die Zeit flüchtiger Liebschaften. *Ich bin zu sehr zu einer Einzelgängerin geworden.* Es gefiel ihr, ihre Körperlichkeit mit anderen zu teilen. Es vermittelte ihr das Gefühl, ein Teil von allem zu sein. Zu lange hatte sie mit ihrer Umwelt nur im Kampf gestanden, auch wenn die Auseinandersetzungen sich gelohnt hatten.

Schließlich wusch sie ihn kaum noch richtig. Sie streichelte ihn mit den Fingerkuppen. Sie schenkte ihm das Lächeln, mit dem sie Männer zu verführen pflegte, achtete mit einem Blick darauf, ob Noe sie beobachtete. Noe schaute zu und lächelte, sobald sie den Seitenblick bemerkte, als wolle sie sagen: Haben wir hier nicht einen kräftigen Mann? Zum erstenmal in ihrem Leben lächelte Oelita einer Frau mit dem Lächeln zu, das sie sonst verschenkte, um einen Mann zu verführen, und sie empfand Verwirrung. Noe wusch ihr das Gesicht. *Mit wem wird er wohl heute nacht schlafen, mit mir oder mit ihr?*

»Ihr habt wahrhaftig lange genug gebraucht, um hier einzutreffen«, rief Hoemei, der soeben über die Schwelle trat. Er ergriff einen Schwamm. »Ich sehe, diese Frauen sind viel zu nachsichtig mit dir.« Er begann seinen Bruder abzuschrubben. »Mal schauen, ob wir dich nicht wenigstens etwas von diesem Gestank säubern können. Beim Schweigen Gottes, wo habt ihr bloß gesteckt?!«

»Wir sind über die Weiße Wunde geklettert. Ein kleiner Umweg, um ein ruhiges Plätzchen zu finden und Kartoffelsuppe zu essen.«

»Was habt ihr? Du hast dich von ihm über *den* Berg mitnehmen lassen?« Hoemei starrte Oelita verblüfft an. »Das letzte Mal, als wir über die Weiße Wunde gestiegen sind, waren wir zehn, und nur sieben sind heimgekehrt. Diese Prüfung des Kletterns hat mich bis in die Haarwurzeln mit Schaudern erfüllt. Von uns sieben, die wir damals übriggeblieben sind, hat bisher nur Joesai sich noch einmal dort hinaufgewagt.«

»Damals waren wir ja noch Kinder. Es hat mich halt gejuckt.«

»Du kennst Joesai?« hakte Oelita wachsam nach.

»Wir kommen aus demselben Kinderhort.« Hoemei lachte. »Hat er dir etwa Ärger gemacht?«
»Allerdings!«
»Eben habe ich über ihn eine Meldung erhalten. Aus Soebo.«
Noe erstarrte. »Heraus mit der Sprache!« Sie atmete tief durch. »Ist er tot?«
»In Soebo ist er nicht.«
»Und Teenae?« Noe war sichtlich besorgt.
»Unauffindbar.«
»Ihr liebt die beiden, stimmt's?« meinte Oelita vorwurfsvoll. »Joesai ist euer Freund.«
»Manchmal«, sagte Noe in gequältem Tonfall.
»Manchmal«, bekräftigte Hoemei und lachte.
»Selten«, sagte Gaet mit ausdruckslosem Gesicht.
Sie machten sich über sie lustig! Undurchschaubare Scherze mochte sie überhaupt nicht leiden, wenn dabei ihr Leben auf dem Spiel stand. Oelita verursachte in der Wanne Wellen, als sie überstürzt heraussteigen wollte, aber Noe und Gaet hielten sie fest, während Hoemei einen Krug Wasser über ihren Kopf entleerte, um den Schaum fortzuspülen.
Dann kam er mit einem flauschigen Badetuch, hüllte sie darin ein und tupfte ihren triefnassen Körper ab. »Wir haben viel miteinander zu besprechen«, sagte er. »Ich bin damit beauftragt, Hilfslieferungen an die Küste in die Wege zu leiten.«
»Gaet hat's mir schon erzählt. Eigentlich wäre ich dir lieber nicht mit derartig strähnigen Haaren unter die Augen getreten.«
»Ich werde daran denken, morgen meinen ersten Eindruck von dir zu berichtigen. Darf ich meinem Eindruck im Schatzkästlein meiner Erinnerungen einen besonderen Ehrenplatz zuweisen?« Er ließ das Badetuch von ihren Schultern gleiten, so daß er sie in ihrer Nacktheit sehen konnte.
»Ich kann mich selber abtrocknen«, erwiderte sie und hielt das Badetuch fest. »Du bist mit Augen wie Händen reichlich kühn!«
»Dergleichen ist erst vor ganz kurzem über mich gekommen.«
»Die süßen Schmeicheleien einer Liethe bestärken dich also in deinem männlichen Selbstbewußtsein?« mutmaßte Oelita in unschuldigem Ton.
»Gottes Zahnfleisch! Du hast wahrhaftig ein so loses Mundwerk wie Noe!«
Noe kam mit sauberen Kleidungsstücken. Für Gaet brachte sie ein weites, luftiges Gewand, für Oelita hielt sie ein Kleid aus schimmern-

der weißer Seide bereit. »Dies Stück gefällt Gaet immer besonders gut. Komm mit mir nach oben. Ich habe alles, was eine Frau braucht.«

»Wir treffen uns in meinem Zimmer«, sagte Hoemei. »Dort ist's am angenehmsten. Gaet und ich werden inzwischen ein paar Happen zu essen machen.«

Umgeben von grünen Fläschchen voller Öle, Kästchen mit Duftstäbchen und einem Berg von Stickwerk, aus dem wohl eine Decke entstehen sollte, ordnete Noe sachkundig Oelitas Haar und kleidete sie an. »Wie soll ich denn so was tragen?!« rief Oelita. Die Rüschen sagten ihr zwar zu, aber das Kleid war nicht nur an den Seiten von oben bis unten geschlitzt, sondern auch vorn und hinten von unten bis oben; es verbarg nichts. Völlig nackt wäre ihr wohler zumute gewesen.

»Ich habe es sogar schon auf der Straße getragen«, sagte Noe.

»Unmöglich.«

»Abends im Dunkeln«, räumte Noe mit einem Lächeln ein.

»Wenn ich das tragen soll, mußt auch du etwas von herausfordernder Machart anziehen.«

»Nein, ich bin zu faul zum Umziehen. Es ist ohnehin schon zu spät. Das Essen ist fertig.«

Oelita zögerte. »Noe, sag mir, bin ich hier in Gefahr?«

»In bezug auf dein Leben? Nein. Hinsichtlich deiner Seele? Ja.«

»Falls ich dich jemals kränken sollte, bitte sag's mir, bevor du etwas unternimmst.«

»Ich bin für meine Unverblümtheit bekannt.«

»Störe ich bei euch? Ich meine, was Gaet angeht?«

»Kleine Barbarin, wir suchen doch nach einer weiteren Frau. Wir hatten bereits eine auserwählt, aber manchmal gießt man diese Dinge nun einmal in einen gesprungenen Topf. Du kannst gerne mit mir teilen, was immer ich habe, solange du mir gegenüber die gleiche Einstellung hast.« Sie küßte Oelita auf die Wange und ergriff sie bei der Hand.

Und so nahm der Abend seinen Gang, unter anderem mit einer lebhaften Runde Kol, in deren Verlauf die Männer wilde Schreie ausstießen und Noe lachte, während sie Oelitas ungewöhnliche Art des Spielens beobachteten. Keiner von ihnen vermochte zu begreifen, wie es ihr gelang, sie zu schlagen. Gaet saß neben ihr auf den Kissen und streichelte sie von Zeit zu Zeit hingebungsvoll durch die dafür bestens geeigneten Schlitze. Sie beschuldigte ihn, sie beim Spielen behindern zu wollen. Sie unterhielten sich über das, was die Stadt an Künstlerischem bot, und Noe versprach Oelita, sie zu den Gesangsvorträgen zu begleiten, für die man Kaiel-Hontokae so rühmte. Als die Kerzen fast völlig niedergebrannt waren, öffnete Noe einige der Spangen, die Oelitas Kleid zusammenhielten, damit Gaet sie noch leichter betasten könne.

So, sie gibt ihn mir für diese Nacht. Und Oelita begehrte ihn. Gaet war der einzige Schutz, den sie gegen das Aufkommen von Panik besaß. Sie mußte ihn bei sich haben, und in der Erwartung, ihn in der Nacht bei sich haben zu können, entspannte sie sich, begann zusehends sinnlicher zu empfinden und sich innerlich in begehrliche Erwartung zu steigern. Doch Noe nahm Gaet mit, und an der Tür wünschten die beiden eine Gute Nacht, ließen Oelita halbnackt auf Hoemeis Bettstatt zurück.

»Wir können in dein Zimmer gehen«, sagte Hoemei doppelsinnig, gab sowohl zu verstehen, daß er sich ihren Regeln zu beugen gedachte, wie jedoch auch, daß er mit ihr zusammensein wollte.

Oelita bebte. Allein mochte sie nicht sein, aber ihr lag auch nichts an der Anwesenheit eines Fremden. Sie versuchte, im Gemüt von Gaets Mitgemahl zu lesen, forschte in seiner Miene. »Du kannst ebenso gerne bleiben«, sagte er.

»Noch ein Weilchen, ja. Du hast ein richtig gemütliches Gemach.«

»Seltsam, dich auf einmal kennengelernt zu haben«, sagte Hoemei.

»Ich bin ganz in Unordnung«, entgegnete sie. Im Kerzenlicht sah Hoemei recht gut aus. Weshalb war er jetzt so schüchtern? Vor einer Weile hatte er sich noch kühn benommen. *Ich sollte es tun,* dachte sie. Wenn sie sich einfach so verhielt, als sei sie ein Mitglied eines Vierers, als ob das, was geschehen mochte, zu jeder Schlafenszeit geschähe, was konnte dann schiefgehen? So eine Ehegemeinschaft erfüllte sie mit außerordentlicher Neugier. Auf jeden Fall empfahl es sich – wenn das stimmte, was Gaet von ihm gesagt hatte –, Hoemei möglichst nachhaltig an sich zu binden.

Er setzte sich neben sie und berührte ihre Schulter. Sie spürte seine Zuneigung. »Es braucht Zeit, bis man sich näher kennt«, sagte er. »Es besteht kein Grund zur Eile.«

Sie fühlte sich dazu imstande, einen Mann zu lieben, der sie nicht drängte. »Ich bleibe.« Er entkleidete sich, räumte seine Sachen sorgsam auf, als stünde er unter einem Zwang. »Hoemei? Liebst du Noe?«

»Natürlich.«

»Und liebst du auch dies Geschöpf, diese Liethe?«

»Da du jetzt davon sprichst, fällt mir's ein, ja.«

»Magst du mich auch ein wenig?«

»Dein Anblick hat mich sofort überwältigt.«

»Hilf mir aus diesem tödlichen Erbschaden von einem Kleid … aber beachte, noch bin ich nicht zu allem bereit.« Sie wußte, daß sie ihn sowohl reizte wie ihm auch Zurückhaltung auferlegte. Seine Hände halfen ihr, aber das meiste erledigte sie selber, und zwar in solcher Hast, daß sie eine Spange abriß. Nackt streckten sie sich nebeneinander aus, ohne sich zu berühren. Das Erlebnis war wunderlich. Die Flamme flackerte, loderte noch einige Male empor, erlosch zu guter Letzt. Die Stille ringsum mitten in dieser Stadt, fernab vom Trost eines jeden Freundes, beunruhigte Oelita. Sie bedurfte der Wärme und Zuwendung, doch gleichzeitig fürchtete sie die Nähe dieses Mannes. »Hoemei, was ist euer Preis dafür, daß ihr uns an der Küste helft?« Auch Worte, selbst rein vernunftbetonte Worte, die sich mit den Dingen im großen befaßten, waren auf gewisse Weise Berührungen.

»Weißt du darüber Bescheid, wie unsere Herrschaft aufgebaut ist?«

»Die Kaiel üben die Erbführerschaft aus. Wie üblich. Ich finde so etwas schlecht. Ich glaube, andere Clans sollten auch an der Politik beteiligt sein.«

»So einfach ist das bei uns nicht. Wenn wir an der Küste tätig werden, wird's nicht so sein, daß wir Nahrung durch die Stgal verteilen lassen. Wir schicken eigene Priester hin. Wer von den Küstenbewohnern zu einem dieser Priester Vertrauen faßt, kann sich an ihn wenden, und der Priester verhandelt mit ihm darüber, was sich tun läßt.«

»Dagegen dürften die Stgal etwas haben.«

»Die Stgal werden gar nicht mitreden dürfen, weil niemand sie fragen wird. Nehmen wir mal an, ich sammle deine Anhänger um mich und beliefere sie auf der Grundlage eines ordnungsgemäß ausgehandelten Vertrags mit Lebensmitteln. Dann haben sie mit dem Kalothi-Verzeichnis des Stgal-Tempels nichts mehr zu schaffen, sondern gehören ins Kalothi-Verzeichnis unseres Tempels.«

»Und der Preis?«

»Natürlich ist's ein Handel. Wir haben Erfahrungen im Beheben von Schwierigkeiten. Was ist euch die Behebung eurer Sorgen wert?«

»Ich will dir eine Unannehmlichkeit nennen, die ich behoben sehen möchte.«

»Darin sind Frauen immer gut.« Hoemei näherte sein Gesicht in der Dunkelheit dem ihren, so daß sie einer des anderen Atem spüren konnten.

»Kannibalismus.« Sachte biß sie ihn in die Nase, nur um vorzubeugen, daß er ihr zu rasch zu nahe rückte.

»Au! Aber das ist doch gar kein Problem.«

»Doch!«

»Fleisch kann der *Ausweg* aus Schwierigkeiten sein, doch das ist eine Lösung, die dir mißfällt. Man erzählt ja von dir, daß du gegen das Brauchtum eingestellt bist.«

»Ich *verabscheue* Rituale.«

»Brauchtum ist eine Sammlung vorgegebener Lösungen für Probleme, die wir vergessen haben. Man verzichtete auf die Lösungsmöglichkeiten, und die alten Schwierigkeiten tauchen von neuem auf. Manchmal sind sie verschwunden oder haben sich abgewandelt. Häufig sind sie aber noch so schwerwiegend wie früher einmal. Geta ist eine rauhe Welt. Er bringt uns um, wann und wo er kann. Wir kommen besser zurecht, wenn wir den Tod dem Ritual unterwerfen.«

»Fels am Himmel! Wie habe ich's satt, mir das anzuhören!«

»Die Kavidie-Priester, sie haben sich ausschließlich von Pflanzenkost ernährt.«

»Du führst Mythen an, um deinen Standpunkt zu beweisen?!«

»Die Kavidie gelten nur deshalb als Sagengestalten, weil sie schon so lange tot sind. Sie haben in den Hügeln des Roten Todes auf der Anderen Seite gewohnt und über zweimal so viel Land geherrscht, wie wir Kaiel heute verwalten. Ich habe in der Bibliothek ihre Bücher gesehen, die bereits dabei sind, zu Staub zu zerfallen. Es hat die Kavidie wirklich gegeben.«

»Wir reden nur soviel, weil wir voreinander bange sind. Warum halten wir nicht einfach den Mund, und du schließt mich in die Arme, und ich nehme dich in die Arme?« Sie schlang einen Arm um seinen Hals.

»Wo hast du gelernt, Meinungsverschiedenheiten auf so überzeugende Weise zu entscheiden?« wollte er wissen.

»Keiner soll das letzte Wort haben.« Sie drückte ihn an sich. »Du hast so große Ohren. Ich könnte glattweg darin verschwinden. Was flüstert eine Gattin ihrem Gemahl ins Ohr?«

»Meistens legt sie ihm nahe, endlich mit dem Reden aufzuhören.«

Sie küßte ihn, wunderte sich über die Spur von Gehemmtheit, die sie bei ihm verspürte. »Solltest du's nicht wissen«, sagte sie leise, um ihn zu beruhigen und zu ermutigen, »ich bin ovaet.«

»Ach«, machte er, plötzlich selbstsicherer. Das Ovaetum war eine genetische Eigentümlichkeit, die vier von fünf getanischen Frauen besaßen und die es ihnen erlaubte, im Fall einer unerwünschten Schwangerschaft eine Selbstabtreibung vorzunehmen.

»Wenn ich mit einem so sanftmütigen Mann wie dir die Kissen teile, macht das Ovaetum es mir leichter, meinen Schwur einzuhalten, nie wieder Mutter zu werden. Enthaltsamkeit würde mir sehr schwerfallen.« Sie rieb ihre Wange an der seinen. »Ich fühle, daß du dich sorgst. Das finde ich nett von dir.«

»Aesoe hat mir nie erzählt, daß man auch Barbarinnen lehrt, wie man einem Mann schmeichelt.«

»Barbarinnen?! Wir an der Küste nennen euch die Bergbarbaren.« Sie beschloß, ihm die Frechheit heimzuzahlen. »Möchtest du einen Kaiel-Witz hören?«

»Bestimmt kenne ich ihn schon.«

»Warum zieht ein Kaiel die Sandalen aus, bevor er sein Haus betritt?«

»Oh. Keine Ahnung.«

»Damit er sie sich nicht dreckig macht.«

Hoemei versetzte ihr einen Rippenstoß. Schon gingen sie ganz im Vergnügen ihres neckischen Liebesspiels auf. Insgeheim wettete Oelita mit sich, daß Hoemei gleich nach dem Höhepunkt einschlafen werde; und tatsächlich geschah es so, während Oelita aus weiten Augen und mit einem Lächeln sein von Dunkelheit überschattetes Gesicht betrachtete, die Ellbogen auf die Kissen und den Kopf in die Hände gestützt. Sie befand, daß es ihr gefiel, in einer Ehegemeinschaft mitzumischen. Nun kannte sie zwei Männer, die auch einander lieb und teuer waren, die sich ihr verbunden fühlten. Zwei solche Männer in einer fremden, feindseligen Stadt waren zweifelsfrei besser als nur einer. Die hitzige Wärme seines Körpers, der neben ihr unter der Decke lag, vermittelte ihr ein Gefühl der Sicherheit. *Wenn er mich liebt, wird er alles tun, um meine Mitbürger zu retten.*

Sie träumte, ihr Leib sei mit beweglichen Tätowierungen bedeckt, und berühmte Gelehrte erschienen, um ihren Körper zu betrachten und zu erforschen, im Sonnenschein ebenso wie bei Kerzenlicht, und sie zogen wieder von dannen, indem sie fassungslos die Häupter schüttelten. Sie brachte ihre Botschaft in die Katakomben, in verderbte Städte auf Getas Anderer Seite, in die Tempel und sogar hinaus in die Höllen der Wüste. Die Wüste war glutheiß, brannte auf ihrer Haut, während die Tätowierungen sich unablässig bewegten. Sie stöhnte, streifte die Decke ab und ließ kühle Luft den Schweiß ihres Leibes trocknen, dann schlummerte sie allmählich wieder ein, hielt Hoemeis Männlichkeit umfangen.

Die Träume begannen von neuem, wandelten sich ab. Ihr Körper begann leichtfertigere Geschichten zu erzählen, selbst solche von leicht obszöner Art, lustige Geschichtchen von unbekümmerter Liebelei. Sie schmiegte sich an ihren Mann. Er tätschelte ihr lüstern das Gesäß, und sie langte hinter sich, um ihn daran zu hindern, nun halb erwacht; doch die Hände waren nicht Hoemeis Hände. Sie waren groß und haarig. Oelita schrie, noch bevor sie vollends aufwachte, versuchte an die Wand zu flüchten, aus der Reichweite des klobigen Ungeheuers.

»Wo hast du denn einen so herrlich prallen, runden Hintern aufgetrieben?« fragte das Ungeheuer.

»Oelita«, rief unter der Tür die zierliche Teenae mit aufgerissenen Augen.

Oelita hörte nicht auf zu schreien. Inzwischen hatte Hoemei sie in die Arme genommen, bemühte sich, sie zu beruhigen. »Es ist nur Joesai.« Er war völlig entgeistert. Teenae fiel ihm um den Hals und drückte ihn. »Ich bin's«, sagte sie zu Oelita. »Erinnere dich doch an mich! Ich bin zurückgekommen. Und ich liebe dich, ich bin froh, dich wiederzusehen.« Oelitas Schreie schreckten Gaet und Noe aus ihrem Bett, und sie prallten mit Teenae zusammen, die sie kommen hörte und ihnen entgegenlief. Teenae legte die Hände in seinen Nacken und warf ihre Beine in lustvoller Umschlingung um seine Hüften. »Mein verloren geglaubter, geliebter Liebling!« seufzte sie. »Ach, Teenae«, rief er glücklich. Hoemei gab Töne der Erleichterung von sich. Joesai und Noe standen inmitten des Durcheinanders nur da und lächelten. Oelita, die in höchstem Schrecken rücklings an die Wand gewichen war und die Decke an ihre Brüste drückte, versuchte die Enthüllung zu fassen, daß diese Leute eine gemeinsame Familie bildeten. Auf der Flucht vor Joesai war sie geradewegs an seine Mitgatten geraten, und nun befand sie sich hier mit ihm in diesem Raum, und es gab keinerlei Sicherheit mehr für sie.

31

In einem vollauf offenen Spiel, wie etwa dem Schach, verbirgt der Spieler seine Züge in der Vielschichtigkeit des Spiels. In einem verdeckten Spiel, so etwa dem Jägersmann, das mit fünf Karten gespielt wird, verbirgt der Spieler sein Vorgehen, indem er das Blatt von dreien seiner Karten verheimlicht. Doch wie spielt man ein Spiel, das selbst vollständig im verborgenen bleibt? Nie spricht der Gegenspieler, nie sieht man ihn, niemals läßt er sich Schadenfreude anmerken. Wie soll man in dem einen unerwarteten Augenblick, in dem das Ausmaß des Verlusts sichtbar wird, sagen können, wer gewonnen hat?

Richterin der Richter nas-Veda die auf Bienen sitzt

Demut trug die Gewandung des Miethi-Clans, der in der Wüste beheimatet war und am Rande der Geschwollenen Zunge hauste. Ihr Gesicht war verschleiert, ihre Finger waren bis zum zweiten Knöchel bedeckt. Sie schaute sich Läden an, streifte umher, lutschte an um Geschmacksstoffe bereichertem Eis aus den Bergen. Ein Weilchen lang lauschte sie an einer Straßenecke einer Totenfeier. Tunni-Weiber, in den Haaren rote Blumen und zwischen den Füßen nackte Kinder, schäkerten mit ihren in Schwarz gewandeten Männern, die eifrig an einem Spieß den enthäuteten Leichnam eines alten Verwandten brieten. Auf einem Karren kamen Musikanten und Schüsseln voller Speisen an.

Nichts tat Demut besser als diese kurzen Sonnen-Höchststände vollkommener Freiheit, des Befreitseins von den Männern, denen sie gehorchen mußte, das Entflohensein all der Zucht und Ordnung, die im Liethe-Heim herrschten, des Erlöstseins von Zweckmäßigkeit und Nachdenken. Es war schön, einmal einfach dieser geheimen Person in ihr selbst, der Königin des Lebens vor dem Tod, eine Freude zu gönnen.

Im Laden eines Kupferschmieds holte sie einige Teile ab, die sie dort in Auftrag gegeben hatte, und einige Türen weiter besorgte sie sich ein Gefäß mit einer Chemikalie, kaum größer als ein Daumennagel. An der Bude eines Webers entdeckte sie eine mannsgroße Länge Spitzengewebe von genau der Art, die sie suchte, aber noch kaufte sie es nicht;

für heute genügte es ihr, sich das Spitzenkleid genau auszumalen, das sich daraus nähen ließ. Kaum vernehmlich summte sie die auf der Flöte zu spielende Melodie eines Tanzes vor sich hin, und im Geiste wirbelten ihre Füße flink dahin, während ihre wirklichen Füße gemächlich die Straße Frühe Schwingen entlangschlenderten, die gegenwärtig so verlassen lag, als hätte sie es so geplant. Eine derartige Straße war selten so menschenleer.

Genau dort, wo er nach den erhaltenen Angaben sein sollte, fand sie den Juwelenhändler; er hockte in seinem winzigen Geschäftsraum, der kaum breiter war als die dicke, schwere Tür. Ja, der Mann, eine bleiche Gestalt, gehörte den Weiseni an, einem Händler-Clan, dessen Mitglieder über halb Geta verstreut lebten, die man in Kaiel-Hontokae jedoch weniger antreffen konnte. Er zeichnete sich durch rechteckige Tätowierungen und einen Nasenring aus. Sie war im Augenblick sein einziger Kunde. Er musterte sie, ohne etwas zu sagen, weil er sich von ihr wenig versprach, denn die Miethi kauften kaum Schmuck, bestenfalls Perlen, die sie in ihre Gewänder einwebten.

Schüchtern erkundigte sie sich nach Perlen – großen grünen Perlen –, indem sie ihn mit den Augen anlächelte, dann wieder ihren Schleier zurechtschob, damit er weniger von ihr sehe. Er holte die Perlen aus einer Schublade. Während er über die Fächer gebeugt stand, hielt sie ihren Blick sittsam zu Boden gerichtet; dann zog sie eine Drahtschlinge so ruckartig um seinen Hals zu, daß er starb, noch ehe sich auf seinem Gesicht Überraschung widerspiegeln konnte. Die Leiche sackte hinter den Ladentisch.

Weshalb hatte die Alte ausgerechnet den Tod dieses Weiseni gewünscht? Demut hatte keine Ahnung. Diese alten Weiber waren schon zu vergreist, um sich noch mit Männern zu befassen, deshalb betrieben sie Politik auf höherer Ebene. Einige Augenblicke später hatte Demut in aller Ruhe die Tür geschlossen und verriegelt sowie die Läden zugeschlagen, so daß es aussah, als sei ihr Opfer unterwegs, um irgendeine Erledigung zu besorgen, wie es ja bei Juwelieren häufiger vorkam.

Sie lauschte. Dann kehrte sie zu dem Toten zurück und schnitt ihm die Kehle durch. Um einen Kampf vorzutäuschen, zerschlitzte sie ihm die Arme, als habe er sich eines wütenden Messerstechers zu erwehren versucht. Mit aller Kraft stach sie auf ihn ein, so wie jemand, der keinerlei Kenntnisse der menschlichen Anatomie besaß, aber über die Kräfte eines hochgewachsenen Mannes verfügte. Nachdem sie sich ausführlich einen möglichen Zweikampf ausgemalt hatte, stürzte sie einen Tisch um, auf eine Weise, wie es von jemandem herrühren mochte, der heftiger gegen ihn getaumelt war, als der Tisch es verkraften konnte. Flüchtig begutachtete sie den vorhandenen Schmuck. Die Smaragde gefielen ihr, aber sie ließ sie liegen. Sie nahm größere Steine, die stärker funkelten, jedoch geringeren Wert hatten, und einiges Gold. Selbst der größte Dummkopf konnte Gold erkennen.

Das Zwielicht war eine angenehme Tageszeit. Sie entledigte sich des entwendeten Schmucks, während sie nach vollbrachtem Werk ihren Bummel fortsetzte, und im Bok des Springbrunnens der Zwei Frauen kauerte sie sich ans Wasserbecken und reinigte ihr Messer. Auf der Wasseroberfläche trieben tote Insekten. Ein Straßenhändler verkaufte den Leuten gegen eine Kupfermünze warme, gut gewürzte Sojabohnen-Taschen. Es bereitete Demut stilles Vergnügen, zu sehen, daß auch andere Menschen das Zwielicht als angenehm empfanden. Eine kleine o'tghaliesche Frau spazierte mit zweien ihrer Ehemänner einher, lächelte nach links und ließ rechts ihre Hüfte schwingen. Sie waren Magier, diese o'Tghalie. Sie konnten erklären, wie die elektronischen Dämonen an den Metallstücken entlangsausen würden, die der Kupferschmied für Demut angefertigt hatte.

Demuts Zeit mit ihrem eigentlichen Ich war nun vorüber. Sie strebte zurück zum Heim, veränderte unterwegs nach und nach das Aussehen ihrer Kleidung, bis sie nicht länger für eine Miethi gehalten werden konnte. Die se-Tufi, die Ehre besitzt, erwartete sie im Unterweisungsraum des Heims, wo sie sich sogleich beide in Trance versetzten. Ehre prägte sich Honiegs jüngste Erlebnisse ein, übernahm Demuts Gewänder und begab sich auf den Weg zum Palast. Demut brachte einen Sonnen-Höchststand damit zu, in ihrer Zelle auf dem steinernen Boden ausgestreckt zu liegen und all den Überfluß im Palast aus ihrem Bewußtsein zu verdrängen, die Erinnerung daran, wie sich die Körper von Männern anfühlten, die Gedanken an Schmeicheleien. Dann nahm sie ihre Kupferstücke – die letzten erforderlichen Stücke dieser Art – zur Hand und baute die Spielzeug-Schallstrahlanlage zusammen, so wie sie es von Hoemei gelernt hatte. Sie hatte sich nur deshalb so einfältig gegeben, weil sie alles hatte dreifach erläutert haben wollen, was Hoemei ihr erklärte.

Das einzige Teil, das sie nicht selber hatte herstellen können, war die Elektronenröhre, so daß sie in einer der Werkstätten auf dem Markt – mit beträchtlichen Ausgaben – eine in Auftrag gegeben hatte, und es war ihr gelungen, Hoemei dazu zu bringen, sie für ihn auf ihre Funktionstüchtigkeit zu überprüfen. Die Art und Weise, wie er sie geprüft hatte, war ihr durchaus verständlich geworden, doch im geheimen grämte es sie gewaltig, daß sie nicht wußte, wie man die Instrumente anfertigte, die man für die Überprüfung brauchte. Alle Magie besaß ihre Ungewißheiten, die es sehr erschwerten, sie zu stehlen.

Von den übrigen Liethe im Heim wußte keine, was sie da im stillen trieb; nicht einmal Ehre war fähig gewesen, Demuts Schallstrahl-Erkenntnisse nachzuvollziehen, und sie würde einer besonderen Unterrichtung bedürfen, wenn sie Honiegs Zwischenspiel als Hoemeis Liebchen fortsetzen sollte. Demut mußte dem Heim die Arbeitsweise des Schallstrahls vorführen können. Zunächst zog sie Lauschohr ins Vertrauen; sie versprach ihr nichts, sondern schickte sie nur mit dem Empfangskasten in ein entfernteres Zimmer, behielt selbst den Ausstrahlkasten. Sarkastisch äffte sie zur Probe Aesoes süßliches Geschwätz nach, als sie in den Kasten sprach, fragte sich – noch unsicher –, ob wirklich etwas geschehen würde.

Hoemei zufolge glich das gesamte Universum einer Stimmgabel. Wenn man den richtigen Ton in eine Stimmgabel sang, fing sie zu schwingen an. Die ganze Welt, so meinte Hoemei, bestand aus einer Vielzahl solcher Stimmgabeln, die miteinander verbunden waren, und wenn man die Stellen errechnete, wo die Bindeglieder zu finden waren, und zu echten, wirklichen Verbindungen ausbaute – immer in Übereinstimmung mit den Berechnungen –, dann erhielt man eine Art von übergeordnetem Musikinstrument, das die Töne der menschlichen Stimme über Entfernungen von hundert und mehr Tagesreisen hinweg zum Erklingen brachte. An sich erwartete Demut nicht, daß ihre kleine Anlage tatsächlich arbeiten würde, obwohl sie bei den Berechnungen sehr sorgfältig gewesen war, sie mehrfach, sowohl eigenhändig wie auch mit der Hilfe von o'Tghalie, nachgeprüft hatte, doch zumindest machte sie sich Hoffnungen.

Lauschohr kam in ihre Zelle gestürzt, außer sich vor Erstaunen. »Was ist denn das? Ich habe Aesoe sprechen gehört! War das wirklich er?«

»Unsinn. Ich war's. Du hast mich gehört?«

»Hätte ich mir denken müssen!« Lauschohr kicherte. »So unflätig drückt Aesoe sich nie aus.«

»Ich möchte die Anlage mit der Heimmutter erproben. Hol sie für das Spielchen in deine Zelle. Sobald sie die Hörmuschel am Ohr hat, winke mir im Korridor mit einer Flagge.« Lauschohr tat wie geheißen. »Dein Feind schläft«, sagte Demut in ihren Kasten, sobald sie den Wimpel geschwenkt werden sah.

Fast im Handumdrehen stand die Heimmutter unter Demuts Tür; sie schlotterte und keuchte. »Was ist das für ein Ding?!« Sie packte die Sprechmuschel und hielt sie vor sich hin wie die riesige mutierte Blüte einer Fei-Blume.

»Das ist ein magisches Ohr.«

»Hast du's etwa aus dem Palast gestohlen?« erkundigte sich die Alte nahezu in Panikstimmung.

»Ich hab's gebaut. Hoemei hat mir gezeigt, wie's geht.«

Demut stieß damit auf Unglauben. Die Greisin vermochte sich nicht vorzustellen, daß etwa jemand wie sie selbst dazu fähig sein sollte, eine solches Gerät zu bauen. Die se-Tufi nahmen in den Chroniken einen herausragenden Platz ein, aber Magierinnen waren sie nicht.

Demut lächelte mit einnehmender Unschuldigkeit. »Du hattest ja auch nie Hoemei zum Geliebten. Er ist ein wahrer Adept darin, meinen Kopf mit den tollsten Sachen vollzustopfen.«

Doch der schlaue alte Verstand der Greisin hatte sich bereits wieder gefangen und dachte an etwaige Nutzungsmöglichkeiten. »Wie weit reicht es?«

»Nicht weit. Das hier ist ja bloß ein Spielzeug.«

»Du hast die vollständige Magie gesehen?«

»Die magische Werkstatt im Palast, ja.«

»Wie weit reicht die dortige Magie?«

»Du weißt, was die Gerüchte besagen. An jedem Ort auf Geta. Manchmal bieten Geräusch-Dämonen Gegenmagie auf.« In Demuts Augen leuchtete Stolz auf. »Ich habe mit unseren Liethe-Schwestern in Soebo *gesprochen.*«

Die Alte hob ihren Stock und fuchtelte aufgeregt herum. »Wann?!«

»Vor wenigen Sonnenuntergängen.«

»Habt ihr über die Länge von Mnankrei-Schwänzen geschwätzt, oder was?« forschte die Heimmutter mit ätzendem Spott nach.

Demut neigte das Haupt. »Nein, Ehrenwerte. Ich habe dir eine besondere Mitteilung auszurichten. Mir war bekannt, daß du dir darüber Aufschluß gewünscht hast, daher habe ich die Gelegenheit genutzt und mir entsprechende Klarheit verschafft. Es ist Wintersturm-Meister Nie t'Fosal, der an den nichtswürdigen Unterzänglern genetische Versuche durchführt.«

»Aha, also ist's wahr. Aesoe hat bereits dahingehende Überlegungen angestellt.«

»Du hast gedacht, du würdest ewig lange nicht darüber Bescheid erhalten, oder?«

»Du bist dir deiner Leistung in unerträglich unbescheidenem Maße bewußt.«

»Ich habe Hoemeis Schopf mit meinem Schamhaar verflochten.«

Die schwache Bewegung von Demuts Hüfte bezeugte Hochmut.

»Vier Stufen der Bestrafung, ehe du heute abend schlafen gehst!« befahl die Heimmutter und dämpfte Demuts Überheblichkeit mit einem Stockhieb.

Demut kniete nieder, drückte ihr Gesicht auf den Boden. »Ich werde in meiner Bestrafung nach wahrer Demut trachten, weise Mutter.«

Die Heimmutter schickte Lauschohr hinaus. Sie wartete, bis sie unzweifelhaft mit Demut allein war. »Wie ist dein Nachmittag verlaufen?«

»Er hat mir echten Spaß gemacht. Ich bin auf meinem Bummel bis zum Bok des Springbrunnens der Zwei Frauen gekommen.«

»Wie übermütig.«

»Um mein Messer zu säubern.«

»Ach, der Juwelier. Hat er gelitten?« Die Hexenaugen der Greisin glühten plötzlich wie Knochenhaufen eines Vergifteten im Verbrennungsofen.

»Ich bin nicht so leichtsinnig, meinem Gegner die Gelegenheit zu irgendwelchen Gegenmaßnahmen zu lassen. Er hat nichts gemerkt.«

»Ja, wahrscheinlich«, brummte die Heimmutter. »Vielleicht ist's besser so.« Doch die Stimme der alten Vettel klang nicht, als sei sie wirklich überzeugt davon.

32

Wenn ein Dobu der kembri jemanden angreift, macht er sich die Kraft, die den Abwehrhandlungen seines Widersachers innewohnt, so zunutze, daß er ihm damit erst recht eine Niederlage bereiten kann. Wird ein Stoß erwartet, dann wendet der Dobu eine Finte an. Wird eine Finte erwartet, bringt der Dobu einen Stoß bei. Auf vergleichbare Weise tragen wir unseren Angriff gegen den Geist eines Menschen vor. Auf Wahrheit und Verstand verzichte als Mittel, um deinen Feind wanken zu machen. Wirf ihn mit kluger Anwendung seiner eigenen Logik nieder.

Arimasie ban-Itraiel, Dobu der kembri: *Der Kampf*

Im Jahr des Falters begann die Woche des Springers mit einer dem gleichnamigen sagenhaften Seitenhüpfer-Insekt geweihten Feierlichkeit; der Springer, wie man ihn aus dem Schach kannte, galt gemeinhin als Beschützer der Kinder. Von dem Augenblick an, als Getas Sonne gänzlich aufgegangen war, sprangen nackte Bälger, die liebevoll gebastelte Springerköpfe trugen, durch die Straßen und bettelten jeden Erwachsenen, der vorüberkam, um Gaben und Geschenke an. Unübersehbar offenkundig war, daß alle eine abweichende Meinung davon hegten, welche Form oder Farbe der Kopf eines Springers besitzen solle.

»Achtgegeben!« Teenae mahnte Oelita zur Obacht. »Dort in der Gasse lauern noch mehr im Hinterhalt.« Eine bläulich-rote Schnauze mit den Kugelaugen einer Hoiela hüpfte auf sie zu, hielt dabei die Hand eines kleineren Geschöpfs, das bis über die Schultern gewaltig haarig war; die beiden heimsten von Teenae und Oelita, die an diesem Morgen Schultertaschen voller Kram und Tand mit sich trugen, zwei gläserne Murmeln ein.

Sobald die Frauen die Gasse erreichten, stürzten wahrhaftig noch mehr Kinder auf sie zu. Eins hatte eine hölzerne Maske mit ungefähren Maelot-Beißzangen und unwahrscheinlichen Hängeohren. Ein anderer Knabe hatte sich einen langgestreckten, gestreiften Kopf übergestülpt. Seine kleine Begleiterin hatte eine große, karierte Nase aufgesetzt. Der Junge wollte Süßigkeiten. Die beiden Mädchen wünschten sich billige Schmuckstücke, zankten sich dann jedoch um ein dünnes Blasrohr.

Seit ihrer Rückkehr hielt Teenae sich eng an Oelita. Sie fühlte sich dieser Frau, die ihr die Nase, womöglich sogar das Leben gerettet hatte, innig verbunden. Ihre anfänglichen Begegnungen – und der Kodex, demzufolge die Geliebte von mehr als einem ihrer Gatten ihre persönliche Schutzbefohlene war – umschlangen die beiden mit einem freundschaftlichen Band. Ebensowenig konnte Teenae ihren Schwur vergessen – bei dessen Einhaltung sie schon zweimal gescheitert war –, Oelita vor Joesai zu schützen. Was Gaet und Hoemei betraf, vertraute sie ihnen und erwartete, daß sie sich anständig benahmen; bezüglich Joesais war das nicht der Fall.

»Kennst du diese Kathein pnota-Kaiel näher?« erkundigte sich Oelita.

»Sehr gut.« Teenae sah dem Zusammentreffen, das sie vereinbart hatte, mit gewisser Spannung entgegen.

»Ich weiß nicht recht, ob ich wirklich verstehe, warum sie an meinem Kristall interessiert sein soll. Ist sie eine Mystikerin?«

»Dein Kristall ist eine Versteinerte Stimme Gottes.«

»Deshalb habe ich mir ja überlegt, daß sie eine Mystikerin sein könnte. Betrachtet sie den Kristall und hört dann etwas?«

Ihr Wagen fuhr vor, und sie stiegen ein, während Teenae den Ivieth, die ihn zogen, den Bestimmungsort nannte. Die beiden Frauen saßen dicht zusammengerückt nebeneinander. »Es fällt schwer, jemandem, der bisher unter den Gesetzen der Stgal gelebt hat, zu erklären, was Kathein eigentlich macht. Sie ist ein Dobu. Bedenke, wie ein Dobu der kembri sich im Kampf verhält. Er läßt die Kraft im Körper seines Gegners zu seinen Gunsten wirken. Kathein ist ein Dobu der Materie, könnte man sagen. In allem, was uns umgibt, stecken verborgene Kräfte. Sie widersetzen sich uns durch ihre Untätigkeit. Möchten wir, daß ein Gatte uns zum Markt begleitet, brauchen wir ihn bloß zu bitten. Wollen wir einen Karren zum Markt befördern, müssen wir schieben, schwitzen und fluchen. Kathein ist also ein Dobu. Sie benutzt die leblosen Kräfte gegen sie selbst, so daß sie ihr zu Willen sind. Befiehlt sie einem Karren, dann folgt er ihr. Hält sie einen Kristall, so erinnert er sich an Gott.«

Oelita schüttelte den Kopf über solche wunderlichen, unsinnigen Vorstellungen.

Ein Kind in gräßlicher Aufmachung – einem Kopf mit beweglichen Beißzagen und Bart – hielt den Wagen an, um Tribut für den Springer einzutreiben. Die Ivieth beachteten ihn nicht, bis sie in ihren Taschen etwas für das Bürschlein gefunden hatten. Oelita und Teenae trugen eine Süßigkeit und eine Murmel bei, dann konnte der Wagen die Fahrt fortsetzen.

Der alte steinerne Bau am Moietra-Aquädukt war Katheins persönlicher Zufluchtsort. Oelita lachte und hob ihre Röcke, um sich nicht den Saum in einer Pfütze schmutziger Brühe zu besudeln, die sich zwischen den Steinen des Kopfsteinpflasters gesammelt hatte. »Das also ist der Wohnsitz der Magierin, zu der Wagenbeschläge und Steine sprechen?! Der Anblick eines so düsteren Hauses aus der Nähe rät zur Vorsicht, habe ich den Eindruck. Wie soll ich sie begrüßen?«

»Wie jemand, der ihr eine Große Gefälligkeit erwiesen hat.«

»Ich werde nicht enthüllen, wo mein Kristall sich befindet, bevor der Handel abgeschlossen und der Allgemeinheit bekannt geworden ist.«

Teenae empfand eine Aufwallung von Mitleid. Sie schwieg zu Oelitas Äußerung. Um mit den Kaiel zu verhandeln, hätte die Gütige Ketzerin nicht allein kommen dürfen. Dann vergaß sie Oelita bis auf weiteres, als Neugier in ihr aufstieg. Was mochte wohl unterdessen aus Kathein geworden sein?

Ein junger kaielischer Bediensteter, Abgänger eines Kinderhorts, hieß sie willkommen und führte sie zu Kathein in einen mit Wandteppichen behangenen Raum mit hoher Decke. Kathein erwartete sie im Stehen. Ihre Miene blieb unbewegt. Sie trug eine weite Hose und – wie bei Fauen üblich, die gerade stillten – ein Miederleibchen, das ihre milchschweren Brüste stützte, aber entblößt ließ.

»Kathein...«

»Meine Teenae.« Im Gegensatz zu ihrem Gesicht drückt Katheins Stimme Herzlichkeit aus. »Wie froh ich bin, daß du wieder bei uns bist! Ich habe mir gehörig Sorgen um dich gemacht.«

»Von *dir* haben wir in letzter Zeit wenig vernommen.«

»Die Arbeit an der Gründung eines neuen Clans nimmt mich sehr in Anspruch. Deine Verletzungen sind geheilt?«

»Eine o'Tghalie kann man nicht durch null teilen«, antwortete Teenae, auf leichten Mut bedacht, ohne sich hineinsteigern zu können.

»Oelita«, sagte Kathein, indem sie sich ihre Pflichten als Gastgeberin angelegen sein ließ, »mein Haus sei dein Haus. Ich bin erstaunt über deinen Kristall und dir sehr dankbar dafür, daß du ihn mir zum Geschenk machst.«

»Ich habe ihn nicht als Geschenk gebracht.«

»Deine Offenheit erfrischt mein Herz.« Ein erstes, noch flüchtiges Lächeln huschte über Katheins Gesicht. »Soepei«, sagte sie laut in die Richtung des Nebenzimmers, »bring das Kästchen.« Ihr Blick fiel wieder auf Oelita. »Teenae hat dir erzählt, welchen Gerechtigkeitssinn wir in allen unseren Verhandlungen und unseren Geschäften an den Tag legen. Ich möchte unterstreichen, daß es sich tatsächlich so und nicht anders verhält.«

Sie hieß ihre Gäste auf Polstern Platz nehmen und bot ihnen heißen Gewürztee an, der nahbei auf einem niedrigen Tisch bereitstand. Soepei händigte ihr das verlangte Kästchen aus, und sie öffnete es, enthüllte einen auf Samt gebetteten, rechteckigen Kristall, wartete schweigend ab, was Oelita sagen werde.

»Deine Versteinerte Stimme Gottes ist genauso hellblau wie meine.« Oelita schaffte es, die Bezeichnung mit lediglich einer leichten Andeutung von Hohn auszusprechen. »Teenae hat erwähnt, wie lieb und teuer dir dein Kristall ist.«

»*Dies* ist die Versteinerte Stimme Gottes, die sich zuvor in deinem Besitz befunden hat. Es ist nicht meine. Du kannst den Kristall an der abgesprungenen Ecke erkennen.«

Teenaes Blick huschte hinüber zu Oelita; wachsam beobachtete sie die Freundin, um zu sehen, wie sie die Mitteilung aufnahm. Sie machte sich darauf gefaßt, Oelita notfalls zurückhalten zu müssen, aber Soepei, achtsam und stark, war noch anwesend, und auch Kathein wirkte, wie sie da saß, auf alles vorbereitet.

Oelitas Miene blieb ausdruckslos wie das einer erfahrenen Spielerin, als habe sie lediglich schlecht gewürfelt. »Und der Mann, der ihn bei sich hatte?«

»Er befindet sich im Gewahrsam des Tempels der Menschlichen Bestimmung. Ihm ist nichts geschehen. Sobald du mit ihm gesprochen hast, wird er freigelassen. Der Tempel wird ihm, weil er so verläßlich auf den Kristall achtgegeben hat, eine Belohnung überreichen.«

»Ihr seid sehr großzügig.« Der hohle Klang von Oelitas Stimme verriet, in welchem Maße sie sich betroffen fühlte.

»Von Großzügigkeit kann keine Rede sein.« Kathein war gereizt. »Er hat unsere Achtung und die Belohnung verdient. Wir wissen die Überbringung des heiligen Kristalls zu schätzen, unter welchen Umständen sie auch erfolgt sein mag.«

»Wie habt ihr ihn aufgespürt?«

Kathein schwieg einen Augenblick lang. »Oelita, du verstehst diese Stadt nicht. Fast jeder Einwohner hat irgendeinen persönlichen Vertrag mit seinem Kaiel-Priester abgeschlossen, und infolgedessen geschieht hier unter den Leuten wenig, von dem wir nicht erfahren. Um sich vor uns Kaiel zu verbergen, müßte man sich vor so gut wie jedem Menschen verstecken.«

»Ich bin euch nun auf Gnade und Ungnade ausgeliefert.«

»Nein, auch das ist falsch! Wir sind dir zu außerordentlichem Dank verpflichtet. Wir werden mit dir verhandeln, als ob du dich noch im Besitz dieses Kristalls befändest, der durch Gottes Wille in deine Hände gelangt ist. So ist's die Art von uns Kaiel. Du wirst nicht alles bekommen, was du willst, weil unsere Mittel und Möglichkeiten Grenzen haben und unsere Ziele sich von deinen Absichten unterscheiden, aber sobald wir uns zu einer Abmachung die Hand reichen, wird sie keine sein, die du in der Zukunft bereuen müßtest. Du wirst nicht eines Morgens erwachen und in der Erkenntnis des wahren Wertes, den der Kristall hat, das Gefühl haben müssen, betrogen worden zu sein.«

Teenae meldete sich zu Wort. »Sie ist verärgert wegen des Rituals des Todes.«

»*Sie* und verärgert?! Du müßtest einmal Aesoe toben hören! Er hat eine vollständige Ratsversammlung einberufen. Joesai soll verbannt werden.«

»Nein!« entfuhr es Teenae beklommen.

Matt wandte Kathein sich erneut an Oelita. »Du hast hier in der Stadt mächtige Freunde. Ich weiß nicht, ob Aesoe so wütend auf Joesai ist, weil er dich derartig behandelt hat, oder weil es ihn verdrießt, daß mein Sohn Joesais Sohn ist, aber jedenfalls dient ihm das Ritual des Todes, das Joesai dir auferlegt hat, als Vorwand für seine Wutausbrüche.«

»Wohin will man ihn schicken?« fragte Teenae aufgewühlt.

»Wahrscheinlich in die Hafenstadt Kissiel am Aramap-Meer.« Kathein lachte freudlos auf. Kissiel lag auf der anderen Seite Getas, von Kaiel-Hontokae einen halben Planetenumfang entfernt. »Manchmal könnte ich diesen Mann töten. Ich könnte ihn in brennendem Dung braten und an die Schwirrflügler verfüttern. Ich habe versucht, mich für ihn einzusetzen, aber ohne Erfolg. Nein, nach Kissiel wird er nicht geschickt. Aesoe ist dabei, eine Versammlung gegen die Mnankrei in die Wege zu leiten, und er will ihn den Mitarbeitern Bendaein hosa-Kaiels in Soebo zuteilen. Aesoe denkt gar nicht daran, die Fähigkeiten jemandes zu verschwenden, den er umzubringen wünscht.«

»Aesoe möchte Joesai tot sehen?« vergewisserte sich Oelita.

»Ja«, antwortete Kathein, ihren nahezu feindseligen Grimm kaum noch zu unterdrücken imstande, der Rivalin von der Küste.

»Dann kennt er keine Barmherzigkeit«, stellte Oelita nachdenklich fest.

»Natürlich kennt er keine Barmherzigkeit! Er würde seinen eigenen

Klon zur Rituellen Selbsttötung schicken.«

»Joesai dürfte etwas dagegen haben«, sagte Oelita.

»Er wird nichts dagegen haben, nach Soebo zu gehen«, sann Teenae laut. »Seine Leute sitzen dort fest.«

»Die Versammlung wird vielen den Tod bringen, darunter auch Joesai.« Kathein wirkte nun bedrückt.

»Ich für meinen Teil jedenfalls werde auf Joesais Kalothi vertrauen«, erklärte Oelita gelassen.

»Er ist närrisch ungestüm!« brauste Teenae auf.

»Unvernünftig starrsinnig ist er«, schimpfte Kathein.

»Nichtsdestotrotz hat er eine selten starke Kalothi«, beharrte Oelita.

»Wünschst *du* ihm den Tod?« Kathein zeigte offene Neugier.

»Solange ich lebe, würde ich danach trachten, mit ihm Frieden zu schließen.«

Kathein legte eine Hand um Oelitas Handgelenk. »Was Aesoe angeht, er ist auch auf Hoemei wütend, aber er braucht Hoemei und kann ihn nicht verbannen. Du wirst deinen Handel mit Hoemei abschließen. Ich werde Hüterin des Kristalls sein. Wir haben schon erste Arbeiten mit ihm geleistet, aber unsere Leseapparate sind ungenügend und müssen umgebaut werden.« Sie seufzte. »Wieder einmal. Ich will dir eine unserer Verständigungen mit Gott zeigen.« Sie winkte. »Soepei, hol den Silberabdruck.« Der Bogen, den Kathein vorzuweisen hatte, war mit verschwommener, unleserlicher Schrift bedeckt. »Diesmal sind's jedenfalls keine genetischen Darstellungen. Es ist eine Schrift. Teenae, das ist Gottes Schrift! Drei Seiten übereinander, so daß wir nichts lesen können, aber siehst du das Alphabet? Es ist nicht unser Alphabet, ihm aber ziemlich ähnlich. Die Buchstaben haben Ähnlichkeit mit den Inschriften an der Mauer von Kummerhausen. Schau dir das p an, und dort an der Seite, das muß ein abgewandeltes t sein.«

»Hier unten ist wahrhaftig der untere Rand eines Satzes zu erkennen«, rief Teenae ehrfürchtig.

»Wir haben herausgefunden, wie die Stelle lautet. So heißt sie.« Kathein schrieb für die beiden auf:

DUNKLER HUBSCHRAUBER (KAMPFAUSFÜHRUNG) FLOG AUSSERHALB DER REICHWEITE DER

»Was bedeutet das?«

»Gott weiß es. Gottes Schweigen ergeht sich in rätselhaften Andeutungen. Wir brauchen weitere Silberabdrücke. Wir müssen bessere Rituale erarbeiten. Wir müssen mehr Ehrfurcht und tauglichere Geräte haben. Wir brauchen mehr Geld.«

»Du schlußfolgerst aus sehr wenigem sehr viel«, erlaubte Oelita sich anzumerken.

»Was? Haben denn vielleicht Maelot den Kristall ausgeschieden?« Kathein hatte offenbar wenig Geduld für die Gedankengänge von Barbarinnen übrig.

Oelita dachte angestrengt nach, suchte nach einer Möglichkeit, wie das Bruchstück sich einordnen ließe. Die Blätter in ihrem Teebecher gaben ihr nicht gerade reichlich Aufschluß.

»Darf ich Jokain sehen?« fragte Teenae im Tonfall des Entzückens.

Soepei nahm das Kästchen mit dem Kristall sowie den Silberabdruck, und Teenae folgte Kathein, deren Stimmung sich bei der Erwähnung ihres Säuglings merklich gelockert hatte. »Kann sein, er schläft. Ich weiß nie, was er gerade macht. Er schreit selten. Manchmal, wenn er wach und hungrig ist, blickt er nur so eindringlich um sich in die Welt, als sähe er tatsächlich schon etwas. Er ist sehr geduldig. Er schreit nur, wenn er wirklich einmal vernachlässigt wird.«

Sie fanden ihn wach in seinem Korb, in dem er vor sich hinbrabbelte und mit einem Arm fuchtelte, sich eindeutig darüber im unklaren, warum ein Arm frei war und einer angebunden. Teenae hob ihn heraus, und er nahm das zum Anlaß, um mit den Lippen nach der Warze einer ihrer Brüste zu tasten. Teenae kreischte. Kathein lachte und legte den Säugling an die Brust.

»Du besuchst uns nie«, sagte Teenae vorwurfsvoll.

»Es ist verboten.«

»Aesoe kann auch nicht alles sehen.«

Kathein schlenderte mit ihrem Kind im Arm ans Fenster. »Wenn man Menschen liebt, denen man nicht nahe sein kann, ist das schmerzlich. Wenn du ihnen begegnest, überträgst du deinen Schmerz auf sie alle, obwohl du vielleicht nichts anderes im Sinne hast, als sie glücklich zu machen. Wegen deiner Qualen werden sie dich schließlich hassen. Ich will nicht, daß es mit uns soweit kommt.«

»Kathein.« Es gelang der Jüngeren kaum, nochmals Katheins Aufmerksamkeit zu finden. »Kathein...!« Sie umarmte ihre geliebte Verlobte von hinten, während der Säugling an der Brust nuckelte. »Du hast einen so klugen Kopf und redest doch solchen Unfug daher.«

»Oelita ist sehr nett. Ich freue mich für euch.«

»Oelita ist der netteste Mensch der Welt«, sagte Teenae leise. »Aber sie ist eine Barbarin. Sie ist so ganz anders als wir. Ihr fehlt jedes Format, sie ist ungebildet. Das kann nie gutgehen. Ein Sechser ist ein sehr heikles Beziehungsgefüge. Wir brauchen dich, Kathein.«

»Nun hast du meinen Schmerz erheblich verschlimmert.« Kathein tätschelte Teenaes Hand, die auf ihrer Hüfte lag. »Wir müssen einen Weg finden, um Joesai vor Aesoe zu schützen. Ich könnte es nicht ertragen, müßte er sterben, und ich als Aesoes Geliebte könnte nichts tun. Geh. Bitte geh. Unsere geschäftliche Angelegenheit ist erledigt.«

Teenae brachte ein helles Band mit einem Spielzeug daran befestigt zum Vorschein. Sie drückte es Kathein in die Hand. »Für Jokain«, sagte sie. »Zu Ehren des Springers.«

33

Der rückwärtsgewandte Geist kann nicht sehen, was vor den nach vorn gewandten Augen ausgebreitet liegt. Das Auge ist mit dem Geist lediglich über einen Abgrund aus Zeit hinweg verbunden, der vom Hier und Jetzt bis in die Wirrnis unserer Wahrnehmungen hinabreicht. Jeder Anblick fällt vom Auge hinunter in die Dunkelheit des Leibes und klimmt während eines Lebensalters über viele Stufen wieder aufwärts, bis er den Geist erreicht, der ihn nun erst zu sehen bekommt. Drunten im Leib filtert der Säugling von einst die Empfindungen nach Linien, Formen und Farben aus, gibt alles, was übrigbleibt, dem schlichtmütigen Kleinkind weiter, das die Umrisse und den Blickwinkel entwirft und das Übriggebliebene an den verwickelteren Erwachsenen weiterreicht, der die Einzelheiten hinzufügt, Überflüssiges ausmerzt und dem Bild Sinn und Zweck verleiht. Ist es da noch ein Wunder, daß zwei Menschen, die dieselbe Sache sehen, in ihr so unterschiedliche Gestalten erkennen?

Aus dem *Ersten Lehrbuch*

Der Tempel der Menschlichen Bestimmung fiel durch ein riesiges Rundfenster aus funkelndem Glas auf, das den rückwärtsgewandten Geist und die vorwärtsgewandten Augen darstellte. Es leuchtete wie ein hoher Mondgott inmitten der Trübnis über den Spielnischen, in denen Bürger ihren Verstand gegen die von den Priestern aufgestellten Maßstäbe ausspielten. Oelita fand die kaielischen Tempel anstößig und verworfen sowie – verglich man sie mit der Vornehmheit der Stgal – übertrieben pomphaft. Noe, die sie hinbegleitet hatte, zeigte an überwältigenden Abmessungen eine Freude, die wahrscheinlich daher rührte, daß sie die Tochter eines Baumeisters war und stolz auf die Fähigkeit, in solchen Größen schwelgen zu können. Nichtsdestoweniger machte der Tempel starken Eindruck auf Oelita.

Sie erlöste ihren Anhänger aus der Zelle, in der man ihn gefangenhielt, und sprach zu ihm einige tröstliche Worte. Der Mann trug keine Schuld, befürchtete jedoch, ihr beträchtlichen Schaden zugefügt zu haben. Sie dankte ihm, weil er nicht zugelassen hatte, daß dem Kristall etwas zustieß. Sie gab ihm Geld und sagte ihm, wo er Unterkunft beziehen und auf weitere Nachricht von ihr warten könne.

»Noe!«

Ein bemalter Tempelkurtisan, der in seiner betont sinnlichen Aufmachung auf schalkhafte Weise entartet aussah, kam durch die gutgelaunte Menge der Anwesenden herübergeeilt und unterhielt sich mit der Fröhlichkeit eines lange nicht gesehenen, alten Freundes mit Noe. Er war es gewesen, der Noe, als sie selbst noch hier als Tempelkurtisane tätig war, Gaet vorgestellt hatte; die zum Zwecke der Rituellen Selbsttötung kamen, waren von ihr getröstet worden, und jenen, die den Tempel nur aufsuchten, um ihren Verstand zu schärfen und sich in seiner Anwendung zu üben, hatte sie Kurzweil geboten.

»Wie steht das Spiel?« fragte sie ihn in der drolligen Art, die sie im Gespräch mit Leuten an den Tag legte, die sich nie änderten.

»Anscheinend bevorzugen die Mädchen heutzutage nur das Schachspiel«, klagte er.

»Du bist doch nicht etwa am Abschlaffen?«

»Ich könnte neue Farben vertragen, ich bräuchte neue Schminke.«

Noe ergriff seine Hand und nahm ihn mit sich, so daß er für ein Weilchen mit ihnen Kekse knabbern könne. Sie sprachen über Bücher, von denen Oelita noch nie gehört hatte, und von Saebs erstaunlichem Vortrag der Ballade von Gottes Gebot, der am heutigen Abend zu hören sein sollte.

Für jemanden aus einem Dorf an der Küste war es ein verwirrendes Erlebnis, sich diesen ausgelassenen Menschen anzupassen, die in vollem Bewußtsein dessen, was sie wollten, eine Stadt bauten, die sie einmal als herausragenden geistigen Mittelpunkt und Mittelpunkt ihrer Herrschaft über ganz Geta sehen wollten. Das weite, offenherzige Kleid, das Oelita auf Noes Drängen angelegt hatte, war zweifelsfrei nach hiesigen Maßstäben sehr anziehend, aber sie hatte so etwas noch nie in aller Öffentlichkeit getragen. Sie empfand die religiöse Ungezwungenheit der Leute ermutigend, wenngleich sie in Ohren, die an die engstirnige Befangenheit der Küste gewöhnt waren, einen erschreckenden Klang besaß; und es verunsicherte sie bis an den Rand des Grauens, daß sie – die sie stets ein so großes Vergnügen daran gefunden hatte, andere Leute mit ihren Verlautbarungen aus dem Gleichgewicht zu bringen – mit ihren Äußerungen, wann immer sie welche zu Unterhaltungen beitrug, selbst für ihre eigenen Begriffe plötzlich recht altbacken wirkte, wenn sie einen Vergleich zur unbekümmerten Achtlosigkeit zog, die diese Menschen den Tempeln entgegenbrachten, auf deren Vorhandensein sie gleichzeitig uneingeschränkt bestanden.

Oelita war neugierig auf den Besuch des Fleischmarktes. In Trauerweiler gab es keine derartige Einrichtung. Dort bekam man ausschließlich vom Tempel Fleisch, unmittelbar nach der Schlachtung, oder man mußte warten, bis man eine Einladung zu einer Totenfeier erhielt. Hier verkauften die Tempel Fleisch zu ungeheuerlichen Preisen. Noe erwarb ein kleines Gefäß mit zwei gepökelten Säuglingszungen. Bei dem Gedanken an ihre Zwillinge empfand Oelita einen Augenblick lang Haß gegenüber Noe mit heftiger Leidenschaft. Doch dann beruhigte sie sich. Schon vor langem hatte sie gelernt, daß der einzige Weg, gegen so verbreitetes Brauchtum vorzugehen, darin bestand, sich gänzlich damit abzufinden, bis man die Ursache der Denkweisen ergründen konnte, die ihm Bestand verliehen.

Gottes Wille. Das und nichts anderes würde man ihr zur Antwort geben. Es schien so, als liefe alles darauf hinaus, daß sie am Ende ihren Gott vernichten mußte. Er war die Wurzel all dieser Übel. Nicht ich bin es, dachten sie, der diese Kinder tötet und verzehrt. Gott verzehrt sie, ich bin nichts als der Mund und die Arme, die Er nicht besitzt. Oelita schauderte zusammen.

Sie bat darum, die hinteren Räumlichkeiten besichtigen zu dürfen, in denen man das Fleisch verarbeitete. Sie sprach nachsichtig mit den Schlachtern, ließ ihre Einstellung nicht durchblicken, sondern erforschte ihrerseits die Gemüter dieser Männer. Leutselig plauderten sie über ihre Aufgaben, während sie sich mit dem Kadaver einer »Maschine« befaßten; diese Bezeichnung hatten die Kaiel anscheinend jenen genetischen Weibsungetümen gegeben, die ihnen die für die Kinderhorte bestimmten Säuglinge gebaren.

»Has' du Luscht auf 'n schönes Stück von dem Schenkel hier? Wird dir 'n Arm und 'n Bein koschten, das kannst glaaben.« Der Mann lachte.

»War sie sehr alt?«

»Die hier, die werden wir erscht weischkochen müssen. Von der laafen wohl dreißig oder vierzig Bälger auf der Straaß rum.«

Diese kaielischen »Maschinen« hatten die Geschlechtsreife schon erreicht, wenn ein herkömmliches Kind gerade erst das Laufen lernte, und sie brachten unverzüglich den ersten Embryo hervor. Ihre zweite Geburt umfaßte jeweils Zwillinge, die dritte – sobald sie voll ausgewachsen waren – bereits Drillinge. Wenn sie in das Alter kamen, in dem bei Frauen erstmals die Brüste voll erblühten, waren sie schon verschlissen und reif zum Schlachten. Sie waren steril, und man legte sie durchs Klonen immer wieder neu auf.

Oelita verabschiedete sich eilig und kehrte in den Tempel zurück, wo sie Noe mit einem vornehmen alten Knaben beim Batra antraf, einem Spiel, bei dem es auf die Schnelligkeit des Sehvermögens ankam. Die Maschinen belieferten die Kinderhorte, aber Oelita hielt Noe für eine Frau, die sich einer Ersatzmutter bedienen würde, um ihre Kinder austragen zu lassen. Sie würde sich – das traute sie ihr zu – womöglich sechs Kinder gebären lassen und nach sorgsamen Begutachtungen von allen nur das gelungenste Kind für sich behalten, den Rest dagegen in ein Tempel-Schlachthaus schicken. Wie sollte man einer solchen Frau etwas begreiflich machen können?

Als Oelita ihr gegenüber eine gewisse Neugier hinsichtlich der »Maschinen«-Gebärmutter zum Ausdruck brachte, unternahm Noe mit ihr einen weiteren Ausflug. Diese Gattin von Oelitas Liebhabern war allem Anschein nach unermüdlich. Sie lief mit Oelita quer durch die halbe Stadt und führte sie in ein kleines, hinter einem eisernen Gittertor gelegenes Heiligtum. Dort erklärte sich ein Bekannter Gaets nach längerem Gerede damit einverstanden, sie in die unterirdischen Gewölbe zu geleiten.

Die heilige Reliquie, die sich dort befand – sorgsam geschützt aufgestellt, stolz aufbewahrt, war für Oelita wiederum nur ein weiteres Zeugnis des Aberglaubens. Das Gebilde war verkrustet und verbogen. Hatte eine Traube von Meeresgeschöpfen sich einen Bau rund um irgendein Treibgut geschaffen, das man später aus dem Wasser gefischt, zusammengedrückt und den Flammen übergeben hatte?

»Noch ein heiliger Stein«, sagte sie mit einem Anflug von Spott in ihrer Stimme.

»Du hast von der Ketzerei der Arant gehört?« fragte Noe.

»Nicht die Darstellung der Arant.«

»Sie haben behauptet, sie seien von Maschinen erschaffen worden.«

»Eine so glaubhafte Herkunft wie die Behauptung, vom Himmel gefallen zu sein.«

»Das hier ist so eine Maschine. Sie ist sehr, sehr alt. Es handelt sich um eine nichtbiologische Gebärmutter.«

Oelita lächelte wortlos. Offenbar ließ Noe sich dadurch nicht kränken. Sie war sich ohne Zweifel dessen bewußt, daß dieser Gegenstand alles andere war als eindrucksvoll. »Wer weiß, wie sie früher einmal ausgesehen hat? Viele Generationen später ist sie aus den Trümmern eines Gebäudes geborgen worden, das man während des Gerichts über die Arant niedergebrannt und dem Erdboden gleichgemacht hatte. Joesai hat ausdrücklich gewünscht, daß du sie zu sehen bekommst.«

»Joesai ist ein abergläubischer Mensch.«

»Er verläßt sich auf das Wort zahlreicher bedeutender Priester. Du hast von Zenei vernommen?«

»Nein.«

»Zenei hat die Überreste dieser Maschine untersucht und daraus geschlußfolgert, welchem Zweck sie einmal gedient hat. Das war gewiß keine leichte Aufgabe. Die karbonhaltigen Bestandteile sind alle vom Feuer zerstört.«

»Welch ein Glück für Zenei.« Oelita verbarg ihre Vorbehalte nicht im geringsten.

»Es ist uns gelungen, die Arbeitsweise dieser Maschine nachzuvollziehen.«

»Nein, das stimmt nicht. Eure ›Maschine‹ ist nicht mehr als eine genetisch veränderte Frau.«

»Das letztendliche Ergebnis ist das gleiche«, erwiderte Noe mit Schärfe.

»Dann beschreitet ihr auch den Weg der Arant? Ihr glaubt nicht an den Gott des Himmels?«

Mit diesem Gestichel hatte Oelita schließlich Erfolg. »Die Arant waren Abgeirrte!« fuhr Noe auf. »Sie haben die Ursprüngliche Empfängnis geleugnet. Doch selbst mit einer solchen Maschine ist eine Empfängnis vonnöten. Wir wissen, daß es Gott gibt, *weil* diese Maschine einmal ein Teil von Ihm war.«

»Und Sie ist tot, Ihre Teile überall verstreut, ein Finger da, eine Gebärmutter dort?« meinte Oelita launig.

Noe seufzte. Gab es keine Möglichkeit, schneller mit der Unwissenheit aufzuräumen?

Sie kehrten in die Stadtmitte Kaiel-Hontokaes zurück, widmeten ihr Gespräch bis auf weiteres nur noch den Männern und der geschlechtlichen Lust. Als das rötliche Zwielicht wich, entzündete man alkoholgetränkte Fackeln von düsterem Glanz, und Noe und ihr alter Bekannter entschieden, es sei an der Zeit, sich zum Gesangsvortrag auf den Weg zu machen. Sie wanderten mit Oelita an Buden und Ständen vorüber, wo man so gut wie alles kaufen konnte. Dort gab es Künstler, die ihre Arbeiten zeigten und dem Kunden bereitwillig ein Muster ihrer Wahl ins Fleisch ritzten. Ein Möbelschreiner fertigte Entwürfe an und hobelte, wenn er nicht gerade über Verkäufe verhandelte, Töpfer rissen Witze mit benachbarten Teppichwebern, und og'Sieth waren bereit, jederzeit irgendeinen Zierat oder ein Werkzeug herzustellen. Oelita säumte, um zuzuschauen, wie ein Handwerker in gespenstisch gelbem elektrischen Licht Elektronenröhren baute. Noe und ihr Bekannter mußten sie unter Gelächter fortzerren.

Sie gelangten noch ins Amphitheater, bevor die Veranstaltung begann, und nahmen unter den Sternen auf aus dem Erdgestein gehauenen Sitzbänken Platz. Die Menschenmenge, die hier zusammenströmte, war fröhlich gestimmt, und man hörte einen Scherz den anderen jagen. Männer liebäugelten mit Frauen, die sie noch nie gesehen hatten, und Weiber neckten Männer. Man dämpfte die Lautstärke der Kinder. Ständig trafen neue Zuschauer ein, führten ihren ganzen Putz und Prunk vor.

»Schau mal, dort kommt Saeb herein! Er ist heute persönlich hier.« Saeb zog die Mütze vom Kopf und lächelte jenen zu, die seine Ankunft bemerkt hatten.

Unten betrat eine Gruppe von Ankömmlingen das Amphitheater und belegte freigehaltene Ehrenplätze. Musikanten spielten ihnen zum Willkommen ein paar Töne auf. »Aesoe mit seinem Gefolge«, tuschelte Noe und zeigte ihn Oelita. »Dein Gönner. Du könntest keinen stärkeren Bundesgenossen haben. Ich habe Anordnung erhalten, dich ihm heute abend vorzustellen.«

Oelita reckte den Kopf. Aus diesem Abstand wirkte Aesoe nicht sonderlich eindrucksvoll. »Was sind das für Weiber in seiner Begleitung?«

»Welche?«

»Die mit den Schleiern.«

»Das sind seine Liethe-Flittchen. Eine von ihnen hat ihre Zähne in unseren Hoemei geschlagen.«

Die Musikanten begannen eine gedämpfte Dudelmusik; sie verwendeten Rohrblattinstrumente von schrillem Klang. Die Menge stellte das Getuschel ein. Langsam stiegen acht männliche und acht weibliche Kaiel aus zwei schmalen unterirdischen Tunnels auf, trugen Fackeln und summten, wie man es vom Wind gewohnt war, wenn er über die Ebenen dahinwehte. Die Prozession erstieg jeweils eine Stufe und verharrte dann; nahm wieder eine Stufe, blieb erneut stehen. Die Mitwirkenden waren lediglich mit einem Überwurf und Federbüscheln auf dem Kopf ausgestattet, doch durch ihren Körperschmuck, der sich im Flackern der Fackeln zu kräuseln schien, schienen sie vollständig bekleidet zu sein. Alle warfen ihre Fackeln gleichzeitig in die in der Mitte des Amphitheaters gelegene Grube und entfachten dadurch eine Feuersäule, die hoch emporbleckte. Als sei das ihr Zeichen, liefen acht Kinder auf die Bühne; sie waren, um ihre schmucklose Nacktheit zu bedecken, tatsächlich voll bekleidet. Jedes Kind hatte eine Maske aufgesetzt, die Klangkörper und schnabelähnliche, posaunenartige Verlängerungen aufwies, um die Stimme zu verstärken und zu verändern.

Unerbittlich ertönte die Ballade von Gottes Gebot mit ihrer Aufzählung der Gesetze der Genetik – jedoch in einer staunenswert andersartigen Form, als Oelita sie bis dahin je in einem Theater erlebt hatte. Kehlen jauchzten, dröhnten und trillerten in befremdlicher Harmonie, bisweilen mit sanften Klängen, manchmal in einem Emporschwellen, das mit unmenschlichen Tonlagen das gesamte Amphitheater zum Dröhnen brachte.

»Was beim Himmel...?« Oelita fühlte sich so fassungslos, daß sie ihre Begriffsstutzigkeit unverhohlen kundtat.

»Saeb hat den Kindern Gottes Stimme eingegeben.«

»Aber wie denn das?!«

»Frag nicht. Hör einfach zu.«

Die feierliche Veranstaltung dauerte die Nacht hindurch an. Noe suchte mit ihrer Begleitung einen Tempel auf, der im Vergleich zum Tempel der Menschlichen Bestimmung nichts war, nur ein Drittel der Größe des Stgal-Tempels in Trauerweiler besaß; doch in seiner stillen Schönheit war er beruhigend behaglich. Noe eröffnete Oelita, Aesoe habe befohlen, sich hier mit ihm zu treffen.

Aesoe war bereits dort. Er winkte seinen Anhang beiseite, um Oelita Zugang an seine Tafel zu gewähren, und forderte sie ohne Umschweife zum Schach heraus. Weil er älter war als sie, wählte er Weiß – Gottes Seite – und begann das Spiel mit einem althergebrachten Bauer nach Kind vier. Er lächelte und wartete. Oelita tat einen Zug. Aesoe zog unmittelbar nach.

Noe ließ sich neben Oelita auf dem Polster nieder. Noes Bekannter, der Tempel-Kurtisan, hatte sich zu einer Mitarbeiterin des Tempels gesellt, deren Kopf an beiden Seiten kahlgeschorene Streifen aufwies und die im Fleisch ihres rechten Arms Platinreifen trug; außerdem wandte sie ihre Augen nicht von Aesoe. Eine der Liethe stellte Oelita wortlos Fruchtsaft hin und verschwand wieder. Aesoes Begleiter beobachteten den Spielverlauf. Von ihnen allen kannte Oelita nur Kathein.

Jeder einzelne Zug fand die volle Aufmerksamkeit der Anwesenden. Als Oelita ihr Kind ohne den Schutz der Schwarzen Königin oder des Springers bewegte, wurden ringsum Bemerkungen laut, die von hellem Entsetzen zeugten. Doch sie fällte seine beiden Priester fürs Schlachthaus und blockte ihm den Ausweg mit einem Zug ihres Schmieds ab. Er entwickelte eine harte Gegenstrategie. Sie mußte ihr Kind in Sicherheit bringen. Der Weiße Gott stand gegen die Schwarze Königin. Man erwartete allgemein, sie werde verlieren. War dieser Mann denn nicht der Erzprophet, von dem es hieß, er könne hundert

Züge weit in die Zukunft blicken? Aber sie lockte ihn in eine Falle.

»Schach«, sagte sie; das war das erste Wort, das sie an Aesoe richtete.

Aesoe lachte. Ein eindeutiges Schachmatt lag vor. Er wartete darauf, daß sie das Weiße Kind verzehren werde, wie es dem Brauch entsprach; aber sie verzichtete. Das war ihr Brauch.

»Komm«, sagte er. »Ich wünsche mit dir zu reden.«

Die Dämmerung war nah, und er bestand auf seinem Einfall, daß sie sich mit ihm hinauf ins Gemach der Rituellen Selbsttötung begab, um die riesige rote Scheibe von Getas Sonne aufgehen und die einförmigen Kuppelbauten des Kaiel-Palastes in geschmolzenes Erz verwandeln zu sehen. Oelita wartete ab. Sie hatte nicht das Recht, als erste das Wort zu ergreifen; doch sie gab sich damit zufrieden, alles ringsum einfach zu beobachten.

»Du wirst deine Verhandlungen mit Hoemei führen. Das ist mein Wunsch. Verhandle hart mit ihm. Sei getrost auf ein rücksichtsloses Geschäft aus. Du hast meine Unterstützung.«

»Ich möchte Grimmigmond, geglättet zu bronzenem Schimmer, als Spiegel haben.«

Aesoe lachte auf. »Du wirst ihn nicht bekommen.«

»Du hast nicht mehr als eine Stadt mit Wundern der Baukunst, Reichtum und Land zu bieten?«

»Und selbst davon ist nur sehr wenig mein. Zum Beispiel kann ich nicht die Religion unseres Volkes über den Haufen werfen.«

»Und wenn all euer Wohlstand nicht ausreicht, um mit mir zu handeln?«

»Dann mußt du dich bei den Mnankrei nach ihrem Wohlstand erkundigen.«

Das war deutlich genug. Sie wechselte das Gesprächsthema. »Ich habe den Eindruck, daß du nach mir geschickt hast.«

»Nein. Du bist von dir aus zu uns gekommen.«

»Aber du hast an mir Interesse gehabt, bevor ich gekommen bin.«

»Und habe den falschen Weg beschritten, um mit dir in Verbindung zu treten. Möge Joesai verrecken, ohne daß jemand seinem Fleisch die Ehren erweist!«

»Das erste, was ich von dir verlange, ist die Zusicherung, daß Joesai keinerlei Schaden entsteht.«

»Also ist's wahr, was man von dir erzählt – daß du den Abschaum der ganzen Welt um dich sammelst!« Er lachte. »Ich gebe dir Joesai, ganz oder in Scheibchen, wie immer du ihn willst. Soviel kann ich für dich tun. Joesai ist nicht der Mond. Was noch?«

»Du könntest einen vernünftigen Anfang machen, indem du mir endlich verrätst, was es eigentlich ist, worüber ich mit Hoemei verhandeln soll.«

»Na, natürlich über die Unterwerfung Trauerweilers unter kaielische Herrschaft.«

»Darüber kann doch ich nicht bestimmen.« Dieser Mann mußte von Sinnen sein!

»Dann sag mir, mit wem ich darüber sprechen sollte.«

»Die Stgal sind die Priester Trauerweilers.«

»Ach, die Stgal. Ich habe eine sorgfältige Untersuchung angestellt und ermittelt, wen sie eigentlich vertreten. Sie vertreten überhaupt niemanden außer sich selbst. Und wer vertritt die Einwohner von Trauerweiler? Dafür kommst nur du in Frage, obwohl du keine Priesterin bist, aber ich habe mich noch nie von derartigen Kleinigkeiten hindern lassen. Ich kann dich zur Ehrenpriesterin ernennen. Oder heirate in eine meiner Familien ein und werde eine richtige Priesterin. In deiner Seele bist du eine Kaiel, du weißt's nur nicht.« Er lächelte sanft.

»Und was macht mich zu einer Kaiel?«

»Du bezweifelst, was ich sage?«

»Ja.«

»Ha! Also vermag ich doch einiges von dem zu sehen, was du nicht siehst?! Nach unserem Schach waren mir schon Bedenken hinsichtlich meiner Hellsichtigkeit gekommen.«

»Du verspottest mich. Was an mir soll den Kaiel ähnlich sein?«

»Vielleicht dein Bedürfnis nach Schmeichelei?« hänselte er sie.

»Ich würde gerne wissen, in welcher Beziehung ich den Kaiel ähnlich bin«, entgegnete sie ohne Zaudern, »damit ich meine Seele läutern kann.«

»Dann mußt du den Teil deiner selbst ablegen, der dich zu einer politischen Kraft macht.« Aesoe lachte unterdrückt. »Am wichtigsten an einem Kaiel ist, daß er kein Erbherrscher ist, sondern ein *Volksvertreter im Erbamt.* Wer weiß heute noch, wie es dahin gekommen ist? Jedenfalls ist's heute so. Tae ran-Kaiel hat begriffen, warum's so und nicht anders sein muß, und daraus eine feste, unumstößliche Einrichtung gemacht, und nun wissen wir alle, wie's möglich war, daß die Kaiel dort obsiegen konnten, wo alle anderen gescheitert sind. Sage mir, wenn einer deiner Anhänger in Schwierigkeiten steckt, weißt du darüber Bescheid?«

»Genau das habe ich mir zur Aufgabe gemacht.«

»Das ist meinen Spionen auch aufgefallen. Ansonsten kennt man eine solche Verhaltensweise in Trauerweiler allerdings nicht. Du betrachtest es also als deine Aufgabe, eine für alle Beteiligten befriedigende Lösung für die gemeinsamen Probleme jener Leute zu finden, die dir ihre Treue geschworen haben. Wer außer einem Kaiel pflegt so zu denken? In unseren Ratsversammlungen der verschiedenen Ebenen ist ein Kaiel, der keine Anhängerschaft besitzt, ein Nichts. Es zählt nicht, woher seine Genen stammen, wer sein Vater war, wer seine Mutter, die Herkunft seiner Lehrer ist ohne Bedeutung. Du hast eine Anhängerschaft. Du bist wie ein Kaiel. Weshalb sollte ich mit einem Stgal sprechen, der bloß herrschen darf, weil sein Vater irgendwann einmal ein Haus auf einem Hügel gebaut hat. Ginge ein Stgal eine Abmachung mit mir ein, wäre mir dadurch etwa die Treue der Einwohner Trauerweilers sicher? Nein. Aber wenn ich mit dir eine Übereinkunft eingehe, wird dann die Treue deiner Anhänger auch mir gelten? Ich hege die Überzeugung, daß es so sein wird.«

»Ich spreche wohl kaum für die einflußreichsten Leute in Trauerweiler. Meine Anhänger sind überwiegend von geringer Kalothi.«

»Du sprichst von einem mißverstandenen Begriff von Kalothi. Hat jemand, der sich mit einem anderen zur Erreichung eines gemeinsamen Ziels zusammenschließen kann, nicht eine höhere Kalothi als ein Dummkopf, der versucht, ein Haus auf dem eigenen Rücken herumzuschleppen?«

»Ihr seid hartherzige Menschen. Ich soll unser Land, unser Erbe und alle Menschen an euch verschachern, und sobald ihr ein Stück Papier habt, das meine Unterschrift aufweist, marschiert ihr hin und nehmt euch alles.«

Aesoe schrie vor Belustigung. »Dein Gedächtnis ist kurz. Vor wie vielen Herzschlägen habe ich dir empfohlen, hart mit Hoemei zu verhandeln? Ich rede von einem Vertrag, mit dem du zufrieden sein kannst – heute und ebenso noch morgen. Ich bin dazu imstande, mit dir zu verhandeln, *weil* du für mehr als nur für dich allein sprichst. *Ich* kenne deine Anhänger nicht. Woher soll *ich* denn wissen, woran ihnen gelegen ist? Wie soll *ich* wissen, was sie brauchen? Du weißt es. Und Hoemei weiß, was *wir* geben können.«

»Die Küste ist nicht käuflich.«

»Gottes Kotze! Es gab einmal einen Narren, der fand in der Wüste einen Klumpen Gold, so schwer, daß er ihn nicht tragen konnte, also setzte er sich daneben, um ihn zu bewachen, und indem er ihn bewachte, blieben zum Schluß bloß noch seine Gebeine übrig. Sind deine Überlegungen etwa ähnlicher Natur?!«

»Im getanischen Sagenschatz tritt, wo ein Narr ist, stets auch ein Weiser auf.« Sie verlangte, daß er die Geschichte weitererzähle.

»Später fand ein Weiser den Goldklumpen, und er war ebensowenig dazu in der Lage, ihn zu tragen. Er wählte einen Freund aus, dem er vertrauen konnte, und bot ihm die Hälfte des Goldes, wenn er ihm helfen würde, es in die Stadt zu bringen. Ist nicht von selbst ersichtlich, was diese Erzählung uns lehrt? Für einen *ganzen* Goldklumpen, der zu schwer ist, als daß man ihn allein befördern könnte, kann man sich gar nichts kaufen. Für die *Hälfte* kann man sogar Unsterblichkeit für sein Erbgut verlangen! Ist jemandes Beistand denn so schlecht? Muß man jemanden, der dir Unterstützung anbietet, weil auch du ihm helfen kannst, als Gegenspieler betrachten, der nichts anderes im Sinn hat, als dich zu hintergehen und zu betrügen? Schließ mit mir einen Handel ab!«

»Von solchen Dingen habe ich keine gute Meinung. Mit Verträgen habe ich schon meine Erfahrungen gesammelt.«

»Bestehe auf allen Sicherheiten, die du haben willst! Selbstverständlich wird sich ein Teil von Abmachungen immer als unzulänglich herausstellen. Ein Vertrag ist ein Papier, über das man heute und jetzt entscheidet. Er muß zwangsläufig Mängel haben. Man weiß nie genau, was die Zukunft bringt. Schau in die Archive, und du wirst sehen, wie oft ich mich geirrt habe. Aber wenn ein Vertrag nicht den gewünschten Zweck erfüllt, dann heult man nicht auf und fühlt sich nicht hereingelegt, zetert nicht über die angebliche Unehrlichkeit des Partners, vielmehr setzt man sich von neuem mit ihm zusammen und verhandelt noch einmal, bis man endlich wieder zufrieden ist. Man verändert den Inhalt des Vertrages, wann immer sich in der Zukunft veränderte Bedingungen ergeben. Was hätte ich davon, dich übers Ohr zu hauen? Eine gefestigte Stellung? Früh im Spiel ein paar Figuren vom Brett geholzt? Welchen Wert hätte all das für mich, wenn deine Kinder eines Tages die Notwendigkeit sehen, meine Kinder zu betrügen, weil ich dich getäuscht habe? Dann würden die Kaiel untergehen! Das wäre *mein* Untergang. Mein Same liegt nur bis zu dem Tag auf Eis, solange meine Verträge sich auf lange Sicht auszahlen. Wie viele Priester-Clans sind schon ausgestorben, weil sie nicht gelernt haben, über den unmittelbaren Vorteil hinauszudenken? Noch überleben die Stgal durch verdeckte Machenschaften – ein Lächeln für deine Augen, in deinen Becher Gift. Wie lange werden sie mit so etwas noch überdauern können? Wie viele Tröpfchen Kalothi enthält die reibungsloseste Unaufrichtigkeit? Ich ersuche dich lediglich um folgendes... schließe mit mir ein Geschäft ab, das dich zufriedenstellt.«

»Der Handel wird auch dich zufriedenstellen müssen.« Sie setzte sich mit dem machtvollen Nachdruck seiner Darlegungen auseinander.

»Natürlich!«

»Ich glaube, ich verstehe dich. Du willst dich selbst übertreffen, um an die Hälfte meines Goldes zu gelangen.«

»Gottes Augäpfel! Ereifere ich mich hier denn völlig vergebens?! Du begreifst mich *nicht*. Ich möchte das Vorrecht, mit einer liebreizenden Frau zusammensein zu dürfen, während ich mir dabei einen Bruch hebe, ihr Gold auf den Markt zu schaffen! Es macht mir Spaß, zu planen, wie wir's ausgeben werden. Verstehst du mich jetzt?«

»Ja. Du bist ein geiler Lüstling.«

34

Im Vorgebirge der Klagenden Berge, oberhalb von d'go-Vanieta Mi'Holoie, sprachen die Vorsitzenden Priester der Versammlung des Schmerzes die folgenden Worte. »Ist es genug, Schärfe zu zeigen? Selbst ein barmherziger Mensch kann sich durch Schärfe auszeichnen. Doch kann die Spitze einer Nadel, die ins Fleisch einzudringen vermag, auch Stahl durchbohren? Fleisch wird durch Metall gemeistert und Metall durch unnachgiebige Härte. Unsere Liebe zu Gottes Fleisch hat uns geschmolzen, die Reise hierher hat unser Metall geläutert, und das Turnier der ärgsten Proben hat unsere Herzen zur Unnachgiebigkeit erhärtet. In der heutigen Abenddämmerung werden wir das Metall dieser Ketzerei bis ins arantische Fleisch durchbohren. Bei Sonnenuntergang werden die Arant willig unser Gerichtsfest mit ihrem Fleisch versorgen.«

Clei-Schreiber Saneef in seinen
Erinnerungen an eine Versammlung

Bendaein hosa-Kaiel war alt genug, um über ein gewisses Maß an Klugheit zu verfügen, gleichzeitig jedoch jung genug, um darauf aus zu sein, an einem anstrengenden Kreuzzug teilnehmen zu dürfen. Seit langem war er als Mann der Tat bekannt, dessen umsichtige Strategie den kaielischen Einfluß ostwärts ausgedehnt hatte, rund um die Itraiel-Wüste, fast bis ans Meer der Tränen. Er war Gelehrter und ein Hauptvertreter der Expansionisten. Im Arbeitsraum seines Herrenhauses besprachen sich die zehn Finger-Männer seines Rates der Fäuste mit ihm; nur Joesai bewahrte stoisches Schweigen.

Die Tätowierungen in Bendaeins Gesicht waren ungleichmäßig, angelegt rund um Stichwunden, die er als frühreifer Jugendlicher während der gnadenlosen Unterwerfung der unteren Itraiel-Wüste erhalten hatte. Das entstellte, doch auch von Erfahrung gezeichnete Gesicht dieses Tatenmenschen verschaffte ihm in den Augen seiner Gefährten Ansehen, aber für Joesai sah es aus wie die zerschnittene Leidensmiene eines Verlierers. Joesai, der jünger war, hatte beim Met gehört, daß Bendaein während der Einleitung des Feldzugs in die Itraiel-Wüste nicht ganz, aber doch gehörig gehäutet worden war und sich hatte einen Umhang borgen müssen, um überhaupt mit dem Leben davonzukommen.

Mit wohlbemessenem Kraftaufwand zerbrach Joesai einen Zahnstocher. Bendaein genoß den Ruf, ein schneller Lerner zu sein. Aufgrund seiner kleinkrämerischen Redensarten argwöhnte Joesai allerdings, daß er eher ein schneller Leser war als ein schneller Lerner. Er hatte für das tollkühne Abenteuer, das sie hier ausbrüteten, sogar schon einen Namen ersonnen: Versammlung des Zorns – recht wirksam, falls sie die Durchführung lange genug überlebten, um damit Eingang in die Geschichtsschreibung zu finden.

Bendaein hatte die Absicht, diese Versammlung unter peinlich genauer Beachtung der Förmlichkeiten abzuwickeln, die vorangegangene Versammlungen festgelegt hatten. Sie zählten zu der dürftigen Zahl von Regeln, die einheitlich auf ganz Geta galten. Joesai empfand angesichts dieses feingeistigen Herangehens Mißbilligung. Eine Versammlung war ihrer Natur nach eine Ausnahme, eine Folge von etwas, das in den Balladen nicht vorausgesagt stand. Wer hätte jemals menschliche Gene in gemeinen Käfern vorhersehen können? Was hätten frühere Versammlungen über ein *solches* Verbrechen aussagen können?

Joesai brummte Mißmutsbekundungen vor sich hin – hauptsächlich zu sich selbst –, während die anderen redeten. Das Brauchtum, so lautete seine Ansicht, betraf die Alltäglichkeiten: Ehe und Speisen, Liebe und Tod. In seinem Innern ahnte er, daß davon, sein Vorgehen nach den Ritualen einstiger Versammlungen auszurichten, Gefahr ausging. Was hatten all diese Versammlungen denn schon miteinander gemeinsam? Wenn man wirklich aufmerksam nachforschte, entdeckte man, daß Versammlungen eine gewisse vorherbestimmte Neigung besaßen, sich aufgrund von Hunger und Durst in der Wüste zu zerstreuen. Bei den Unteren Clans kannte man für diese Erscheinung eine treffende Benennung: Versammlung der Gebeine.

Joesai brachte der selbstgerechten Entrüstung, die er hier mitanhören mußte, nichts als Geringschätzung entgegen. Ein Kaiel hatte für seine Begriffe schlichtweg zu wissen, was aus einer Versammlung werden konnte. Man wußte von Versammlungswarten, die lange genug geblieben waren, um die Folgen zu spüren zu bekommen. Deuteten kaielische Witze, wenn der Whisky in Strömen floß, nicht an, daß die Mi'Holoie-Kreuzzügler das reiche d'go-Vanieta – aus dessen Asche dann später Kaiel-Hontokae erstehen sollte – mehr infolge des durch den langen Marsch entstandenen Hungers als in feierlicher Entbietung der letzten Ehre leergefressen hatten?

Während sein Blick von Bendaein zum Gobelin an der Wand abschweifte, richteten seine Gedanken sich auf Kathein. Das Gewebe stammte von ortheischer Künstlerhand und zeigte eine prächtige Darstellung einer massenweisen Rituellen Selbsttötung, ein häufiger Gegenstand von Kunstwerken, nur vermochte Joesai in diesem Fall nicht die Herkunft zu bestimmen. Der Ritus war offensichtlich anders als in diesem Teil der Welt. Die Frau und der Mann im Vordergrund, die ihren Beitrag zur Veredelung der menschlichen Rasse leisteten, hatten sich die Kehlen statt der Handgelenke durchgeschnitten, und Blut in karmesinroter Färbung rann an ihren Leibern hinab, während ihre Augen leer stierten. Allerdings herrschten in der Darstellung Geprotze und nackte Tempel-Kurtisanen vor, wohl der eigentliche Anlaß für den Gobelin. Eine besonders üppige, lebensgroße Kurtisane erregte dank ihrer aufreizend abgebildeten Gestalt seine besondere Aufmerksamkeit.

Sie hatte bereits den Mann vergessen, dem sie soeben die Letzte Freude gespendet hatte, und schien – in der Hoffnung auf mehr – Joesai eindringlich zu mustern. Die gewobenen Tätowierungen ihres Körpers bestanden aus dichten geometrischen Mustern, die vor allem ihre prallen Brüste und runden Hüften betonten. Sie erinnerte Joesai an Kathein, und er roch Katheins Duftwässerchen, und in seinen Lenden regte es sich, während er den Blick der Kurtisane halb erwiderte, und wahrscheinlich wäre er in dem Gobelin, seinem Trachten nach der Lustliege der Kurtisane sowie in seinen mit alldem vermengten Träumen von Kathein vollständig aufgegangen, hätten seine Ohren nicht plötzlich und zu seiner Verblüffung Äußerungen über einen langen Marsch durchs Land vernommen.

Die Getaner waren auf ihrer Welt mit elf voneinander getrennten Meeren ausgesprochen dem Land verbunden. Sie neigten dazu, in den Begriffen von Bergen und Ebenen zu denken, denn jedes Meer ließ sich umgehen, wann immer notwendig. Keine Versammlung hatte sich je mit Inselherrschern befassen müssen, und schon dieser Umstand machte im vorliegenden Fall jeden Rückgriff auf frühere Versammlungen völlig wertlos.

»Wenn wir Soebo vom Land aus betreten wollen, werden wir wahrscheinlich eher ersäuft, als es uns gelingt, dort eine Festtafel fürs Gerichtsfest aufzustellen«, mischte Joesai sich heftig ein, indem er erstmals das Wort ergriff.

Spott machte auf Bendaein keinerlei Eindruck. »Zwischen hier und Soebo erstreckt sich auch Land. Sollen wir übers Land rudern oder segeln?«

Joesai stieß einen nichtssagenden Brummlaut aus. Die Rolle, die man ihm zugewiesen hatte, erregte sein Mißfallen. Man hatte ihm den Auftrag erteilt, auf dem Marktplatz von Soebo schonungslos eine Voruntersuchung zu betreiben. Eine solche Herausforderung auf mnankreischem Grund und Boden bedeutete das gleiche wie Rituelle Selbsttötung ohne die Vorzüge, die dabei der Rahmen eines prächtig ausgestatteten Tempels bot. Erzprophet Aesoe forderte ihn – indem er durch Bendaein handelte – unverfroren auf, seinen Beitrag zur Reinigung der menschlichen Rasse zu leisten, im Zuge einer übergeordneten Strategie sich selbst als Opfer darzubringen.

Natürlich war es in gewisser Weise auch günstig, dieser selbstmörderischen Vorhut anzugehören. Joesai würde keine Verbindung mehr zu Bendaein haben. Dann konnte er seinen Teil des Feldzugs so führen, wie er es für richtig hielt. Was Joesai allerdings verdroß, war die Tatsache, daß Aesoe sich zweifellos völlig im klaren darüber war, daß er, Joesai, wieder einmal die Befehle mißachten würde. Daher mußte es sich so verhalten, daß Aesoes Meisterplan einen Mann verlangte, der sich durch seine Verstöße gegen das Unterordnungsgebot des Clans mit einiger Sicherheit umbrachte.

Aesoe kann meinen Tod voraussehen, und ebenso, in welchem Maße mein Tod ihm nützlich sein wird. Mögen jene, die ihn lieben, auf seiner Totenfeier das Kotzen kriegen!

Joesai zerbrach einen weiteren Zahnstocher und säuberte sich die Fingernägel. Er schenkte Bendaeins Großer Strategie nicht länger Gehör. *Ich werde Noes Beistand benötigen,* schlußfolgerte er. Erstweib war mit den Seefahrern des nördlichen Njarae-Meeres verwandt, die an der Vorherrschaft der Mnankrei keine sonderliche Freude hatten. *Sie wird mir Schiffe vermitteln können.* Er dankte Gott für seine Familie. Sie war treu, im Guten genauso wie im Schlechten.

Eine Besprechung mit den Brudergatten Gaet und Hoemei war angebracht. Er verspürte in seinem Innern diesen alten wilden Drang, die Lust nach Zuschlagen ohne jede Überlegung; in Notfällen pflegte diese Neigung sein geheimer Trumpf zu sein, aber er war sich vollauf darüber im klaren – weil er es gründlich gelernt hatte –, daß ein solches Verhalten tödlich ausgehen konnte, wenn man Zeit zum Nachdenken hatte und sie nicht nutzte. Der Kinderhort drohte ihn wieder einmal einzuholen. Gaet und Hoemei waren dazu imstande, ihm zur Besonnenheit zu verhelfen. Es gab einen Ausweg. Es hatte immer einen Ausweg gegeben. Hoemei vermochte einen Weg aus jeder Falle zu ersinnen.

Ob Aesoe sich wohl jemals gegen meinen kleinsten Bruder stellen wird? Ich muß da sein, wenn es dahin kommt. Meine Familie braucht mich. Gegenwärtig brauchte er sie.

Joesais ungestüme Unternehmungslust ließ ihm keine Ruhe. Er träumte ständig von Kathein, und bei der erstbesten Gelegenheit schlich er sich davon, kehrte dem geistlosen Palaver den Rücken. Wegen Kathein sollte er in den Tod geschickt werden. Das süße Mysterium dieser Frau hatte ihn dazu bewogen, mit achtloser Gleichgültigkeit gegen Aesoes Willen zu verstoßen, bis sein hartnäckiges Zuwiderhandeln gegen die Strategie der Kaiel-Führung ihm letztendlich die Ungnade der von Aesoes Ehrgeiz gelenkten Ratsversammlung eingetragen hatte. Indem er Aesoe lange Zeit an der Verführung Katheins hinderte, hatte er ihn zur gleichen Zeit in seinem Griff nach dem fernen Trauerweiler behindert. Nun galt er als entbehrlich. Man gedachte ihn zu verschleißen, indem man ihn als Speerspitze gegen die Mnankrei einsetzen wollte, die ebenfalls darauf erpicht waren, die Küste in ihren Besitz zu bringen.

Er entsann sich der glücklichen Kathein, wie sie im mittleren Innenhof des Herrenhauses nackt im Badebecken geplätschert hatte, im Haar einen Kranz aus Liebesefeu, rosa überhaucht von den ersten Blütenknospen. Gaet war es nicht gelungen, sie mit seiner falschen, nämlich aus Bohnen bereiteten Arant-Pastete zu seiner Familie zu locken, die zur Feier des Gründungstages bei einem großen Clan-Festmahl schwelgte. Kathein hatte sich davongestohlen, weil ihr das Interesse mangelte, und auch er hatte sich Gaets Aufmerksamkeit entzogen, weil er nicht gewillt gewesen war, sie so einfach ziehen zu lassen. Zur Zeit stand der Liebesefeu nicht in Blüte, aber er kaufte trotzdem welchen, halb in der Hoffnung, er könne damit ein wenig an ihre Erinnerungen rühren. Wie war es möglich, daß eine Sechser-Liebe von so eindringlicher Tiefe nicht durch die Vervollständigung der Ehegemeinschaft Erfüllung finden sollte?

Vor Katheins Tür wog er ab, ob er den Türklopfer benutzen oder den Hebel der elektrischen Klingel umlegen solle; letztere hatte sie eingebaut, um sich über die übrige Menschheit zu erheben. Sowohl mit dem einen wie auch dem anderen drohte ihm die Gefahr, daß man ihm die Tür vor der Nase zuschlug. Es war einfacher, das Schloß zu öffnen und ohne viel Umstände hineinzugehen.

»Joesai!« Sie entdeckte ihn im zweiten Stockwerk, während er sein Kind betrachtete.

»Ho! Ein großer Bursche!« Wie beiläufig reichte er ihr den Liebesefeu. »Entsinnst du dich noch der Freuden, als wir ihn gemacht haben?«

Sie warf den Liebesefeu beiseite. »Nein! Du hast hinter deinen Augen wirklich nichts als den Hintern sitzen! Wenn Aesoe erfährt, daß du hier warst, wird er dich auf der Stelle umbringen.«

Joesai lachte nur, und Kathein schwankte bebend zwischen Hingezogensein und Abweisung. »Ich habe etwas für dich«, sagte sie schließlich, als hätte sie soeben ein besonders wirksames Gift gebraut. »Nicht weil ich dich auch nur im geringsten ausstehen könnte, sondern weil du's bitter nötig haben wirst, du närrischer Tor. Ich wüßte meine Zeit wahrlich besser zu nutzen.«

Sie lockte ihn in eine Räumlichkeit, in der sich vier ihrer Mitarbeiter aufhielten. Das war für Joesai eine Enttäuschung; er hatte mit ihr allein sein wollen. »Was ist das?« fragte er, als er den Kasten sah, der in einer Art von Rucksack stak und jede Menge schwarzer Knöpfchen sowie eine Rolle Draht aufwies.

»Das ist ein tragbarer Schallstrahl-Apparat. Empfangen kann man damit nicht, aber er sendet kraftvolle Schwingungen aus, die sich hier in Kaiel-Hontokae auffangen lassen, selbst wenn du so weit weg bist wie in Soebo. Teenae hat mir bei der Ausarbeitung einer verschlüsselten Sprache geholfen. Die Wellen sind langsam, aber weitreichend. Das heißt, du Tölpel, deine Sendung wird von sich aus soviel Wiederholung umfassen, daß sie sogar starke Störgeräusche durchdringen und trotzdem verstanden werden kann. Hoemei wird den Schlüssel auch zur Kenntnis erhalten. Du wirst ihn erlernen müssen.«

»Was für eine Verwendung sollte ich wohl für eine so umständliche Apparatur haben?« In Wirklichkeit jedoch war er hocherfreut. Hoemeis Vermögen, mit seinen Leuten in Soebo in Verbindung zu treten, hatte ihn stark beeindruckt. Noch besser war, daß Bendaein damit nichts anzufangen wissen würde und die Mnankrei darin womöglich nichts als eine Suppenterrine vermuten mochten.

»Du bist ein Schwachkopf. Ich kann dich wirklich und wahrhaftig nicht im mindesten ausstehen. Willst du dich nicht wenigstens bedanken?«

Er schlang einen Arm um ihre Schultern und zog sie an sich. »Jederzeit. Soviel du magst.«

Unter seinem Arm versteifte sich ihre Haltung. »*So* habe ich's nicht gemeint.«

Er hielt sie fest, nicht dazu geneigt, sich abweisen zu lassen. »Kathein. Wir lieben dich.«

Sie schnob. »Das ist vorbei. Ich führe mein eigenes Leben, ich habe meine eigene Familie, auch meine eigenen Liebhaber, wenn's recht ist.«

Ihre Feindseligkeit bestürzte Joesai und verwirrte ihn. Wenige Frauen hatten ihn je wirklich geliebt. Die ihn als Liebhaber kannten, pflegten noch heute gern Umgang mit ihm. Er nahm sich zusammen, bis die Begierde nachließ, suchte dann nach irgendeiner Gemeinsamkeit, über die sie reden konnten. »Teenae hat mir von den wundersamen Äußerungen der neuen Versteinerten Stimme Gottes erzählt.«

»Die uns durch deine Schuld beinahe verlorengegangen ist!« Er lächelte zerknirscht. »Am Hochtag-Morgen sind weitere Worte Gottes zum Vorschein gekommen.« Kathein stieß einen Seufzer aus. »Joesai, ich bedaure es aufrichtig, wenn ich gereizt und ärgerlich sein sollte. Ich bin gepeinigt von Entsetzen. Gott spricht wieder zu uns. Er hat sein Schweigen gebrochen, aber Seine Worte sind anders, als ich erwartet habe. Ich muß deine Meinung hören. Ich brauche dich. *Deine* Meinung. Du bist der einzige Mensch, den ich kenne, der sich ausreichend für die Vorgänge am Himmel interessiert, um möglicherweise zu begreifen, was Seine Worte bedeuten könnten. Ich zeige dir die neuesten Silberabdrücke.«

Es handelte sich um nur vier Seiten mit deutlicher Schrift in einem Alphabet, das in seiner Leseart fast vertraut wirkte und beim Lesen beinahe einen Sinn ergab. Joesai zerbrach sich über die Schrift den Kopf. »Genau die entscheidenden Begriffe verstehe ich nicht. ›Zerstörer‹ klingt nach einer Kornmühle. Vielleicht so etwas wie ein Mörser? Aber ›Kreuzer‹ und ›Kriegsgott‹?«

»Ein Gott, der Spiele spielt, habe ich mir vorgestellt.«

»Und ›Vierundzwanzigzentimetergeschütze‹?«

»In einem anderen Schriftstück ist von einer ›Kampfausführung‹ die Rede.«

»Das ist alles reichlich schleierhaft.«

»Auf diesen vier Seiten kommt achtzehnmal eine Form des Wortes ›vernichten‹ vor.«

»Ich hab's bemerkt. Das ist eine uralte Sprache. Sie berichtet aus der Welt der Heroischen Einzigen Ballade.« Joesai empfand solche Ehrfurcht, als stünde er dicht vor ungeahnten religiösen Offenbarungen. »Er erzählt Seine Geschichten in der Welt des Himmels.«

»Was könnte ›Waffe‹ bedeuten? Hier.« Sie wies auf die entsprechende Stelle. »Ich dachte, vielleicht ein Messer, weil's zum Töten benutzt wird, aber in einem anderen Zusammenhang –« – sie zeigte ihm eine andere Stelle – »– bezieht's sich auf ein Gefährt. Etwa ein Messer auf Rädern?«

»Laß uns ein Ritual vollziehen, um noch mehr Seiten zu enthüllen.«

»Nein. Du mußt jetzt gehen. Geh! Nimm diese Bogen mit. Ich habe noch andere davon.«

»Kathein, ich bin gekommen, um dich zu sehen.«

»Hinaus!« brauste sie auf. »Oder muß ich dich hinauswerfen lassen?! Sichst du denn nicht, daß ich überaus beschäftigt bin? Und nimm den Schallstrahl-Apparat. Hoemei wird dir einen Mann zuteilen, der das Gerät für dich betreut.«

Mürrisch musterte er sie, dem Abschiednehmen gänzlich abgeneigt. Katheins Handwerker beobachteten ihn.

»Ich *weiß*«, spottete sie seiner unverhohlenen Liebe. »Du würdest für mich morden. Und jetzt raus mit dir!«

35

Einen Feigling kann man nicht für die Erledigung gefährlicher Aufträge einsetzen, und einem Narren kann man nicht sein Vermögen anvertrauen. Was fängt man mit Feiglingen und Narren an? Man mäste sie, während sie für Kurzweil sorgen. In schweren Zeiten gereichen sie dir zur Speise.

Aus dem *Ersten Lehrbuch*

Hinter dem Schutzwall aus Sandsäcken zog Joesai an dem Draht, verbunden mit dem Hebel, der den Hammer auslöste. Ein Fauchen und Krachen ging durch die Luft. Dann: Totenstille. Einige Herzschläge lang wagten weder Joesai noch Gaet Atem zu holen. Dann liefen sie hinüber und untersuchten das Rohr, aus dem ein säuerlicher Geruch aufstieg. Es war nicht geborsten. In dem hölzernen Ziel war ein Loch entstanden.

»Gottes Blitzstrahl!« schrie Gaet und hüpfte auf und nieder wie ein vor Begeisterung außer sich geratener Knabe.

Joesai brüllte vor Lachen. »Bei Gott! Man sagt den og'Sieth einfach, daß sie etwas bauen sollen, und sie bauen's tatsächlich.«

Joesai öffnete den Verschluß, schob eine neue Patrone hinein und schraubte den Verschluß wieder zu. Es hatte ihn einen vollen Tag lang beansprucht, die Patronen herzustellen. Es war leicht, auf der Grundlage von Shoemis Verfahren die Zusammensetzung einer organischen Verbindung zu bestimmen, die sich unter gewaltsamer Freisetzung von Kraft in Gas verwandelte – aber diese Verbindung dann auch zustande zu bringen, war reichlich heikel. Derartige Moleküle waren von unbeständiger Natur. Zum Schluß hatte er sich zweier Sprengstoffe bedient, nämlich eines, um den anderen zu zünden. Gott hatte sich über die richtige Verwendung eines geeigneten Sprengstoffs ausgeschwiegen, und Joesai war sich nicht sicher, ob er tatsächlich die richtigen Stoffe verwendet hatte.

»Ist diesem Druckrohr ein Platz in irgendeinem Ritual bestimmt?« wollte Gaet erfahren.

»Gott allein mag's wissen. Man nimmt's, um damit Löcher in Gegenstände zu machen.« Der größere Bruder begutachtete das Loch im hölzernen Ziel mit erhöhter Aufmerksamkeit. Mit einem Bohrer wäre es erheblich sauberrandiger geworden. »Ich glaube, der hauptsächliche Zweck ist, aus einigem Abstand andere Leute zu durchlöchern. Eine Art von Messer für Feiglinge.«

»Ein Mordwerkzeug?« Gaet hegte seine Zweifel, ob man das Gerät dafür benutzen konnte. Vielleicht ließ das Rohr sich verstecken, so daß jemand über den Draht stolperte und es auslöste.

»Man stemmt es an die Schulter. Den Metallhebel legt man mit dem Zeigefinger um, während man das Rohr auf das gerichtet hält, was man zu durchlöchern wünscht. Möchtest du's beim nächsten Versuch in die Hand nehmen?« Joesai neckte den Bruder gern dann und wann.

»Sehe ich wie ein solcher Narr aus?!«

Joesai konnte seine Heiterkeit nicht verhehlen. »Nicht wie ein Narr. Vielleicht wie ein Feigling? Willst du dich nicht auf Gottes Wort verlassen, daß so etwas gutgehen kann?«

»Plötzlich höre ich in meinen Ohren nur noch Oelitas atheistische Predigten.«

»Hat sie dir die Ohren vollzuschwatzen verstanden?«

»Ja.«

»Und sie hat noch dieselben emsigen Bienen unterm Rock?«

»Sie wird sich nicht mehr ändern. Warum sollten wir auch alle dasselbe glauben?«

»Weshalb sollten wir Lügen glauben? Nur zu, glaube getrost, ein Stein sei eine Kartoffel... und du wirst dir die Zähne ausbeißen. Sie handelt mit Hoemei Verträge aus, als sei sie eine Kaiel. Ho! Ich muß ihr zugestehen, sie ist hart wie Zwieholz, das sich biegen, aber nicht bearbeiten läßt. Ihr Geist dagegen ist nach wie vor wie Brei.«

»Sie empfindet eine schlichtmütige Ehrfurcht vor dem Leben, die ich immerhin achten kann.«

»Sie zeichnet sich durch eine einfältige Ehrfurcht vor Falschheiten aus. Bevor ich aufbreche, werde ich ihr Gott noch offenbaren. Das schwöre ich.«

»Das Ritual des Todes ist beendet«, sagte Gaet im Tonfall eines Befehls.

Joesai lächelte gerissen. »Du würdest dir's nicht nehmen lassen, sie sogar vor Worten zu beschützen?«

»Gemahl, sie hat genug erdulden müssen«, entgegnete Gaet, diesmal eher flehentlich.

»Du bemitleidest sie«, rief Joesai in höchster Verwunderung. Sie waren dem Kinderhort entsprungen und hatten kein Mitleid zu kennen. Jemanden zu bemitleiden, das hieß nichts anderes, als ihn zu beleidigen. »Ihr aufreizendes Hüftwiegen verursacht bei dir Gehirnerweichung. Wie kommt's, daß du meine Frage nicht beantwortest? Wenn eine Probe mit Worten sie in den Untergang stürzen sollte, wie könnte sie dann einer Kaiel gleichen?«

»Und wie willst du ihr die Wahrheit verdeutlichen, die in Gott wohnt? Wie soll man einem Blinden den Himmel zeigen?«

»Und ich frage dich, wie könnte sie Enthüllungen Gottes leugnen, die ihrem eigenen Kristall entstammen? Ich werde ihr das hier unter die Nase halten.« Er schüttelte seine Handvoll klumpiger Bleigeschosse. »Wie hätte ich je so etwas anfertigen können, wenn nicht auf Gottes Geheiß?« Er überlegte, die von Gott selbst offenbarte Waffe in der Hand. »Was ich hier habe, nennt sich ›Gewehr‹. Die Beschreibung war in der Tat äußerst rätselhaft, und ich mußte all meine Vorstellungskraft bemühen. Ich habe mit deinem og'siethischen Freund eine ausgedehnte Besprechung bezüglich der Erarbeitung der Feinheiten durchführen müssen. Teenae hat meine Logik vollauf bestätigt. Die Schlußfolgerungen haben das schärfste Nachdenken erfordert, weil es keine eigentliche Schilderung der Arbeitsweise der Waffe gibt. Es liegen mir nur ein paar erzählerische Darstellungen ihres Einsatzes vor. Die Welt des Himmels ist eine reichlich fremdartige Welt, in der es von Mördern nur so wimmelt. Wenn wir wieder im Palast sind, zeige ich dir einen Abschnitt, in dem die Geschichte eines Bergvolkes erzählt wird, das mit Gewehren umherzog und russische Priester durchlöcherte, die in fahrbaren Tempeln aus vier Daumen dickem Stahl wohnten. Das hat auf mich Eindruck gemacht.«

»Ein Gott, der das Töten predigt, wird Oelita nicht im geringsten beeindrucken.«

Joesai hob das Gewehr an seine Schulter, zielte auf den Abhang des Hügels...

»Nicht!« schrie Gaet.

...und legte den metallenen Hebel um. Erneut erscholl ein Krachen, ein wuchtiger Stoß traf Joesais Schulter, und an der Aufschlagstelle flogen Steinsplitter durch die Luft. »Die Logik, die ihren Geist zermürben wird, wenn sie sich nicht ändert, lautet folgendermaßen: Gott hat uns aus einer Welt errettet, in der wir nichts anderes zu züchten hatten als bessere Mörder. Er hat davon nicht zu uns gesprochen, solange wir nicht gelernt hatten, bei der Züchtung höhere Werte in den Vordergrund zu stellen. Nun lehrt Er uns durch Oelita, die uns Sein diesbezügliches Wort gebracht hat, von neuem das Morden. Das ist eine Prüfung, anhand der Er ersehen will, was wir inzwischen gelernt haben. Gott ist Oelitas Partner. Kann ihr Verstand angesichts dieser Erkenntnis gesund bleiben? Gott verabscheut das Morden, und doch lehrt Er uns durch sie zahlreiche neue Mittel und Wege des Mordens. Was Oelita heute nicht einzusehen vermag, sie aber einsehen muß, wenn sie überleben will, ist die Tatsache, daß der Tod weder ihr noch Gott zuliebe haltmacht. Der Tod steht über allem. Wir können nur überdauern, wenn wir den Tod überlisten, ihn für unsere Zwecke dienstbar machen, und das tun wir, indem wir hohe Kalothi zum Ziel unseres Züchtens machen.«

Die beiden Brüder führten die Meinungsverschiedenheit weiter, während sie luden und noch fünf Bleiklumpen verschossen. Sie setzte sich mit Unterbrechungen fort, und als Getas Sonne ihren Höchststand erreichte, wendeten die Brüder ihre Aufmerksamkeit einer Erprobung des tragbaren Schallstrahl-Gerätes zu. Mit dem Apparat nahmen sie Verbindung mit dem Palast auf und übermittelten eine Nachricht für Hoemei, die schlicht und einfach lautete: »Kinderhort-Wiedersehensfeier des Hölzernen Dreigespanns bei Sonnenuntergang.« Der Streit verlief heftiger, während sie auf Gaets Skrei-Rad in die Stadt zurückholperten, ihre Rucksäcke an den Stangen befestigt; das Gewehr allerdings trug Joesai am Gurt um die Schultern. Als Hoemei sich in seinen Palastgemächern zu ihnen gesellte, in denen schon kalte Speisen auf einer Tafel bereitstanden und am Fenster mit überkreuzten Beinen eine Liethe saß und eine leise Melodie spielte, verlief der Meinungsaustausch sich vorerst und mußte später wiederaufgenommen werden.

Ohne Hast beschloß die Liethe ihr wohlklingendes Geklimper, ehe sie aufstand, sich verbeugte und den Ankömmlingen aus den Überkleidern half. Ihre behutsame Hilfeleistung unterbrach sie zeitweilig, weil sie starkes Interesse an dem kalten, stählernen Rohr mit den seltsamen Vorrichtungen verspürte. »Was ist denn das?« Ihre Finger strichen über den Lauf.

»Ein Werkzeug, mit dem man neugierige Weiber zum Schweigen bringt«, scherzte Joesai.

Die Liethe faßte den Scherz als Befehl zum Schweigen auf und geleitete die Brüder ins Bad, ohne daß auch nur der Saum ihres Gewandes geraschelt hätte. Ihre zierlichen Hände begannen ihnen die Müdigkeit aus den Gliedmaßen zu massieren, spülten ihnen mit dem warmen Wasser den Dreck von den Leibern, daß es eine Wonne war, sich so entspannen zu dürfen.

Hoemei näherte sich mit einem Kissen und setzte sich darauf. »Ich habe gehört, Kathein hat die Titelseite entdeckt.«

»Hast du die Offenbarungen schon gelesen?« wollte Joesai wissen.

»Ich habe nicht einen einzigen Augenblick Zeit dafür gefunden.

Gottes Füße haben mich unaufhörlich in den Arsch getreten. Heute abend habe ich eine Verabredung mit Teenae, und sie hat versprochen, mir aus diesem wüsten Buch Teile vorzulesen, falls es mir gelingt, ihre körperlichen Begierden hinlänglich zu befriedigen. Mir ist die ganze Aufregung entgangen. Mein Gott, zu allem anderen habe ich nun auch noch Pflichten bei der Versammlung übernehmen müssen!«

»Bendaein dürfte schwerlich für dich Verwendung haben«, raunzte Joesai geringschätzig.

Hoemei seufzte. »Ich habe diese Aufgaben deinetwegen übernommen. Es geht um gewisse geheime Vorbereitungen zu deinen Gunsten. Bendaein weiß nichts von meinen Bemühungen.«

Joesai warf Hoemei einen wilden Blick zu, der besagte, er solle mit seinen Äußerungen lieber vorsichtig sein, solange sie sich im selben Raum mit einer von Aesoes Spioninnen befänden.

»Sie ist mir treu ergeben, Joesai.«

»Du würdest deiner eigenen Mutter trauen, wenn du eine hättest.«

»Es war Honieg, die in Soebo unsere Leute ausfindig gemacht hat.«

Ohne im Kneten von Joesais Muskeln auch nur flüchtig einzuhalten, bekräftigte die Liethe Hoemeis Hinweis. »Man hält sie unterm Tempel der Wilden See gefangen. Irgendein hoher Seepriester ist anscheinend der Meinung, es sei nützlich, sie bis auf weiteres am Leben zu lassen.«

»Ich habe sie im Nachrichtenraum in der Schallstrahlübermittlung angelernt. Aesoe hat davon keine Ahnung und wäre keinesfalls darüber erfreut.«

Joesai wandte sich an die Frau mit der glatten Haut, die sich bis zur Hüfte entblößt hatte, um ihre Kleidung nicht zu benetzen. »Du also bist's gewesen, die meinem Herzen die Ruhe wiedergegeben hat? Ich danke dir.« Er langte zu und drückte ihr mit starkem Griff das Handgelenk, wie es der Brauch war, wenn man eine Schuld anerkannte, die beglichen werden sollte, wann immer man sie einforderte, heute oder eine Generation später.

»Ich werde nie etwas anderes brauchen als das Bewußtsein, dir zur vollen Zufriedenheit zu dienen.« Die Liethe senkte den Blick und machte sich daran, ihm die Knie zu waschen.

Unverzüglich begann Joesai, obwohl es ihm unvermindert an Bereitschaft mangelte, der Liethe zu vertrauen, an diesem seltsamen Geschöpf Gefallen zu finden. Einige Herzschläge lang dachte er noch darüber nach, ob er ihr womöglich trauen könne. Doch sicherheitshalber lenkte er das Gespräch auf etwas anderes. »Was ist der Titelseite zu entnehmen?«

»Gott entschleiert uns die Geschichte des Menschengeschlechts. Oelitas Kristall enthält einen Teil von Band eins, der lautet: *Die Erde, Wiege der Menschheit.*«

»Erde – das ist doch die Riethe der Heroischen Einzigen Ballade«, rief Joesai und verursachte einen Wasserschwall, der Gaet gänzlich überschwemmte und die Liethe bespritzte.

»Höchstwahrscheinlich. Der Band *Wiege der Menschheit* hat acht Kapitel. Wir haben nur das erste Kapitel: *Der Feuerofen des Krieges.*«

»All diese verfluchten Begriffe, die nichts bedeuten!« tobte Joesai. »Mittlerweile habe ich von Kathein vierzehn Seiten bekommen, und das meiste, was darauf steht, ergibt keinen richtigen Sinn.«

Gaet hatte unterdessen in seinem in dieser Hinsicht herausragenden Gedächtnis nach Namen und Orten gesucht und lächelte. *Feuerofen* dürfte soviel wie Schmiedeofen, Brennofen oder Verbrennungsofen bedeuten. Das Wörtchen *Feuerofen* kommt in dem Kinderlied ›Gowan gaht schmieden zum *Feuerofen*‹ vor. Bei den og'Sieth an den Küsten des Aramap-Meers bedeutet das Wort *befeuern* die Entfachung von Glut zum Erweichen von Metall. Bisweilen gebraucht man ein ähnliches Wort für die Einäscherung, zum Beispiel in der Verwünschung: ›Mögen deine vergifteten Eingeweide *verfeuert* werden, während deine Familie hungert.‹«

»Ich bin beim Durchlesen auf den Begriff ›Krieg‹ gestoßen«, entsann sich Joesai. »Er besagt mir überhaupt nichts. Man findet ihn im Zusammenhang mit den Wörtern ›töten‹ und ›Frieden‹. Ich vermute, es handelt sich um ein Spiel mit tödlichem Ausgang, dessen erster Zug ›Frieden‹ heißt.«

»Ich habe noch gar nichts gelesen, also kann ich noch keine Vermutungen anstellen«, sagte Hoemei. »Kathein bevorzugt die Übertragung ›Feuerprobe der Gewalt‹, andere sind für ›Brennofen der Höchstglut‹ oder einfach ›Verbrennungsofen‹.«

»Es gibt Anspielungen auf Verbrennungen«, sagte Joesai. »Die Bewohner des Himmels ernähren sich nicht von jenen, die sie töten, daher ist's logisch, daß Vergiften ein weitverbreitetes Mittel ist, um Beiträge zur Aufbesserung der menschlichen Rasse zu erheischen. Oder vielleicht haben sie sich selbst vergiftet, um ihren Gegnern Nahrung zu verweigern. Eine Stelle habe ich gelesen, da ist von massenhaftem Vergiften und Verbrennen die Rede, und zwar in einem derartigen Umfang, daß ich's nicht glauben würde, hätte ich nicht Gottes eigenes Wort es die Wahrheit nennen sehen. Die gesamte Einwohnerschaft Kaiel-Hontokaes könnte von einem solchen Schwarzen Tempel binnen weniger Wochen verschlungen werden. Dann kam etwas über eine Stadt, die in einem so wütigen Feuersturm entflammt war, daß sämtliche Einwohner verbrannten oder erstickten. Viele Sätze bestehen aus Verlautbarungen mächtiger Priester und bringen ihre Bereitschaft zum Ausdruck, ganze Städte in Asche zu verwandeln. Ein beliebter Bestandteil des Spiels war das Niederbrennen schutzloser Dörfer. Die Kinder tanzten als Fackeln für die Sieger. Aber ›Verbrennungsofen‹ ist nicht eindeutig genug. Und was ist mit dem Gewehr? Mir gefällt das og'siethische Wort ›befeuern‹, das Gaet erwähnt hat. Zu welcher Gestalt muß solche Gewalttätigkeit wohl eines Menschen Metall verformen? Wir können Gott für unsere Verbringung nur danken.«

»Gepriesen sei Gott, wenn das die Welt unseres Ursprungs war«, sagte Gaet.

»Gepriesen sei Gott«, wiederholte Joesai mit ritueller Inbrunst.

Das Liethe-Mädchen sagte nichts. Es trocknete die triefnassen Körper der Brüder ab, brachte ihnen Hausgewänder – in Krapprot gefärbt – und begab sich erneut an das kleine Saiteninstrument, dessen Klimpern von da an das Gespräch untermalte, während die Liethe lauschte.

»Du mußt lesen, wie ihre Clans miteinander verflochten waren, Hoemei. Das wird dich umhauen. Sie hatten Priester-Clans, die waren aufs wahllose Töten so versessen wie wir auf Kalothi.«

Hoemei aß Brot, verklumpte Bohnen und Nußbutter mit gemeiner Taimu-Tunke. »Hatten sie eine ortsgebunden zusammengefaßte Herrschaft?«

»Ich glaube nicht. Ich bin ziemlich durcheinander. Was können vierzehn Seiten schon über etwas aussagen, das so vielfältig in seinem Erscheinungsbild ist wie ein oz'numaescher Wandteppich? Ich glaube, die Marx-Priester übten einmal eine mächtige Herrschaft aus, aber sie hatten Verständigungsschwierigkeiten und zerfielen in Russen, Imperialisten, Kommunisten, Chinesen, Sozialisten, Provokateure, Libyer, Faschisten, Lakaien, Trotzkisten, Gaullisten, Revisionisten, Kagebeer und Albanier. Weiter reicht meine Erinnerung nicht mehr. Die Gegenseite war leichter zu merken. Sie bestand nur aus den amerikanischen Priestern und den israelischen Priestern sowie ihren Verbündeten, den Opeckern, den Kapitalisten, den Multinationalen sowie den Degeneratburjwa.«

»Und wer hat gewonnen?« fragte Hoemei mit vollem Mund.

»Das hat Gott nicht offenbart. Ich würde auf die Imperialisten wetten. Sie haben immer zur richtigen Zeit und in der richtigen Gegend Bundesgenossen gehabt. Zuerst beschimpfen die Russen ein imperialistisch-amerikanisches Bündnis, aber kaum hat man die nächste Seite in der Hand, nehmen die Amerikaner an einer heiligen Versammlung gegen ein russisch-imperialistisches Bündnis teil.« Joesai ließ sich Belustigung anmerken.

»Deine Schilderung klingt wie die getanische Geschichte mit veränderten Clan-Namen«, brummte Gaet.

»Sie hört sich nur so an, weil ich die Einzelheiten weglasse. Diese Himmelsbewohner kennen mehr Möglichkeiten, wie man sich an die Gurgel kann, als unsereins sie sich im Traum einfallen lassen würde. Denke dir mal, wie beliebt ein Priester-Clan sein muß, wenn seine Mitglieder nur in fahrbaren Tempeln mit Wänden aus vier Daumen dickem Stahl andere Länder zu besuchen wagen.«

»Dürftest du nicht ein so unbezwingliches Gefährt bitter nötig haben, wenn du Soebo aufsuchst?« Mit dieser Bemerkung kam Hoemei auf den eigentlichen Anlaß der Unterredung zu sprechen. Er redete genau in der Art, wie er es damals im Kinderhort getan hatte, wenn einer von ihnen bei einer Prüfung in Gefahr schwebte, im hohen Turm, im freien Feld, oder wenn sie gerade in hastiger Suche eine Treppe gefunden hatten. Anfangs hatte es vier maran-Brüder gegeben. Jetzt waren sie nur noch drei.

Nun war Joesai endgültig mit der Anwesenheit der Liethe-Frau und ihrem seidenen Schweigen unzufrieden. »Sie muß gehen.«

»Sie bleibt«, sagte Hoemei.

Die Liethe legte ihr Musikinstrument zur Seite und heftete den Blick ihrer feuchten Augen auf Joesai. »Der Kodex unseres Clans schreibt vor, daß wir die Geheimnisse unserer Männer mit ins Grab nehmen. Ein Ivieth ist bei seinem Leben darauf verschworen, den Reisenden ans Ziel zu bringen. Ein og'Sieth steht und fällt mit der handwerklichen Leistung. Ein o'Tghalie wird nicht zwei und nochmals zwei nehmen und dann behaupten, zusammen wären's drei. Eine Liethe ist eine zuverlässige Dienerin der Priester.«

»Was sagst du dazu, Gaet?« fragte Joesai nach.

»Sie muß einen Eid ablegen.«

Die Königin des Lebens vor dem Tod sank auf die Knie. »Mögen Gottes Ohren mich vernehmen. Von allem, was ich in diesem Gemach zur Kenntnis erhalte, soll nichts meine Lippen oder Finger verlassen, ohne daß ich die Erlaubnis aller Beteiligten besitze. Ich diene all euren Wünschen.«

»Den Eid auf den Tod«, forderte Joesai ungerührt.

Ohne Widerspruch holte die Liethe eine Nadel. Sie stach sich in den Finger, und als auf der Fingerkuppe ein roter Tropfen anschwoll, bot sie ihn Joesais Zunge dar, auf daß er ihr Blut koste. »Ich kann euch nicht voneinander unterscheiden«, sagte Joesai. »Der Eid bindet auch deine Schwestern.«

Sie verneigte sich und kehrte an ihren Platz zurück.

Hoemei ergriff das Wort. »Ich habe ihr die Anwesenheit in meinen Räumen ausdrücklich gestattet. Sie ist stärker an mich gebunden, als ihr glaubt.« Er holte Karten heraus, schob das Essen beiseite und entfaltete sie. »Bendaein traut meinen neuen Möglichkeiten nicht, weil sie kein Bestandteil der Überlieferung sind. Aber ich habe dank des Schallstrahls einen viel weiteren Wirkungskreis als Bendaein. Und ich mache ihn mir zunutze. Ich habe die Außenstellen. Die Liethe –« er nickte hinüber zu Honieg – »–waren eine große Hilfe dabei, den Aufruf zur Versammlung zu verbreiten. Sie kennen die Priester, die zum Handeln imstande sind. Ich habe beschlossen, keine Maßnahmen, Verhandlungen oder irgendwelche Zugeständnisse zu verlangen. Stattdessen habe ich die schnellsten Ivieth-Läufer mit Eiern der veränderten Unterzängler losgeschickt, damit man sich überall selber von dem überzeugen kann, was da getan worden ist. Ich verlasse mich darauf, daß alle Clans gleichermaßen an der Bereinigung dieser Angelegenheit interessiert sind. Wer wird schon bereit sein, einen biologischen Angriff auf unsere Nahrungsversorgung hinzunehmen? So etwas ist viel zu gefährlich, und wenn man berücksichtigt, daß es ja auch noch Trockenheit und Naturkatastrophen gibt, ist es geradezu unerträglich. Ich rechne mit starker Unterstützung von allen Seiten.«

Joesai hatte Einwände. »Auch Bendaein erwartet Beistand. Allerdings ist er weniger sicher, daß die Versammlung die Anstrengungen überdauern und das Gericht über die Mnankrei bringen kann. Er möchte beweglich und schnell sein, sich mit wenigen, aber tüchtigen Männern auf den Weg begeben.«

»Das sind die Widersprüche, wie sie in Aesoes engster Umgebung stets auftreten«, sagte Hoemei. »Er stellt sich vor, den Handel und Wandel eines ganzen Planeten zu lenken, aber er ist nicht dazu in der Lage, die Veranstaltung einer großen Versammlung zu gewährleisten. Ich dagegen kann's, und ich habe bereits alle erforderlichen Vorbereitungen eingeleitet. Die Versammlung wird nicht bis zum letzten Mann in Soebo zusammenlaufen. Vielmehr werden ständig neun von zehn Personen an der Aufrechterhaltung der Versorgungslager mitarbeiten.«

»Und das, während wir noch die Küste beliefern?« Joesai schnob.

»Was wir brauchen, ist überall an den Wegstrecken vorhanden, die ich festgelegt habe. Das alles ist eine Frage des Ordnungschaffens und der Anleitung, nicht der Mittel.«

Joesai gab sich mit einer Lösung, die nach seinem Empfinden die hauptsächliche Fragestellung außer acht ließ, nicht so recht zufrieden. »Meine Sorge gilt nicht der Beteiligung. Ich würde auch zu einer Versammlung von Zehn nach Soebo gehen. Das wäre mir sogar angenehmer.«

»Aber eine so beschränkte Versammlung hätte keinerlei Gewicht und könnte auf den Lauf der Dinge keinen Einfluß nehmen. Die anderen Clans wären, weil sie nicht teilgenommen haben, nicht an ihre Beschlüsse gebunden.«

Nichts als Philosophiererei! »Wieso dient mein Tod Aesoes Zwekken?« Das war es, was Joesai interessierte. »Vielleicht weiß *sie* es?«

Die Liethe lächelte andeutungsweise. Ihre feuchten Augen funkelten wie die See. »Ich stehe unter Aesoes Eid. Ich kann nichts sagen.«

Joesai stieß einen Knurrlaut aus. »Das ist eine Falle. Eine erfolgreiche Untersuchung auf dem Soeboer Marktplatz würde einen hervorragenden Maulfechter erfordern, einen Mann von großartigem Geist und unwiderstehlicher rednerischer Anziehungskraft, mit Schlagfertigkeit. Und selbst ihn würde man ermorden. Dich sollte man vorschlagen, Gaet. Das wäre eine weit klügere Wahl. Übernimm du den Auftrag, ich überlasse ihn dir gern.«

»Aber was Aesoe wünscht, ist ein Mann mit steinharter Faust, der bei der erstbesten Gelegenheit den Tatbestand der Beleidigung herbeiführt.«

»Weil er letzten Endes einen toten Mann braucht!«

»Genau«, bestätigte Gaet.

»Und selbst wenn ich auf meine Weise vorgehe, schnell und ohne irgendwem die Füße zu küssen, wird man mich dennoch ermorden.«

»Genau«, bekräftigte Gaet.

»Und aus diesem Grund wirst du's auf *meine* Weise tun.« Hoemei glich einem Wundarzt beim Schneiden. »Du wirst mit deinem Vortrupp Soebo nicht betreten. Du wirst einen Tagesmarsch Abstand von der Stadt halten und *nichts* tun.«

»Gottes Gelüst, du weißt, ich bin geistig nicht imstande zum Nichtstun!«

»Du wirst deine Leute *nicht* befreien. Du wirst *keine* Untersuchung veranstalten. Du wirst *keine* Auseinandersetzungen führen. Überhaupt nichts wirst du tun. Ich habe bezüglich des Ausgangs dieser Angelegenheit in den Archiven meine Voraussage eingereicht. Sie beruht auf der Voraussetzung, daß du gar nichts unternimmst. Aesoe hat seine Vorhersage hinsichtlich des Ausgangs dieser Sache ebenfalls in den Archiven hinterlegt. Seine Prophezeiung verheißt deinen Tod, der wahrscheinlich den Zweck haben soll, aller Welt zu zeigen, daß die Mnankrei nicht willens sind, eine Untersuchung zuzulassen. Er geht davon aus, daß du zum Stillhalten außerstande bist. Deshalb *wirst* du, um zu überleben, genau das machen. Die Lösung, die ich anstrebe, ist der Menschheit, den Kaiel und meinem Bruder gleichermaßen von Nutzen.«

In Joesais Innerstem bäumte sich alles auf. Inmitten einer feindlichen Umgebung sollte er tatenlos bleiben? Unmöglich! »Und ich soll nur dasitzen, während die Mnankrei mir bei lebendigem Leibe das Fell abziehen?«

»Die Mnankrei dürften sehr wohl darauf eingestellt sein, sich auf dein Spiel einzulassen, aber du wirst kein Spiel spielen. Außerdem steht Gott auf unserer Seite.« Hoemei lächelte teuflisch, während er einen Blick auf das tödliche Gewehr warf, das neben die Tür gelehnt stand. »Du wirst einhundert von diesen Werkzeugen zu deiner Verfügung haben. Niemand wird's wagen, sich dir zu nähern. Du wirst sie kaum einsetzen müssen.«

Joesai beruhigte sich. Hoemei war schneller von Verstand als jeder andere Mensch, den er kannte. Überleben bedeutete, auf einen unverbrüchlich getreuen Bruder zu hören, dessen Wort sich allzeit bewährt hatte. »Du weißt etwas, das ich nicht weiß.«

»Unsere Augen betrachten dasselbe Schachbrett.«

Joesai dachte über diese Entgegnung nach. Sein Bruder hatte soeben seinen Verstand geschmäht. »Wenn ich mich auf ein Feld unmittelbar neben Soebo begebe, nur um mir dort die Nägel anzumalen, dann ist das Schachmatt, oder wie?«

»In drei Zügen.«

»Er ist ein wundervoller, überragender Geist«, sagte das Liethe-Weib mit vernehmlichem Stolz. Es hatte Hoemei beobachtet. Es sah, daß er durstig war, noch ehe es ihm selbst auffiel, und erhob sich, um ihm etwas zu trinken zu bringen.

Gaet lächelte Joesai voller Zuneigung an. »Schau nicht so entgeistert drein, Bruder. Hoemei und ich haben kürzlich, während du fort warst, im geheimen vielerlei betrieben.«

Hoemei räumte die Überbleibsel der Mahlzeit ab, damit das Durcheinander nicht für Honieg zurückblieb. Um sie fernzuhalten, bestand er darauf, daß sie eine neue Melodie spielte. »Und wie geht's Kathein?« Die Tonlage seiner Stimme bezeugte eine Mischung aus Sorge und Bitternis.

»Warum fragst du?« entgegnete Joesai verdrossen.

»Du hast sie in letzter Zeit häufiger als wir gesehen.«

»Sie hat mich mißhandelt«, rief Joesai entrüstet.

Gaet, der bei der Erwähnung von Katheins Namen aufgemerkt hatte, schwang sich von seinem Kissen, lachte unterdrückt auf. »Hat sie dich etwa geschlagen?«

»Mit Worten, die Fäuste glichen! Ich verblute inwendig.«

Gaet stampfte vor Entzücken auf. »Sie lernt dazu. Ich wußte gar nicht, daß so etwas in ihr steckt. Das ist ein gutes Zeichen.«

Hoemei, der eilends die Essensreste und das Geschirr beiseite stellte, lächelte nur.

»Und ihr Insekten sollt meine Brüder sein!« Der Gedanke an Kathein versetzte Joesai in niedergeschlagene Stimmung.

»Wir werden uns morgen weiter darüber unterhalten«, sagte Hoemei. »Ich möchte Teenae nicht warten lassen, und ich muß unterwegs Blumen für sie besorgen.«

Gaet mißfiel es, den Bruder so mißmutig zu sehen. »Joesai, komm über Nacht zu mir und Noe ins Große Kloster.«

»Nein, nicht«, mischte sich Hoemei ein. »Er sollte besser hier im Palast bleiben und sich einprägen, was an Wissen über Soebo vorhanden ist. Honieg kann ihm die Zeit annehmlich machen und wird ihm auch die Nachtruhe versüßen.«

So, dachte Joesai. *Hoemei überläßt seinem grobklotzigen Bruder, den er als zur feinsinnigen Liebe unfähig erachtet, die bloße Lust des Fleisches.* War das nicht die Rolle, die Gaet sich immer schon angemaßt hatte? Er empfand Sarkasmus, bis in ihm Erinnerungen erwachten... an Noes herzige Art, ihre Reize aufzubieten... das Lächeln, mit dem sich gleichzeitig unter ihren üppigen Brauen Teenaes Augen zu erhellen pflegten. »Warte«, sagte er. »Ich gebe dir ein paar Zeilen für sie mit.« Er nahm Papier und einen Stift und schrieb zwei Gedichte; eins für Teenae:

Das Geheimnis
unter dunklen Brauen
ist eine Treue
die noch Bestand hat
wenn ein Narr
Vergebung erfleht
weil er ein Feigling ist.

Und eins für Noe:

Nie prügle einen Mann
mein Liebling
eh er im Staub liegt
gib ihm kein Salz
eh er nicht Zucker wähnt.
Denn so beweist du mir
mein Liebling
Winterschnee gleicht dem Frühling.

36

Anläßlich der Geheimen Beratung zur Zeit der Sommerhitze, während der abschließenden Veranstaltungen des Kalothi-Wettkampfes, unterbreitete Reeho'na, der bedeutendste lebende o'Tghalie, die Theorie vom Spiel der vielen Teilnehmer, die uns darlegt, weshalb ein Unterhändler, der den größten Vorteil für jedes Mitglied einer Gruppe im Auge hat, mehr gewinnen kann als der gegensätzlich gesonnene Unterhändler, der danach trachtet, zum Nachteil anderer den eigenen Vorteil zu erhöhen.

Foeti pno-Kaiel, Kinderhort-Lehrer der maran-Kaiel

Eben war die Urkunde des Bündnisvertrags aus der Druckerei eingetroffen. Oelita lag zusammengerollt in ihrem Zimmer im zweiten Stockwerk des Herrenhauses der maran-Kaiel unterm Fenster und las noch einmal die deutlich abgefaßten Wendungen, roch die Druckerschwärze, fühlte sich rundum selbstzufrieden. Die Vorrede stammte vollständig von ihr. Nicht ein Wort hatte sie abändern lassen. Einige der blumigeren Ausdrücke waren ebenfalls von ihr – sie schätzte eine bildhafte Sprache –, aber überwiegend war der Vertrag das wortgewaltige Werk von Hoemeis Schülern und zum Schluß durch Hoemeis eigene unerbittliche Hand überarbeitet worden.

Wie konnte Hoemei mit seiner behaarten Brust und dem sanftmütigen Lächeln einen Mann wie Joesai mögen? Sie waren doch so verschieden!

Das Abfassen des Abkommens war für Oelita ein aufregendes Erlebnis gewesen, völlig anders als jede Gemeinschaftsarbeit, an der sie zuvor teilgenommen hatte. Ihre Auseinandersetzungen mit den Stgal hatten sie gelehrt, daß priesterliche Beratungen pompöse Ereignisse waren, in deren Verlauf man geheime Beschlüsse ausheckte, um Widersacher zu beschwichtigen und in bezug auf die tatsächlichen Verhältnisse zu täuschen. Ihr eigener Ketzerhaufen war kaum besser, und es war schon häufig der Fall gewesen, daß sie sich zum Tadeln und Beschwatzen gezwungen gesehen hatte. Die Kaiel dagegen handelten ihre Waren mit begeisterter Offenheit und der Umsichtigkeit erfahrener Überlebenskünstler.

Die Gruppe von Unterhändlern, die mit Oelita die Verhandlungen abwickelte, bestand aus sechs Männern und fünf Frauen; neun davon waren Sprößlinge der Kinderhorte. Drei von ihnen mochten mit ihr zum Kol in den Tempel gehen und ihr während des Spiels empörende und teils widersprüchliche Vorschläge machen, zu deren Annahme sie sie zu überreden versuchten. Unterdessen widmeten die anderen sich Begutachtungen und erarbeiteten weitere Vorschläge, untersuchten alles, was man behandelte, auf Mängel.

Als sie zu guter Letzt einem Vorschlag zugestimmt hatte – sie entsann sich an das Schuldgefühl, das sie dabei empfand, und lächelte –, begannen die Kaiel untereinander darüber zu streiten, aus welchen Gründen Oelita mit *dieser* Abmachung später unzufrieden sein könne. Bisweilen saß ein alter Lehrmeister Hoemeis dabei, sann über ihre Streitpunkte nach, klärte sie über dies und jenes auf, leitete sie in ihren Bemühungen an. An einem Tag waren sie in bester, freudig-erregter Stimmung gewesen, am nächsten Tag, wenn sie sich genügend Gedanken über etwaige Folgen gemacht hatten, vielleicht in mißgelaunter Gemütsverfassung. Sie gaben sich dem Durchdenken möglicher Folgen mit wahrer Besessenheit hin.

Oelita war wohlvertraut mit dem stgalischen Gefüge von Verfahrensweisen, das darauf aus war, etwas nur in der Breite aufzubauen. Die Stgal herrschten mit Flickwerk und notdürftiger Ausbesserung. Stets mußten sie rückgängig machen, was sie erst vor kurzem ausgeführt hatten. Sie kehrten politische Festlegungen um oder verwarfen sie ganz. Sie nahmen sogar regelmäßig eine gescheiterte Politik von neuem auf, sobald man ihr Mißlingen vergessen hatte.

Nachdem sie während ihres bisherigen Lebens derartige Erfahrungen gesammelt hatte, erstaunte es Oelita in höchstem Maße, hier mitanzusehen, wie eifrige junge Kaiel ein Werk vollbrachten, das mit etlichen Pfeilen fest im Vergangenen ruhte und sich eignete, um die Zukunft etlicher Generationen zu tragen. Jeder Absatz des Vertrages glich dem Grundstein eines neuen Tempels, dessen obere Stockwerke festen Boden für den Fernblick geliebter, wenngleich bislang lediglich voraussichtlicher Enkelkinder abgaben.

Von diesen elf Personen lernte Oelita am besten die sehr beflissene Hedonistin Taimera kennen, die fast noch ein Kind war und erst vor kurzem von Hoemei aus dem Kinderhort geholt worden war; ihre kleinen Brüste, der Hals und die Schultern wiesen noch keine Tätowierungen auf. Sie war ein schelmisches Mädchen, das einen scharfen Blick dafür besaß, welche Fäden der Vergangenheit ein Weber der Gegenwart aufnehmen und verknüpfen mußte, um einem künftigen Muster Haltbarkeit zu verleihen. Taimera war diejenige, die Oelita am eindringlichsten nach Vorbehalten ausforschte und immerzu Einfühlsamkeit für Gegensätze zwischen den kaielischen Absichten und den Sitten der Ketzer zeigte. Einmal erklärte Taimera ihr, nachdem Oelita ihr die Beziehungen unter den Clans an der Küste erläutert hatte, weshalb die Mitglieder der Arbeitsgruppe sich einer solchen Gründlichkeit befleißigten.

Jene Gruppierungen unter den Kaiel, die *wirksame* Spielregeln für den Umgang mit anderen Clans festlegten, die sich bewährten, errangen damit Macht, Geld und Einfluß – und die Weitergabe ihres Erbguts in die Zuchträume der Kinderhorte. Die unmittelbare Zukunft betreffende Voraussagen, die richtig waren, belohnte man; aber der wirklich große Erfolg fiel jenem zu, der über die Fähigkeit verfügte, die Folgen des heutigen Handelns in der *ferneren* Zukunft zu bestimmen.

Die jungen Leute, die Hoemei um Oelita versammelt hatte, wußten genau, daß kaielische Prüfer, ausgestattet mit nachträglichen Einsichten, die Ergebnisse des vorliegenden Vertragswerkes noch im Augenmerk haben würden, wenn seine Verfasser schon höhere politische Ränge erklommen hatten. Falls die Küstenbewohner bis dahin durch ihre Beziehungen zu den Kaiel im Wohlstand erblüht waren, würden die Stimmen der Mitverfasser des Abkommens in erheblichem Umfang an Gewicht gewinnen; doch sollte der Vertrag nicht halten, was er versprach, mußten sie damit rechnen, auf irgendeinen bedeutungslosen Platz in der Verwaltung abgeschoben zu werden.

Für Taimera war es eine Ehrensache – die naturgemäß mit einer gewissen Besorgnis einherging –, die Art von Arbeit zu leisten, die ihr den Ruf eines anhaltend guten Urteilsvermögens sicherte. Sie war ehrgeizig. Sie hatte sich zu außergewöhnlicher Leistungsfähigkeit getrieben, um den Kinderhort verlassen zu können, und nun trieb sie sich weiter an, um einmal an den höchsten Ratssitzungen teilnehmen zu dürfen. Bis jetzt, so vertraute sie Oelita an, hatte sie erst eine Anhängerschaft von fünf Personen, so daß ihre Stimme nur gering zählte, aber sie besaß darüber Klarheit, daß die Macht eines Kaiel nicht völlig ausschließlich auf der Größe seiner Anhängerschaft beruhte. Letzten Endes stützte sie sich auf die Tauglichkeit seines Wirkens.

Die Urkunde hatte bereits der Geldbewilligungsstelle vorgelegen, deren Aufgabe es war, daß man, sobald die Abmachungen durch Gesetzesbeschluß bestätigt waren, auch die erforderlichen Maßnahmen zu ihrer Verwirklichung ergreifen konnte. Es hatte keine Schwierigkeiten gegeben. Das Schriftstück war mit voller Kenntnis und unter Berücksichtigung der Bewilligungsmaßstäbe abgefaßt worden. Nun stand noch die Abstimmung über die gesetzliche Verankerung aus.

Jeder unbescholtene Kaiel durfte bis zu einem bestimmten Zeitpunkt an der Abstimmung teilnehmen; im allgemeinen machten sich jedoch nur wenige die Mühe einer solchen Stimmabgabe, denn die Kaiel schrieben dafür ein besonderes Verfahren vor. Sie vertraten die Auffassung, daß ein bloßes Ja oder Nein den Stimmberechtigten kein sorgfältiges Nachdenken abverlangte und zu einer schlampigen, unzulänglichen Gesetzgebung führte. Ein Kaiel, der seine Stimme zu etwas abgab – und dieser Clan unterzog sich fortwährend des Aufwands, über irgend etwas abzustimmen –, mußte den Archiven eine genaue Darlegung der von ihm erwarteten Folgen seiner Entscheidung einreichen. Die Archivare nahmen keine Stimme entgegen, ehe der Stimmberechtigte seine Ansichten nicht in nachvollziehbare Begriffe gefaßt hatte.

Die Stimmabgabe war gewöhnlich spärlich, aber sie zeigte die Entscheidungen von Kaiel an, die nicht die Mühe scheuten, die es kostete, sich auf dem laufenden zu halten, und die bereit waren, von ihrer Einschätzung der vermutlichen Ergebnisse ihre politische Zukunft abhängig zu machen. Eine einheitliche gesetzgeberische Versammlung gab es nicht. Von Kindesbeinen an bildete man einen Kaiel dahingehend aus, in den Bereichen, in denen er ein persönliches Verantwortungsgefühl empfand, eigene Gesetze auszuarbeiten. Dabei lernte er, wie er, um ein Gesetz verabschiedet zu bekommen, mit einer ausreichenden Anzahl von Kaiel, die mit einiger Wahrscheinlichkeit ihre Stimme abgeben würden, in Verbindung treten und mit ihnen ein Einvernehmen herstellen konnte, ehe er seinen Vorschlag auf die Abstimmungsliste setzte.

Oelita erfuhr von Taimera, daß es aufgrund stillschweigender Übereinstimmung zwanzig begründete Ja-Stimmen und eine ausführliche, genau aufgeschlüsselte Übersicht der gegenteilig eingestellten Stimmberechtigten erforderte, ehe man eine Vorlage entgegennahm. Da jeder Kaiel vor allem auf seine Fähigkeit stolz war, richtige Voraussagen zu treffen, gab es allerdings kaum Fälle, in denen man die vorgelegten Gesetze nicht verabschiedete.

Die Natur des Angriffs, der gegen die Stgal vorgetragen werden sollte, war reichlich einfach. Man würde zunächst ganz geheim den abgeschlossenen Bündnisvertrag in Druckstücken unter Oelitas Anhängern verteilen, so daß sie erfuhren, daß sie ihre Unterstützung in einem Spiel brauchte, das dem Priestersturz beim Kol ähnelte.

Junge Kaiel sollten sich heimlich an der Küste festsetzen und Anhänger um sich sammeln. Ein Kaiel, der eine Abmachung mit dem

Mitglied eines Küsten-Clans traf, hatte die persönliche Verantwortung für den Schutz dieser Person zu übernehmen und sie, sobald Nahrungsverknappung einsetzte, mit Lebensmitteln zu versorgen oder in die Flüchtlingslager zu verbringen, die man gegenwärtig längs der Straße im Tal der Zehntausend Gräber errichtete. Als Gegenleistung mußte der Betroffene seinen Namen aus dem Kalothi-Verzeichnis des Tempels zu Trauerweiler ins Kalothi-Verzeichnis in Kaiel-Hontokae übertragen und schwören, sich an die Gesetze der Kaiel zu halten.

Oelita empfand ein gewisses Unbehagen, weil die ersten Leute, die in den Genuß dieser Art von Schutz kommen sollten, ihre Anhänger waren, doch Hoemei lachte nur und versicherte, die erste Verpflichtung eines Kaiel gelte seiner Anhängerschaft – das war jene Pflicht, die den durch die Kaiel verwalteten Landstrichen eine so ausgeprägte Lebensfähigkeit schenkte. Wenn dann die Menschen in der Gegend Trauerweilers erkannten, daß es jenen, die von niedriger Kalothi waren, aber unter dem Schutz der Kaiel standen, besser erging als denen, die eine hohe Kalothi besaßen, aber die Gunst der Stgal genossen, würden die Stgal sich alsbald von aller Welt verlassen sehen und infolgedessen ihrer Macht beraubt.

»Glaubst du, daß viele Küstenbewohner ihren Beitrag zur Reinigung der Rasse in eurem Tempel leisten werden müssen?« Bezüglich der Rituellen Selbsttötung hatte sie keinerlei Zugeständnisse erhandeln können.

»Wir haben alles viel besser vorbereitet, als du's dir vorstellst. Die ersten Kaiel, die die Küste aufsuchen, werden das Mittel gegen die Unterzängler-Plage mitbringen, und als erste werden jene Bauern es erhalten, die sich den Kaiel verpflichten. Dadurch bieten sie auch ihren Nachbarn Schutz. Taimera hat beschlossen, mit deinem Freund Nonoep an der Herstellung von verzehrbaren gemeinen Nahrungsmitteln in großen Mengen zusammenzuarbeiten. Am Anfang wird natürlich wenig dabei herauskommen, aber es wird den Mangel eindämmen helfen, und deine Leute werden zuerst davon erhalten. Versprechen will ich dir nichts, ich kann dir nur zusagen, daß deine Leute mit uns besser dran sein werden als bei den Stgal.«

»Und was ist mit den Mnankrei?« erkundigte sich Oelita.

Hoemei lächelte. »Es ist nützlich, einen Bruder zu haben, dessen Handwerk das Töten ist.«

»Du schickst Joesai nach Soebo?«

»Aesoe schickt ihn nach Soebo.« Hoemeis Lächeln öffnete sich zu einem breiten Grinsen. »Selbst Aesoe begeht Fehler, und ich bin jederzeit bereit, sie auszunutzen.«

»Ich fürchte mich noch immer vor Joesai.«

»Er hat auch seine weichen Seiten. Es verhält sich keineswegs so, daß er dich nicht leiden könnte. Er ist ein Sprößling des Kinderhorts, und wir alle sind dort schon in irgendeiner Form dem Ritual des Todes ausgesetzt worden. So etwas hinterläßt seine Spuren in der Seele eines Menschen. Joesai sähe es am liebsten, wärst du ihm gleichwertig.«

»Wäre es nicht besser, ihr würdet auf derartige Grausamkeiten verzichten?«

»Kann sein, wir werden's eines Tages... wenn das Land zu Wasser wird und das Wasser zu Land.« Das bedeutete: niemals. »Das Ritual des Todes ist eine gerechte Sache. Es gibt der Kalothi eine große Gelegenheit und macht stark für das Leben, das meistens ungerecht ist.«

Aesoe kam am Herrensitz der maran-Kaiel vorüber und nahm Oelita auf einen Spaziergang mit. Er besuchte mit ihr den Pflanzengarten, in dem man gemeine Gewächse allein um ihrer Schönheit willen züchtete. Viele von ihnen befanden sich in seltsamer Partnerschaft mit den Insekten. Allerlei Blumen gab es, die mit ihrem Aussehen, der Farbe und dem Duft Käfer anzogen und auf Menschen eine vergleichbare Wirkung ausübten, so daß sie sie durch Züchtung zu einer immer noch fremdartigeren Pracht gedeihen zu lassen trachteten.

»Das sind ja Blaunasen«, rief Oelita. Die Blüten waren von dunklem Violett und hatten die größten Blähkelche, Nüstern ähnlich, die sie je gesehen hatte. Ihre Gedanken schweiften zu der Jahreszeit ab, in der weite violette Flächen die Hügel oberhalb des Njarae-Meeres bedeckten, es dort dank des feuchten Windes, der von der See hereinwehte, üppig blühte.

Aesoe unterhielt sich mit ihr über das unendlich vielfältige Leben der Insekten, seine Liebhaberei, und es stimmte ihn aufrichtig froh, mit jemandem darüber reden zu können, der davon so viel wie er selbst verstand. Mit Vorliebe beschäftigte er sich mit der Beobachtung des achtbeinigen Kaiel. Er lachte, als Oelita erzählte, wie es den Kaiel immer wieder gelang, den Keilgräber zum Anlegen von Bauten für sie zu verleiten, indem sie den Rücken des Keilgräbers mit einem Duftstoff bestrichen, der in ihm den Drang zum Nestbauen auslöste.

Mitten unter all den Gewächsen ernannte Aesoe sie zum Ehren-Kaiel. Er stattete sie mit einer vorläufigen schätzungsweisen Stimmgewichtigkeit aus, die einer Anhängerschaft von zweihundert Personen entsprach, und teilte ihr mit, daß sie über jede Angelegenheit abstimmen dürfe, welche die Küste betraf. Er befreite sie von der Pflicht, die einzelnen Mitglieder ihrer Anhängerschaft namentlich zu benennen, bis sie zu der Überzeugung gelangt sei, daß die Kaiel ihr Vertrauen nicht mißbrauchten.

Anschließend geleitete er sie zurück zum Herrenhaus der maran-Kaiel, schlug allerdings eine weite, jedoch sehenswerte Strecke ein, die über Hügel mit stattlichen Häusern führte. Er schäkerte mit ihr, tätschelte ihr den Hintern und versicherte, er sei von erregend üppiger Prallheit.

»Du mußt's mit Kaiel-Duftstoffen versuchen«, sagte sie und nahm seinen Arm. »Mit Schmeicheleien kann man mich nicht verführen.«

Der Erzprophet verabschiedete sich von ihr am Tor, indem er darauf verwies, er habe noch andernorts dringende Angelegenheiten zu erledigen; vielleicht dachte er daran, daß Joesai zu Hause weilte. Als Oelita den Innenhof des Wohnsitzes der maran-Kaiel betrat, sah sie dort Joesai allein im hochfeierlichen Ritual-Gewand der Priesterschaft stehen; aber sie fühlte sich stärker als je zuvor in ihrem Leben, und nicht einmal sein Anblick vermochte sie einzuschüchtern.

»Aesoe hat mich vorhin zur Ehren-Kaiel ernannt«, erzählte sie ihm stolz. »Ich habe eine Stimmgewichtigkeit von zweihundert Personen.«

»Ho! Welch eine Torheit, derartig die Tradition zu schmähen! Und du selbst wähnst dich dieser Ehre würdig?«

»O ja!« schleuderte sie ihm auf seine Unverschämtheit entgegen und fühlte sich dabei regelrecht fröhlich. »Wirst du über den Vertrag mit der Küste abstimmen?«

»Ich stimme mit Ja. Aber mit einigen Vorbehalten.«

Teenae hatte den Balkon über dem Innenhof betreten. »Laß Oelita in Ruhe, du ungehobelter Flegel!«

»Was reichst du den Archiven ein?« hakte Oelita nach, beobachtete wachsam jede Regung in Joesais Miene.

»Ich glaube, der Plan wird sich nur schwer durchführen lassen. Dafür bist du vonnöten, aber du wirst nicht da sein.«

Teenae bemerkte Oelitas Erschrecken und sprang vom Balkon, um Joesai ihre Fäuste zu spüren zu geben. Er langte bloß zu, packte seine Gattin am Handgelenk, hob sie in die Höhe, während er die andere Hand in träger Bewegung unter die Rundungen ihres Hinterteils schob, sie gelassen mitsamt aller Kleidung in das in der Mitte des Hofs gelegene Brunnenbecken warf. Das Wasser spritzte hochauf, und Joesais Gelächter hallte, als durchdröhne es sämtliche Knochen seiner wuchtigen Hünengestalt.

Urplötzlich empfand Oelita von neuem äußerste Furcht.

37

Und die an jenem Tage fielen, Männer ebenso wie Frauen, waren ihrer zwölftausend, alle Bewohner von Ai. Denn Josua senkte seine Hand nicht, die den Wurfspieß hielt, bis er alle Bewohner Ais bis zum letzten Mann ausgerottet hatte. Josua brannte Ai nieder und machte es zu einem Trümmerberg für alle Zeit, so daß wir ihn noch heute sehen. Und er ließ den König von Ai bis zum Abend an einem Baum hängen; und als die Sonne sank, gab Josua einen Befehl, und man nahm den Leichnam vom Baum, verscharrte ihn vor dem Stadttor und schichtete auf ihn einen großen Haufen Steine, der bis zum heutigen Tag dort steht.

Auszug aus *Der Feuerofen des Krieges*

Die Gerüchte um Oelitas Kristall breiteten sich in Kaiel-Hontokae aus wie ein Lauffeuer unter den Dornbüschen der Wüste.

Er sollte ein Auge in Gottes Herz sein! Ein Auge in die Hölle! Der Gott des Himmels hatte Sein Schweigen gebrochen! In sachlicheren Gesprächen stellte man einfach nur Überlegungen bezüglich eines Spiels namens Krieg an.

Oelita hatte Teenae zu Hoemei von Gewalten flüstern hören, die in Eruptionen von Blitz und Donner ganze Städte verschlangen. In den Straßen vernahm sie, wie man aufgeregt von Mörder-Clans sprach, deren Mitglieder zu Tausenden in ordentlichen Reihen aufeinander losgingen, sich mit schweren langen Messern Arme und Beine, Häupter und Leiber zerhackten, ein jeder darauf bedacht, sich selbst hinter einem Schild zu schützen.

Ganz gleich, wie nachdrücklich sie sich dagegen wehrte, die Gerüchte sickerten unablässig zu Oelita durch wie Wasser durch Risse in einer Staumauer. Sie zuckte bloß mit den Schultern. Trotz all ihrer Fortschrittlichkeit waren die Kaiel ein abergläubischer Clan.

Am Abend des großen Festes, mit dem man den Vertragsabschluß feierte, nahm sie Joesais Herausforderung kühn an. Sie war seines Gehänsels müde, mit dem er sie behelligte, als sei sie noch ein kleines Mädchen, das an Beißdäumlinge glaubte, die in Fei-Blumen lauerten und vorwitzigen Kindern die Daumen abbissen. So geschah es, daß sie in Festgewandung in Katheins Physik-Werkstatt eintraf. Teenae, die darauf bestand, sie als so etwas wie ihre Leibwächterin zu begleiten, trug eine aus schillernden Saloptera-Bäuchen genähte Hose mit einem breiten Gürtel aus der Haut ihres Großvaters, dazu einen geraden Kopfschmuck aus Edelsteinen, der den geschorenen Mittelstreifen in ihrem schwarzen Haupthaar bedeckte. Hinter ihr ragte Joesai in Kohlschwarz, Silber und Leder auf.

Sie gingen hinein. Joesai brachte sie in eine gewölbte Kammer voller klotziger Magier-Mysterien, an denen drei schweißüberströmte Zauberlehrlinge schufteten. Oelita schaute in Wandgestelle, in denen Glasbehälter mit winzigen roten Insektenaugen standen. Eine Luftschraube zur Erzeugung einer gewissen Abkühlung surrte wie ein Schwarm Käfer auf Wanderflug. Kathein, die sich bewegte, als wage sie mit den Füßen nicht zu fest aufzutreten, zeigte Oelita die Versteinerte Stimme Gottes, die zwischen zwei metallenen Stiften stak und verbunden war mit einem Gewirr von Fangärmchen aus Draht. Viele Lichter und Lichtlein leuchteten, gläserne Linsen schimmerten; der Kristall befand sich vor den dicken Bälgern eines Silberabdruck-Bildherstellers.

Kathein hielt ihre Besucher zur Ruhe an, während sie mit flinken Fingern unbestimmte Verrichtungen vornahm. Sie wartete, bat die drei, sich nicht zu rühren, dann zog sie eine in schwarzes Papier gehüllte Glasplatte heraus. »Dein Kristall enthält nicht nur Geschriebenes, sondern zum Teil auch Abbildungen«, sagte sie zu Oelita. »Koienta«, rief sie einen Bediensteten. »Entwickle mir diesen Silberabdruck. Ich werde bald zu dem Fest aufbrechen müssen. Ich muß mich noch umziehen.«

Koienta verneigte sich vor Oelita. »Unseren Dank dafür, daß du den Kristall so gut behütet hast«, sagte er im Vorübergehen zu ihr, indem er sich neben ihr an den Wandgestellen mit den eingeglasten roten Äuglein vorbeischob, seine Aufmerksamkeit der schwarz umhüllten Glasplatte gewidmet. Im oblag das Einer-Ritual, jeden Brocken dogmatischer Lehre glauben zu müssen, den man ihm eingetrichtert hatte. Diese Vorstellung flößte Oelita Unbehagen ein.

Während Kathein sich weiter betätigte, Hebel umlegte und Schalter drückte, eine neue Glasplatte vorbereitete, erläuterte sie in höflichem Umgangston Art und Umfang ihrer flehentlichen Bitten an Gott. Oelita hörte zu, ohne nur zu versuchen, etwas zu verstehen, dem keine Logik innewohnen konnte. Joesai lächelte vor sich hin, vermutlich in der Annahme, sie sei ungeheuer beeindruckt. Immer waren es die Unwissenden, welche die unerschütterliche Überzeugung hegten, vollauf im Recht zu sein!

Geraume Zeit später, als Koienta Kathein die fertigen Silberabdrücke aushändigte, betrachtete die Physikerin sie für eine ausgedehnte Weile, die viele Herzschläge umfaßte, und die Glanzlichter, die das spieglige Papier in ihr Gesicht warf, erhellten ein wechselhaftes Mienenspiel des Grauens. Wortlos reichte sie die Silberabdrücke Oelita, während Teenae sich schier den Hals verrenkte, um etwas sehen zu können, und Joesai ihre Gesichter beobachtete.

»Was ist's?« forschte Teenae nach.

»Gott hat am heutigen Tag erneut zu uns gesprochen«, rief Kathein.

Oelita erblickte ein unbewegliches Bild zweier im Verwesen begriffener Menschen, die in einer Schlammlandschaft im Stacheldraht hingen. Darunter standen erkennbare Zahlen und beinahe lesbare Wörter.

Zwei von 150000, die 1916 bei der Höhe von Vimy fielen

Woher mochte ein derartiges Bild stammen? Oelita suchte in ihren Erinnerungen, durchforschte ihr Gedächtnis, bemühte ihre Logik – und fand nichts, was ihr Aufschluß gegeben hätte. Ihr war, als habe sie im Dunkeln ihren Fuß auf eine vertraute Treppe setzen wollen, in der sicheren Erwartung, unter sich den Stein der Stufen zu spüren, und es wäre keine Treppe mehr vorhanden gewesen. Der Sturz verursachte ein Schwindelgefühl und machte benommen.

»Dein Kristall umfaßt eine Viertelmilliarde Wörter und Tausende von Bildern, alle wie das hier«, sagte Kathein und führte ihre Besucher beiseite. Sie warteten, während sie sich umkleidete. Oelita sprach kein Wort. Joesai, sichtlich mit sich zufrieden, brauchte sich nicht erst danach zu erkundigen, welche Gedanken sie beschäftigten. Dieser einzelne Blick durch die Augen Gottes hatte Teenae mit anhaltendem Entsetzen erfüllt. Das Schweigen fand erst ein Ende, als man von der Treppe das Rascheln von Katheins Festgewandung vernahm. Sie erschien in Blau aus glänzender Seide, die keglig spitzen Brüste entblößt, eine filigrane Maske aus Platin in die Narben der vornehmen Tätowierung ihres Gesichts gesetzt.

Gemeinsam begaben sie sich in den Palast. Im Festsaal drängten sich aufgeregte kaielische Narbengesichter, die festliche Anlässe mit besonderer Thematik liebten. *Der Feuerofen des Krieges,* wie wenig man auch noch davon wissen mochte, erwies sich als furchterregendes Thema.

Die Musikanten trugen Trachten, deren Aussehen man den mittlerweile erstellten Silberabdrücken entnommen hatte; prächtig traten sie in bemalten Papphelmen, bunten Waffenröcken und Brustpanzern aus Messing auf. Baron von Richthofen spielte in roter Tracht die Oboe, auf der Brust ein dickes schwarzes Balkenkreuz, das von eckig-zackigem Narbengewebe gefurchte Gesicht halb unter einer roten Schutzbrille verborgen. Mit einem großen Helmbusch aus Wüstenfeuer auf dem Kopf stimmte Achilles die Saiten seiner mandelförmigen Gurde. Hitler und Stalin, angetan mit schwarz-gelben Nadelstreifen-Hosen, erprobten das Orgelpfeifen-Schlagzeug.

In kräftigem Rot und Grün gekleidete Schweizer Garden sicherten mit stolz getragenen Hellebarden das Hereinschaffen der Whisky-Fässer durch den Haupteingang. Dann bahnte sich mit finsterer Miene der gewappnete Samurai Takeda Shingen – kein anderer als Aesoe persönlich – einen Weg durch die Festhalle, im Gürtel einen krummen, so langen Dolch, daß die Spitze beinahe über den Fußboden schleifte, und an einer Stange trug er ein gelbes und hellblaues Banner, auf dem in senkrechter Schrift stand: ›Schnell wie Wind; still wie Wald; feurig wie Feuer; fest wie Berg.‹

Aufgebracht eilte Oelita an einen Tisch, auf dem man die bisherigen Silberabdrücke säuberlich aufgestapelt hatte, an jedes Stück ein Blatt mit einer vorläufigen Übertragung geheftet. Mühselig las sie eine Seite, nahm die Übertragung zu Hilfe, wenn sie mit dem Wortlaut nicht mehr zurechtkam. Einmal mußte sie sich an einen der Sprachkundler wenden, die sich bei dem Tisch aufhielten, damit er ihr über unklare Bedeutungen und teils befremdlichen Satzbau hinweghalf.

*In der Annahme, es sei nur einer (ein Mitglied eines Mörder-Clans), näherte er sich mit dem Wasser. Aber als er das Gesträuch durchdrungen hatte, fand er dahinter ungefähr zwanzig Menschen vor, alle in genau dem gleichen (scheußlichen) Zustand; ihre Gesichter waren völlig versengt, die Augenhöhlen leer, und die Flüssigkeit ihrer zerlaufenen Augen war ihnen die Wangen hinabgeronnen. Sie mußten nach oben geschaut haben, als (das Sonnenfeuer aufflammte); vielleicht handelte es sich um Angehörige der (Bekämpfer von maschinenbetriebenen Segelflugzeugen).**

Oelita nahm einen anderen Bogen zur Hand.

Sie bekamen Anweisung, ihre (Mordwerkzeuge) niederzulegen, und man (schlachtete sie ohne die Absicht des Verzehrs). Nur das Leben des Kalifen schonte man, um ihn (Mörder-Priester) Hulagu zum Geschenk zu machen, der am (fünfzehnte Schlafzeit des zweiten Monddurchlaufs im Riethe-Jahr) in Stadt und Palast einzog. Nachdem

* Nach *Hiroshima* von John Hersey.

der Kalif (unter dem Zwang von Schmerzzufügung) das Versteck seiner Schätze preisgegeben hatte (dem Spielgewinner), tötete man ihn ebenfalls. Unterdessen ging das (Schlachten ohne die Absicht des Verzehrs) in der ganzen Stadt weiter. Die sich sofort ergaben und auch jene, die noch kämpften, (ermordete) man gleichermaßen. Frauen und Kinder erlitten das gleiche Schicksal wie ihre Männer. In einer Seitengasse entdeckte ein Mongole vierzig neugeborene Säuglinge, deren Mütter bereits den Tod gefunden hatten. Aus Mitleid (tötete) er sie, weil er wußte, daß sie ohne Mütter, um sie zu säugen, elendig sterben müßten. Innerhalb von vierzig Tagen erschlug man achtzigtausend Bürger Bagdads.

Was war das? Stammte diese Springflut von Papier aus einer Dämonenwelt, welche die Menschen damit besprengte, um sie zu verbrühen? Oelita glaubte nicht ein Wort von alldem – und wenn sie auch nur einen Augenblick lang dazu geneigt war, befiel sie angesichts derartig unvorstellbarer Unsittlichkeit äußerstes Entsetzen.

Wie sollte irgendwer achtzigtausend Menschen in vierzig Tagen verzehren können? Die Leichen müßten in Fäulnis übergehen; das unbearbeitete Leder würde in der Sonne brüchig. Einen Menschen zu ermorden, das war schlimm genug, aber auch seine Verwandten hinzumorden, so daß keine Totenfeier abgehalten werden konnte, das war geradezu unvorstellbar schändlich!

Oelitas Herz hämmerte wild, als sie zehn Sänger in den Saal Einzug halten sah, umhüllt mit schlammbraunen Überwürfen, und ihre Stimmverstärker-Masken waren merkwürdig glotzäugig und besaßen unmöglich dicke Nasen.

»Gasmasken aus dem Ersten Weltkrieg«, erklärte der Sprachkundler, der Oelita schon zuvor beraten hatte.

Der Gesangsvortrag hob an, berichtete in donnerähnlich auf- und abschwellenden Tönen, wie der Gott des Himmels Seine Getaner von einem rätselhaften Dasein erlöst habe, das zu grausig gewesen sei, um ihm eingehendere Betrachtung zu widmen. Die Holzbläser fielen ein; die Streichinstrumente begannen von Kriegsleuten und Feuer zu sprechen, während Hitler und Stalin auf das Orgelpfeifen-Schlagzeug eindroschen und die Hörner klagten. Der Gesang sank zu einem Stöhnen herab, nur eine Stimme hielt gebrechlich eine schlichte Melodie. Dann sprangen plötzlich wie aus dem Nichts drei nackte Liethe hervor, und ihre kindlich glatten Leiber wirkten bei diesen Sprüngen, als hätten sie darin überhaupt keine Knochen.

Sie griffen einander an, umkreisten sich, stürzten vorwärts, wichen sich gegenseitig aus, purzelten übereinander, als würde ein Gaukler mit ihren Körpern jonglieren. Wie durch Zauberei erschienen in ihren Händen sechs Dolche, während sie mit lebhaften, überzeichneten Bewegungen und Gebärden Gegner beschlichen, Bündnisse schlossen und Verrat begingen. Die Klänge der Bläser begannen Schreien zu ähneln. Mit jedem Ton schoß jetzt ein langes Band aus roter Seide durch die Luft, als sprudle Blut, und die Bänder blieben an Handgelenken, Schultern, Hüften oder Fußknöcheln der Liethe hängen, vermehrten sich in rascher Folge. Die Liethe fochten inmitten roter Bänder, und all die Bänder schwirrten und sausten, während die einem Weben gleichen Regungen der drei Kindweiber das Blut zum Brodeln brachten, das ihre in unablässigem Tanz befindlichen Leiber umschäumte.

Die karminrote Seide verlor an Schwung, geriet ins Flattern und Trudeln, sank ab, zerteilte sich in drei besudelte Gestalten, die auf einmal silberne Totenschädel-Masken trugen. Ein Zucken. Ein Aufbäumen. Ein Torkeln. Ein letztes Ringen, um einen bereits Todgeweihten nochmals zu verwunden, die eigene, im Schwinden begriffene Kraft genutzt zur Vollendung des Gemetzels; dann spielten die von Trauer heimgesuchten Musikanten nur noch Andeutungen endgültigen Todeskampfes. Die Zuschauer erhielten von den Liethe nur einen flüchtigen Ausblick auf nacktes Fleisch gewährt, als sie forthuschten, ihre Anhängsel inmitten eines geschwinden Wirbelns abschüttelten, so daß das Geknäuel von Bändern hinter ihnen davonschwebte, die Stufen hinabfloß und auf dem Saalboden nur ein leerer roter Knäuel zurückblieb.

Aesoe stampfte mit den Füßen. Die Kaiel begannen mit gemeinsamem Gestampfe das gesamte Bauwerk ins Beben zu bringen, bis die nackten Mädchen, noch die Masken aus silbernem Metall im Gesicht tragend, von dort, wohin sie eben entschwunden waren, erneut zum Vorschein kamen, sich verneigten und wiederum den Festsaal verließen.

Oelita kehrte dem Schauspiel den Rücken. Der Druck in ihrem Innern schwoll allmählich zu regelrechter Panik an. All ihre Versuche, eine Erklärung für diese undenkbaren Worte zu finden, endeten mit Fehlschlägen. Eine Täuschung? Verbreiteten die Kaiel eine Lüge über den Tod, um eine künftige blutige Eroberung ganz Getas rechtfertigen zu können?

Aber es war *ihr* Kristall.

Wer sollte mit sichtbar-unsichtbarer Tinte so winzigklein zu schreiben imstande sein? Wer könnte solche Geschichten ersinnen, in denen Gewalt das einzige Mittel des Machtwechsels war? Geschichten ließen sich erfinden, aber wer könnte sich so viele ausdenken? Wo war der

Getaner, der sich die Geschichte um einen Massenmord ausdenken würde, ohne sie mit einem üppigen Festmahl enden zu lassen? Ratlos strebte sie in der Menge erhitzter Kaiel umher, suchte Joesai. Er betrachtete Silberabdrücke.

Joesai zeigte ihr einen, auf dem zwei Bilder wiedergegeben waren. Rechts sah man ein in einem brennendem Dorf brennendes Kind die Straße entlangrennen; darunter stand *Vietnam*. Links sprang ein brennendes Kind von einer Bergstraße, und im Hintergrund konnte man in felsigem Hochgelände ein Dorf sehen; darunter stand *Afghanistan*. Die Bilder gehörten zu einer Sammlung unter der gemeinsamen Überschrift *Die Supermächte und die Dritte Welt*. Oelita erinnerte sich daran, wie ihre Zwillinge am Spieß gebraten hatten.

»Hast du unter alldem keinerlei Liebe gefunden?« fragte sie ihn.

Wortlos zeigte er ihr einen anderen Silberabdruck. Ein Apparat streckte eine Frau in die Länge. *Die Dominikaner retten die Seele einer Ketzerin*. »Oder möchtest du dich lieber mit der Geschichte befassen, wie der Christen-Clan den Clan der Albigenser im Namen der Nächstenliebe ausgerottet hat?« Er lachte und reichte ihr eine Handvoll getrockneter Bienen zum Knabbern. »Wenn du dich schon damit beschäftigst, denke mal darüber nach, weshalb du rohe Bienen essen kannst, wogegen der Verzehr jedes anderen Insekts dich totkrank macht.«

»Du glaubst, dafür ist Gott die einzige Erklärung, was?«

»Einen besseren Witz werde ich mir gern anhören.«

Sie lenkte das Gespräch auf etwas anderes. »Was ist das?«

»Die Schrift darunter besagt, es handelt sich um einen stählernen Käfer, der groß genug ist, um in seinem Innern fünf Mann durch die Wüste zu befördern. Er hat die Aufgabe, metallene Steine nach Menschen zu schleudern.«

»Wie gräßlich!«

»Mir kommen schon alle möglichen Einfälle.«

»Joesai!«

»Das hier beeindruckt mich besonders. Es ist eine riesige Kerze, die denken kann, und sie fliegt auf der Kraft ihrer Flamme von einer Stadt zur anderen Seite der Welt, und sie ist schlau genug, um dort eine andere Stadt anzufliegen und sie mit einem Schlag zu vernichten, indem sie eine Kugel aus Sonnenfeuer entfacht.«

»Joesai!«

Er lächelte sie an, erfreut darüber, seinen Abscheu mit jemandem teilen zu können, von dem er wußte, daß er ihn verstand. »Ich denke nicht immer nur Gedanken des Todes. Wer so starke Sprungbeine hat, der könnte vielleicht zu Gott hinaufspringen und mit Ihm reden. Ich zum Beispiel hätte Ihm allerlei Fragen zu stellen.«

»Würdest du jemals über eine Stadt herfallen«, fragte sie, »und mehr Menschen umbringen, als du zu essen vermagst?«

»Was für einen Gestank das gäbe. Man kann über die Kalothi siegen. Was ist der Sinn all dessen?«

»Ich bin völlig verwirrt. Ich weiß überhaupt nicht mehr, was irgend etwas noch zu bedeuten hat.«

»Es ist offenkundig, was es bedeutet.«

»Für einen Einfaltspinsel wie dich ist alles offenkundig. Du hast ja für alles Gott!« Sie war außer sich. »Mit Gott läßt sich wahrhaftig alles erklären!«

»Kannst du nicht ersehen, was es bedeutet?« fragte er mit gedämpfter Stimme. »Riethe ist die Welt, von der wir stammen, woher wir gekommen sind. Erzählen die Balladen nicht, daß Gott uns durch Seinen Himmel nach Geta gebracht hat, um uns zu retten? Was dein Kristall beschreibt, ist das, wovor er uns gerettet hat.«

»Nicht einmal mit euren Balladen kennt deinesgleichen sich aus.« Oelita machte keinen Hehl aus ihrer Geringschätzung. »Die Balladen erwähnen Riethe, aber es heißt darin, daß wir von dem Stern Yarieun gekommen sind.«

»Diesbezüglich gibt es keine einheitliche Meinung. Die Balladen sind von Clan zu Clan unterschiedlich, von Land zu Land. Die Ballade vom Hintersichlassen, mit der ich am besten vertraut bin, erwähnt Yarieun, das wir Yarmieu nennen, als letzten Aufenthaltsort.«

»Wie könnte das Menschengeschlecht vor sich selbst gerettet werden, bloß, indem es quer durch den Himmel befördert wird?« Oelita war erbost. »Wenn ich voller Gift stecke und wohne in Trauerweiler, kann es mich dann von meinem Gift befreien, nach Kaiel-Hontokae zu ziehen? Wenn ich mich vor meinem eigenen Nabel fürchte, kann ich mich von meiner Furcht erlösen, indem ich ein anderes Haus beziehe? Bin ich ein Nägelkauer und verlege meinen Wohnsitz auf Getas dunkle Seite, werde ich davon lange, schöne Fingernägel bekommen? Vor dem *Hier* kann man nicht flüchten, denn das *Hier* ist immer da, wo man gerade ist!«

Ohne Joesai eine Gelegenheit zur Erwiderung zu lassen, stürzte sie sich ins Gedränge und verließ den Palast. Unter den aneinandergestützten Eikuppeln stand sie da, ihr Verstand ein einziges Chaos. Wo war Riethe mit seinem Kult des Todes? Ihre Maelot-Theorie von der Entstehung der Menschheit besaß nun keinerlei Sinn mehr.

Es gab einen Gott.

Die Welt drehte sich um sie. Alles war nur noch Wahnsinn. Es gab keinen Gott, doch Gott hatte Sich offenbart. Sie drehte sich nach dem großen Portal des Palastes um, die Wahrnehmung von Irrwitz überschwemmt. Dort stand Joesai. Joesai war Gott, Gott war der Tod, und der Tod hatte sie eingeholt, grinste sie an.

Sie prallte zurück. »Komm mir nicht nahe!« Er tat einen Schritt, und sie machte zwei Schritte hinaus auf die Straße. Hoemei hatte sie geschwängert, und sie hatte schon kurz davor gestanden, den Blutfluß einzuleiten, der das Kind fortspülen konnte, doch nun kam Joesai und bedrohte es mit dem Tod, und sie wollte das Kind niemandem opfern. Nicht noch einmal. Nie wieder. »Geh fort«, rief sie. Er kam näher, und es war sonst niemand in der Nähe. »Ich bringe dich um!« schrie sie mit tödlicher Entschlossenheit.

Er blieb stehen. Oelita empfand Verwirrung. Wie könnte sie Gott töten? Wenn Gott ins Meer fiel wie ein weggewehter Glühstichler, kam Er jenseits der Berge wieder hervor und erklomm Seinen Himmel von neuem. Oelita ballte auf ihrer Brust die Hände zu Fäusten. »Fort mit dir!« Er machte kehrt, und sie wandte sich ebenfalls ab und lief davon, stolperte irgendwo und stürzte zu Boden, streckte sich auf dem Kopfsteinpflaster einer schmutzigen Gosse aus.

Sie dachte an ihre Verstocktheit; an die Menschen, die sie von Gott abgewendet, die Rebellion, die sie geschürt hatte, das Grauen, das sie vorhin gesehen und vor dem Gott die Menschen gerettet, das sie von Kindesbeinen an ihr Leben lang in dem Kristall mit sich herumgetragen hatte.

»O Gott, vergib mir! Ich habe mich an Dir versündigt. Ich kannte Dich und habe Dich von mir gestoßen, und nun ist mein Herz voller Gram.« Sie bedeckte ihr Gesicht mit den Händen. »O Gott des Himmels und der Sterne und des Himmelswanderns, ich danke Dir, weil Du uns aus solchem Elend befreit hast. Ich danke Dir ohne Unterlaß!« Sie trocknete ihre Tränen, ihre Hände umkrallten krampfhaft einen Stein. »Verzeih mir.«

38

Niemand kann in der Zukunft leben, doch jene, die nicht am Ringen um die Zukunft teilnehmen, werden in der Gegenwart böse Überraschungen erleben.

Inschrift über dem Torbogen zu den Archiven der Kaiel

Eine mühsam verdiente Goldmünze konnte durch ein Loch in der Tasche verlorengehen. Und auf genau diese Weise verschwand Oelita.

Aesoe, nur Sandalen an den Füßen und ein Badetuch um die Lenden geschlungen, stapfte in seinem Großgemach auf und nieder und ließ seiner Wut freien Lauf, während sein Geschlechtsteil wie zur Untermalung seines Grimms hin- und herschwang wie der Klöppel einer Glocke. Er vollführte ruckartige Gesten, als ziehe er einem unsichtbaren Widersacher die Haut ab. Seine Liethe, welche es auch war, der er sich diesmal auf seinen Kissen erfreut hatte – Hoemei blieb nach wie vor unfähig, sie voneinander zu unterscheiden –, lag schlaff auf der Bettstatt, zwischen den Beinen ein Laken, den Kopf zwischen den Kissen versteckt, um dem Gelärme zu entgehen, gequält von den Nachwirkungen des Whiskys. An einer dünnen goldenen Kette trug sie ein winziges Amulett um den Hals.

Hoemei, unrasiert, unausgeschlafen und noch in der Festgewandung, regte keinen Muskel. Er hielt einen von der Gütigen Ketzerin zurückgelassenen Zettel in der Hand, der alles war, was man noch von ihr hatte finden können. ›Vergebt mir meine Irrtümer‹, stand darauf. ›Bitte, bitte sorgt gut für meine Anhänger.‹ Sonst nichts.

Aesoe tobte. »Sieh zu, daß Joesai sich bis zum ersten Sonnenuntergang des Schnitters ein für allemal aus Kaiel-Hontokae entfernt, oder ich werde im Tempel der Menschlichen Bestimmung persönlich sein Ritual der Selbsttötung vorbereiten! Was für ein Pfuscher und Ärgernis der Kerl ist, verdirbt die besten Pläne der größten Geister, nur um seinem an Weiberhaß erkrankten Herzen Genugtuung zu verschaffen! Und du, du pfuschst auch herum. Überall sehe ich deine tückische Hand! Ich hab's dir deutlich genug gesagt, und ich wiederhole es noch einmal – diese Frau ist für uns von großer Bedeutung! Macht sie ausfindig! Oder soll ich euch bei lebendigem Leibe das Fell abziehen und Räder damit bespannen? Soll ich deine Kiefer verdrahten und als Papierhalter benutzen?!«

Selbstverständlich hatten die maran-Kaiel bereits während der ganzen restlichen Nacht nach ihr gesucht, sie jedoch nicht aufspüren können. Wie sollte man eine Frau finden, die in ihrer Jugend mit einem klugen Vater und Lehrer, der unterm freien Himmel daheim gewesen war und durch die weite Welt zu streifen pflegte, die Wüsteneien und Ebenen durchwandert hatte? Teenae befand sich noch unterwegs, um unter den Ivieth Nachforschungen anzustellen. Die Lage war schier aussichtslos.

Der Lauf der Dinge erfüllte Hoemei mit höchstem Mißbehagen. Er hatte längst eine starke Zuneigung zu Oelita entwickelt. Ihre Tatkraft und ihre gescheite Art hatten ihm sehr gefallen, sogar so sehr, daß er sie ernsthaft an Katheins Stelle in Erwägung gezogen hatte. Die Familie insgesamt war weniger von ihrer Eignung überzeugt, aber in seinen Augen verschmolz sie bereits mit ihr, selbst mit Joesai und seiner grobschlächtigen Wesensart. Gaet vermochte sich leicht für eine Frau zu erwärmen, ohne daß es zu zermürbendem Meinungsaustausch kam. Teenae blieb anfangs äußerlich friedlich, fühlte sich allerdings insgeheim von einer anderen Frau bedroht, bis sie eine Gelegenheit erhielt, sie näher kennenzulernen. Noe verlangte lediglich, daß eine andere Frau zärtlich und liebevoll war und man gut mit ihr zusammenleben konnte – und daß sie der Familie vollständige Treue entgegenbrachte.

Jetzt stand Hoemei mit einer beträchtlichen Lücke in seinem Plan da. Es war, als habe man einen Weg durch ein zerklüftetes Gebirge festgelegt und fände den ausgesuchten Bergpfad auf einmal durch einen Erdrutsch verschüttet unbenutzbar vor. Er würde Gaet früher als vorgesehen nach Trauerweiler schicken müssen. Wer sonst wäre dazu imstande, Oelitas Anhänger davon zu überzeugen, daß man sie nicht im Laufe irgendwelcher hinterhältiger Machenschaften ermordet hatte? Ein Auftrag von überaus heikler Natur.

Änderungen, nichts als Abänderungen. Es mußten schnellstens andere Leute aufgetrieben werden, die Gaets Aufgaben hier in der Stadt übernehmen konnten. Die unerfreulichen Verschiebungen ärgerten ihn. Er verfluchte Joesai für den hartnäckigen Druck, dem er Oelita ausgesetzt hatte, dann seufzte er. Das war der Preis, den ein Prophet entrichten mußte. Die Zukunft kam nicht einfach von selbst. Menschen bauten die Zukunft Stück für Stück auf, mit allem, was sie in jedem Augenblick taten und entschieden, und sie hatten sich dabei stets auf das Unerwartete einzustellen. Mehr als ein Pfad führte auf ein und denselben Gipfel.

Hoemei verbeugte sich, senkte den Kopf fast bis auf das Knie. Er hatte die unangenehme Neuigkeit überbracht. Das Liethe-Geschöpf rührte und räkelte sich, lächelte ihm hinter Aesoes nacktem Gesäß zu. Sofort erkannte Hoemei die besondere Lieblichkeit Honiegs. *Sie* war hier! Die unnatürliche Glätte ihres Rückens, der schwungvoll in die sanft gerundeten Hügel ihres Hinterteils überging, durchjagte ihn mit einem Schauder, der ihm heftiger zu schaffen machte als Aesoes Zorn.

»Komm her«, lockte sie.

Er wagte nicht sich im geringsten zu regen, um Aesoe nicht noch mehr aufzubringen. Er fand nicht einmal ein Wort der Entgegnung.

Träge erhob sich die Liethe, durch das Schweigen belustigt, sich dessen bewußt, daß ihre Bewegungen auch den Erzpropheten – selbst in seiner gegenwärtigen Gemütsverfassung – wie mit einem Bann belegten. Die Kette mit dem winzigen Amulett baumelte zwischen ihren nackten Brüsten. »Mein Liebhaber fürchtet sich vor meinem Liebhaber.« Sie behielt sie beide im Augenmerk, so daß sie nicht wußten, zu wem sie sprach. »Komm her.«

Hoemei rührte sich nicht vom Fleck.

Honiegs Augen, blau und flackernd wie Meuchlerfreude, hefteten ihren Blick auf ihn. »Aesoe, sag ihm, daß es dir keine Furcht bereitet, wenn er mich berührt, damit er zu mir kommt.«

»Bei Gottes Hoden, Hoemei«, brüllte Aesoe, dessen Gedankengänge anscheinend vollauf durcheinandergeraten waren, »liege hier nicht tatenlos auf den Knien herum und spiel das Spielchen dieser Person! Raff dich auf und reiß dich zusammen!« Ungnädig trat er Hoemei mit dem Fuß, so daß sein Ratsmitglied zu Boden sackte. »Man schickt mir den Ausschuß und Abschaum der Kinderhorte! Ich brauche Männer!« Er wütete wie ein Besessener. »Männer!«

»Lieber Freund«, sagte die Liethe, die sich Honieg nannte – sie befand sich unversehens an Hoemeis Seite –, »ich werde vor dem ersten Sonnenuntergang des Schnitters nicht mehr mit dir zusammen sein, deshalb betraue ich dich nun damit, Joesai das hier zu geben.« Sie nahm das goldene Amulett von ihrem Hals und drückte Hoemei das winzige ebenmäßige Gebilde in die Hand. »Es war mir ein Vergnügen, deinem Gatten und Bruder zu Diensten gewesen zu sein. Er möge dies tragen. Wer einen Liethe-Talisman bei sich hat, wird nicht zu Schaden kommen.« Anmutig richtete sie sich auf und wandte sich an Aesoe, während Hoemei sich unauffällig um Wiedererlangung seiner Würde bemühte. »Du siehst«, meinte sie unschuldig zum Erzpropheten, »ich werde deinen Mann bei der Ausführung seines gefahrvollen Auftrags beschützen. Ich unterstütze eure Versammlung. Liethesche Höhermacht wird ihn leiten.«

»Nichts wird diesen Schwachkopf retten, nichts!« schnauzte Aesoe, an den Grund all seines Ärgers erinnert.

Hoemei überbrachte Joesai das Amulett zusammen mit Aesoes grimmigen Anweisungen. Selbst angesichts der bedrohlichen Folgen blieb Joesai in bezug auf Oelitas Verschwinden gänzlich stoisch, als wäre sie nur eine vielversprechende Schülerin gewesen, die sich wider Erwarten zum Schlechten entwickelt hatte. Teenae kehrte von ihren Nachforschungen zurück und schimpfte Joesai aus, überhäufte ihn aus Enttäuschung und Erbitterung mit Vorwürfen. Er nahm alles hin, wie die Wüste einen Regenschauer trank. »Sie hatte eben doch keine Kalothi«, sagte er; aufrichtig traurig, denn auch er hatte Oelita gemocht.

Hoemei wußte, wie sein Bruder dachte. Joesai vermutete, daß Oelita sich irgendwo die Pulsadern aufgeschnitten, noch schlimmer, es in irgendeinem Versteck getan hatte, so daß sie sogar ihren Freunden und Bekannten das Mahl einer Totenfeier verweigerte. Endlich hatte sie den Furchteinflößenden Gott gefunden und war im Handumdrehen vom Inbegriff seiner Größe niedergeschmettert worden. Das war es, was Joesai sich im stillen dachte. Wahrscheinlich empfand sie Mitleid für ihn, ohne dazu imstande zu sein, so etwas jemals aussprechen zu können. Was war eine Frau wert, die keine Ehrfurcht durch ihre Adern rinnen lassen konnte, ohne von ihrer Kraft vernichtet zu werden?

Oelita hatte die Sechste Probe im Ritual des Todes nicht bestanden. Hoemei entsann sich an ihren Bruder Sanan. Das Erlangen eines jeden Erfolgs, so hatte es den Anschein, war mit Pein vermählt. Sanan hätte Oelita an einem anderen Ort und in einer anderen Zeit geliebt. Hoemei stellte sich Sanan als römischen Senator vor und Oelita als barbarische Druiden-Prinzessin aus Gallien.

39

Dein Gegner wird dich besiegen, sobald du seine Strategie zu deiner Strategie machst, seine Mittel zu deinen Mitteln – denn dadurch wirst du selbst zu deinem Feind. Täusche dich nicht, indem du schöne Worte benutzt, um deine Nachahmungen zu beschreiben, und harte Worte, um deinen Feind zu schildern. Unendlich viele Worte können verwendet werden, um dieselbe Handlung zu umschreiben.

Arimasie ban-Itraiel, Dobu der kembri: *Der Kampf*

Noe sah Joesai die Stadt mit achtzig Mann verlassen – von denen nur wenige über ausreichend Erfahrung verfügten –, und ihr Herz war mit bösen Ahnungen erfüllt. Allein war sie auf den höchsten Laufgang des Nord-Aquädukts geklettert, um ihren Gemahl so lange wie möglich im Auge behalten zu können, eine Kletterei, die sie seit fernen Tagen als abenteuerlustiges Kind nicht mehr gewagt hatte. Damals hatten die Bogen und Abstufungen auf einen Kinderverstand, der noch keinerlei Übung im Einschätzen von Gefahren besaß, leicht überwindbar gewirkt, wogegen Zweitvater in ihnen eine tödliche Gefahr erblickt und sie für ihren Ausflug mit dem Rohrstock bestraft hatte. Den Wagemut in ihrem Innern noch immer ungedämpft, hielt sich Noe nun an dem Ziegelgemäuer fest und spähte hinüber zur ersten Kolonne, die zur Versammlung abmarschierte, achtete nicht auf die Spritzer eisigen Wassers, die auf ihre Hände schwappten.

Um mnankreischen Spähern zu entgehen, zog Joesai mit seiner Kolonne ostwärts, um die Klagenden Berge zu umrunden und erst an einem Punkt weit nördlich, unterhalb vom Barrier-Paß, einen Haken in die Richtung der Küste zu schlagen. Hoemeis ursprünglicher Plan war völlig dahin. Aesoe hatte einen so vorzeitigen Aufbruch der Untersuchungsvorhut der Versammlung erzwungen, daß die Schar lediglich dreißig Gewehre mit sich führte und einiges an Vorräten ihr gänzlich fehlte. Vielleicht hatte Aesoe absichtlich so gehandelt, um Hoemeis Plan zu vereiteln, denn seine Voraussage des letztendlichen Ausgangs war schon in den Archiven festgehalten.

Noe war auf Joesai wütend wegen des Ärgers, den er ihnen verursacht hatte, aber sie besann sich darauf, daß die Familie selbst, das Ritual des Todes abgesprochen, ihn nach Trauerweiler geschickt hatte, an seiner Seite nur die zierliche Teenae, um ihn in seinem Tun zu mäßigen. Letzten Endes war es ein gemeinsamer Entschluß gewesen, der zu all diesen Umständen geführt hatte. Auch Oelita hatte das ihre dazu beigetragen. Das Leben war kein totes, seelenloses Kieselchen am Grunde eines von der Frühjahrsschneeschmelze aufgewühlten Flusses. Im Ergebnis war Joesai nun ganz auf sich gestellt, so gut wie bereit für den Bratspieß, für den Rest seines – kurzen? – Lebens aus Kaiel-Hontokae verbannt. Sollte er allein für die Expansionisten die Kartoffeln aus dem Feuer holen? Von allen maran war er am angreifbarsten – und deshalb betrachtete Noe es als ihre nun dringlichste Pflicht, ihm zur Seite zu stehen.

Ungeduldig harrte sie noch einige Tage lang aus, die erforderlich waren, bis die og'Sieth zwanzig weitere Gewehre von der neuen, zum schnellen Nachladen geeigneten Herstellungsart zusammengebaut und erprobt hatten, dann folgte sie mit eigener Begleitung ihrem Gemahl im Eilmarsch, trieb ihre Ivieth unerbittlich bis zum äußersten an, um Joesai einzuholen. Karval ngo-Ivieth, ihr Trägerführer, trieb ausgeruhte Clan-Genossen auf, wo es sich nur machen ließ, und die Marschgeschwindigkeit erlahmte nie. Bisweilen trug er sie, wenn sie hinzusinken drohte, ohne ein Wort der Beschwerde um den Nacken wie einen Schal.

»Karval«, fragte sie ihn einmal, »welche Meinung hast du zu dieser Versammlung?«

»Das ist eine Sache zwischen den Priestern.«

»Wie sollen wir weise herrschen können, wenn wir nicht wissen, was man bei den Unteren Clans denkt und empfindet? Nun komm! Sollte dein Widerwillen, mir zu antworten, etwa Mißfallen verhehlen, so wünsche ich unverzüglich mehr zu hören! Wir Kaiel fürchten keine abweichenden Meinungen, und wir tun Leuten nichts an, die solche Meinungen hegen.«

Karval überlegte. »Die Mnankrei mischten sich in unsere Aufzuchtrechte ein«, lautete seine Antwort lediglich, aber diese wortkarge Äußerung war merklich von Mißbilligung geprägt.

Aha, also hat Hoemei möglicherweise den richtigen Riecher gehabt! Wenn die Finger der Mnankrei bei den Unteren Clans in Soebo die Seelen der Menschen nicht länger erreichten, dann mochte es für Joesai, falls er entsprechend umsichtig vorging, durchführbar sein – wie Hoemei annahm –, einen Aufstand anzuzetteln und zu überleben, indem er sich an die Spitze stellte. Aesoe erwartete in Soebo keine feindselige Einstellung gegenüber den Mnankrei. Sein Plan beruhte auf dem

Tod eines Märtyrers. Die Mnankrei waren Noes Feind, aber ebenso war Aesoe ihr Widersacher.

Noes Einblicknahme in *Der Feuerofen des Krieges* hatte ihr Verwunderung eingeflößt, weil die getanischen Clans nicht schon längst von sich aus aufs Kriegsspiel verfallen waren; die Rohstoffe des riethianischen Krieges, die Intrigen, die Gegensätze, der Haß, die Feindschaft, einander widerstrebende ehrgeizige Absichten, das alles war da. Vielleicht gab die Antwort des Ivieth den richtigen Aufschluß. Auf Riethe waren die Clans in eine Senkrechtordnung eingefügt. Sie hatten starke Verpflichtungen nach oben und auch unten, kannten jedoch nur unbedeutende seitenständige Treuepflichten. Der eine Priester-Clan Riethes konnte die Mitglieder seiner Unteren Clans aussenden, um von ihnen die Angehörigen der Unteren Clans eines anderen Priester-Reiches umbringen zu lassen, ein unvorstellbares Vorgehen auf Geta, wo die Treuepflichten des waagerechten Ordnungsgefüges absolut verbindlich waren und Verstöße gegen sie raschen Tod zur Folge hatten.

Sie versuchte sich auszumalen, was geschähe, gäbe man den Ivieth der Mnankrei, von denen die Hälfte aus einem anderen Herrschaftsbereich zugewandert sein mußte, den Befehl, die Ivieth der Kaiel zu töten. Was würden sie tun? Lachen? Vor Wut rot anlaufen? Angesichts solchen Schwachsinns nur fassungslos dreinstarren? Den Befehl höflich, aber mit Bestimmtheit mißachten? Mnankrei töten? Kein Ivieth jedenfalls würde die Brücken und Straßen anderer Ivieth zerstören, ebensowenig den Reisenden etwas antun, denen ihr auf ganz Geta gültiger Clan-Schwur Schutz verhieß. Noe belächelte den verdrehten Gedanken, der ihr kam und den sie noch vor wenigen Wochen gar nicht zu denken vermocht hatte – wie schwierig nämlich hier das Austragen von Auseinandersetzungen war, wenn Priester selbst gegen Priester ins Feld ziehen mußten und die sittlichen Maßstäbe das Töten von mehr Feinden verboten, als man verzehren konnte.

Ach, die riethischen Führer mit ihren Kugeln aus Sonnenfeuer, ihren Giftgasen und besonderen Mörder-Clans mußten durch und durch verkommen sein; sie bedienten sich der Bereitschaft des Bauern, den Bauern zu töten, des Bruders, den Bruder zu erschlagen, der Schwester, die Schwester hinzumorden, des Gemahls, die Gemahlin zu meucheln, der rechten Hand, die linke Hand zu stechen. *Und hier müssen wir Priester alles selber erledigen. Und obendrein, bei Gottes Schwingen, zu Fuß!*

In der Nähe grasbewachsener, mit Dornensträuchern bestandener Vorhügel ordnete Karval bei einer Quelle eine Rast an. Noe sackte neben dem Karren mit den Gewehren in den Staub. Ihr fiel ein, daß Gaet diese Schießwerkzeuge zwar anfaßte, aber nie an sich nahm, um einmal damit auf irgend etwas zu zielen. Welch ein Feigling war doch ihr Gemahl!

Während der Rast packte sie das oberste der aufgeladenen Gewehre aus, lud das tödliche Werkzeug ebenso neugierig wie vorsichtig und legte sich damit der Länge auf den Boden, drückte es an ihre Schulter. Nachdem sie zweimal tief durchgeatmet hatte, drückte sie den metallischen Hebel, vergaß in ihrer Verdutztheit sofort wieder, wohin sie überhaupt gezielt hatte. Sie sah den Bleibrocken nicht einschlagen. Doch fünf bleierne Geschosse später, mit großer Genauigkeit in die Borke eines alten Baums verfeuert, fühlte sie sich dazu imstande, mit der Waffe auf jeden zu schießen, der ihren Gemahl angreifen sollte. Es stimmte sie traurig, nicht mit ihm nach Soebo gehen zu können. Ihr Aufgabengebiet war die Küste, an der sie mit ihren seefahrenden Verwandten zusammenarbeiten sollte, um die Versorgung der Versammlung auch auf dem Seewege zu sichern.

Sie holten Joesai ein, während er außerhalb des Dorfes Tai lagerte. Das Lager befand sich auf einem flachen Hügel oberhalb des Ackerlandes, und Joesai war gerade dabei, eines seiner erst jetzt aus dem Kinderhort mitgenommenen Mädchen darin zu unterrichten, wie man geworfene Messer auffing und zurückwarf. Das Mädchen hatte die Haare zu einem Knoten zusammengebunden, seine Brüste glänzten vom Schweiß und dem aus einer geringfügigen Wunde an der Schulter geronnenen Blut. Es stieß einen wilden Schrei aus und rannte sofort zu Noes Karren, kam mit einem Gewehr, das es voller Triumph schwang, das in sein Gesicht gekerbte Hontokae vom Grinsen der Begeisterung verzerrt.

Noe geleitete ihren Gatten eilends in sein Zelt und reichte ihm Wasser, streichelte ihn unterdessen voller Zärtlichkeit, begierig nach seinem Körper. »Einen blutdürstigen Haufen Bälger, auf den man schon jetzt stolz sein kann, habe ich hier bei mir«, sagte er beifällig.

»Wir müssen darauf achten, daß sie nicht anfangen, sich zu benehmen wie auf Riethe«, sagte Noe. »Das ist wichtig.«

40

Wer soll über die Priester zu Gericht sitzen? Unser Gott des Himmels schenkt ihnen keine Beachtung, denn Er zieht mit Schweigen über unseren Häuptern dahin. Die Priester herrschen durch die Gnade der Unteren Clans.

Richterin der Richter nas-Veda die auf Bienen sitzt

Der Heimmutter war die Auflehnung keineswegs entgangen, die Demut in ihrem Innern empfand. Die Strafpredigt der alten Vettel war ein einziger Wutausbruch gewesen. Erbittert jagten sich Demuts Gedanken. *Weshalb muß ich mich darum scheren, warum jene, die sterben, dadurch verurteilt sind?! Ich bin jung! Wozu muß ich in einem Heim herumhocken und mich Grübeleien hingeben?*

Das Jungsein hatte seine Nachteile. Die Jugend war dem Willen der Alten uneingeschränkt unterworfen. Und die Heimmutter hielt es für angebracht, endlos die Vier Gerechtigkeiten und das Maßwerk der Beweiskraft sowie all den anderen Kram mit ihr zu pauken, und sie ließ ihr nicht einmal Zeit für die Liebe. Sie bereitete sie auf irgend etwas vor. Es verhielt sich stets so, daß man erst das Gefäß aufgenötigt bekam, ehe man es füllte. Die Alten formten das Gefäß und brannten es dann mit dem Feuer ihres Atems zur Härte von Steingut. Methan schnaubende Hexen!

Demut wußte, daß sie ohne die Immerwährende Unterweisung nur ein Nichts wäre. Keine Paläste stünden ihr offen, sie besäße keine Meisterschaft der Anmut, keine Männer würden sie bewundern, jegliche Macht ginge ihr ab, nicht einmal das Vergnügen des Aufspürens und Tötens hätte sie noch. Die Immerwährende Unterweisung war dafür der Preis. Man lernte seine Gestrengheit sogar schätzen. Doch warum plötzlich diese Eile? Damit hielt man sie von Hoemei fern!

Das Heim war nichts als grau; der Fußboden ihrer Zelle war kalt; ihre geflochtene Matte kitzelte ihre Haut mit gerissenen Fasern; das alles waren nur geringe Unannehmlichkeiten im Vergleich zu der Qual, die sie wirklich litt. Sie lag wach und stellte sich die se-Tufi mit den steilen Brüsten vor, wie sie während ihrer Verkörperung der Honieg-Person mit Gekicher auf Hoemeis steifem Knüppel ritt. *Weshalb störe ich mich daran?* Demut war nur klar, daß sie, nachdem sie nur eine Woche lang nicht bei ihm im Palast gewesen war, nun verzweifelt danach lechzte, wieder mit ihm zusammensein zu dürfen.

Ob Steiltitte daran dachte, ihm eine Nachtblüte zum Riechen mitzubringen? *Wieso bin ich eifersüchtig auf meine Schwester?* In all ihrer so sorgsam eingeprägten Erinnerung waren die se-Tufi durch keinen Makel von Eifersucht befleckt. Fürchtete eine se-Tufi, die Eifersucht verspürte, ihre Schande so sehr, daß sie ihr Gefühl vor all ihren Schwestern verbarg?

Einmal hatte Demut – auf Befehl – eine Liethe ohne Stamm beseitigt, weil sie Eifersucht gezeigt hatte. Die Gemahlin ihres Liebhabers war von dem Mädchen geschlagen worden. Soviel Lieblichkeit zu verzehren, war nicht besonders erfreulich gewesen. Wochen später war von dem einst so schönen Leib nichts mehr übrig gewesen als die warmen Halbstiefel, die nun die Heimmutter trug. Eifersucht war eine schändliche Gefühlsregung, der Sache der Liethe verderblich. Die Strafe war unausweichlich der Tod.

Die Morgendämmerung des neuen Hochtages bescherte Demut ein frühes Aufstehen und die Bestellung zur Heimmutter. Sie frühstückten gemeinsam Rosinenkuchen und Honig.

»Erholst du dich eigentlich nie mal so richtig?« fragte Demut, um Offenheit bemüht.

»Doch, wenn ich auf Reise bin.« Ein geistesabwesender Ausdruck schlich sich in die alten Augen. »Aber inzwischen bin ich zu alt für die Straßen. Ich werde in Kaiel-Hontokae sterben, und hier wird auch meine Totenfeier stattfinden. Behalte einen Fingerknochen für dich. Ich habe mir schon einen besonderen Platz für mich in deinem Bauch ausgesucht. Ich beneide dich. Dir stehen noch so viele Reisen bevor.«

Demut bemerkte sogleich, daß die Worte über Reisen und Straßen nicht bloßes Geplauder waren. Ihr Herzschlag stockte. »Soll das heißen, daß du mich auf eine Reise schicken willst?«

Die Vettel grinste schief. »Ich habe dich darauf vorbereitet, meine Abgesandte in der Gerichtsversammlung der Mütter in Soebo zu sein. In Soebo wirst du erleben können, wie das Maßwerk der Beweiskraft das Verbrechen zur Strecke bringt. Dann wirst du erkennen, daß ich dich gut unterwiesen habe.«

»Aber ich will nicht nach Soebo«, rief Demut.

»Ach?! Du hast dich wahrlich verändert.« Die Greisin lachte auf, dann stieß sie einen Seufzer aus. »Du mußt hin. Ernste Ereignisse rükken näher. Die Liethe sind auf allen Versammlungen vertreten. Wir nehmen dort auf unsere Weise teil. Du wirst wissen, was du zu tun hast, sobald du dort bist. Deine Jugend ist jetzt vorüber. Von nun an mußt du selber entscheiden, wer zu sterben hat. Aber laß dich nicht zu voreiligen Handlungen hinreißen. Bedenke stets, daß du in meinem Auftrag wirkst und ich dein Verhalten bewerten werde. Heute abend noch reist du ab.«

»Werde ich Hoemei nicht mehr sehen?«

»Nein.«

Nur der sofort herbeigeführte Zustand des Leeren Bewußtseins verhütete, daß Demut in Tränen ausbrach. Pflichtgemäß verbeugte sie sich, neigte das Haupt bis zum Boden. Sie schwor der Heimmutter, dem Heim und dem Clan absoluten Gehorsam.

Und schwindelte. Steiltitte war ihre Freundin und Schwester. Sie vereinbarte mit ihr einen kurzen Schichtwechsel, um von Hoemei, der nie erfahren würde, daß sie fortging, Abschied nehmen zu können. Sie geriet außer sich vor Aufregung. Zweimal badete sie, zerrieb Blüten auf ihrer Haut. Um sich besonders gründlich auf ihn einzustellen, las sie in den Liebesgedichten der Ballade von den Liebeskünsten.

Hoemei war müde, aber das war ihr gleich. Sie preßte ihren Leib gegen ihn und genoß die zärtliche Berührung, aber klammerte sich nicht zu ausgiebig an ihn, denn Honieg war nur für die Dauer einiger Sonnenhöchststände fort gewesen. Er war überaus ermattet, also fütterte sie ihn; da er so erschöpft war, zog sie ihm die Kleider vom Leibe und streckte ihn auf dem Rücken aus, massierte die Stränge seines Körpers; sie ließ ihn bequem auf dem Polster liegen und bestieg ihn, um ihm die Freuden ihrer Hüften zu schenken. »Du bist die Liebe meines Lebens«, sagte sie, indem sie ihre Lenden um seinen Schaft zusammenpreßte.

Er lachte nur, weil alle Liethe dergleichen zu ihren Priestern sagten.

»Hoemei...!« ertönte plötzlich von der Tür das hastig-erregte, furchtsame Flüstern einer Frauenstimme.

Hoemei hielt Honieg fest, hinderte sie an weiteren Bewegungen. »Ja? Wer ist da?«

»Ich natürlich! Kathein. Ich weiß, du bist allein – Joesai und Noe sind unterwegs in den Norden, Gaet und Teenae an der Küste. Ich habe den ganzen Tag hindurch für dich Mitleid empfunden, deshalb kam mir der Gedanke, dich zu besuchen.«

»Mein Gott«, sagte Hoemei, unversehens außer Fassung gebracht.

Die Königin des Lebens vor dem Tod durchlebte einen Augenblick äußerster Pein. Nie zuvor hatte sie eine Frau gehaßt, und was hätte schmerzlicher als das sein können? Langsam beugte sie sich aus ihrer Sitzhaltung über Hoemei, rieb ihre Brüste an seinem behaarten Brustkorb. Sie gab ihm schnell einen letzten Kuß, während sie das Gefühl seines Körpers ihrem Gedächtnis einverleibte. »Deine alte Liebe, nicht wahr? Laß sie herein. Ich halte mich versteckt, und sobald du sie ablenkst und sie mir den Rücken zukehrt, gehe ich.« Demut löste sich von ihm, sammelte eilig ihre Habseligkeiten ein und verschwand hinter einem Gobelin.

»Ich bin nicht angekleidet, Kathein«, hielt Hoemei seine Besucherin hin.

»Genau so will ich dich haben!«

»Ich komme sofort.«

Er stand auf und gab der Gestalt hinter dem Gobelin einen Klaps, und von allem, was er hätte tun können, bereitete er der Liethe damit die größte Freude.

»Was ist denn los?« fragte Hoemei, als Kathein durch den Türspalt schlüpfte.

»Du Tor, wozu hast du dich erst angezogen?« schalt sie ihn.

»Ich bin erschrocken. Was machst du hier? Aesoe wird unser Fell zu Läufern verarbeiten lassen.«

Hinter dem oz'Numae-Gobelin schnob Demut, zerzaust und notdürftig bekleidet, in Gedanken auf. *Er hat noch immer nicht begriffen, wie man mit Aesoe umgehen muß. Wann endlich wird er das lernen?!*

»Ich bin's überdrüssig, mich mit Aesoe der Lust hinzugeben«, sagte Kathein mißmutig. »Er schläft danach mit dem Kopf auf meinen Brüsten... und er schnarcht!«

In ihrem Versteck mußte Demut auf einmal verständnisvoll lächeln. Sie fragte sich, wie es möglich war, daß sie lächelte, während sie solchen Schmerz litt, und weshalb sie ihn überhaupt erduldete, obwohl es ihr leicht möglich gewesen wäre, sich unverzüglich in den Zustand des Leeren Bewußtseins zu versetzen und ihren Körper das tun und so sein zu lassen, was und wie sie wollte. Das mußte Liebe sein. Man sagte ja, daß so etwas irgendwann geschehen konnte. Es hieß, es widerfuhr jeder Liethe wenigstens einmal in ihrem Leben, daß sie mit Glück jedoch schon alt war, ehe es dazu kam.

Sie empfand Verdruß und Erbitterung. *Man verlangt von mir, daß ich darüber Klarheit besitze, warum ich töte! Unterdessen bin ich hier in richtiger Liebe entbrannt!*

»Wie kommt der neue Clan voran?« erkundigte Hoemei sich.

»Rede doch nicht so vergeistigt daher!« Sie äffte ihn nach. »Wie kommt der neue Clan voran?! Du kannst dir denken, wie's mit ihm vorangeht. Ich bin von lauter Kindern umgeben, die buchstäblich alles von mir lernen müssen. Es erstaunt mich, wie schnell sie lernen. Aber ich möchte Menschen um mich haben, die schon ein Leben gelebt haben. Ich vermisse euch alle. Wie ich Aesoe dafür hasse, daß er Joesai in den Tod schickt! Gott in Himmelshöhen, was für ein Astronom hätte er werden können!« Sie hatte zu weinen begonnen, und Hoemei schloß sie in seine Arme.

Demut schob den Kopf aus ihrem Versteck und gab ihm ein Zeichen, daß er Kathein mit sich aufs Polster ziehen möge. Er tat es, umfing Kathein mit einer Umarmung, die ihre Leidenschaft weckte. Langsam schlich Demut auf den Zehenspitzen, Kleidungsstücke überm Arm, zur Tür. Sie verweilte noch lange genug, nur einen Schritt von Katheins bloßen Füßen entfernt, um Hoemei einen neuen Schrekken einzujagen, und sie streckte, obwohl ihre Miene eher wehmütig wirkte, unverschämt die Zunge heraus. Wäre sie Hoemeis Weib gewesen, sie hätte sich jetzt ohne viel Umstände zu den beiden aufs Polster legen dürfen.

Blödsinniger Anstand! dachte sie mürrisch und ging, weinte stumm, benetzte sich die Wangen, außerordentlich bekümmert, weil ihr letztes Beisammensein mit Hoemei so unschön geendet hatte. Zum erstenmal in ihrem Leben – jedenfalls soweit sie sich zurückzuerinnen vermochte – vergoß sie Tränen, die sie nicht nur vortäuschte.

Sie nahm, als sie zur Küste aufbrach, den Weg durch das Tal der Zehntausend Gräber, eine beschwerliche Strecke, auf der man nicht eben auf leichtfertige Gedanken verfiel. Sie begegnete einer Reihe der sonderbaren Skrei-Räder und ließ sich von den Fahrern mitnehmen, half als Gegenleistung beim Schieben, wenn Steigungen es erforderten. Überall sah man Anzeichen von mit Nachdruck vorangetriebenem Straßenbau. Nur Eroberer bauten Straßen. Darüber herrschte allgemeines Einvernehmen.

Bevor sie Trauerweiler erreichte, wandte sie sich durch die Berge nordwärts, denn in dem großen Turm droben auf dem Gipfel des Blauen Grausens war ein Nachrichtenmann des Moera-Clans tätig, bei dem es sich um gar keinen wahren Moera handelte. Sie hatte nicht den Befehl erhalten, ihn aufzusuchen, aber sein Wohnsitz lag mehr oder weniger am Weg nach Soeba, und der Mann *stand* bereits seit einiger Zeit auf der Liste der Todgeweihten.

Demut begegnete Anid toi-Moera erstmals in dem Gasthof, in dem er mit Vorliebe zu speisen pflegte und von dem aus man, weil er auf hohen Klippen stand, weiten Ausblick übers Meer besaß. Sie wartete und folgte ihm nach dem Abendessen nach draußen in den Nebel der Wildnis. Doch an der für einen Mord am besten geeigneten Stelle – einem gewundenen Pfad zwischen großen Bäumen, die über zwei Mannslängen hoch waren – zögerte sie unvermittelt.

Warum mußte er sterben? Das verfluchte Maßwerk der Beweiskraft zermürbte ihren Verstand.

Die Heimmutter hatte gesagt, er sei in dieser Gegend ein Verbreiter der schädlichen Weizenfresser-Unterzängler und nehme zudem bare Münze dafür, daß er sämtliche Nachrichtenübermittlungen belausche, die seinen Turm durchliefen. Mehr wußte Demut nicht; sie hatte keine Ahnung, wer ihn dessen beschuldigte oder wie man seine Taten festgestellt haben wollte; sie wußte nur, er war vorgemerkt zur Beseitigung.

Während ihrer kurzen Anwandlung von Besinnlichkeit verschwand er aus ihrem Blickfeld.

Demut schlief im Wald, während drunten die Wogen an die Küste rollten, von ihrer Unentschlossenheit aufs äußerste befremdet. Da sah man es! Also *stimmte* es, daß Assassinen gar nicht erst versuchen sollten, zu verstehen, warum ausgerechnet dieser oder jener ihr Opfer sein sollte. Befehle genügten vollauf. Das Aufspüren und Töten waren genug. Neugier führte zu nichts als verhängnisvollem Schwanken.

Gehüllt in züchtige Kleidung und einen Schleier, begab sie sich am folgenden Hochtag erneut daran, Anids Nähe zu suchen; das hohle Maßwerk der Beweiskraft belastete sie wie ein Mühlstein um ihren Hals. Jede Lücke des Maßwerks mußte gefüllt sein, bevor jemand dem Todesurteil verfiel. Wer hatte es für Anid ausgefüllt? Waren die strengen Anforderungen, denen dabei Genüge getan werden mußte, durch irgendeine Heimmutter, fern von hier, wirklich vollauf beachtet worden? Mochten irgendwelche Einstellungen und Falschheiten das Urteil beeinflußt haben?

Sie erspähte Anid auf der Straße. Keck ging sie zu ihm und fragte ihn, wo sie Schuhe ausbessern lassen könne. Es wunderte ihn, daß sie ganz allein reiste. Sie sagte, sie habe seit langem mit dem unstillbaren Wunsch gelebt, einmal das Meer zu sehen, und die See flöße ihr nun, da sie sie zum erstenmal erblickt habe, in der Tat gewaltige Ehrfurcht ein. Er lächelte, verriet ihr, daß er Nachrichtenmann auf einem Nachrichtenturm war und die besten Fleckchen kenne, an denen sich die ganze Schönheit des Meeres genießen ließe. Zum Beispiel gäbe es da eine Klippe, wo der Mondschein eine Straße aus Licht quer übers nächtliche Wasser lege. Das müsse er ihr zeigen, erwiderte Demut darauf; sie vermittelte ihm den Eindruck, als wäre sie lange ohne männliche Gesellschaft gewesen und könne trotz ihrer ersichtlichen Anständigkeit durch freundliche Aufmerksamkeit möglicherweise verführt werden.

So führte er sie zu einer Felsnische, in der sie beide ganz allein sein konnten. Dort plauderten sie. Demut forschte ihn aus, um seine Ansichten über die Stgal, Kaiel und Mnankrei zu hören, aber sie erfuhr nichts. Er besaß hinsichtlich der Hungersnöte keine Meinung, die ihn von tausend anderen Menschen unterschieden hätte. Anscheinend war er weder auf Macht noch Belohnungen aus. Er schien bloß ein Nachrichtenmann zu sein, dem es Spaß machte, allein auf der Reise befindliche Frauen zu verführen. Demuts Maßwerk der Beweiskraft blieb leer, im Zustand unbefriedigender Hohlheit.

Das schlichte Plätzchen, das Anid für ihre Zweisamkeit ausersehen hatte, war grasig und lag in furchterregender Höhe über dem Strand, an der Landseite durch eine felsige Erhöhung verborgen. Der graue Schiefer war rissig und infolge seines Uralters brüchig, aber in seiner Gesamtheit jedoch von ungeheuer widerstandsfähiger Natur; immerzu hatte er sich dem zerstörerischen Wüten der Brandung entgegengestemmt wie ein Urgroßvater, der über seinen Clan wachte.

»Du mußt hier mit mir bleiben und dich im Laufe der Nacht von diesem wie wächsernen Anschwellen des Mondes ganz verzaubern lassen«, sagte Anid.

»Soviel Zeit habe ich nicht.« Sie sorgte dafür, daß ihre Stimme nach Bedauern klang, allerlei Geheimnisvolles andeutete, genau wie es bei insgeheimem Herzklopfen mit einer Stimme der Fall sein mochte.

»Ach, bleib 'n Weilchen hier bei mir.«

»Möchtest du wirklich...?«

»Ich komme schier um vor Verlangen.«

»Wenn dir tatsächlich soviel dran liegt, könnte ich mir's ja überlegen...«

»Ich werde sehr zärtlich zu dir sein.«

»Ich bin noch sehr unerfahren«, sagte Demut und senkte über ihrem Schleier die Wimpern.

»Kein Grund zur Hast. Die Frühnacht nach Sonnenuntergang verbirgt auch noch vieles.«

»Nein. Wenn überhaupt, dann muß es jetzt sein. Wende dich ab. Nichts sieht törichter aus als eine Frau, die sich entkleidet.«

Er gehorchte, sorgsam darauf bedacht, ihre plötzliche Laune der Willigkeit nicht zu verderben.

»Versprichst du mir, die Augen zu schließen?«

»Sie sind geschlossen.«

Ein Stein krachte gegen seinen Schädel und zerschmetterte ihn. Demut fühlte Anids Pulsschlag, während er im Sterben lag, staunte darüber, wie sehr er sich ans Leben klammerte. Ein ruckartiges Drehen seines Kopfes brach ihm das Genick und machte dem Todeskampf ein

Ende. Gründlichkeit war das Merkmal jeder wahrhaft tüchtigen Assassine. Zum Schluß warf sie den Toten von der Klippe in die Tiefe. Sorgfältig hatte sie, als sie ihm folgte, darauf geachtet, ihre Füße ausschließlich in seine Fußstapfen zu setzen, so daß es aussehen mußte, als habe er die Klippe allein erklommen. Auch bei ihrem Verschwinden hinterließ Demut keine Spuren; es blieben lediglich welche in ihrem Gemüt zurück, in dem Aufgewühltheit herrschte, weil es mehr wünschte als die Pflicht zu blindem Glauben. Sie verspürte eine gewisse Enttäuschung, weil sie den Eindruck hatte, letzten Endes nichts anderes zu sein als ein Kind der Gewohnheit.

Als sie sich umschaute – denn die Aussicht gefiel ihr wirklich –, sah sie weit draußen auf dem Meer ein Schiff, die Segel voll gebläht. Der Größe nach mußte es ein Mnankrei-Schiff sein. Sie konnte ein Schiff in den Norden nehmen, wahrscheinlich als Liebchen eines mnankreischen Windmeisters. An weiterem Zufußlaufen oder den greulichen Wagenfahrten lag ihr nichts. Geschwinde Schiffe übten auf Demut gehörige Anziehungskraft aus, und hier gab es ein neues Meer kennenzulernen.

41

Überlegene Leistungsfähigkeit in der Kriegführung besteht daraus, den Widerstand des Feindes kampflos zu brechen.
Sun Tzu in: *Der Feuerofen des Krieges*

Man mietete sechs kleinere Wasserfahrzeuge von den Goei, einem Zimmermanns-Clan, der auch Seefahrt in gewissem Umfang betrieb. Die zweimastigen Schiffe der Goei waren von widerstandsfähiger Bauart; die mit Ziegeln gedeckten Plankengänge verliefen längs niedriger Bordwände, erhoben sich vorn zu einem runden Steven und endeten in einem hohen Bugspriet. Diese Zweimaster besaßen notgedrungen nur geringen Tiefgang, weil man sie zum Einlaufen in unzureichende Häfen gebaut hatte, denn die Mnankrei hatten den Goei ihre Häfen gesperrt.

Die Goei kannten die neblige Küste der Insel Mnank, wie ein Einbrecher die Fenster der nächstgelegenen wohlhabenden Gemeinde kannte. Bei gutem Segelwetter ließ sich die Insel mit dem Schiff innerhalb einer Woche erreichen, schlimmstenfalls brauchte man zwei Wochen, denn etwas Wind wehte immer. In diesen nördlichen Gewässern betätigten sich die Goei entweder als Schmuggler oder beschränkten sich ausschließlich auf das Zimmern von Schränken.

Die Küstenlandschaft von Mnank wies eine derartig unregelmäßige, wild zerklüftete Vielfalt von Buchten auf, daß die Handelsschiffe sicherheitshalber nur die geeignetsten Anlaufmöglichkeiten benutzten. Doch niemand vermochte sämtliche Buchten zu bewachen. Deshalb blühte der Schmuggel. So gelang es auch Joesais Truppe, mit ihren schnellen kleinen Fahrzeugen im Schutz eines zwielichtig-rosigen Nebels am sandigen Ufer eines schmalen Meeresarms an Land zu gehen, ohne daß sich irgendwelche Zwischenfälle ereigneten, und sie machte sich durch einen wundersam üppigen Landstrich auf den südwärts gerichteten Marsch nach Soebo. An manchen Stellen war der Untergrund regelrecht sumpfig, so daß blütenreiche Binsen nur so emporschossen. Die Truppe durchquerte die unheimlichen Wälder, die das starke Holz für die großen Mnankrei-Schiffe lieferten, und drang dann in die tieferen Ebenen vor, in denen sie nach und nach den ersten Ländlern begegneten.

Joesai blieb während des Weitermarschs stets auf der Hut. Manchmal nahm er das Buch zur Hand, das Kathein ihm mitgegeben hatte, und stellte Überlegungen bezüglich der Schwierigkeiten Hannibals an oder las noch einmal die unklaren Einzelheiten von Shermans Marsch durch Georgia. Sherman war nie in eine Richtung marschiert, die sein Marschziel verraten hätte. Diese Strategie gefiel Joesai, und er machte sie sich zu eigen, indem er durch das Tal der Sehnsucht die Richtung nach Ciern einschlug, statt durch die mittelländischen Ebenen geradewegs nach Soebo zu ziehen. Wenn sie lagerten, befahl er die Einrichtung einer Rundumverteilung, so wie es die römischen Legionen auf dem Vormarsch durch feindliches Gebiet zu halten pflegten. Unterdessen trat er ungestört mit der Bevölkerung in Verständigung.

In jedem Dorf führte er das Gewehr vor, indem er aus einigem Abstand mit einem Bleibröckchen einen gefüllten Wasserschlauch durchlöcherte. Joesai forderte zum Gehorsam auf, wie er Priestern gebührte, doch andererseits verhieß er ihnen eine ganz neue Art von Achtung. Er und die zehn Finger-Männer seines Rates der Fäuste ließen keinen Zweifel daran, daß sie die priesterliche Vorhut einer großen Versammlung waren, die stattfinden sollte, um die Herkunft der Weizenfresser-Unterzängler zu ermitteln. Den Bauern fuhr Entsetzen in die Glieder, als sie hörten, daß diese seltsamen Unterzängler menschliche Gene besaßen, eine Tatsache, die nur durch die Schandtat eines Priesters erklärt werden konnte, aber nur wenige von ihnen waren zu glauben bereit, so etwas könne von den Mnankrei begangen worden sein. Nichtsdestotrotz lockerte schon die bloße Nachricht von dieser Ungeheuerlichkeit so manche Zunge, und Joesai gewann einen Eindruck vom Ausmaß der Unbeliebtheit der Mnankrei.

Abgesehen davon, daß er mit höchstem Interesse die Auszüge aus dem *Feuerofen des Krieges* las, die er in einem wasserfesten Beutel aus Säuglingshaut bei sich trug, las er regelmäßig in Oelitas Buch, das Teenae in Kaiel-Hontokae verlegt hatte. Die Irrigkeit der »Biologie-Logik«, deren sich die Gütige Ketzerin befleißigt hatte, versetzte ihn in Entrüstung, aber ihre Berichte über die Entfremdung vieler Priester von den Unteren Clans lasen sich auch für seine Begriffe recht vernünftig. Dergleichen zu lesen, war gerade jetzt von besonders wichtiger Bedeutung, da sein Leben gegenwärtig von der Gutwilligkeit der Unteren Clans abhing, in deren Mitte er sich befand. Die Landleutchen zeigten sich günstig gestimmt und ließen sich von der kaielischen Zucht und Ordnung übermäßig beeindrucken – bis an den Rand der Ehrfurcht –, aber falls sich das Blatt wenden sollte, konnten sie zu einer mörderischen Gefahr werden.

Joesais Truppe mußte sich zwangsläufig mit Mitteln aus dem Lande verpflegen, aber er hatte strengsten Befehl erteilt, die Bauern auf jeden Fall durch Arbeitsleistung für alles, was sie hergaben, zu entgelten, und daher verlangsamte sich die Marschgeschwindigkeit dadurch, daß die Kaiel für die Dauer etlicher Sonnen-Höchststände die Häuser von Gehöften ausbesserten, Brunnen gruben, einer baufällig gewordenen Brücke wieder Tragfähigkeit verliehen oder für Familien, denen es an starker Arbeitskraft mangelte, Pa-Klimmen schnitten. Diese Art der Gegenleistung rief beträchtliches Staunen hervor, denn diese ländlichen Clans hatten noch nie gesehen, daß Priester irgendeine körperliche Arbeit verrichteten. Joesai beschäftigte sich mit Vorliebe damit, Strohdächer zu flicken oder Bewässerungsgräben zu graben. Er hatte es durchaus nicht eilig, nach Soebo zu gelangen, wo die Mnankrei ihm zahlenmäßig im Verhältnis hundert zu eins überlegen waren.

Was sie in Erfahrung brachten, während sie sich auf diese Art und Weise im Land umtaten, beeinflußte Joesais weitere Strategie in starkem Maße. Die Unzufriedenheit, die so gut wie jeder der hiesigen Clans zum Ausdruck brachte, beruhte darauf, daß die Mnankrei fortgesetzt die scharfe Auslese betrieben, für die sie bekannt waren, und man sah darin eine Bedrohung der den einzelnen Clans vorbehaltenen Zuchtregeln. Joesai schürte diese Unzufriedenheit, wann immer sich Gelegenheit bot, indem er einen der von Oelita am häufigsten gebrauchten Einwände gegen die Auslese vortrug, geringfügig abgewandelt durch seine eigenen Auffassungen. In Zeiten des Wohlergehens sei nämlich die Auslese seitens der Priesterschaft ein Frevel, der nicht durch eine Begünstigung der Kalothi gerechtfertigt werden könne, denn Kalothi verlange keineswegs den Tod eines genetisch minderrangigen Menschen, sondern nur, daß er seinen Samen auf unfruchtbaren Boden verspritze.

Joesai lachte bei sich, wenn er am Lagerfeuer andere Leute zu Oelitas Ketzertum bekehrte. Es verunsicherte ihn nicht im geringsten, daß die Kaiel innerhalb ihres Clans in den Kinderhorten ebenfalls unablässig Auslese betrieben. Das war etwas anderes. Das Allgemeine Gesetz betraf ausschließlich Angelegenheiten, die sich zwischen den Clans abspielten.

Einmal führte er, um den Aufruhr voranzutreiben, mit achtzig Mann einen Angriff gegen einen örtlichen Tempel – der Überfall lief so reibungslos ab wie bei einer Übung – und befreite eine schwachsinnige, jedoch von ihrem Vater sehr geliebte Frau, die man dort auf das Ritual der Selbsttötung vorbereitete. Der einzige Mnankrei-Priester – im Tempel befanden sich insgesamt nur fünf –, der so töricht war, einen Dolch zu zücken, erhielt schon aus einigem Abstand einen Schuß ins Bein, der ihn kampfunfähig machte. Während Eiemeni die Wunde des alten Priesters verband, der unter Schmerzen wie bereits dahingerafft auf der Erde lag, hielt Joesai vor den gleichsam vom Donner gerührten Landleuten eine seiner leidenschaftlichen menschenfreundlich-aufklärerischen Reden. Dabei hörte er sich selbst so gut wie gar nicht zu. Er vermochte Oelitas Ansichten schon vor- und rückwärts herunterzuleiern. Nichtsdestoweniger hatte er seine stille Freude an dem Eindruck, den er hinterließ, und er malte sich den Blick aus, den ihm Oelita wohl zugeworfen hätte, wäre sie zur Stelle gewesen, um seinen Auftritt mitanzusehen.

Danach bewog der Wundarzt in ihm Josesai dazu, Eiemenis Werk zu begutachten. Bei dieser Gelegenheit konnte er zum erstenmal einen Mnankrei-Priester aus unmittelbarer Nähe betrachten. Der Mann, blut- und schmerzgequält, hilflos infolge eigener Unüberlegtheit, wirkte auf ihn wenig eindrucksvoll. Selbst das Muster mit der emporgeschwappten Woge sah hier zwischen dem Wogen der Felder völlig fehl am Platz aus.

In einer Anwandlung von Tagträumerei erinnerte er sich an den Seepriester Tonpa und daran, daß Teenae sich Stiefel aus seiner Haut gewünscht hatte. Joesai kannte Teenaes Gemüt genau. Niemals würde sie Tonpa verzeihen, daß er sie kopfüber unter der Rah des Topsegels aufgehangen hatte. Sie war nachtragend bis zum Grab, eine Haltung, die er noch nie hatte verstehen können, die er jedoch achtete. In seinen Tagträumen gab er sich der Vorstellung einer Heimkehr aus Soebo hin, die Aesoes albernen Bann zunichte machte und es ihm ermöglichte, Tonpas getrocknete Haut dem besten Stiefelmacher Kaiel-Hontokaes auszuhändigen. Damit könnte er Teenae eine Riesenfreude bereiten und sie vielleicht sogar ein wenig für den Verlust Oelitas entschädigen. Möglicherweise zürnte sie ihm dann nicht länger in ganz solchem Maß. *Ich glaube, sie hat diese Frau aufrichtig geliebt, ohne sich völlig darüber im klaren zu sein.*

Alle Gedanken führten immer wieder auf Oelita zurück.

Joesai lagerte am Lagerfeuer, allein, ohne seine Familie, ruhte sich nach längerem Lesen aus, sah die hellen Sterne Stgi und Toe aufgehen wie zwei Falter, die im Aufwind von Getas rascher Drehung emporstiegen. In der Konstellation der Sechs waren sie die Sterne der Liebe. Der ungeheuer weite weiße Sand des Nachthimmels verdeutlichte die ausgedehnte Sternenwelt im *Feuerofen des Krieges* und ihren krassen Gegensatz zu den unbedeutenden, auf nur einen Planeten beschränkten Bemühungen Oelitas – ein glühender eiserner Schmelztiegel im

Vergleich zu einem winzigen Tröpfchen Wasser, das nur herumhüpfte. Dort draußen überließen sich die Bewohner des Himmels dem Morden.

Gott hatte es als angemessen erachtet, Seiner Menschheit eine Geschichte zu überliefern, an deren Anfang die Menschheit und das Volk des Himmels noch als Einheit bestanden. Vor langer Zeit – vor Jahrtausenden und länger – hatte das Himmelsvolk die Stadt Hiroshima mit Sonnenfeuer vernichtet, während es gleichzeitig Gesetze verfügt hatte, die das Töten von Verbrechern untersagten. Wie mochten seine Machtfülle, seine Gewalttätigkeit und Widersinnigkeit da erst heute, nach Jahrtausenden weiteren Wirkens zwischen den Sternen, beschaffen sein? Zudem hatten sie ihre Götter, mit deren Hilfe sie sich vom einen zum anderen Ort bewegten. War im *Feuerofen des Krieges* nicht auch die Rede von Kriegsgöttern?

Mittlerweile mochten sie überall anzutreffen sein und ihre fremden Balladen des Hintersichlassens singen. Was sollte werden, falls sie mit ihren Sternenwind-Segeln Geta erreichten? Zu welcher Meisterschaft mußten sie ihre Begabung zum Martern und Töten – alles ohne jede Absicht des Verzehrs – inzwischen gesteigert haben? War Oelitas Liebesbotschaft stark genug, um einem Planeten die Fähigkeit zu verleihen, sogar das Himmelsvolk fernzuhalten?

Eiemeni setzte sich zu Joesai ans Feuer, begleitet von seiner Gemahlin. Deren Name lautete Riea, und sie war ein wahrhaft feuriges Weib. Letzteres mochte der Grund sein, weshalb Eiemeni längst außerordentlich an Riea hing, zu ihrer Bedienung und Verhätschelung umherwankte, als sei er noch der einfältigste Jüngling.

»Du betrachtest die Sterne der Liebe«, sagte sie zu Joesai.

»Diese Sage kann ohne weiteres falsch sein.« Joesai war mißmutig. »Sie können durchaus Sterne des Todes sein.«

»Du schmökerst zuviel, Alter«, erwiderte sie auf liebevolle Art und schob ein Reisig ins Feuer.

»Lesen macht mich weich wie Fleisch in einem verbrannten Faß.«

»Du hast an eine Begierde gedacht, die nicht durch gebratenes Fleisch gestillt wird«, sagte Eiemeni.

»Ich habe über die Ironie des Lebens nachgedacht. Du bist nun schon seit einer ganzen Weile mit mir zusammen, Eiemeni. Du hast erlebt, wie ich Oelita in den Wahnsinn getrieben habe. Ich habe sie gezwungen, an Gott zu glauben, Ihn zu sehen und zu erkennen. Aber unterdessen bin ich zu einem Atheisten geworden, der über die Philosophie der Gewaltlosigkeit nachgrübelt.«

»Hör auf, Joesai, uns vor solche Rätsel zu stellen«, bat Riea. »Wir sind einfache Menschen, die über einfache Dinge reden.«

»Es gibt keinen Gott des Himmels.«

Riea lachte. »Du bist schon zu lange ohne deine Gattinnen.« Und sie schlang ihre Arme um ihn. Er versetzte ihr einen sanften Schubs. Sie schmiegte sich nur noch enger an seine hünenhafte Gestalt. »Hebe deinen Blick an Seinen Himmel. Kannst du Gott nicht sehen? In wenigen Augenblicken wirst du in der Höhe Sein Leuchten erkennen.«

»Gott ist ein Felsklotz.«

»Glaubst du alles, was du liest?« Eiemeni lachte. »Auch Gott erlaubt Sich Seine Scherze.« Er gab seinem Ziehmeister mit der flachen Hand einen Klaps auf den Rücken.

»Ich habe, was mir vom *Feuerofen des Krieges* vorliegt, inzwischen so oft gelesen, daß ich beinahe in dieser alten Sprache denken kann. Es gibt darin sonderbare Begriffe. Man kennt Kriegsgötter, Hubschraubergötter, Luftgötter und Segelgötter und Dampfgötter. Die Sprache schleicht sich durch die Zeit wie ein Geizhals in alten Kleidern auf neue Abenteuer. Was bei uns ein Schiff ist, ist dort stets nur ein Wassergefährt. Was wir Gott nennen, weil Er Sich durch den Himmel bewegt, ist dort ein Schiff. Was dort Himmel heißt, verstehen wir als die höchsten Bereiche. Würden wir zu unseren Ahnen ›Himmel‹ sagen, sie dächten an den Nachthimmel, an die Sterne. ›Gott des Himmels‹ hieße für sie nichts anderes als ›Schiff der Sterne‹. Denkt darüber nach.«

»Du bist von Sinnen!«

»Ja.« Und Joesai lachte das Große Lachen, weil er die Natur von Oelitas Wahnsinn nun vollauf verstanden hatte.

»Gott ist voller Weisheit«, schalt Riea.

»Gott denkt«, versicherte Eiemeni.

»Gott schweigt«, sagte Joesai, »und Sein Himmel ist voller Stecknadelköpfchen von hellen Punkten, einem Irrgarten des Tötens ohne die Absicht des Verzehrs. Vielleicht ist man bereits durch die Leere zu uns unterwegs, bringt als Fracht Sonnenfeuer für unsere Städte. Es kann sein, daß wir noch unvorbereitet sind, wenn man kommt.«

»*Der Feuerofen des Krieges* treibt dich in den Irrsinn!«

»Das ist bereits geschehen. Meine Einblicke in die Zukunft sind düster. Kalothi kann überwunden werden. Vergiftet. Zertreten. Erstickt. Alles.« Er begann Fäustevoll Reisig ins Feuer zu häufen.

»Halt, genug«, sagte Eiemeni und ergriff ihn am Arm. »Ganz Mnank wird uns sehen können!«

»Hochauf soll die Kalothi brennen! Auf Riethe verscheucht man Untiere durch Feuer, heißt's in den Büchern der Himmelsbewohner.

Morgen werden wir die Marschrichtung ändern und nach Soebo ziehen. Die Läppischkeit solcher Gestalten, wie's die Mnankrei sind, könnte einmal unser Untergang sein. Die Kaiel müssen herrschen. Alle Macht den Kaiel!«

»Sollen wir mit achtzig Mann Soebo nehmen und sie allesamt niedermachen?« meinte Eiemeni mit gemäßigtem Spott.

»Ho! Kein Gedanke ans Niedermachen. Dadurch würden wir so wie die Insekten-Herren von Riethe werden. Denk an die Kalothi, wie sie den Brennstoff zu ihrem Scheiterhaufen erhält. Die Mnankrei sind die letzten auf dem Kalothi-Verzeichnis, obwohl sie sich Priester zu nennen wagen, und sie werden zum Wohl der ganzen Menschheit in den Tod gehen. Durch ihren Beitrag zur Läuterung der menschlichen Rasse werden wir der Welt Oelitas Sanftmut bringen. Wie sollten die Roheiten, die wir mitangesehen haben, als in Trauerweiler die Getreidespeicher brannten, die Magensäure in unseren Bäuchen überstehen können?«

42

Der Priester, der ein Händler ist, wird mehr Erfolg haben als ein Priester, der Philosoph ist.

Erzprophet Tae ran-Kaiel: *Über die Fleischbeschaffung*

Sie kamen durch das Tal der Zehntausend Gräber aus den Bergen wie im altbewährten Nairn-Zug des Kol, um die Oberhoheit der Stgal herauszufordern und in Frage zu stellen. Teenae war erstaunt über den Unterschied, den Erstgatte und Drittgatte in ihrer Vorgehensweise zeigten. Gaet verzichtete im Gegensatz zu Joesai darauf, sich irreführender Masken und verdeckter Maßnahmen zu bedienen. Er war Gaet maran-Kaiel, der in feierlicher Clan-Tracht auftrat, um von den Mnankrei geschaffene Verhältnisse auszunutzen, ehe die Mnankrei selbst sie zu ihren Gunsten nutzen konnten.

Sogar in der Wildnis beharrte Gaet auf einem standesgemäßen Wohlleben, das Joesai unter den gleichen Umständen bereitwillig aufgab. Aufwendig speiste er mit seiner Gemahlin an einer mit Einlegearbeiten verzierten, von stämmigen Beinen unterstützten Tafel, beladen mit dem feinsten Fleisch, dampfenden Beigerichten und Blumen. Sie schliefen im Zelt in der Nähe eines Kohlenbeckens, das ihnen Wärme spendete. Nie war er so müde, daß er sie nicht umworben hätte, und er brachte es jederzeit über sich, den hageren Vetteln, denen sie begegneten, den Mut mit ein paar kleinen Schmeicheleien zu heben, die zwar nicht den Bauch füllten, aber ihnen vielleicht das Herz voll machten.

Teenae entsann sich an eine andere Straße, die sie mit Gaet bereist hatte, als sie noch eine mürrische Waise gewesen war, erst vor kurzem auf der Versteigerung erworben; der Luxus, den er ihr von Anfang an geboten hatte, war für sie sowohl verführerisch wie auch erschreckend gewesen. In Gaets Begleitung wirkte die Straße nach Trauerweiler weit weniger trostlos und öde, als sie ihr vorgekommen war, während sie sich mit Joesai dorthin unterwegs befunden hatte. Beim erstenmal hatte die einzige Bequemlichkeit aus einer Sänfte bestanden.

Sie stellten fest, daß die Unterzängler die Ernte im ganzen Vorgebirge verwüstet hatten. Die Menschen waren abgemagert und in einer allgemeinen Stimmung des Hamsterns und Sparens. Die Preise für Lebensmittel waren hoch. Noch herrschte keine regelrechte Hungersnot, doch traten immer häufiger Fälle von Vergiftung durch gemeine Nahrung auf. Die Stgal riefen jene, die auf dem Kalothi-Verzeichnis ganz unten standen, zur Leistung ihres Beitrags zur Veredelung des Menschengeschlechts auf, und es gab mehr Fleisch als gewöhnlich. Die Verhältnisse lagen außerordentlich günstig für einen Vorstoß der Kaiel; sie kamen in genau dem Augenblick der Verzweiflung, kurz bevor Hoffnung in Niedergeschlagenheit und Schicksalsergebenheit umzuschlagen pflegte. Die Stgal hatten nur die übliche Strenge aller Hungersnöte zu bieten, das der getanischen Seele längst eingefleischte Martyrium, das ihre Mehrheit bisher noch immer gerettet hatte; aber die Kaiel boten Nahrung. Gaet zeigte all seinen Reichtum vor, um sie in Versuchung zu führen.

Wenn Gaet verhandelte, verköstigte er seine Gäste. Das Gästezelt, das sie aufschlugen, wohin immer sie gelangten, war ziemlich groß; gegenwärtig stand es auf einem im Vorgebirge gelegenen Feld inmitten wilder Blumen. Am heutigen Morgen gab es wenig zu tun. Zwei neugierige Bauern, Vertreter einer in der Umgebung ansässigen Nolar-Sippe, hatten sich eingefunden, waren ins Gästezelt geleitet und mit einer Terrine voll Suppe sowie Bohnengemüse und Brot bewirtet worden. Erst nachdem sie alles aufgegessen und die Teller blitzblank stehengelassen hatten, stellte man sie einem jungen Verhandlungsführer des Kaiel-Clans vor, der sich mit ihnen im Freien auf eine Matte setzte und sie nach ihren Wünschen und Bedürfnissen befragte.

Wo hatten die Stgal die Nolar im Stich gelassen? Wie waren die Straßen? Erreichte eine ausreichende Versorgung mit Medizin aus den Chemie-Klöstern der Stgal diese Hügel? Zahlten die Stgal gut für dic Frauen, die sie kauften? Wieviel ihrer Mitglieder würden die Nolar nach einigen Erwartungen infolge der Unterzängler-Plage durch eine bevorstehende Hungersnot verlieren? Wie viele an die Tempel?

Die Nolar zogen die Gewänder eng um ihre Leiber und klagten, daß die Stgal dem Land weniger Fleisch gäben als sie aus ihm beschafften. Der junge Kaiel nickte und schrieb sich diesen Hinweis auf. Diesen Vorwurf hatte er noch nicht gehört, obwohl man ständig Beschwerden über Verteilungsunregelmäßigkeiten der Stgal hören konnte, sogar in solchem Umfang, daß Gaet einen besonderen Ausschuß gebildet hatte, der die Güterverteilung unter den neugewonnenen Anhängern überwachen mußte.

Gaet stellte seine Arbeitsgruppen nun nach dem von Hoemei entwickelten Vorbild um. Alle diese Gruppen mußten über die Ergebnisse ihrer Anstrengungen Voraussagen treffen, und wenn diese Vorhersagen sich nicht bewahrheiteten, fiel die Gruppe der Auflösung anheim; dadurch fühlten sich Gaets Gefolgsleute – wie beispielsweise dieser junge Mann, der die Nolar befragte – dazu angehalten, zuverlässige Aussagen zu machen. Noch war es zu früh, um Erfolge dieser Umstellung auf eine verantwortungsbewußtere Arbeitsweise beobachten zu können, aber allen Beteiligten war klar, daß sich Gaet jener, die sich als fähig zu sicheren Voraussagen erwiesen, lange im Gedächtnis behalten, es andererseits nicht versäumen würde, den Unfähigen eine Tätigkeit auf der Latrine zuzuweisen.

Heute früh hatte Gaet die fünf Finger-Männer seines Rates der Linken Faust mit ihren jeweils zugehörigen Untergebenen auf Kundschaft in die Umgebung eines kleinen, auf einem Hügel errichteten Tempels geschickt, der einen unzulänglich besetzten Eindruck machte. Er bereitete einen größeren Vorstoß in besser verteidigte stgalische Landstriche vor, hinunter ins flachere Land. Er saß auf einem Holzstuhl in seinem Zelt und beriet sich mit seinem Rat der Rechten Faust sowie einem Ivieth-Führer, der sich im Schutze der Nacht aus Trauerweiler herbegeben hatte.

Im fahlen Schein eines biolumineszenten Leuchtkörpers, der unter den Zeltpfosten hing, erläuterte man dem Riesen den von Oelita mit den Kaiel abgeschlossenen Grundvertrag. Teenae fütterte die in der Kugel enthaltenen Bakterien und lauschte den Gesprächen, lernte dazu.

Gaet traf sich mit Abgesandten jedes Küsten-Clans und ließ sie zwecks Vertretung der Interessen der Unteren Clans zu Beratungsgruppen zusammentreten, damit sie den Vertrag prüften, etwaige Beeinträchtigungen der hiesigen Rechte feststellten und unvermeidliche Fehler ausfindig machten. Anfangs hatte er seine Bemühungen darauf gerichtet, die Bauern in die Nähe seiner Nachschublinie zu locken; nun jedoch verlagerte er seine Aufmerksamkeit auf die Ivieth, welcher der insgesamt beweglichste und freizügigste Clan auf ganz Geta war und am ehesten damit vertraut, wie man sich von der Seite des einen auf die des anderen Oberherrn schlug. Ivieth aus Kaiel-Hontokae trafen sich mit Ivieth aus Trauerweiler; und letztere, zuerst solche, die auf dem Kalothi-Verzeichnis ihren Platz ganz unten hatten, durften längs der neu ausgebauten Straße die Sicherheit Kaiel-Hontokaes suchen.

Wohlüberlegt vergrößerte Gaet die kaielische Anhängerschaft nicht schneller, als es ihm möglich war, die Voraussetzungen zu ihrer Versorgung und Betreuung zu schaffen. Infolgedessen blieb die Schirmherrschaft der Kaiel zunächst noch selten und sehr gefragt; und daher vermochte er Bedingungen zu erhandeln, die sich von den Kaiel vergleichsweise leicht erfüllen ließen.

Die Stgal zeigten in ihren Gegenmaßnahmen keinerlei Anzeichen einer zusammengefaßten, einheitlichen Befehlsausgabe. Später am selben Tag brachte Teenae, über der Schulter ein Gewehr, eine Abordnung von vier jungen Stgal ins Zelt, die den Auftrag hatten, mit Gaet so etwas wie Vorgespräche zu führen. Ihr Hauptanliegen bestand offenbar in dem unredlichen Versuch, ihn zu bestechen. Mit ausdrucksloser Miene bot er ihnen seinerseits Bestechung an. Die Priester blieben darüber im unklaren, ob er es ernst meinte oder ob er ihnen bloß die Füße zu versengen gedachte.

Am Abend erzählte Teenae, während sie im Zelt auf den Kissen ruhten, Gaet von einer anderen Gruppierung innerhalb der Stgal – sie hatte nämlich bereits eine Truppe von Spionen nach Trauerweiler eingeschleust –, die in den stgalischen Ratsversammlungen für ein hinhaltendes Vorgehen eintrat, das weiteren Ärger aufhalten sollte, bis die Mnankrei Weizen und Gerste lieferten. Ungeachtet der Meinungsverschiedenheiten, die offensichtlich unter den Stgal auftraten, waren sie jedoch darin einig, daß es sich empfahl, die Auslese bis auf weiteres auszusetzen – und das bedeutete, daß sie die Menschen aus ihren Vorratslagern ernährten, auf diese Weise gegenwärtigen Mangel linderten, indem sie ihre künftigen Möglichkeiten verminderten. Sie setzten alles darauf, daß die Mnankrei sie bald unterstützen würden.

Gaet lachte. Sein Kol des wirklichen Lebens bereitete ihm großes Vergnügen. Teenae ließ ihn lachen, aber sie beschäftigte sich am Kohlenbecken, in tiefe Gedanken versunken, mit der Reinigung ihres Gewehrs.

43

Wer gewinnen will, darf nur an unbedeutenden Spielen teilnehmen; kein wahrhaft großer Sieg ist jemals sicher.
Arimasie ban-Itraiel, Dobu der kembri: *Belohnungen*

Nach unsteter Fahrt in einem kleinen einmastigen Gefährt, das in drei winzigen Hafenortschaften festmachte, erhielt se-Tufi die in Demut wandelt eine Überfahrt als Oberdeck-Konkubine auf einem großen Handelsschiff der Mnankrei. Sie nahm allerdings nicht gerade die beste Stellung ein. Der Schiffsherr, von dem sie erwartet hatte, er habe an Bord das Sagen, hatte zeitweilig in die Unterkünfte der Mannschaft ziehen und seine Kabine einem gewissen Sommerwind-Meister namens Krak überlassen müssen – einem wichtigen Würdenträger aus Soebo, der sich aus dienstlichen Gründen auf einer Besichtigungsrundreise befand –, und derselbe Krak zeigte sich keineswegs geneigt, all den Luxus, der ihm rangmäßig zustand, mit einem bloßen Weibe zu teilen.

Statt ihren Aufenthalt in der Schiffsherrn-Kabine zu haben, wie die getroffene Abmachung es vorsah, mußte sie nun schichtweise in zwei kleinen Kojen mit drei Mannschaftsangehörigen und dem Schiffsherrn schlafen, der ständig in der schlechtesten Laune war, weil sein Vorgesetzter, mit dem sich nur äußerst heikler Umgang pflegen ließ, ihn wegen jeder Kleinig- und Nichtigkeit herumscheuchte. Auch stammten die Seeleute nicht – wie sonst üblich – ausschließlich von den Clans der Vlak und Geiniera. Demut hatte sich in die Dienste der Seepriester begeben, ohne zu ahnen, daß zur Besatzung des Schiffs fünfzehn mannhafte Mnankrei zählten, die an Bord ihre Seemanns-Lehrjahre verbrachten.

Als man sie ihnen auf Deck vorführte, war sie erbleicht, und die jungen Kerle hatten es zweifellos bemerkt. Es überwältigte sie nachgerade, eine Liethe in ihrer Mitte zu haben, und indem sie den Schiffsherrn schlichtweg überstimmten, entschieden sie, daß die Beanspruchung durch ihre gemeinsame Lust ganz einfach zuviel für dies zierliche Geschöpf sei. Sie bereiteten ihr im Ölgeruch des dunklen Taulagers eine abgesonderte Bettstatt, damit sie sich nicht andauernd in den stickigen Mannschaftsunterkünften aufhalten müsse, sondern an Bord eine eigene Zuflucht ganz für sich hatte. Sie gaben ihr Kerzen und schoben ihr ungewöhnliche Leckereien zu und verlangten zum Lohn nichts als ihr Lächeln. Soviel einmütige Ritterlichkeit erwärmte Demuts Herz, und sie dankte dafür, indem sie ihre Gunst und Zärtlichkeiten freimütig gewährte. Häufig sang sie für die Seeleute, und einmal brachte sie einen Abend damit zu, der Mannschaft im Scheine Grimmigmonds beim Ausbessern der Webeleinen zu helfen.

Eines grauen Morgens, während über der See leichter Regen niederging, rief von einem kleineren Schiff jemand etwas herüber, und wenig später schaffte man einen Verwundeten an Bord. Die Küstenwächter hatten versucht, ein Boot aufzubringen, das die falschen, selbsternannten kaielischen Richter nach Mnank beförderte. Unter Donnergetöse hatte man den Küstenwächtern Geschosse entgegengeschleudert, und eine bleierne Kugel war einem Mann in den Leib gefahren. Demut stellte sich für seine Pflege zur Verfügung, um von ihm mehr über dies Wunder zu erfahren. *Die Gewehre!* Was würden diese Männer des Meeres einer so fürchterlichen kaielischen Magie wohl entgegenzusetzen haben?

»Wir konnten denen nicht nahkommen«, sagte der Mann gequält. Die Verletzung war schon tagealt, aber die Bewegungen des größeren Schiffs hatten die Wunde wieder geöffnet und die Leiden des Mannes erneuert.

»Aus welchem Abstand hat man euch angegriffen?« wollte Krak erfahren.

»Fünfhundert Mannslängen.«

Krak war überrascht und erkundigte sich nach weiteren Einzelheiten, um sich der Entfernungsschätzung zu vergewissern. Zu guter Letzt zuckte er mit den Schultern. »Was denn – fürchtest du dich etwa?« wandte er sich höhnisch an einen jungen Mnankrei, den dieser Bericht über Metall, das durch die Luft flog wie aus dem reifen Fruchtknoten einer Schleuderknolle geworfener Same, offensichtlich stark beeindruckt hatte.

»Das Spiel hat sich geändert«, lautete die Antwort, die weder Furcht noch unangebrachte Forschheit verriet.

»Der Sand wird bewegt, doch der Strand bleibt«, äußerte Krak ein verbreitetes mnankreisches Sprichwort. »Laß mich dir Belehrung verschaffen. In diesem Blut aus dem Bauch dieses armen Mannes hier siehst du ein Beispiel für die Meisterung von Metall – der Kunstfertigkeit eines Kesselflickers, wie man sie womöglich einem og'Sieth zuspricht. Doch ich frage dich, warum herrschen die Priester und nicht die og'Sieth? Gott hat den Priester-Clans als solchen keinerlei Vorrechte eingeräumt. Kann's sein, wir herrschen, weil die Geschicklichkeit der Priester sich als überlegen herausgestellt hat? Die genaue Kenntnis des Heiligen und des Gemeinen steht über allem. Sieh an! Die Bleikügelchen fliegen also, um uns Schaden zuzufügen, fünfhundert Mannslängen weit. Sollen wir erbeben, wenn wir an eine Entfernung von fünfhundert Mannslängen denken? Ich sage dir, die mit Heiligkeit ausgezeichnete Geschicklichkeit der Mnankrei-Priester kann eine Schwarze Hand über fünfhundert*tausend* Mannslängen hinweg ausstrecken und eine ganze Stadt zur Ödnis machen. Was nutzt eine Bleikugel wider die Kräfte, über die wir gebieten? Müssen die Kaiel da nicht sterben, lange ehe sie uns, über die Gericht zu halten sie sich anzumaßen wagen, nur von Ferne zu sehen bekommen? Werden sie nicht sterben müssen, während sie sich in Sicherheit wiegen, nur weil sie sich außerhalb der Reichweite von Steinwürfen befinden?!« Er lachte. »Die Mücke, auf der Hut vor fleischfressenden Fliegen, schwirrt geradewegs ins Maul des Maelot.«

Krak gab den Bahrenträgern ein Zeichen, mit dem er sie anwies, den Verwundeten unter Deck zu bringen. Offenbar hatte er seine Freude an irgendwelchem geheimen Wissen. Demut, deren Assassinen-Verstand stets an neuartigen Mitteln und Wegen des Tötens Interesse hegte, blieb mit unschlüssigen Gedanken bezüglich einer Bedrohung allein, gegen die nicht einmal Gewehrträger sich zu behaupten vermochten.

Das Schiff trieb mit gerefften Segeln durch einen Sturm. Fortgesetzte starke Winde begünstigten ein baldiges Einlaufen in den Hafen von Soebo, einer ausgedehnten Verlängerung des Flusses, der an derselben Stelle ins Meer mündete. Das Unwetter, das sich über der See ausgetobt hatte, zeigte seine Ungnädigkeit noch mit kaltem Nieselregen, als das Land in Sicht kam, aber Demut hielt trotz der Nässe auf Deck aus, um ihren ersten Blick auf die Küste werfen zu können.

Alte steinerne Bauten in der einzigartig wuchtigen Bauart der Mnankrei ragten bis ins Wasser der Bucht hinein, in der Höhe des Wasserspiegels sichtlich verkrustet, einige davon auf den Ruinen noch älterer Bauwerke errichtet. An den Hafenanlagen und in den Kanälen ankerten zahllose Schiffe. Auf den Wellen schaukelte Treibgut, verbreitete den leichten Modergeruch von Unrat. Wie endlos erhob sich die Stadt über all die Hügel des Flußtals.

Nie hätte Demut sich vorstellen können, einmal so froh darüber zu sein, wieder Land zu sehen. Einer der jungen Mnankrei spürte ihre Stimmung, holte eine dünne Flöte hervor und begann an seinem Platz auf feuchtem Tauwerk für sie zu spielen. Sie wandte sich ihm zu und lauschte. Sie nahm die Melodie auf und summte für ein Weilchen mit, dann fing sie mit ihrer hellen Stimme von einer Stadt zu singen an, die auf Seeleute harrte, die vom Meer heimkehrten. Nicht lange, und sie hatte eine vielköpfige Zuhörerschaft.

Ein hochgewachsener Geiniera, gebeugt infolge der niedrigen Dekken im Schiff, brachte eine Flasche Whisky, gebraut aus der rauhen Gerste Mnanks, und ließ sie unter den bartlosen Mnankrei, die er im mühsamen Gewerbe der Seefahrerei ausgebildet hatte, reihum gehen. Sie tranken. Sie klatschten in die Hände. Der Schiffsherr trat aus der Wärme der Kabine heraus in die Kühle des Oberdecks, um zuzuschauen. Bald tanzte Demut für diese Männer, die ihre Freunde waren, Liethe in jeder Bewegung und aufreizenden Geste; im Mittelpunkt ihrer Beachtung blühte sie regelrecht auf.

Sie war in der größten Stadt ganz Getas eingetroffen, einer Stadt aller Gerüchte der Welt, des Ruhms und der Ausschweifungen, die ein Liethe-Heim von einmaligem Umfang ernährte, abgesehen vom Hauptheim auf den Inseln der Versunkenen Hoffnung. Hier war es, wo Kultur und Feinsinnigkeit herrschten, und sie konnte zu ihrer Verherrlichung auf dem Deck eines der prachtvollen Schiffe tanzen. Kaiel-Hontokae war im Vergleich dazu lediglich ein Wüstendorf voller mit aus Entschlossenheit maßlos grimmiger Menschen, nur noch ein Rastplatz auf dem Weg, den sie in der Vergangenheit zurückgelegt hatte. In Kaiel-Hontokae gab es bloß Hoemei, ihren Geliebten, dem sie noch ein wenig nachtrauerte, einen Mann von so köstlicher Überheblichkeit, daß er es fertigbrachte, den baldigen Sturz dieser gewaltigen Stadt namens Soebo vorauszusagen, daß sie an dem Tag einstürzen werde – wie er gesagt hatte –, sobald es ihm beliebte, Hand an sie zu legen.

Sie lachte. Ob alle Liebhaber so töricht wirkten, wenn man sie erst einmal verlassen hatte?

44

Die Gesellschaft wird all ihre Mittel und Kräfte zur Verstärkung und Verschlimmerung des Elends und der Lasten des Volkes aufwenden, bis das Volk am Ende die Geduld verliert und zur allgemeinen Erhebung getrieben wird.

Nechajew, Lenins Lehrer, nach: *Der Feuerofen des Krieges*

Teenae übernahm Pflichten innerhalb der vorausgeschickten Gruppen, und im Rahmen dieser Aufgaben mußte sie sich regelmäßig nach Trauerweiler schleichen und wieder hinaus, um sich mit den Anhängern der Gütigen Ketzerin ins Einvernehmen zu setzen. Zu ihrem besten Freund entwickelte sich ein alter Weber der o'Maie, der seine Vorliebe für alles Gelehrte zu entfalten begann, als er in jungen Jahren eine Verkrüpplung erlitt und mit Webstuhl und Farben nicht länger zu arbeiten vermochte. Er war arm, trug stets dieselbe zerfranste Hose und dasselbe schweißgetränkte lederne Wams, und immer saß er daheim in seinem von Insekten bevölkerten Dachstübchen, lächelte immerzu und zeigte seine fauligen Zähne. Er besaß einen guten Überblick der getanischen Geschichte, und er war sogar dazu imstande, ihr bei der Übertragung gewisser Abschnitte aus dem *Feuerofen des Krieges* zu helfen, die sie mitbrachte.

Teenae hatte besonders ausgeprägtes Interesse an einem Fanatiker gefunden, der in der scheußlichen, von Wahnwitz durchzogenen Geschichte Riethes vorkam. Seine großartigen Visionen einer bevorstehenden Eroberung Riethes durch den Arbeiter-Clan waren farbenreich ausgemalt, stellten sich im Laufe der Zeit jedoch als irrig heraus. Nach kaielischem Maßstab waren seine Leistungen als Prophet wenig eindrucksvoll. Andererseits hatte er sich durch eine überaus bemerkenswerte Gabe ausgezeichnet, ein schwer heimgesuchtes Volk auf einen Ausweg zu führen. Sein Name lautete Lenin, und er fuhr in einem großen, mit Dampf betriebenen Fahrzeug durch die Lande, in der Absicht, die sozialistische russische Erhebung für seine Zwecke zu nutzen und den noch keimhaften russischen Sozialismus mit planmäßiger nechajewscher Schreckensherrschaft zu vernichten und sich den Dünger für die von ihm selbst erträumte, unwahrscheinliche Zukunft zu verschaffen.

Der Untergang eben jener Welt, die er erbauen zu können hoffte, begann mit den Schüssen auf Kundgebungsteilnehmer, die in Petrograd zum Winterpalast zogen, um ihrer Unterstützung für die erste gewählte verfassunggebende Versammlung Ausdruck zu verleihen. Das geschah im Winter des Riethe-Jahrs 1918, als eisiger Frost und Schnee das Land beutelten. Teenae spürte in Lenins eigenen zornigen Worten, von Gott durch die Weite Seines Unvorstellbaren Himmels überliefert, die entsetzliche Furcht jenes listenreichen Mannes vor jeder Macht, die nicht von ihm ausging. Sie bemitleidete ihn aufgrund der Einsamkeit, die mit einer solchen Haltung zwangsläufig verbunden sein mußte. Die Ausübung allumfassender Macht verlangte überall die Beseitigung des freien Willens. Das Streben nach vollkommener Macht bedeutete, vollauf in Unsicherheit zu leben.

Gegen Ende des Jahres 1918 rief Lenin zu täglichen Massenhinrichtungen auf. »Alle Kräfte müssen aufgeboten werden, man muß eine Dreierschaft von Diktatoren einsetzen, unverzüglich in großem Umfang die Schreckensherrschaft einführen, die Huren, die Soldaten und Offiziere zum Wodka-Trinken verleiten, zu Hunderten erschießen oder in die Verbannung schicken. Man darf keinen Augenblick zögern...« Er sah den Hinrichtungstrupps nie bei der Arbeit zu, und nie bekam er die Wirkungen der Schreckensherrschaft, die er geschaffen hatte, direkt zu sehen. Deshalb hielt Teenae ihn für einen Feigling. Er brachte mehr Leute um, als er verzehren konnte. Daher war er für Teenae ein Narr.

In der Abgeschiedenheit seines Arbeitszimmers im Kreml steigerte sich der Grimm seiner Erlässe und Verfügungen immer mehr. Die Führer der »Geheimpolizei« und politische Beauftragte (»Kommissare«) wetteiferten miteinander im Festnehmen von Geiseln und ihrer Erschießung ohne jegliches Gerichtsverfahren. Sozialistische Gesinnungsgenossen ermordete man ebenfalls. Die Bauern, die mit Lenin gegen die verhaßten Grundbesitzer gekämpft hatten, fielen selbst der Ausrottung anheim, als sie entdeckten – zu spät –, daß das Land von den Grundbesitzern nicht an sie übergegangen war, sondern dem »Staat« zugefallen. In der »Provinz« Tambow kam es zu einer Hinmetzlung von zweihunderttausend Bauern...

Tod dem alten Zaren! Tod dem Zaren, der sich an die Kapitalisten verkauft und vor den Sozialisten geduckt hatte. Lang lebe der neue Zar! Lang lebe der Held der Arbeit, der Kapitalisten und Sozialisten gleichermaßen zur Strecke brachte, alles Land dem Staat zurückgab und die befreite Bauernschaft in die Sklaverei trieb. Tod der alten Aristokratie, verderbt und schwach! Ein Hoch der neuen Aristokratie, verderbt und stark!

Ein kaielischer Grundsatz besagte, daß es schreckliche Folgen haben mußte, wenn ein Priester vielschichtige Schwierigkeiten des Herrschens mit allzu einfachen Lösungen zu beheben versuchte. Teenaes Urteil zufolge fehlte es Lenin an Kalothi. Wenn seine Lösungen sich nicht bewährten, griff er zu dem Mittel, der Verwirklichung seiner Vorstellungen mit Gewalt nachzuhelfen, weder mutig noch klug genug, um seine Haltung noch einmal zu überdenken. Letztendlich hatte Lenin nichts anderes zu bieten als eine Wiederherstellung der alten Verhältnisse. Er stürzte den Zaren, indem er sich selbst zum Zaren erhob.

Die Schreckensherrschaft der Bolschewisten, so las Teenae, aufs äußerste in den Bann gezogen, führte zu einer noch ärgeren Schreckensherrschaft und zum Aufstieg von Lenins Sohn, dem Zaren Stalin, der unerbittlich jeden noch in Rußland lebenden Sozialisten beseitigte. Das ganze Volk verarmte dermaßen an Bewußtsein von Gewissen, daß es fünf Jahrzehnte lang an den schlichtesten sittlichen Fragen herumrätselte, ohne Antworten zu finden, und Rußland hartnäckig nach Ausdehnung seiner Herrschaft auf ganz Riethe trachtete, ohne sich auf mehr stützen zu können als Lenins unüberarbeitete Vision.

Die Bewohner des Himmels hatten einen seltsamen Begriff von Hilfe. Sie drängten andere in einen Zustand von Hilflosigkeit, der sie nötigte, jede Hilfe entgegenzunehmen, die dann als einzige wahre Hilfe galt. Sie logen, um der Wahrheit zu dienen. Sie gaben sich recht, indem sie jeden umbrachten, der eine abweichende Meinung vertrat. Teenae dachte an die Mnankrei. Gottes Geschichte Riethes erleichterte es ihr, solche Priester zu verstehen.

Gaet war noch nicht soweit, daß er derartige Einsichten hätte erringen können. Er war den Mnankrei noch nie begegnet, nie hatte er in der Auseinandersetzung mit ihren ehrgeizigen Zielen dem Tod ins Auge geblickt, niemals voller Entsetzen unter der Rah eines ihrer Schiffe gebaumelt. Teenae war heilfroh und dafür dankbar, daß sie Joesai kannte, gab sich für ein Weilchen ganz dieser Stimmung hin. Seine Stärken waren ihre Stärken geworden. Die Folgen von Lenins Wirken verliehen ihr eine solche Entschlossenheit, daß sie sich selbst davor fürchtete.

Sie gedachte dafür zu sorgen, daß Trauerweiler bereit war zum Widerstand, wenn die Mnankrei gemäß ihrer Übereinkunft mit den Stgal in den Hafen einliefen. Gaet war nicht dazu in der Lage, sie zu unterstützen. Die Stgal würden es gewiß nicht tun. Teenae zuckte mit den Schultern. Ein Priester-Clan wie die Stgal, dümmlich genug, das

Überleben zu versuchen, indem man einen großen Clan gegen einen anderen ausspielen wollte, träumte einem schaurigen Schicksal entgegen.

In ihren Auszügen aus dem *Feuerofen des Krieges* fand Teenae auch Beschreibungen einer Kriegführung auf See. Als Kol-Meisterin, die sie war, durchdachte sie auch diese Dinge mit aller Gründlichkeit. Die Strategie der Kriegführung, so hatte sie mittlerweile herausgefunden, beruhte auf Täuschung. Ein Kriegsherr mußte auf einen beträchtlichen Vorrat an Überraschungen zugreifen können und die Fähigkeit besitzen, sie schnell zum Zuge zu bringen. Jedes Heer mußte sich streng an eine gewisse Anzahl von Regeln halten – und genau wissen, wann man dagegen verstoßen konnte, wenn davon ein Sieg abhing.

Durch den Schallstrahl redete sie über diese Angelegenheiten mit Hoemei, und er sprach ihr Mut zu. Einen Tag später rief er sie an und teilte ihr mit, er habe die Nachricht erhalten, aus Soebo seien unter dem Befehl Windmeister Tonpas drei Schiffe nach Trauerweiler ausgelaufen. Hoemei konnte ihr auch Neues in bezug auf Joesai durchgeben. Noch war er ungefährdet. Er hielt einen Tagesmarsch Abstand von Soebo und vergrub Bomben im Erdreich, während er darauf wartete, daß der Rest der Versammlung seine Truppe verstärkte. Er empfing Abgesandte zahlreicher Clans. Bisher hatten die Mnankrei gegen seine Anwesenheit nichts anderes unternommen, als um Soebo einen undurchdringlichen Verteidigungsring zu errichten.

»Teenae!« schrie Hoemei durch die Störgeräusche.

»Ich kann dich deutlich verstehen.«

»Es hat den Anschein, als sei beim Krieg die Gefahr gegeben, daß man zuviel Gewalt anwenden muß.«

»Mir ist die Anwendung von Schwächstmittel und Stärkstmittel durchaus geläufig.« Es gab zahlreiche Punkte, an denen man Druck unterschiedlicher Stärke ausüben konnte, um Erfolg zu haben, aber nur einen Punkt, an dem der Einsatz des *schwächsten* Drucks zum gleichen Ergebnis führte.

»Der Wert eines Sieges steht, soweit ich das sagen kann, im umgekehrten Verhältnis zur aufgewendeten Anstrengung. Die geringste Anstrengung sichert den Sieg vom längsten Bestand und geht nahezu nahtlos in Verhandlungen über, die wir ja gewaltsamen Lösungen jederzeit vorziehen.«

»Aber das sagt mir noch längst nicht«, klagte Teenae, »was ich jetzt tun soll.«

»Du bist's doch, die mit solcher Begeisterung Kol spielt. Was kann ich denn schon dazu sagen? Bereite einen Angriff vor, der nicht von

Gewalttätigkeit strotzt, schnell durchführbar und von entscheidender Wirksamkeit ist.«

Nach dem Gespräch betrachtete die Frau für die Dauer etlicher Herzschläge den hölzernen Kasten, der die Stimme ihres Gatten über die Berge hinweg zu tragen imstande war. Der Kasten besaß ein viel zu schlichtes Aussehen. Es hätte sich gehört, ihn zu verzieren und feines Öl ins Holz zu reiben. Nur wenige Werkzeuge stellte man heutzutage noch mit soviel Liebe her. An ihrem Gewehr dagegen fand sie großes Gefallen.

Die ihr zugeteilten Kaiel-Jugendlichen hatten es in ihrer freien Zeit am Holz mit Schnitzereien und Einlegearbeiten verziert und ihr dann feierlich überreicht. Niemand sonst besaß ein so schönes Gewehr. Kaielische und o'tghaliesche Symbole waren an ihm in makelloser Weise miteinander verflochten worden. Wenn Teenae den Schaft des Gewehrs berührte, fühlte sie sich erstmals seit jenem längst vergangenen Zeitpunkt, da der Clan sie aufgenommen hatte, endlich einmal wie eine echte Kaiel. Ihre Untergebenen glaubten an sie. Sie gehorchten ihr. Sie gaben ihr vollen Rückhalt, als sie durchblicken ließ, daß Gaet nicht darauf vorbereitet war, der Gewalttätigkeit der Mnankrei etwas entgegenzusetzen, und sie gingen dabei sogar so weit, für Teenaes besondere Zwecke Vorräte zur Seite zu schaffen und mit ihr, wann immer sie es einrichten konnte, Übungen durchzuführen.

Am Abend desselben Tages besuchte sie den alten o'Maie-Weber, um jemanden zu haben, der mit ihr über die Rätsel von Lenins Leben und Lehren nachdachte und ihr half, für sich daraus Lehren zu ziehen. Sie brachte ihm Whisky und einen neuen Umhang mit.

»Du sorgst dich, daß du, weil du gelernt hast, einem Menschen eine bleierne Kugel zielsicher durchs Auge zu schießen, wie Lenin werden könntest«, sagte er, während in der Abenddämmerung die Sterne an den Himmel traten. »Lenin war ein Feigling, der Mietlinge für sich hat morden lassen.«

»In mir wohnt Gewalt. Ich rede von geringster möglicher Gewaltanwendung... aber ich bin alles andere als sanftmütig.«

»›Geringste Gewalt‹ heißt nicht ›keine Gewalt‹. Völlige Gewaltlosigkeit ist etwas für eine Idealistin von der Art Oelitas. Der Gedanke der geringsten Gewalt entspricht einer von Nützlichkeitserwägungen geleiteten Person wie dir, wogegen die Anwendung der äußersten Gewalt einem Größenwahnsinnigen wie Lenin zuzuordnen ist.«

»Ich werde sie alle töten müssen«, sagte Teenae. »Die Besatzung dreier Schiffe. Ich sehe keine andere Möglichkeit.« Sie fing zu weinen an.

Der Weber empfand Mitgefühl für diese Frau, die ihn zu ihrem Freund gemacht hatte. »Jemanden umzubringen, erlegt einem eine schwere Bürde auf.«

Teenae lachte eingehüllt in ihre Tränen. »Das ist nicht der Grund, aus dem ich weine. Ich fürchte lediglich, daß sie zuvor mich töten könnten.«

45

Der Tückische, der in geheimen Kellern der Nacht Pläne zu deinem Untergang schmiedet, während er dir im Licht des Tages unterwürfig die süßesten Dienstbarkeiten erweist, ist ein Mensch, der dem Spiegel seiner Liebe mißtraut.

Der Einsiedler Ki in: *Mitteilungen einer Flaschenpost*

Soebo war ohne jeden Zweifel die herrlichste Stadt auf ganz Geta! Schon ein vorsichtiger Besichtigungsbummel stürzte Demut in höchste Verwirrung. Überall verliefen Kanäle, die in allen möglichen Richtungen die Stadt durchzogen, wo früher einmal die Flußmündung gewesen war, und ihre Vielfalt störte ihren Sinn für Richtungen und Entfernungen. Unglücklicherweise merkte sie sich als Landmarken zwei einander recht ähnliche Tempel, deren fast gleiches Aussehen dann auch tatsächlich dazu führte, daß sie sich verirrte. Schließlich stieg sie eine steinerne Treppe hinunter und nahm eine Führerin in Anspruch, die mit ihrem flachen Boot am Rand eines Kanals wartete.

»Kann man von hier aus mit dem Boot den Tempel des Windes erreichen?«

»Dort ist der Schnittpunkt sämtlicher Kanäle«, gab das hochgewachsene Ivieth-Weib Auskunft, während es das in Blau gestrichene Boot mit einer Stange in die Mitte des Wasserwegs stakte. »Der Platz des Windes ist die Stelle, an der in Soebo aller Klatsch und alle Gerüchte zusammenlaufen.«

Demut zahlte das geforderte Entgelt, setzte sich auf den Polstersitz und hätte sich im verdünnten Salzwasser die Hände gekühlt, wäre nicht soviel Unrat darin herumgeschwommen. »Ich bin ganz versessen auf Neuigkeiten. Ich war auf See.«

»Alles Gerede dreht sich um die angekündigte Versammlung. Bis jetzt steht nur fest, daß die Einberufer ein gutes Stück außerhalb der Stadtgrenze lagern und sich aus Sorge um ihre Haut nicht näherwagen.«

»Ich vermute, man wird den Kaiel eine gehörige Abfuhr erteilen«, sagte Demut, um auf den Busch zu klopfen.

»Ich nehme an, sie werden sich nicht so nahe herantrauen, daß ihre Haut angekratzt werden könnte«, meinte die Alte verächtlich.

»Einmal habe ich Ivieth Lieder über den Wagemut der Kaiel singen hören«, spottete Demut höhnisch.

»Wir haben Lieder über jedermanns Wagemut. Wir singen sie, wenn sich Schmeicheleien empfehlen. Wir haben sogar Lieder, die wir unseren Kindern vorsingen, um sie davor zu warnen, leichtfertig zu schwatzen, wenn Liethe in Hörweite sind, die sich Halsbänder aus den Ohren unserer Herren machen.«

Bei Sonnenuntergang befand sich Demut auf dem Platz des Tempels des Windes, schaute den Schach-Turnieren zu, beobachtete die aufregenden Hüpfer und sonstigen Mätzchen einer Gruppe Hartball-Spieler und nahm sämtliches Geschwätz, das umlief, begierig in sich auf. An einer Tafel oberhalb des Menschengewimmels aß sie Obst, ließ die giftige gelbe Schale achtsam liegen. Sie plauderte mit Leuten, stiftete sie zur Schwatzhaftigkeit an, horchte sie aus. Im allgemeinen hielt man den Meeres-Clan für unbezwingbar, doch ließ sich überall eine gewisse unterschwellige Abneigung spüren; auch die Ivieth war gegenüber Demut zurückhaltend geblieben, hatte sie vermutlich verdächtigt, ein Werkzeug der Mnankrei zu sein.

Neben dem Platz und dem Brodeln der Machtfülle in dieser Stadt wirkte Hoemei nur noch wie irgendein beliebiger Dorfpriester. Weil sich Demut zwischen ihren Neigungen hin und her gerissen fühlte – in unablässigem Wechsel verwarf sie ihre Liebe zu Hoemei und entdeckte sie von neuem –, wünschte sie einerseits, Hoemei möge unrecht haben, damit sie ihn auslachen könne, zugleich jedoch andererseits, er möge recht behalten, auf daß ihre Liebe zu ihm um so heftiger entflammc. Wahrschcinlich täuschte er sich. Soebo war auf zu festen Grund gebaut.

Demut erspähte eine Liethe, die sich am Arm eines weißhaarigen Windmeisters hielt, der sie über den Platz geleitete. Das mußte ein wirklich mit Macht ausgestatteter Mann sein! Das leichtgewichtige, zierliche Mädchen schritt wacker aus, um mithalten zu können, und einmal legte es liebevoll den Kopf an den Oberarm des greisen Hünen. Ob dieser Liethe daran lag, daß *er* recht behielt? Wäre sie dazu bereit, im geheimen eigene Machenschaften zu betreiben, um dafür zu *sorgen,* daß er recht behielt? Oder würde sie einfach immer auf der Seite des Stärkeren stehen, des Siegers?

Demuts Gepäck traf lange vor ihr im Liethe-Heim ein. Das Heim zu Soebo war ein sehr altes Gebäude, das sich bereits in den Händen der Liethe befunden hatte, noch ehe das erste Mitglied des se-Tufi-Stamms gestorben war, und selbst als die Liethe es übernahmen, war es schon alt gewesen, ein stattliches Überbleibsel eines billigen Vergnügungsviertels. Nun waren die Hurenhäuser, Theater und Spielhöllen längst dahin, wie fortgespült durch Wechselfälle in der Umverteilung des Reichtums, die auch das Liethe-Heim nicht verschont hatten. Zur Zeit erhöhten Wohlstands hatten Liethe ihren uralten Wohnsitz um eine Reihe hoher Turmbauten erweitert, die einen von einer Mauer umschlossenen Garten umgaben; an derselben Stelle war einst eine Straße verlaufen, auf der sich betrunkene Seeleute getummelt hatten. Vielleicht kauften hier noch die Geister von Vlak-Seemännern verwaiste Mädchen auf Versteigerungen im Theater an der Kreuzung, dessen Ziegelbau inzwischen selbst ein Geist war, einem öffentlichen Springbrunnen gewichen.

Demut erhielt ein winziges Turmzimmer, nur mit einer Matte ausgestattet, zugewiesen. Drei Alt-Liethe befragten sie sehr ausführlich. Eine von ihnen, eine Hochmutter des nas-Veda-Stamms, den man wegen mangelhafter Widerstandsfähigkeit in fortgeschrittenem Alter hatte auslaufen lassen, nahm sie mit sich hinab in einen luftdicht abgeschlossenen keimfreien Raum in der Genetik-Werkstatt des Heims, wo sie sie mit se-Tufi die Fleisch tätschelt bekannt machte, einer jungen se-Tufi, die ein wenig älter war als Demut, ohne daß man es ihr hätte ansehen können. Sie verbeugten sich knapp, vollführten ihre Erkennungsgesten.

»Du wirst Fleischtätschlerins zwei Männer mitübernehmen. Sie verkörpert die Rolle der überaus zum Planen begabten Person Tröstli, Gefährtin von Hochwogen-Meister Ogar tu'Ama, und die unterwürfige Person Leuchtschönchen, die Wintersturm-Meister Nie t'Fosal zu Gebote steht. Sie wird mit dir unverzüglich den Neunfachen Quell des Verstehens zum Fließen bringen, damit du sie, wenn am Ganztag des Buben die Sonne aufgeht, in beiden Rollen einwandfrei vertreten kannst. Entkleide dich und zieh diese entkeimte Kleidung an. Auch diese Maske.«

Die nas-Veda ging ihren beiden Untergebenen durch eine Anzahl luftdicht verschließbarer Türen in eine größere Kammer voraus, die an eine kleine, innen mit Harz verkleidete Räumlichkeit grenzte, die sie nicht betreten durften. Es gab Sichtfenster. In dem Raum saß eine junge o'Tghalie, die allem Anschein nach keinerlei Gewalt über Augen, Hals und Hände hatte.

»Ist sie auch ohne Geist?« erkundigte Demut sich in heftiger Bestürzung.

»Vollkommen. Die Aufzeichnungen der Mnankrei besagen, sie sei gestorben und eingeäschert worden. Aber wir haben sie aus Neugier insgeheim zu uns geholt. Wir haben uns gefragt, was die Mnankrei wohl mit all den *Frauen* anfangen. Männer verwenden sie nämlich nie für diese Art von Versuchen.« Die nas-Veda wandte ihr Gesicht Fleischtätschlerin zu. »Begreifst du jetzt, weshalb wir dich ausgerechnet Wintersturm-Meister Nie t'Fosal zugeteilt haben?«

Demut stieß in ihrem Gedächtnis auf etwas. »Das ist doch der Schöpfer der Weizenfresser-Unterzängler?!«

Die se-Tufi die Fleisch tätschelt beobachtete die ziellosen Bewegungen des geistlosen o'Tghalie-Mädchens. Dergleichen ließ sich durch das umfangreiche Musterwerk des politischen Ränkeschmiedens, anhand dessen sie geschult worden war, nicht verstehen. »Wird sie davon genesen?«

»Nein.«

»Das ist ja gräßlich. Fosal setzt solche Ungeheuer in die Welt?« Das mußte der Grund sein, weshalb sich der Hochwogen-Meister trotz erheblicher Nachteile für sich selbst mit solchem Nachdruck gegen Fosal gestellt hatte.

»Fosal ist höchst begnadet. Gräßlich ist nicht, daß es Menschen wie ihn gibt, sondern daß andere zulassen, daß solche Menschen an die Macht gelangen.«

Fleischtätschlerin war äußerst erregt. »Ich vergehe vor Wissensdurst, Mutter. Wie können die o'Tghalie nur erlaubt haben, daß man ihre Frauen für derartige Zwecke hernimmt? Ein Verkauf gleicht doch keinem Wegwerfen!«

»Sie haben keine Ahnung davon, was aus ihr geworden ist, und du wirst es ihnen verschweigen. Auf unsere unauffällige Art und Weise haben wir in Erfahrung gebracht, daß sie im fernen Osairin verkauft worden ist. Ihr Clan glaubt, sie sei auf dem Weg zum Njarae-Meer während eines Sandsturms in der Wüste verschollen. Und Fosal –« – diese Anmerkung machte die Alte in unheilvollem Tonfall – »– hat für seine Versuche auch Liethe verwendet.«

»Mutter!« schrie Fleischtätschlerin auf. »Und ihm habt ihr mich zugeteilt?!«

Ein Gesicht mit hunderttausend winzigen Fältchen lachte. »Demut wird die Last mit dir teilen.«

Übers Weiß der Masken hinweg musterten schwarze, in blaue, gefleckte Regenbogenhäute gebettete Pupillen einander.

»Wie ist dieser Schaden ihr zugefügt worden?« begehrte Demut zu wissen.

»Du weißt Bescheid über die Kleinstlebewesen, die bisweilen wie eine Sichel des Todes die gemeinen Geschöpfe dahinraffen? Nie t'Fosal hat einen Weg gefunden, auf dem er Übel des Gemeinen in die Welt des Heiligen bringen kann.«

»Sie ist *krank?!*« entfuhr es beiden se-Tufi in höchster Verblüffung wie aus einem Mund.

»Wir sind außerstande dazu, genau zu ergründen, was sich in ihr vollzieht. Wir haben dem Gehirn des Mädchens Gewebe entnommen und untersucht, und es macht einen weitgehend herkömmlichen Eindruck, nur sind die axionischen und dendritischen Nervenstränge merkwürdig geschwollen. Wir vermuten, daß das Verfahren zweierlei umfaßt. Viruserreger sind in freibeweglichen Zellen untergebracht und einer genetischen Beeinflussung unterworfen worden. Mundberührungen können die Krankheit übertragen.«

Plötzlich fühlte sich Demut mit Macht von einem starken Gefühl der Anhänglichkeit und Zugehörigkeit bezüglich der Kaiel befallen. Wie hatte sie sich nur der Selbsttäuschung hingeben können, sie vermöchte Hoemei zu vergessen! Sie war seine untertänigste Dienerin! »Die Kaiel haben *recht,* wenn sie zu einer Versammlung aufrufen.«

Verächtlich wandte sich die Alte mit einem Ruck Demut zu, deutete auf die schwachsinnige o'Tghalie. »Die Kaiel werden der Vernichtung anheimfallen, bevor sie Soebo erreichen... dadurch!«

»Wir müssen sie warnen«, rief Demut. »Wir haben Verbindungen zum Schallstrahlnetzwerk.«

»Wir werden sie *nicht* warnen«, widersprach die nas-Veda verärgert. »Glaubst du etwa, wenn sie erfahren, daß eine so schreckliche Gefahr sie bedroht, würden sie uns Schonung gewähren? Sie würden in dieser Stadt ein Flammenmeer entfachen, um uns alle – allesamt! – zu verbrennen und alles, was hier steht und lebt, in einem allesverzehrenden Feuer zu läutern. Alle Clans in Soebo müßten zu Asche werden, so wie damals ein ganzes Volk, als die Kaiel das Strafgericht über die Arant gebracht haben. Wäre es ihnen denn überhaupt möglich, Nachsicht zu üben? Würdest du Gnade erweisen, wärst du an ihrer Stelle und wüßtest von dem Scheußlichen, das sich von hier aus verbreiten könnte wie giftige Sporen, um jeden von Menschen bewohnten Landstrich Getas heimzusuchen? Nein, Liethe-Kind, du wirst die Kaiel nicht warnen. Ich verbiete es dir bei Strafe des Todes!«

46

Lege einen Mann in deinen Rücken und lausche dem Flüstern des Windes.

Der Öffentlichkeit unbekanntes Gedicht Noe maran-Kaiels

Der üble Geruch im Austrocknen begriffenen Tangs wehte von den Trockengestellen auf den Klippen herab über den Strand. An den schlicht zurechtgezimmerten Anlegebrücken herrschte reger Betrieb. Heute morgen war wieder ein Boot mit Flüchtlingen aus Soebo eingetroffen – etwa acht Personen, hieß es –, das dritte solche Häuflein, von dem Noe vernahm, furchtsame Leute, denen es angesichts der angekündeten Versammlung bange geworden war und deren Reichtum es ihnen ermöglichte, sich rechtzeitig abzusetzen. Sie feilschten gerade mit Händlern, und Noe, die sie von weitem beobachtete, fragte sich, wie sie die Ankömmlinge wohl ausfragen könne. Ihr lag viel an jedem Bruchstück von Erkenntnis, das sich erlangen ließ, doch andererseits gab sie argwöhnisch auf etwaige Spione acht.

Wieviel wußte der Gegner? Sie rechnete jederzeit mit einem Angriff der Mnankrei gegen die Küste, mit dem Ziel, die wohldurchdachten Versorgungsstellen auszuheben, von denen aus sie Schiffe mit Nachschubgütern und mittlerweile auch Priestern ferner Clans durchs obere Njarae-Meer nach Mnank schickte.

Die Gerüchte, die sie immer wieder in Unruhe versetzten, besagten im Grunde genommen überhaupt nichts. Sie verrieten nicht mehr als ein schwaches Zucken im Gesicht eines Spielers, ein kaum merkliches Nähern der Karten an die Brust. Die Angreifbarkeit Joesais war es, die jedem Geschwätz in Noes Ohren einen so düsteren Anklang verlieh. Joesai stand mit seiner Truppe mitten im feindlichen Land, auf allen Seiten von Gegnern umgeben, unweit der äußeren Bereiche Soebos, und er durfte nichts unternehmen, während die Mnankrei sich ohne Zweifel Tag für Tag auf ihren Gegenschlag vorbereiteten, welcher Art er auch sein mochte. Die Seepriester pflegten nicht erst lange zu fakkeln. Sie schlugen zu.

Die Weitsichtigkeit des kaielischen Verstandes sagte ihr, was das bedeutete. Joesai war verloren, wie erfolgreich sein Abenteuer für die Kaiel insgesamt auch ausgehen würde. Joesai war immer von der Aura des Todes umgeben gewesen. Er wagte jede Todesgefahr, lebte mit dem Tod, spottete seiner, weil er wußte, daß er ihm letztendlich nicht entfliehen konnte. Er war dazu geboren worden, ein tragischer Heroe zu werden; Noe wollte ihn nicht verlieren, aber offenbar war jetzt seine Zeit gekommen. Von all ihren Gatten hatte nur er mit ihr die Lust am Nervenkitzel der Gefahr gemeinsam.

Noe entsann sich daran, den Tränen nahe, daß sie einmal geglaubt hatte, er sei der Gatte, den sie nicht ausstehen könne; als die anfängliche Glut ihrer Liebe zu Gaet verpufft war und sie in bedrückte Gemütsverfassung geraten, hatte Joesai sich kühl ihrer angenommen, um ihr die besten Kunstgriffe der kaielischen Genchirurgie beizubringen, weil ihre Unwissenheit ihn enttäuscht hatte und er es Gaet verübelte, für ihre Familie ein so lasches Weibsbild auserwählt zu haben. Für einen vollen Durchlauf Getas auf der Umlaufbahn hatte sie ihn gehaßt, da sie eher zum Verspielten neigte und anstrengende Arbeit scheute; doch eines Tages war sie in die Hügel oberhalb Kaiel-Hontokaes gewandert, hatte Joesai gesucht, ohne so recht zu wissen, warum; sie traf ihn in schlechter Laune bei einem beschädigten Segelflieger an.

Er verleitete sie zum Fliegen und setzte hoch über den Tälern ihr Leben aufs Spiel, und so entdeckte sie dank Joesai, daß sie die Gefahr liebte und ohne sie nicht leben konnte. Das gemeinsame Segelfliegen hatte zwischen ihnen zu inniger Verbundenheit geführt, und irgendwie war es so gekommen, daß sie sich von da an nie mehr an seinen Fehlern gestört hatte. Es kam ihr sogar befremdlich vor, daß sie sich einmal seinen Tod gewünscht hatte, um Gaet und Hoemei ganz für sich haben zu können.

Nachdem Noe die Flüchtlinge befragt und nichts erfahren hatte, was über die Sorgen und Mutmaßungen, denen man in Soebo Ausdruck gab, hinausgegangen wäre, sprach bei ihr ein stämmiger Mann vor, während sie sich auf dem Dorfplatz an Brot und Honiggrütze labte.

»Ein Geiniera«, flüsterte eine von Noes zwei Begleiterinnen.

»Bestimmt?«

»Ja. Er schleicht schon seit Tagen im Dorf umher und bleibt immer allein, stellt da und dort ein paar Fragen.«

Der Mann verneigte sich vor Noe. Seine Kleidung war zerlumpt, aber offenbar wusch er sich regelmäßig. Seine Augen huschten mißtrauisch hin und her, jedoch ohne Anzeichen von Furcht. Achtungsvoll wartete er darauf, daß Noe als erste das Wort ergreife.

»Kann ich dir behilflich sein?«

»Das wär scheen, aber ich glaab nich. Du bis 'ne Kaiel?«

»Wir sind alle Kaiel und Gäste der Twbuni, den Herren von Tai.«

»Ihr macht 'ne Versammlung, um Soebo zu Klump z' haun?«

»Nur um die Wahrheit ans Licht zu bringen«, erwiderte Noe in förmlichem Ton.

»Man sieht vor lauter Dünen de Wahrheit nicht, wo in jedem Körnchen Sand steckt.« Seine Entgegnung verriet die maßvolle Ablehnung eines sachlich eingestellten Menschen, der an solchen Unsinn wie Wahrheit nicht glaubte. Er hob die Schultern, deren Stärke oft genug Segel gesetzt und gerefft und dem Wüten der See widerstanden hatte. »Ihr fracht de Leut aus, wo fliehn? Erzähln se so traarige G'schichten wie in meim Herz eene wohnt?«

»Geht dein Leid auf dein eigenes Tun zurück, oder ist's die Folge der Übeltaten anderer?«

Der Geiniera lachte und klopfte die Lumpen ab, die er trug. »Das is keen Frach, wo ich beantworten kann.«

»Nimm Platz und iß mit uns Brot.«

»Mein Dank, gütige Priesterin. Ihr macht 'ne Versammlung, um Soebo zu Klump z' haun. Geht mit Gottes Segen und rächt meine Tochter.«

Dann gab er eine Schilderung von Ereignissen, die seine aufgebrachte Verfassung erklärten. Sein Bruder und er hatten gemeinsam eine Gemahlin genommen. Sie waren arm, wären aber möglicherweise durchaus dazu in der Lage gewesen, ein Zweitweib zu ehelichen, hätten sie nur die geeignete Person gefunden. Ihre Gattin gebar den beiden Seemännern eine Tochter und starb; das Kindlein mußte bei Nachbarn bleiben, während die zwei Männer auf See weilten. Diese beklagenswerte Wende veränderte ihr Dasein völlig. Einer der beiden fuhr auf einem mnankreischen Handelsschiff, der andere blieb daheim, um für die Tochter zu sorgen, nebenbei in den Werften oder an der Ausbesserung von Segeln zu arbeiten. Die Tochter wuchs zu einem schönen und stolzen Mädchen heran, das seine geinierische Herkunft verachtete und seine Bewunderung und sein ganzes Streben auf den Wohlstand der Bessergestellten richtete. Es faßte den Entschluß, eine Mnankrei zu werden und fand zur rechten Zeit auch in der Tat einen Mann, der es zu seiner Geliebten machte, es jedoch verstieß, sobald feststand, daß es von ihm ein Kind bekam, und es in tiefsten Kummer und zurück in die Armut stürzte.

Das außer sich geratene Mädchen hatte mit seinem Säugling den Tempel der Wilden See aufgesucht und das Kind vor den Augen des Vaters getötet. Daraufhin war es ergriffen und von da an nie wieder gesehen worden. Den geinierischen Vätern erteilte man die Auskunft, ihrer Tochter sei mit entsprechendem Ergebnis das Ritual der Selbsttötung nahegelegt worden; der eine Vater glaubte es, der andere nicht – denn hätte man ihnen nicht den Leichnam der Tochter für die ordnungsgemäße Totenfeier übergeben müssen?

Der Zweifler war ein hartnäckiger Mann. Durch den Verlust seiner Tochter außerordentlich erbittert, nicht einen Augenblick lang davon überzeugt, daß sie tot war – denn hatte er sich etwa von ihrem Tod zu überzeugen vermocht, indem er sie verzehrte? –, bemühte er sich um Aufklärung ihres wirklichen Schicksals, entdeckte in seinem Gedächtnis Erinnerungen an gewisse Dinge, die seine Tochter über ihren Liebhaber geäußert hatte, doch statt zu irgendeinem Aufschluß gelangte er nur an finsteres Gerede. Keine Mauer und kein Tor konnten ihn aufhalten, weil er Schiffsschmied war, und eines Tages – bereits sicher, er werde sie nun finden – stand er vor einem mit Glas abgeteilten Zimmer, das er nicht betreten konnte. Hinter der Glaswand befanden sich ihres Geistes beraubte Frauen; nur ihre körperlichen Hüllen waren vor dem Tod bewahrt worden.

Aus Sorge, bemerkt zu werden, floh er diese schauerliche Stätte. Wutentbrannt, innerlich gebrochen und aus Gram nahezu von Sinnen war er in das Haus des Liebhabers seiner Tochter gestürmt, um ihn umzubringen, doch hatte er dort nur ein Liethe-Weib angetroffen, das ihn besänftigte und ihm seine Geschichte und sein Anliegen entlockte, so reibungslos, wie eine gutgeschliffene Klinge borstiges Haar schor. Eindringlich ersuchte die Frau ihn, ihr diese geistlos gemachten Weibspersonen zu zeigen, aber als sie sich am vereinbarten Treffpunkt zur Durchführung eines so gefahrvollen Abenteuers trafen, da mußte er feststellen, daß sie ihn an ihren Geliebten – der auch der Liebhaber seiner Tochter gewesen war – verraten hatte. Der Mann hatte ihn in die entlegenste Zelle unterm Tempel geworfen und ihn für das einer Liethe entgegengebrachte Vertrauen lauthals verlacht. Mauern konnten den Seemann nicht festhalten, und ihm gelang die Flucht; wochenlang beobachtete er die kleinen Seitenpforten des Tempels und sah, wie man Särge heraustrug und fortschaffte, um sie insgeheim zu verbrennen. Auch dort sah er Liethe am Werk.

Seine halb wahnsinnige Wirrnis legte sich, und als er von der angekündigten Versammlung hörte, reiste er übers Meer, um dafür zu wirken, daß man das seiner Tochter angetane Übel vergolt. Er glaubte die Redensarten, die hinsichtlich der kaielischen Grausamkeit umliefen, ohne weiteres, aber er fühlte sich davon durchaus nicht bewogen, sich an die Herren zu klammern, die er kannte; vielmehr gaben sie ihm die Hoffnung ein, sich an Priester zu wenden, die gewalttätig genug waren, um über die Mnankrei Tod und Verderben zu bringen.

Während ihrer zahlreichen Fahrten, die Noe mit ihrem kleinen Segelschiff längs der Küste unternehmen mußte, machte sie sich ihre Gedanken über den erhaltenen Schicksalsbericht. Für gewöhnlich hatte sie ihre Freude an der See, an ihrer Bemeisterung, denn sie hatte ja auf dem Meer ihre Jugendjahre verlebt. Von den maran-Kaiel machte es nur ihr Vergnügen, in der Gegend um Trauerweiler an der Küste tätig zu sein. Sie war kein Berg- und kein Wüstenweib. Aber das Flappen der Segel und die Gischt vermochten diesmal nicht zur inneren Aufgewühltheit ihrer Seele durchzudringen.

Kathein mit ihrer unfehlbaren Begabung, aus den seltsamsten Vorgängen die Regeln und Gesetzmäßigkeiten der Natur zu schlußfolgern, war es gewesen, die Noe das Geheimnis einer guten Nachrichtenverarbeitung eröffnet hatte. Niemals sollte man eingegangene Mitteilungen zu einem allgemeinen Überblick zusammenfassen. Immer mußte man zwei Sachen getrennt halten, nämlich die erfreulichen und die unerfreulichen Neuigkeiten. Ein Bericht sollte die erlangten Kenntnisse auf die günstigsten Schlußfolgerungen untersuchen, die zur Zuversicht berechtigten; ein zweiter Bericht sollte die ungünstigste Auslegung enthalten. Wenn beide Berichte einander ergänzten, war die Wahrscheinlichkeit fehlerhafter Schlußfolgerungen gering, aber wenn sie starke Abweichungen aufwiesen, mußte den ungünstigen Seiten – die in einer allgemeinen Zusammenfassung untergegangen wären – besondere Beachtung geschenkt werden.

Es hatte den Anschein, als fügten die Bruchstücke der erhaltenen Neuigkeiten sich gut ineinander, jedes so klein, daß es allein übersehen worden wäre. Der Geiniera mochte ein Spion sein, den man gesandt hatte, damit er Verwirrung stifte; was jedoch sollte es dann mit jener Absonderlichkeit in seiner Erzählung auf sich haben, die besagte, daß die Mnankrei heimlich Särge verbrannten? Nein, das alles paßte zusammen. Und Noe, die lange Tage hindurch daran gearbeitet hatte, die genetische Beschaffenheit der weizenfressenden Unterzängler-Abart zu klären, erblickte nun in den Mitteilungen jenes leidgeprüften Vaters das letzte Beweisstück, das all diese Geschehnisse abrundete und ihnen einen Sinn gab. Wenn die Mnankrei viel Zeit darauf verwendet hatten, eine mörderische »genetische Waffe« – sie hatte sich diesen nichtgetanischen Begriff aus dem *Feuerofen des Krieges* gut gemerkt – zu schaffen, dann war es möglich, daß sie nicht nur eine, sondern viele solche Waffen entwickelten.

Noes Unterkunft war ein Bauernhof, gemietet von einer Familie, die sich auf Pilgerreise ins itraielische Land ihrer Ahnen begeben hatte.

Es stand in günstiger Nähe zur See und war in den landwärtigen Hang einer grasbewachsenen Anhöhe eingefügt worden, so daß es Schutz vor den Stürmen genoß, die manchmal vom Njarae-Meer kamen, sowie der Sicht feindlich gesonnener Späher, welche die Küste absuchen mochten, entzogen blieb. Im Laufe dreier Jahrhunderte immer weiter ausgebaut, erstreckte sich das Hofgebäude drei Stockwerke hoch über den Abhang und lag teilweise tief im Innern des Hügels; die dicken Mauern bestanden aus Feldsteinen der Umgebung, zusammengefügt mit getrocknetem Mörtel aus den Öfen eines nahen Steinbruchs. Die Dächer waren aus Holz und zusätzlich mit einer dicken Schicht Seegras bedeckt. Von der Hügelkuppe ragte nun ein Schallstrahl-Sendemast auf.

Noe wartete, bis am Himmel die Sterne hervortraten. Unter diesen Bedingungen ließ sich am besten mit dem Schallstrahl arbeiten. »Verbinde mich mit Joesai«, befahl sie dem Wachhabenden. Oder sollte sie erst Hoemei Bescheid geben? Nein. Er hatte sich auf seinen Plan festgelegt und würde versuchen, um jeden Preis daran festzuhalten. Joesais Leben war es, das auf dem Spiel stand.

Die Verständigung fand mittels der vereinbarten Zeichensprache statt, in Pünktchen, Strichlein, umgesetzt in Pieps- und Summtöne, weil sie lediglich einen tragbaren Schallstrahl-Apparat verfügbar hatte. Dadurch ging die persönliche Dringlichkeit ihrer Warnung völlig verloren.

Du mußt sofort handeln.

Bist du... Knistern, fernes Rauschen. *Hoemei würde mich persönlich umbringen.*

Beweise für heilige Krankheit liegen vor.

??? Wiederholen.

Genetisch erzeugtes Kleinstleben, das von Mensch zu Mensch wandert und tötet.

Steht das einwandfrei fest?

Nein. Keine Zeit. Sofort angreifen. Deine ganze Truppe könnte über Nacht vernichtet werden.

Zu unsichere Sache.

Kann euer Untergang sein. Mag sein, du hast keine andere Wahl und mußt Soebo vollkommen austilgen.

??? Wiederholen.

Brenn es nieder! Ebne es ein. Laß es brennen, bis der ganze Grund und Boden keimfrei ist!

Geht zu weit.

Du hast die Wahl. Dann mit allen Mitteln gegen den Tempel der

Wilden See vorgehen. Greif an!

Wer hat damit zu tun?

Alle Mitglieder des Bundes vom Geschwinden Wind. Auch Liethe verdächtig.

Wer?

Deine niedlichen kleinen Freundinnen. Ich habe drei verschiedene Mitteilungen vorliegen, denen zufolge Liethe darin verwickelt sein sollen.

Wieviel Zeit bleibt?

Du hättest besser schon gestern angegriffen.

Gott mit uns.

Gott mit dir.

47

Wer sich sein ganzes Leben lang gefürchtet hat, der glaubt, daß Furcht die einzige Strategie ist, die zum Sieg führt, denn er selbst ist von der Furcht besiegt worden. Daher kommt es, daß ein Unterdrückter, der sich erhebt, zum Unterdrücker wird.

Erzprophet Tae ran-Kaiel: *Über das Herrschen*

Die leichtsinnige se-Tufi die in Demut wandelt war im Verlauf des unbekümmerten Daseins während ihrer ausgedehnten Reisen zwischen verschiedenen Liethe-Heimen in ihrer Einstellung zu unabhängig geworden. Die Alt-Liethe von Soebo hatten ihr lasches Betragen sehr wohl bemerkt. Sie stellten für Demut einen strengen Schulungsplan auf, um sie wieder in Zucht zu bringen.

Nach dem Aufwachen beanspruchten Übungen zur Beherrschung von Bewußtseinszuständen sie; die Stellungen Ruhender Kraft brachten ihren Körper erneut ins Gleichgewicht, und das Oina-Denkmuster ließ von neuem innere Ruhe in ihren Verstand einkehren. Anschließend, nach dem Frühstück, unterwies se-Tufi die Fleisch tätschelt, wann immer sie abkömmlich war, Demut in der Denk- und Handlungsweise von Hochwogen-Meister Ogar tu'Ama sowie in der Persönlichkeit Tröstlis, einer mitleidigen Frau, die ein besonderes Gespür für die eigentümliche Natur eines Witwers besaß, der in zwei Dritteln seines Lebens nur eine Frau wirklich geliebt hatte und noch immer um sie trauerte.

Fleischtätschlerin war jedoch nicht alle Tage da, um Demut einzuweisen. Ihr bevorzugtes Betätigungsgebiet war das Feld der politischen Machenschaften, und mittlerweile war sie in höhergeordnete Spiele verwickelt als Ama, der an sich nicht mehr war als Wortführer jener Mnankrei, die sich in Widerspruch zu den Plänen des Bundes vom Geschwinden Wind gestellt hatten. Wintersturm-Meister Nie t'Fosal von den Höchsten Wächtern des Bundes vom Geschwinden Wind verlangte viel von seiner Umgebung. Fleischtätschlerin konnte ihm nicht mehr so viel Zeit widmen, wie der Liethe-Clan es als wünschenswert erachtete, und zugleich blieb ihr, so dringlich sie auch eine Vertretung brauchte, wenig Gelegenheit zur Unterrichtung Demuts. Deshalb nahm Demut sie in Anspruch, wann es nur ging, und tu'Ama lechzte nach der Gegenwart einer Frau, die sich nur noch ziemlich selten mit ihm treffen konnte.

Um ihre junge Assassine andauernd unter strenger Aufsicht zu halten, erteilten die Heimmütter Demut noch andere Aufträge als ihre Tröstli-Rolle.

Viele der Alten brachten dem Schallstrahl höchstes Interesse entgegen. Die Verbindung nach Kaiel-Hontokae versetzte sie in anhaltendes Staunen. Eine derartige Magie betrachteten sie als *arkan* und als außerhalb der Fähigkeiten selbst der erfolgreichsten Männerverführerinnen gelegen; aber sie waren sich des ungewöhnlichen Glücksfalls durchaus bewußt, der darin zu sehen war, daß es unter ihnen eine Frau gab, die eine gewisse Geschicklichkeit im Umgang mit den Geheimnissen der Stimme besaß, die überall sein konnte.

Man gestand Demut eine Arbeitsgruppe von zehn Liethe zu, einige davon noch zu jung, um als Kurtisanen und Konkubinen zum Einsatz zu kommen, aber auffassungsfähig, gewandt und an strenge Ordnung gewöhnt, manche jedoch älter und in der Logik erfahrener. Zwei von ihnen waren höchst tüchtige Juwelier-Meisterinnen und verfügten über so gründliche Kenntnisse der Metalle und Edelsteine wie Demut sich umfassend mit dem Tod auskannte. Eine dieser Liethe war bewandert in der Bearbeitung von Wolfram, einem sehr seltenen Metall, das in seiner reinsten Form kalthämmerbar war und dennoch gegenüber Hitzeeinwirkung widerstandsfähiger war als jede andere der getanischen Chemie geläufige Substanz.

Wenn sie nicht mit Fleischtätschlerin zusammenarbeitete, leitete Demut die Schallstrahl-Arbeitsgruppe an, bis die Dämmerung des Hochtag-Sonnenuntergangs in den Turmstuben Düsternis schuf. Die Dunkelheit galt stets der Vervollkommnung der Körperbeherrschung, um die Tänzerin und Kämpferin in ihr des körperlichen Leistungsvermögens jederzeit vollauf mächtig zu halten. In der Morgenfrühe des Tieftags übernahm sie verschiedenerlei häusliche Pflichten – Abfallbeseitigung, Putzen, Kochen, Weben –, dann machte sie sich wieder an die Unterweisung der Schallstrahl-Arbeitsgruppe, bis sie – insgeheim heilfroh – den Tieftag-Sonnenuntergang heraufziehen sah; es folgte eine karge Mahlzeit, und zuletzt durfte sie sich zur Ruhe am steinernen Fußboden auf ihrer Matte ausstrecken.

Es bereitete ihr keinerlei Schwierigkeiten, die anderen Liethe im Drehen der Drähte, Winden der Elektronen-Absorber und der Anfertigung der Kupferplatten zu unterrichten. Sie war sogar dazu in der Lage, die Formel zu erläutern, durch deren Anwendung die Zahlen auf den Platten sich so vertauschen ließen, daß das Wirken der Apparate im Reich der Magie gewährleistet blieb, aber die Elektronenröhren überstiegen nach wie vor ihre Fähigkeiten. Sie sah sofort, wenn eine Röhre brauchbar oder gänzlich unbrauchbar war; zwar hatte sie Abbildungen, die den Zusammenbau veranschaulichten – doch sie besaß keine Ahnung, wie man sie herstellte.

Und so geschah es mit gehöriger Verblüffung, als sie sah, wie eine Frau, die zu den allerfeinsten goldenen Filigran-Arbeiten imstande war, sich an einen Tisch setzte und aus Silber ein hauchfeines Netzwerk fertigte. Mit kleinen Goldschmieds-Werkzeuglein arbeitete sie außerordentlich dünne Stränge und Streben aus, während die anderen Frauen gemeinsam die winzigen Abmessungen und Abstände besprachen. Überaus vorsichtiges Glasblasen mittels einer Lötlampe verhalf ihnen zu dem erforderlichen gläsernen Gehäuse. Nichtsdestotrotz war das noch zuwenig. Die Elektronen brauchten den Zustand vollständiger Luftleere. Doch auch dies Hindernis konnte überwunden werden, indem eine Liethe-Schwester aus einer der Genetik-Werkstätten, in denen die Mnankrei ihre umfangreichen gen-synthetischen Forschungen und Arbeiten vornahmen, eine sehr nützliche Quecksilber-Pumpe borgte.

Die ersten vier Röhren, welche die Arbeitsgruppe herstellte, waren zu gar nichts nütze. Mit der fünften lernte man, wie sich auch der restliche Sauerstoff im Innern der Röhre durch Oxidation beseitigen ließ. Den wirklich entscheidenden Erfolg erzielten sie mit dem zwölften Stück. Von der achtzehnten Röhre an vermochten sie weitere Stücke mit jedesmal gleicher, zuverlässiger Verwendbarkeit anzufertigen.

Kurz nach der ersten, geradezu triumphalen Vorführung der Ergebnisse bei den Heimmüttern fanden die gesamten Schallstrahl-Forschungen nachgerade schlagartig ein Ende. Die neue Erste Heimmutter schickte eines Abends alle Mitglieder von Demuts Arbeitsgruppe fort, allesamt seit langem in Soebo ansässig und zum Teil gefühlsmäßig stark an ihre Liebhaber gebunden. Sie waren erbittert, legten in der Hast, mit der sie ihre Habseligkeiten packten, jedoch uneingeschränkten Gehorsam an den Tag. Schon seit einiger Zeit mußten mehr und mehr der alteingesessenen Bewohnerinnen des Heims es verlassen. Zur gleichen Zeit trafen fortwährend Neue ein – so wie Demut selbst –, die man anscheinend zu irgendeinem besonderen Zweck bestellt hatte. Demut fragte sich, was das alles bedeuten könne.

Unerwartet lernte Demut in ihrer Leuchtschönchen-Rolle t'Fosal kennen, noch bevor sie in ihrer Tröstli-Verkörperung tu'Ama traf.

Fleischtätschlerin war der Fehler unterlaufen, in ihren Auftritten als Leuchtschönchen zu viel Selbstsicherheit zu zeigen. Das hatte Fosal mit Unbehagen erfüllt. Er zählte zu den Männern, die glaubten, eine Frau, die nicht die Männer fürchtete, sei gefährlich. Folglich verprügelte er sie eines Tages aus keinem anderen Grund, als um das bedroht gesehene Verhältnis von Herrschsucht und Unterwürfigkeit wieder ins gewünschte Lot zu setzen. Er machte keineswegs mit der Prügelei Schluß, als jeder andere die Schläge längst als ausreichend betrachtet hätte. Als seine Wut über ihren Eigensinn verebbte, drosch er aus purem Vergnügen weiter auf sie ein. Noch nie hatte sie ein solches Verhalten erlebt. Daß es sich zudem gegen sie richtete, war für sie einfach ungeheuerlich.

Die Heimmutter, die sich mit der ständigen Überwachung Nie t'Fosals befaßte, war eine se-Tufi, die se-Tufi die der Seele Glöckchen läutet, und aufgrund ihrer persönlichen Eigenschaften, denen sie diesen Namen verdankte, hielt sie es für möglich, die junge Schwester dahingehend zu überzeugen, ihre Beziehung zu Fosal fortzusetzen. Fleischtätschlerin weigerte sich rundheraus. Die Heimmutter versuchte, sie mit List und Gerissenheit zu überreden. Fleischtätschlerin flehte um einen anderen Auftrag, gleich welchen, wie erniedrigend er auch sein mochte; sie war bereit, buchstäblich alles zu tun, wenn sie sich nur nicht mehr von Fosal anrühren lassen mußte. Zu guter Letzt lachte Seelenglöckchen und rief Demut.

»Heute abend wirst du mit t'Fosal zusammen sein.«

»Aber ich bin noch ungenügend auf diese Rolle vorbereitet.«

»Fleischtätschlerin wird dich bis zum nächsten Sonnen-Höchststand ununterbrochen einweisen.«

»Das ist doch nicht genug Zeit.«

Fleischtätschlerin stieß einen Laut der Geringschätzung aus. »Er bemerkt ohnehin nicht einmal die ärgsten Unstimmigkeiten. Ich könnte dich innerhalb der Zeitspanne auf ihn einstellen, die ein Steinchen braucht, um von meinem dicken Zeh auf den Boden zu fallen. Er wird dich *schlagen* – das ist es, was du wissen mußt!«

Zu Demuts Grundausbildung hatte auch Kontaing gehört, die Kunst, geschlagen zu werden, ohne Verletzungen zu erleiden. Es gab Möglichkeiten, Hiebe harmlos zu machen. »Ich weiß ja überhaupt nicht, was ich mit ihm reden soll.«

Seelenglöckchen faltete ihre Hände. Ihre Miene war ausdruckslos. »Die erhaltene Tracht Prügel wird in dir eine deutliche Veränderung deiner Persönlichkeit herbeigeführt haben. Du wirst fortan eingeschüchtert, verunsichert und verzweifelt darum bemüht sein, um jeden Preis in seiner Gunst zu bleiben. Auf einmal wirst du den Mann gefunden haben, für den du bereitwillig in den Tod gingst, würde er ein solches Opfer von dir fordern.«

»Ist er so gefühllos, daß er so etwas glauben kann?« fragte Demut.

»Ja«, antwortete die Alt-Liethe.

»Wie kannst du's mit einem derartigen Insekt nur aushalten?!« Fleischtätschlerin zeigte äußerste Verachtung, jedoch nicht für ihre Schwester, sondern für den Mann, von dem sie hier redeten.

»Das gehört nun einmal zu meiner Berufung.«

»Tu ihm bloß nichts an«, warnte die Alte streng.

»Gut.« Die Königin des Lebens vor dem Tod verbeugte sich gefügig. »Hast du noch besondere Anweisungen?«

»Ja. Gehorche ihm.«

Aus dem Tempel des Windes traf eine Bestellung von fünf Tänzerinnen ein, die bei einer Festlichkeit im Rahmen der Unterhaltungsdarbietungen auftreten sollten. Maskierte Mnankrei-Jünglinge brachten die Tänzerinnen zur obersten Terrasse, wo die Wälle mit zahlreichen Schlitzen versehen waren, die den Wind in unheimlichen Tönen sprechen ließen. Demut stellte fest, daß sie diesmal ausschließlich vor Männern zu tanzen hatte. Die mnankreischen Weiber, in der Welt der Lustbarkeiten nie zu sehen, blieben ihren Männern anscheinend fern, wenn sie tüchtig zechten und lauter als sonst ihre Stimmen erhoben.

Eine verschleierte Heimmutter begleitete ihre Schützlinge. Sie war fast noch zu jung, um schon als richtige alte Vettel gelten zu können, und in der Tat war sie in Soebo die jüngste und rangniedrigste der Heimmütter, aber sie war an den Umgang mit Mächtigen gewöhnt, gewöhnt zu schweigen, und sie verstand sich auch darauf, sich sinnlose Mühe zu sparen. Nur einmal hielt sie Demut mitten im Schritt auf und deutete mit einer unauffälligen Geste ihrer Hand auf einen hochgewachsenen Mnankrei. »Wintersturm-Meister Nie t'Fosal«, flüsterte ihre Stimme Demut in nahezu neckischem Tonfall einen Hinweis zu.

Der Magier-Schöpfer der weizenfressenden Unterzängler. Der Mann, der auch Versuche an unwilligen Frauen vornimmt. Der die Verkörperung namens Leuchtschönchen durchgeprügelt hat. Der Mann, den ich nun fürchte und liebe, denn ich bin Leuchtschönchen.

Sie täuschte Erschrecken darüber vor, ihn hier zu erblicken, gab einen unterdrückten Ächzlaut von sich, riß ein wenig die Augen auf, schrak um nur eine Zehlänge zurück. In anscheinmäßiger wirrer Liebe starrte sie ihn für ein Weilchen an, um sein Gesicht ihrem Gedächtnis gründlich einzuprägen. Sie sah einen breitschultrigen, stark mit Muskeln bepackten Hünen, dessen Brauen von so buschigem Wuchs waren, daß er sie mit seiner Haartracht verflochten hatte. Sein Bart verbarg das Gesicht wie Tang auf einer Wasserleiche. Er sagte nichts. Sie verneigte sich, floh dann längs der Ummauerung der Terrasse in den hilfreichen Arm eines anderen Mnankrei, der ihr den Weg zur Bühne wies, auf welcher der Eröffnungstanz vorgeführt werden sollte.

Während sämtlicher tänzerischer Darbietungen galten ihre Blicke immer wieder dem Wintersturm-Meister. Er war ein Mittelpunkt der Macht. Soebo würde nicht fallen, bevor er fiel. Hoemei war ein Narr, zu glauben, ein solcher Mann würde eine Niederlage hinnehmen, ohne die Welt mit sich in den Untergang zu reißen. Es war Selbsttäuschung, sich einzubilden, ein so grausamer Tyrann müsse zwangsläufig selber seinen Sturz herbeiführen. *Hoemei ist nur ein Mensch, ein Mann, den ich liebe, der wie wir alle im Finstern umhertastet.* Dieser Gedanke flößte ihr beträchtliches Grauen ein, bereitete ihr das Gefühl, völlig allein dazustehen, fast so, als sei Gott heute nicht an Seinen Himmel emporgestiegen.

Als ihre Anstandsdame sie von der Festlichkeit geleitete, kam plötzlich Fosal und trat zwischen das erschrockene Leuchtschönchen und die anderen Liethe. Die ältere Liethe versuchte einzugreifen, aber der Wintersturm-Meister brachte sie im Handumdrehen dazu, die Segel zu streichen. Leuchtschönchen, zwar voller Furcht vor ihm, nichtsdestoweniger jedoch auch von Sehnsucht nach seiner Gegenwart gepeinigt, begünstigte die Entführung, und angesichts dieser Lage blieb die Heimmutter hilflos. Wie leicht es doch fiel, so ein mächtiges Oberhaupt so vieler Menschen an der Nase herumzuführen!

Fosal nahm sie mit zu einer wüsten Anlaufstelle von Mannskerlen tief im Innern des Tempels und befahl, sie alle mit Getränken in großen kristallenen Bechergläsern zu bewirten, während er mit einem Kumpan Schach spielte, dabei mit seiner Umgebung über die bevorstehende Versammlung der Clans sprach, manchmal ernst, bisweilen im Scherz. Demut beobachtete, wie er mit seinem Weißen Gott und den Priestern seinen Angriff quer übers Spielfeld vortrug, tief in die Reihen seines Gegenspielers eindrang, sein Kind ungeschützt ließ. *Wie unverständig er spielt,* dachte sie, weil sie voraussah, wie er geschlagen werden konnte.

»Ach, das hätte ich nicht tun sollen«, murrte er schließlich. »Leuchtschönchen, du hast doch zugeschaut. Wie komme ich aus dieser Patsche wieder heraus?«

Gar nicht. Sie schlang einen Arm um ihn. »Du wirst bestimmt einen Weg finden.«

Sein Gegenspieler, ein älterer Priester, das Gesicht zur Hälfte verbrannt durch ein Feuer, das er überlebt hatte, bediente sich etlicher Züge mit seinem Springer, gedeckt durch die Schwarze Königin, um sich den Sieg zu sichern, lichtete die Reihen der weißen Bauern. Fosal setzte seinen wilden Angriff ganz einfach fort, hatte in Wahrheit nie den Überblick verloren; und nach fünf weiteren Zügen gewann er mit eindeutigem Schachmatt. Dies Ergebnis stimmte Demut ziemlich nachdenklich.

Er stellte die Spielfiguren eigenhändig neu auf. Als einer seiner Söhne kam, befahl Fosal seine Liethe in einen angrenzenden, reich mit Polstern und Kissen ausgelegten Raum, damit sie seinen Sprößling in der Liebestätigkeit unterrichte. Das nämlich hatte er ihm versprochen.

»Aber ich möchte *dich.*«

»Später. Falls Beil mit dir zufrieden ist.«

Den Eröffnungszug seines zweiten Spiels machte er mit einem Bauern. Aber er beendete das Spiel nicht, weil sich binnen kurzem absehen ließ, daß er verlieren mußte, und dieser Umstand langweilte ihn. Für eine Weile schlenderte er hin und her, nuschelte bei sich irgend etwas über Pläne und Strategie; zuletzt trat er durch die Vorhänge und stellte sich neben seinem Sohn auf, um zotige Scherze über das Gehampel unerfahrener Jugendlicher beim Geschlechtsakt von sich zu geben. Dann wich seine hämische Haltung schlichter Ungeduld, er warf seinen Sohn hinaus und nahm sich Demut selber vor. Demut rechnete mit neuer Gewalt, doch befiel ihn nun anscheinend eine mildere Stimmung, und er verhielt sich auf den Polstern einigermaßen besänftigt.

»Bist du mir noch böse?« fragte Demut ihn mit zitternder Stimme.

Er lachte das verbreitete getanische Große Lachen. »Heute warst du ein liebes Mädchen. Weshalb sollte ich dir böse sein?«

»Ich möchte auch ein liebes Mädchen sein.« Sie strich ihm mit einem Finger über die Nase, wich dann furchtsam zurück. Er zog sie wieder an sich und nahm sie hart und unvermittelt. Sie hatte erwartet, daß er zum Vollzug des Geschlechtsakts unfähig sei. Fosal war nicht als Frauenheld bekannt. Er hatte Kinder, aber keine Gattinnen, keine ständige weibliche Begleiterin. Schon vielmals hatten die Liethe versucht, ihn in ihr Netz zu verstricken, doch es war ihnen nie richtig gelungen, seine Gleichgültigkeit, seinen Mangel an Interesse, seine Abneigung gegen Frauen, die in seinem ganzen Verhalten zum Ausdruck kam, zu überwinden. Aber er war keineswegs unfähig zur geschlechtlichen Lust. Seine Männlichkeit war von kräftiger, anhaltender Natur, und allem Anschein nach hatte er sogar ein gewisses Vergnügen an seinem plumpen, wenig gefühlvollen Gestoße.

»Das Tanzen hat mir gefallen«, sagte er rein gesprächshalber.

»Ich danke dir.«

Als er mit ihr fertig war, schickte er sie nicht weg, sondern setzte sie in der Reichweite seiner Hände zu sich aufs Polster, um sie zu mustern. »Ich verstehe nicht«, sagte er, »wieso du mich überhaupt magst.«

»Ich mag dich nicht, ich *liebe* dich.«

Plötzlich sprang er auf und trug sie durch die Vorhänge ins Spielzimmer, ordnete kurzerhand an, alle Spiele zu unterbrechen. Er bestellte Musikanten, die auch recht bald eintrafen, und er befahl Demut, zu tanzen; sie tat es. Er schaute ihr zu, lächelte, klatschte im Takt mit, und wenn er nicht mitklatschte, trank er Whisky. Er war viel zu groß und stark im Körperbau, um je betrunken werden zu können. Dennoch begannen, wie man ihm deutlich ansah, seine Gedanken abzuschweifen.

Demut brachte die Musikanten mit Gesten dazu, die Musik langsam verklingen zu lassen, so wie das Meer sich nach einem Sturm wieder zu beruhigen pflegte. Als sie zu tanzen aufhörte, war Fosal längst in irgendwelche Überlegungen versunken, die sich mit Angelegenheiten seiner eigenen inneren Welt beschäftigten.

»Ich muß nun gehen«, wandte sie sich in sachlichem Ton an ihn.

Das schreckte ihn auf. »Nein, nein. Du kommst mit. Ich bin mit dir noch nicht soweit.«

Für eine Zeitlang spazierten sie bloß durch die Straßen der Stadt, gegen den Wind eng in ihre Kleidung gehüllt. Er führte Demut in seine Turmwohnung, in der Leuchtschönchen sich noch nie aufgehalten hatte. »Hier arbeite ich. Die Denkarbeit verrichte ich hier. Es ist eine einsame Sache, über eine Stadt Ausschau zu halten, während man den nächsten Zug des Clans in cinem kühnen Spiel plant, das uns zu unserem rechtmäßigen Platz verhelfen soll. Ich bereite mir selber mein Essen. Ich mache hier alles allein.« Er sprach mit merklichem Stolz und führte ihr seine Selbständigkeit vor, indem er ein Brot hervorholte, zwei dicke Scheiben abschnitt und mit braunem Belag bestrich, um dann Demut eine Scheibe anzubieten. Das war wahrscheinlich, vermutete sie, was er mit »Essenmachen« meinte.

»Ich könnte ja zu dir ziehen. Ich wäre dir eine Hilfe.«

»Das ist keine Behausung für eine Frau. Ich dulde hier nicht einmal Männer. Ich arbeite am liebsten ganz für mich allein.«

»Hast du mich mitgenommen, weil du mich gut leiden kannst?«

»Ich kann dich sogar sehr gut leiden.«

»Darf ich bleiben?«

Er verschlang seine Scheibe Brot mit einem Biß. Das verhinderte, daß er ihr unverzüglich antwortete. »Du darfst noch bleiben, bis wir abermals die Fleischeslust genossen haben. Danach aber mußt du gehen. Ich habe zu viel Sorgen. Ich muß allein sein.«

»Könnte ich dir denn gar nicht irgendwie helfen?«

»Wie solltest du mir denn schon behilflich sein können?« hielt er ihr entgegen, und da wurde ihr klar, daß er die Absicht hegte, sie um eine Gefälligkeit anzugehen. Er war schlichtweg zu nachsichtig mit ihr. Sie vermochte ihm beinahe anzusehen, wie sich seine Muskeln verkrampften, während er seine Grobschlächtigkeit bezähmte, erfreut über die Liebe dieser Liethe, weil sie ihm Gewalt über sie gab, und nicht dazu bereit, ihre Beständigkeit mit neuen Roheiten auf die Probe zu stellen.

»Ich kann alles tun, was du willst. So eine Frau bin ich. Wenigstens kann ich's versuchen.«

»Es gibt Dinge, die eine Frau *nicht* kann.«

»Was denn?« wollte sie in herausforderndem Ton wissen.

»Die Kaiel fortscheuchen.«

»Du bist besorgt wegen der Versammlung, nicht wahr?«

»Nein, aber ich mache mir notgedrungen darüber meine Gedanken. Sie kommen, um uns hier allesamt bei lebendigem Leibe zu verbrennen.«

»Das ist ja grauenvoll. Ich fürchte mich. Sie sollen im ganzen Norden Mnanks Leute ermordet haben, ist mir erzählt worden.«

Fosal hatte sich inzwischen entkleidet und schenkte sich an einem der sechseckigen Fenster aus einer Flasche von geschliffenem Glas Whisky ein, und durch das Fenster fiel rötlicher Sonnenschein auf seine reichhaltig mit Bildwerken tätowierte Gestalt. »Die Liethe sind die Weiber von Priestern.« Er äußerte eine Feststellung, keine Frage. »Habe ich recht?«

»Ja.«

»Auch der Kaiel?«

»Wir haben die Kaiel immer gemieden«, gab sie wahrheitsgemäß zur Antwort. Sie schwieg gerade lange genug, um sehen zu können, wie seine Haltung sich anspannte. Sie bemerkte, wie seine Hand das Glas fest umklammerte. »Unser Kodex würde es uns allerdings sehr wohl erlauben, den Kaiel zu dienen.«

»Nach ihrer Seekrankheit während der Fahrt übers Njarae-Meer und dem Marsch kreuz und quer durch die Insel dürften sie sich wohl allmählich zu Tode langweilen. Ein wenig Unterhaltung der reizendsten Art käme ihnen jetzt sicherlich gerade recht. Sich einmal wieder mit einer leidenschaftlichen Dirne im Bett so richtig austoben zu können, würde ihnen bestimmt große Freude bereiten.«

»Aber ich würde auf so etwas keinen Wert legen.«

Er lachte. »Für mich tätest du's aber wohl doch, oder? Wenn *ich* es möchte?«

»Sie sind unsere Feinde«, sagte Demut mit hörbarem Abscheu.

Gedankenverloren trat er zu einem Kühlbehälter und entnahm ihm ein kleines Fläschchen, dickwandig aus blauem Schmelzglas geblasen und mit Korbgeflecht umhüllt. »Würde ihnen jemand das hier unbemerkt in ihre gemeinsame Mahlzeit geben, müßten sie alle sterben. Es handelt sich um eine Art von Gift, das sich verbreitet und vom einen zum anderen wandert. Alle fänden sie den Tod. Einer würde sich vom anderen den Tod holen und sterben.«

»Dergleichen ist aber doch nicht meine Aufgabe.« Demut übertünchte ihre anfängliche Weigerung mit dem Tonfall von Unsicherheit. *Mein Gott,* dachte sie, während sie sprach, *und die Heimmütter haben mir befohlen, diesem Mann zu gehorchen.*

»Mich würden die Kaiel nicht in ihr Lager lassen«, sagte Fosal. »Du dagegen wärst ihnen von Herzen willkommen.«

Neugierig griff sie nach dem Fläschlein, hielt es zwischen den Spitzen ihrer Fingernägel. »Damit könntest du uns alle retten«, drängte Fosal. »Einmal an meinem Pulver geschnuppert, und ein Mensch wird zum Schwachsinnigen.«

Joesai mußte dort draußen außerhalb der Stadt sein, ungeduldig warten, jedoch nur, weil Joesais Wunsch ausdrücklich so gelautet hatte. *Ich werde ihn wiedersehen.* Dieser Gedanke brachte sie etwas aus der Fassung.

»Ich werde euch Liethe zur Belohnung den Palast der Morgenröte schenken. Das ist ein wirklich schöner Bau. Bist du schon jemals oben in der Kuppel gewesen?« Er wußte, die Liethe waren käuflich.

Demut lächelte versonnen.

»Du bist heute eine ganz besonders wundervolle Frau.«

»Eine Tracht Prügel stimmt mich allemal weich.«

»Wirst du's tun?«

Das also war es, was er wollte, warum er sich beinahe betulich benommen hatte. »Laß mich nachdenken.«

Joesai! Demut entsann sich, wie Hoemei sie für den Abend Joesai überlassen hatte, nicht auf die Weise, wie sie von Fosal seinem Sohn untergeschoben worden war, sondern eben wie ein Mann, der seine Gemahlin mit einem geliebten Mitgatten teilt. Sie erinnerte sich an Hoemeis Vertrauen. Sie entsann sich Joesais Argwohn. Er war ein seltsamer Liebhaber gewesen, an die Zuneigung von Frauen wenig gewöhnt und leicht zu befriedigen, leicht zu umschmeicheln, aber nie bereit, sein Mißtrauen vollends aufzugeben. Er hatte ihr gegenüber erwähnt, sein Mißtrauen habe ihn bei genau jenen wenigen Anlässen am Leben erhalten, bei denen Arglosigkeit sich verhängnisvoll ausgewirkt hätte. Von den oberflächlichen Freuden des Lebens verstand er nichts. Er kannte sich mit Kurtisanen nicht besonders aus. Er hatte sie behandelt wie eine Gemahlin, wie eine wirklich und wahrhaftig geliebte Frau. Von allen Männern, mit denen sie bislang Umgang gehabt hatte, war das Erlebnis mit ihm für sie am schmerzlichsten gewesen. Selbst Hoemei, der ihr viel Achtung entgegenbrachte, sah in ihr nur eine Gespielin. Vielleicht hatte Joesai sie nur so merkwürdig berührt, weil sie solche Liebe zu seinem Bruder-Gemahl empfand.

»Ich werde gehen«, sagte sie. »Obwohl ich mich fürchte.«

»Du brauchst nur so zu sein, wie du immer bist. Ich werde dir erklären, wie man mit dem Fläschchen umgeht und wie du dich schützen kannst.«

Die Miene, die er ihr zuwandte, zeigte ein unverhohlenes Grinsen.

48

Meine Träume besaßen die Färbung meines Familien-Tartans, im Bergbach gewaschen, bis er verblichen war wie am späten Morgen die Röte der Dämmerung, nach Stein roch und dem Samen von Bäumen, klamm war wie die Hand der Furcht. Doch Kinderaugen besinnen sich noch auf die Farben, die meine Großmutter wie ein von schlüpfrigem Gras beflecktes Lachen wob. Heute streiche ich mit der Hand über diesen Tartan und erblicke vor meinen Augen unversehens die Rottöne der Glutblümlein, die im Gebirge heimisch sind, den gekochten blauen Farbstoff aus der Pfeina-Borke, wie er in den Kübeln zu schwappen pflegte. So fügen sich Träume zu einem abgeschabten Gewebe zusammen, das einst meinen Geschwistern wider die Schneeflokken wärmte.

Der Einsiedler Ki in: *Mitteilungen einer Flaschenpost*

Es hieß, daß es bereits Einsiedler gegeben haben sollte, bevor Gott verstummte. Geta besaß eine gewaltige Landfläche, auf der weniger als zweihundert Millionen Menschen lebten, und die Landschaft wies zahllose Täler auf, verborgene Winkel, Gipfel und ganze Wüsten, die kein Mensch jemals betrat. An den Grenzen dieser Gegenden konnte ein Reisender, der dort vorüberzog, die Ruinen der steinernen Hütte eines Einsiedlers finden, seines für Gott errichteten Altars oder vielleicht sogar einer Treppe.

Eine kegelförmig zulaufende Treppe ist das sicherste Anzeichen dafür, daß rings in der Ödnis einmal ein Einsiedler gewohnt hat. Manchmal gleichen diese Treppen hohen Hügeln. Bisweilen kommt es vor, daß ein späterer Einsiedler das Werk von der Hand eines längst verstorbenen Einsiedlers ausbessert und den gewundenen Kegelbau dann um eine Lage von Stufen um die andere erhöht, Stein um Stein, ohne daß sich darin ein Zweck erkennen ließe. Weshalb ein Einsiedler es unvermeidlich zu seinem Lebensinhalt machte, Treppen zu bauen, wußte niemand. Ein Einsiedler arbeitete allein, unterzog sich nie der Mühe, einen Schüler heranzuziehen, der sein Ritual fortsetzen könnte. Darauf legten Einsiedler keinen Wert.

Wie blieb die Tradition des Treppenbaus erhalten? Vielleicht lag es an der Verwunderung und dem Staunen, das diese bemerkenswerten Bauwerke verursachten, dem Getuschel der Verblüfftheit, das wohl, wenn es die Ohren eines erkrankten Geistes erreichte, eine neue Generation von Einsiedlern schuf, die in die Wüsteneien hinauszog. Die Einsiedler waren allesamt wahnsinnig. Ihr Wahnsinn war eine allgemein bekannte Tatsache.

War das dort zwischen den Schatten nicht Joesai?

Oelitas Vater hatte ihr einst diese Schlucht gezeigt, als sie alt genug geworden war, um mit ihm durch die Wüste zu wandern. Er pflegte sich solche Stellen stets gut einzuprägen, denn sie bedeuteten das Vorhandensein von Wasser, nicht viel oder leicht erreichbar, doch immerhin ein oder zwei Bechervoll vom Grund einer versandeten Quelle oder dank eines Rinnsals, das aus einem Felsspalt sickerte.

Der Jüngling aus Trauerweiler, den sie aus Kaiel-Hontokae mitgenommen hatte, stand ihr in der ersten Zeit zur Seite. Zusammen säuberten sie schwammige Rohrstengel des mannshohen Gottesschilfs und fügten sie aneinander – dünne Spitze in dickes unteres Ende –, um eine Wasserleitung von der durch Verwerfungen verwüsteten Höhle zur Einsiedlerhütte zu legen. Sobald das Wasser floß und das Dach wieder in Ordnung gebracht war, schickte sie den jungen Mann fort. Sie mußte ihn regelrecht verjagen; er wollte sie nicht allein lassen, aber sie geriet in Zorn und schlug ihn mit einem abgebrochenen Stengel Gottesschilf, nötigte ihn zur Flucht auf eine nahe Bodenwelle. Von dort aus hielt er sie unter Beobachtung, bis jenseits der Ödnis die rot entflammte Sonne zum zweitenmal sank; mit dem erneuten Verblassen der Sonne entfernte er sich widerwillig westwärts, nicht jedoch, ohne zu schwören, er werde irgendwann mit Gaben und Botschaften jener Menschen zurückkehren, die sie liebten.

Oelita unterteilte ihre Gefühle in einen Kreislauf mit bestimmter Reihenfolge, in dessen stetiger Wiederholung sie das Vergehen von Woche um Woche, ja der Zeit überhaupt, nicht beachtete; sie gab sich damit zufrieden, die Bewegungen erst der Sonne, dann der Sterne zu verfolgen: Tag, anschließend Nacht. Nahrung und Wasser hatten Vorrang. Jedesmal kostete es sie einige Mühsal, die Wüstenwildnis zu durchstreifen und Eßbares zu sammeln. Nur wenige Menschen verstanden sich darauf so gut wie sie; sie wußte genau, welche Teile von Samen man wegwerfen mußte, wie man das Mark des Wanderkaktus kochte und in der Sonne trocknete, wie man in den Genuß der winzigen, orangefarben und magentarot gestreiften Früchte der niedrigwüchsigen Beiera-Sträucher gelangte.

Sie fand es sehr gerissen von sich selbst, wie sie sich überall so umherbewegte, daß Joesai sie nicht erspähen konnte.

Gemeine Nahrung würde sie nie genug finden können, nicht einmal genug, um ihren milden Hunger hinlänglich zu besänftigen. Daher arbeitete sie jeden Tag ein wenig daran, einen kleinen Garten anzulegen. Sie wußte, wo Weizen sprießen konnte, wie man Kürbisse setzte und wie man dafür sorgte, daß Bohnen gediehen. Häufig verbrachte sie den Abend mit der Reinigung der Quelle oder der Verlängerung der Wasserleitung. Das Rinnsal gab ausreichend Wasser für sie selbst her, lieferte jedoch nicht genug für ihren Garten.

An anderen Abenden beschäftigte sie sich mit Vorbereitungen fürs Tuchmachen oder klopfte Fasern zur Anfertigung von Matten. Während sie biegsamere Halme in Stücke brach, um sie einzuweichen und danach die Fasern herauszuklopfen, suchten Bilder Gottes sie heim, kehrten aus ihrer Kindheit zurück, in der ihr selbstgerechter Atheismus sie in einen Kerker gesperrt hatte. Ein plötzlich wiedergeborenes Mädchen erhob sich von ihrem Platz, als sie unvermittelt aufstand; sie legte eine glühende Kohle auf den geweihten Altarstein, aus Sorge, Gott könne sie übersehen, wenn Er Seinen Himmel durchmaß, um auf Sein Volk herabzuschauen, weil auf ihrem Gesicht kein roter Glanz glomm.

Sie kauerte sich hin und begann zu Hoemei über ihre Schwangerschaft zu sprechen. Er saß hinter ihr, wie sie wußte, still in einer seiner schweigsamen Stimmungen gefangen. In den alten Zeiten, als der Mensch an seinem Zufluchtsort Geta noch neu war und der Planet gnadenlos so viele getötet hatte, erläuterte sie ihm, war es eine hochgradig dem Überleben förderliche Eigenheit gewesen, Zwillinge zu gebären, eine Tat, die Gott mit Wohlgefallen sah. Noch heute gebaren viele Frauen Zwillinge. Wahrscheinlich würde sie, versicherte sie Hoemei, wieder Zwillinge bekommen. Sie wollte genügend Vorräte angelegt haben, bis sie das Licht der Welt erblickten, damit sie nie Mangel leiden mußten.

›So ist's recht‹, sagte er mit deutlicher Stimme, die in ihrem Gemüt nachhallte, und seine Anteilnahme erfüllte sie mit wohliger Genugtuung.

Ihre Erinnerungen an Kaiel-Hontokae ließen sie noch immer erschaudern. Es war eine Stadt der zehntausend Joesais, gewaltiger als jede Stadt, die sie sich je in ihren wildesten Träumen auszumalen gewagt hätte – Straßen, Häuser, Tempel über Tempel, alle mit prächtigen Gärten, bewässert durch die nachgerade beschwingten Aquädukte, die über den Dächern verliefen wie himmlische Streifen Gottes, barbusige Frauen, feine Kleidung und Läden, in denen man um den

Preis für das Fleisch eines Kindes feilschen konnte, das im Kinderhort bei irgendeiner Prüfung versagt hatte. Und Maschinen, deren überwältigende Gegenwart leise von der fernen Allmacht Gottes erzählten.

Hier in der Wüste erstreckten sich nichts als rote, orange- und ockerfarbene Flächen und Wellen, stärker zerklüftet, wo der spärliche Pflanzenwuchs die seltenen Gewitterregen nicht gänzlich aufzusaugen vermochte, und Gott blieb nahezu unsichtbar, es sei denn, man schaute gläubig während Seines nächtlichen Vorüberziehens zu Ihm auf. Er glich den Sternen, doch hatte Er es eiliger.

»Teenae!« schrie Oelita auf, schlagartig starr verkrampft, in höchste Anspannung versetzt. Jenseits der Klippen, welche die Schlucht säumten, hatte sie die Stadt gesehen.

Dort in der Stadt war Gott kein bloßer unsichtbarer Begriff. Gott stand dort streng vor jedem Zweifler und hatte Joesais Gesicht, legte dem Ungläubigen die Handgelenke in eiserne Schellen und erklärte die Grundlagen des Glaubens, und auf alle Gegenreden antworteten nur dicke gläserne Insekten, die von innerem rötlichen Leuchten glänzten, sich den Kristall von der Küste vornahmen und die klangvollen Worte Gottes hervorlachten, in denen Er von dem Grauen berichtete, vor dem Er alle Menschen Getas, auch den Zweifler, bewahrt hatte, und zuletzt blieb keine Wahl, man mußte glauben. Gott hatte sie durch Joesai beschämt. Gott hatte sich ihr in Joesais Gestalt und in der Persönlichkeit dieses Mannes offenbart, in seiner Gewalttätigkeit, sich offenbart mit Sonnenfeuer, das die große Stadt Hiroshima vernichtete, binnen eines einzigen Augenblicks, so wie ihre eigenen Überzeugungen verbrannt waren wie ein Falter, der des Nachts in einer der Fakkeln eines Tempels verglühte.

Nur Teenae verstand sie.

Konnte Gott, der aus einer Welt des Grauens kam, jemals eine sanftmütige Frau lieben? Sie versteckte sich vor Ihm in der Wüste, aber sie legte Kohlen auf den von einem unbekannten Einsiedler erbauten Altar, damit Er sie während Seines Vorüberziehens zu sehen vermochte. War dieser Erlöser-Gott derselbe Gott, dem man in den Tempeln die schwächlicheren Kinder als Opfer darbrachte, auf daß Seine Menschheit stark genug werde, um sich einstmals den Schrecken Seines Himmels stellen zu können? Wie sollte es möglich sein, daß Er ein Erlöser-Gott war und dennoch so etwas tat?

Am meisten beschäftigte Oelita innerlich ihre Schwangerschaft. Nachdem man ihre aus genetischen Ursachen verkrüppelten Zwillinge wegen mangelhafter Kalothi dem Tod im Tempel überantwortet hatte, war in ihr nichts unerschütterlicher gewesen als der Wille, nie wieder Kinder zu bekommen. Doch wenn eine Frau ihren Lebenszweck verlor, griff sie dann nicht stets auf einen älteren Zweck zurück? Unbewußt hatte sie die Schwängerung gewünscht. In ihrem Leib hauste nun die Stadt Kaiel-Hontokae, schwoll in überheblichem Machtstreben immer mehr an, ihre Männer waren die Väter ihres zweiten Nachwuchses. Die maran-Kaiel standen in ihrem Gedächtnis an hervorragender Stelle, würdige Väter, aber gleichzeitig Sklaven Gottes. Männer schwängerten ihre Weiber, aber sie folgten Gottes Willen, nicht dem der Mütter.

Gaet erfüllte nach wie vor ihre Träume mit Herzlichkeit und Wärme. Sie mußte halb eingeschlafen sein und in angenehmer Stimmung, vielleicht an die Wand gelehnt, ehe er kommen, seine Scherze machen und seine vornehmen Verführungskünste anwenden konnte. Hoemei war verläßlicher. Er kam zu ihr, wenn sie hellwach war. Gaet zeichnete sich durch eine Sanftheit der Gefühle aus, die sie anzog, Hoemei war eher ein sanfter Geist zu eigen: Einmal hatte er ihr aufgezeigt, wie sie mehr Klarheit in eine ihrer Überlegungen bringen könne, obwohl er derlei Gedanken – wie sie wußte – scharf ablehnte. Wie leicht man sich mit ihm verständigen konnte!

»Hoemei? Bist du da?«

»Ich lese«, antwortete er aus den Schatten in ihrem Rücken.

»Du entsinnst dich nicht mal mehr an das wilde Spielchen auf den Polstern, bei dem du mich schwanger gemacht hast.« Sie lachte. Ihre einzige klare Erinnerung zärtlicher Verliebtheit in Hoemei stammte von jenem Nachmittag. Sein Brustkorb hatte ihr als Kopfkissen gedient, einer seiner Arme lag über ihrer jenseitigen Schulter, seine andere Hand kraulte in ihrem Schamhaar, während sie in gewisser Selbstvergessenheit sein Kinn betrachtete, sich inzwischen darüber im klaren, er war durch sie zum Vater geworden. Weshalb haftete ausgerechnet jener Augenblick so fest in ihrem Gedächtnis? Damals hatte sie noch die Absicht gehegt, ihr Blut das Kind hinausspülen zu lassen.

Schläfrig legte sie ihre Arbeit beiseite, vollführte vor dem Altar eine letzte Geste des Segens, kroch dann auf ihre Matte. Sie streckte eine Hand nach Hoemei aus. »Hoemei…?« Er war fort. *Er arbeitet zuviel,* dachte sie kummervoll.

Joesai weilte stets in ihrem Umkreis. Er war der Traum-Mann hinter dem Gebüsch oder der Tür, oder eine Gestalt in einer Maskierung, die unerwartet auftrat und all ihr Trachten zunichte machte. Im Wachzustand zuckte sie oft zusammen, weil sie meinte, sie sähe ihn – nicht größer als ein Pünktchen – auf einem entfernten Geländekamm stehen, oder wähnte, er schliche sich mit den Schatten in ihre Hütte, die sich während der Zwielichte darin ausbreiteten. In ihren Träumen lief er ihr nie nach, wenn sie vor ihm floh, aber immer bekam er sie trotzdem zu fassen, und sie schrak aus dem Schlaf, keuchte vor sich hin, spürte noch seine Kraft, mit der er sie von neuem in ein tödliches Rätsel verflocht.

Er stellte ihr in ihren Träumen nach. Er lauerte ihr auf. Wenn ihr vom Fortlaufen die Füße schmerzten, fiel er über sie her. Wenn sie sich grämte, griff er ihre Gefühle an. Sie bog um eine Ecke und sah ihn mit spöttischer Miene der Geringschätzung in einer ihrer kostbaren, von Hand verfaßten Schriften lesen. Sie machte sich auf eine Auseinandersetzung gefaßt, und da blickte er auf und äußerte in einem einzigen Satz eine so einschneidende Zurechtweisung, daß sie den gesamten wesentlichen Sinngehalt ihrer Worte mit einem Schlag restlos untergrub. Bisweilen erwachte Oelita in ihrer Hütte, fest davon überzeugt, daß ein leises Geräusch draußen von Joesai stammte, der sie beschlich.

Einmal hatte sie einen Traum, in dem Noe während einer Tempel-Schlächterei leblose Zwillinge gebar.

Tage verstrichen. Unbehaglich schloß Oelita mit Gott Frieden, betete immer häufiger auf ihren Knien vor dem Altar. Mittlerweile hatte sie – während des Arbeitens und ebenso beim Ausruhen – alle ihr bekannten Balladen nach verschleierten Weisheiten durchforscht. Es sah ihr ganz ähnlich, daß sie einen Gott des Himmels entdeckt hatte, der sich vom Gott der Tempel unterschied. Die orangerote Sonne schwang sich empor und sank. In Oelitas Bauch begannen sich Tritte zu regen, und bald besaß sie Gewißheit, erneut Zwillinge zu tragen. Ausgedehnte Nahrungssuche war ihr nach einiger Zeit unmöglich, und sie ging dazu über, ganze Tage in der Hütte zuzubringen und gemeine Nahrung für die Entgiftung vorzubereiten.

Sie hatte Vergnügen an ihren Gesprächen mit Nonoep, der sie dann und wann besuchte, wenn sie sich gerade tiefem Nachdenken hingab.

Es regnete. Der Regenschauer dauerte nur ein Zwielicht lang, doch ein paar Tage später war auf sämtlichen kahlen Hügeln eine prächtige Blütenfülle aufgeschossen, stürzte die Insekten in eine wahre Raserei der Verzückung. Oelita vermochte diesem herrlichen Anblick ebensowenig zu widerstehen und unternahm einen längeren, mühseligen Spaziergang durch die Schlucht, pflückte blaue Wüstenmäulchen und steckte sie sich ins Haar. Aber es ermüdete sie nicht, ihrem anhaltenden Bewegungsdrang nachzugeben. Etwas abseits lag ein Haufen Steine, die sie vom Gelände ihres Gärtchens entfernt hatte, und sie fing damit an, sie mit der Zeit – jedesmal nur ein paar – hinüber zur Treppe zu schleppen, fügte sie dort ein und an, verlieh ihr Festigkeit gegen Wetter, Verwitterung und Alter, gegen die Kraft des unterirdischen Wurzelwerks. Der einstige Einsiedler dieser Stätte, der gestorben war, bevor Oelitas Vater zur Welt kam, hatte die Stufen mit außerordentlicher Sorgfalt errichtet. Sie ehrte ihn, indem sie die gleiche Sorgfalt aufwandte.

Der Anbruch der Nacht überraschte sie auf der Höhe ihrer Treppe zu den Sternen. Die Blüten hatten sich geschlossen, während die Insekten einen abendlichen Singsang anstimmten, der dem Paaren galt. Die Einsamkeit der Wüste war weit und klar, und die Sterne waren deutlich sichtbar. Über den Horizont erhob sich der Strom des Sternennebels, und mit ihm zogen die Konstellationen des Falters und des Buben herauf.

Ich bin ganz allein mit Schönheit.

Dunkelheit und Fernheit verhehlten, welche Bosheit, wie sie auch beschaffen sein mochte, jenseits dieser dem Untergang geweihten Herrlichkeit ihre Wirkungen ausübte. *Auf gewisse Weise sind wir alle Einsiedler,* dachte Oelita. *Gott ist für mich ein Klausner.* Welche Götter mochten es gewesen sein, die ihn in diesen abgeschiedenen Bereich des Himmels vertrieben hatten, wo Er Sich nun der Besinnlichkeit widmete, während andere in Vernichtung schwelgten? Sie empfand unversehens Verwandtschaft mit Ihm, und als ginge Er auf diese Regung ein, begann Er Sich über den zerklüfteten schwarzen Horizont zu schieben, um über Sein Sternenfeld zu wandern.

Ob es stimmt, daß Sanftmut das erste Anzeichen eines schwachen Willens ist? Mußten gutmütige Menschen sich tatsächlich in völlige Einsamkeit zurückziehen, wenn sie überleben wollten? Vielleicht war Gott gar kein entschlossener Beschützer; womöglich war Er eine friedfertige Seele, die vor Sternenkriegern geflohen war, so wie Oelita die Flucht vor Joesai ergriffen hatte. Solche Einfälle weckten in ihr Ärger. An derlei Ketzereien mochte sie nicht glauben. Sanftmut war die höchste aller Tugenden. Güte konnte die Welt zu einem heilen Ganzen machen. Sorge um die Schwachen verlangte die größte Kraft, die von tief drinnen kommen mußte.

In jedem Funkeln eines Sterns schienen Bilder aus dem *Feuerofen des Krieges* sie zu bedrängen. Oben auf ihrer Treppe fing sie das wirre Sammelsurium der verschiedensten Heerscharen mit voller Stimmgewalt zu verfluchen an. Ihre Erbitterung durchdrang die Finsternis der Wüste, hallte aus jedem trockenen Flußbett wider, tönte verstärkt hinauf zu den Klippen, so daß die Ergüsse ihres Zorns sogar an den Himmel mit seinem Geflimmer Hiroshimas emporschollen, von Bagdad-

Gemetzeln, erlesenen Arten der Marter, von rachlüsternen Pulks roter Panzer, die über die Sterne dahinwalzten, Bauern und alte Frauen mit Granaten bestraften, beiläufig ein Kind für Schießübungen auswählten.

»Halt!« schrie sie der Lawine von Bildern entgegen.

Ein bösartiges Universum richtete böse Augen auf sie – voller Neugier. Der zusammengefaßte Angriff dieser Aufmerksamkeit wirkte auf sie wie ein Gebot zum Schweigen. Mit hellen, leisen Stimmchen zirpten Insekten nach ihren Paarungsgefährten. Oelita verharrte wie versteinert auf ihrem Steinhaufen, ihr Blick erforschte die Umgebung, sie lauschte angestrengt, sich dessen bewußt, daß sie in lichten Sternenschein getaucht stand. Hatte Joesai sie gehört? Sie suchte Sichtdekkung, lauschte auf Atemzüge, das Knacken von Reisig. Sie wagte sich nicht in die Hütte zurück. Sie brachte die Nacht im Freien zu, im Gesträuch auf einem Felssims oberhalb ihres Weizens, zitterte vor sich hin.

49

Wer richtet, wird milde Richter finden, doch jener, der nicht richtet, weil er fürchtet, er könne gerichtet werden, wird der Tyrannei unterworfen sein.

Vorrede zum *Maßwerk der Beweiskraft*

Das Fläschchen aus blauem Schmelzglas ruhte auf einem kleinen Kissen in einem Messingpokal, der auf einem Beistelltisch der Räumlichkeit stand. Die se-Tufi die der Seele Glöckchen läutet lächelte das Glutpünktchen am oberen Ende eines Räucherstäbchens an, das sie soeben entzündet hatte. Demut stand in förmlicher Haltung steif dabei. »Du hast dich bewährt«, sagte die Heimmutter und drehte sich zu dem Fläschchen um. »Das ist ein Gift, von dem das Gemüt einer Assassine entzückt sein muß.«

»Es besitzt nicht die für unsere Begriffe wünschenswerte Unauffälligkeit. Und es ist von keiner sauberen Natur... denn wo enden die Folgen des Schlags, den man damit führt?«

»Es widerstrebt dir, den Kaiel diesen Tod zu bescheren?«

»Für gewöhnlich pflege ich jeweils nur einen Todgeweihten hinzurichten«, entgegnete Demut in unterkühltem Ton.

Die se-Tufi die der Seele Glöckchen läutet schälte eine Frucht, entfernte sorgfältig die giftigen Teile und bot vom Genießbaren Demut ein Stückchen an. »Du darfst's dir bequem machen. Bitte trage das Maßwerk der Beweiskraft vor.«

Demut kam der Aufforderung nach; mittlerweile kannte sie die Worte so genau, daß ihr kein Fehler unterlief.

»Gut. Natürlich sagt das alles dir überhaupt nichts, aber es ruht nun in dir wie der Keim eines Zuchtkristalls, und du wirst sehen, daß dir in den kommenden Jahren ringsum viel erwachsen wird. Der Druck der Geschehnisse zwingt uns, mit dir in aller Eile zu verfahren. Jede Liethe muß die Stufe des Kodex durchleben, die ihrem Rang entspricht. Für dich ist die Zeit des Wandels noch nicht gekommen, doch verhält's sich nun einmal so, daß wir dich dringlich brauchen. Die Hoiela-Larve übt die Bewegungen des Fliegens, noch ehe sie sich einen Kokon spinnt. Für die Dauer des folgenden Tages wirst du eine Alt-Liethe sein. Entkleide dich.«

Demut gehorchte, ohne die Anweisung gänzlich verstanden zu haben, sie regte ihre Arme und Beine, um die Kleidung abzustreifen, mit der gewohnten Anmut.

Seelenglöckchen schaute unzufrieden zu. »So ist's nicht gut. Bewege dich, als wärst du alt. Du mußt dich bewegen, als wäre die bloße Handlung des Gehens für dich eine Prüfung des Geistes.« Sie nahm Demuts Zögern ohne Ungeduld zur Kenntnis. »Geh so, wie du's in der Abendröte deines Daseins tun wirst.«

Demut besann sich auf ihre greise Vorgesetzte im Heim zu Kaiel-Hontokae. Sie bemühte sich, so zu wirken wie se-Tufi die Steine findet: langsam, würdevoll, jede Regung mühselig, doch abweisend zu stolz, um Beistand zu erbitten. Seelenglöckchen beobachtete sie, reichte ihr dann einen Stock mit einem Knauf aus Platin. »Jetzt bist du eine Heimmutter.« Sie nahm einen feinen Stift und begann Demuts Gesicht Falten aufzutragen, schminkte ihr danach die Wangen dunkler, machte ihr das Haar grausträhnig, färbte ihre Brüste bräunlich ein, so daß sie erschlafft aussahen, verlieh Demut ein erheblich älteres Äußeres, als besäßen ihre flinken Finger die Schleifwirkung eines Zeitsturms.

Anschließend kleidete sie Demut in den auffälligen Luxus einer alten Liethe. »Sei so wie die Alten. Denke genau wie wir. Jede Maßnahme muß zunächst in Gedanken durchgeführt werden, bis sie ihre voraussichtlichen späteren Folgen aus der Zukunft zurückspiegelt. Erst danach setze deine Absichten in die Tat um. Du mußt Bedächtigkeit an den Tag legen. Eine gewisse Umständlichkeit muß auch dabei sein. Dein Verstand ist scharf, aber du kennst keine Hast. Du hast von deinem langen, erfüllten Leben nichts vergessen.«

Und so geschah es, daß das junge Mädchen Demut zu seiner ersten Einführung in die Welt der Alt-Liethe in der Maske der Weisheit in die Ratskammer des Liethe-Heims zu Soebo hinkte. Eine Greisin, geschmückt mit einem von Juwelen schweren Nasenring, sang die Kernsätze des Maßwerks der Beweiskraft. Da erst begriff Demut, daß Wintersturm-Meister Nie t'Fosal das Messer drohte. Jede eintönig gesungene Frage aus dem Maßwerk der Beweiskraft veranlaßte die eine oder andere der acht anwesenden Alt-Liethe, darauf mit einer Anschuldigung und dazugehörigen Beweisen zu antworten, wie vorgeschrieben in die Metrik einer Dichtung gefaßt, damit man sich an jede Einzelheit der Verurteilung mit einer Genauigkeit erinnern konnte, die nachträgliche Irrtümer ausschloß. Jede Frage und die entsprechende Antwort erfuhren eine Wiederholung, tönten zwischen den Alt-Liethe hin und her, und in ihrem Gedächtnis verankerte sich fest ein Vorgang, den keine Liethe zu Papier zu bringen gewagt hätte.

Der Ablauf der Verurteilung prägte sich Demut ein, durchlief ihr Bewußtsein und bahnte sich schließlich einen Weg auch über ihre Lippen, bis die Dichtung über t'Fosals Schuld in die Leere der Fragestellungen des Maßwerks der Beweiskraft eingefügt war, so wie die Pflanzen und Blüten, die dem Spalier einen Sinn verliehen.

Es gab Fragen, auf die keine Verse antworteten. Dann verzichtete man auf die Förmlichkeiten, und es entspann sich ein lebhafter Meinungsaustausch. Man ging davon aus, daß kein in seiner Aussage eindeutiger Vers entstehen konnte, solange nicht die Beweisführung selbst sich durch volle Klarheit auszeichnete. Wieviel Zeit das Verfahren auch beanspruchen mochte, die Heimmütter hielten sich getreu an das Maßwerk der Beweiskraft, das mit größter Sorgfalt die Welt der Sünde entlarvte, Tat um Tat, wie durchs vielblickige Auge des platten Nachtsehers, des Insekts, das man als Symbol der getanischen Gerichtsbarkeit gewählt hatte.

Demut trug ihr Wissen über die Untersuchung bei, die von den Kaiel an den Weizenfresser-Unterzänglern durchgeführt worden war, erzählte von der kleinen Flasche aus blauem Glas und stellte einen Zusammenhang mit der schwachsinnigen o'Tghalie her, mit der sich die lietheschen Biologinnen befaßt hatten. Das Fließen ihrer Worte nahm Form an, wurde gedrängter, klarer im Ausdruck, dann verarbeitete man es langsam – im Hin und Her der Wiederholungen – zu Versen, die das im Geschmiedetwerden befindliche Dichtwerk erweiterten.

Fosals Verbrechen richtete sich gegen die Kalothi und war deshalb das schlimmste überhaupt denkbare Verbrechen. Er hatte den Tod zu seinem Sklaven erniedrigt, um die eigene Macht zu mehren, doch sollte der Tod nicht ausschließlich den Riten der Kalothi dienen? Wer sollte den Tod ungestraft zu seinem persönlichen Sklaven machen dürfen? Damit endete die Dichtung der Liethe. Der mächtigste aller mnankreischen Meister war dem Tode durch Hinrichtung geweiht.

Der Sonnenschein, der durch die hohen Fenster der Ratskammer fiel, hatte viele Winkel und Farbtöne durchlaufen, als die Entscheidung endlich feststand. Man hatte einen Sonnenuntergang und Laternenlicht, die Pastellfarben der Dämmerung und die nahezu senkrechten Strahlen des Sonnen-Höchststandes und dann von neuem einen Sonnenuntergang gesehen. Demut war vor Erschöpfung zumute, als sei sie tatsächlich alt, und als sie zur Ratskammer hinauswankte, stützte sie sich schwer auf den Stock mit dem Platinknauf.

Sie vermochte Altsein vorzugeben, sie war imstande, mit der schlauen Bedächtigkeit des Alters zu denken und zu handeln, weil sie eine ausgebildete Schauspielerin war, aber durch das Verfahren der Beweisführung und Urteilsfindung schien sie fürwahr gealtert zu sein. Sie allein hatte während der gesamten langwierigen Ausarbeitung Anwandlungen schwer bezähmbarer Bedürfnisse verspürt. Die verbrecherischen Schandtaten des Wintersturm-Meisters waren ungeheuerlich. Eigentlich hätte die Entscheidung in der Zeitspanne herbeigeführt werden können, deren man für ein Nicken bedurfte, und doch hatte keine der Heimmütter Ungeduld gezeigt. Erst nachträglich war sie ihnen für ihr strenges Vorbild dankbar.

Auf Befehl zu töten, war leicht. Eine Hand war nichts anderes als ein Werkzeug. Eine Hand fällte keine Entscheidungen über Leben und Tod, wog keine sittlichen Fragen ab, beschloß nicht über Folgen. Früher hatte sie sich den Alten überlegen gefühlt, die ihr zu töten befahlen, doch nun kam ihr das Töten wie die einfachste aller Aufgaben vor.

Die se-Tufi die der Seele Glöckchen läutet führte sie, einen Arm um ihre Schultern gelegt, in die Unterkünfte der Heimmütter. »Erst wirst du ein Bad nehmen. Dann kannst du wieder jung sein.«

Demut sagte nichts, bis sie in der Wanne saß, umsorgt von Liethe-Kindern, alle nackt bis auf einen Gürtel mit einem Perlenröckchen; unter Gekicher gossen sie Krüge warmen Wassers über sie aus und holten ständig mehr. Seelenglöckchen bürstete Demut ab. Meistens zeigten die Heimmütter Härte; bisweilen verhielten sie sich zu ihren Untergebenen freundlich. »Fällt mir der Auftrag zu, t'Fosal umzubringen?«

»Wenn du's selbst möchtest, kannst du's machen. Es besteht kein Anlaß zur Eile. Wer's tun wird, wird's tun. Natürlich würdest du die Hinrichtung am besten ausführen.«

»Ich bezweifle, daß ich es kann.« Demut schauderte zusammen. »Nachdem ich nun weiß, warum er sterben muß, selbst an seiner Aburteilung beteiligt war, könnte ich ihn da noch hinrichten? Gewiß, für sich besehen, wär's möglich... aber wäre ich noch zu schneller, sauberer Arbeit fähig?«

»Bedenke folgendes, kleine Manchmal-Demütige. Der Tod des Wintersturm-Meisters t'Fosal wird keine gewöhnliche Hinrichtung sein. Er ist der Grundstein eines großen Gebäudes, und bricht ein Bau nicht zusammen, wenn man den Grundstein entfernt? Das Haus, dessen Grundstein t'Fosal ist, könnte auf uns herabstürzen. Es liegt in der Natur der Sache, daß ein Haus in sich selbst zusammenfällt und nicht hinaus auf die Straße. Die Art des Hauses zu kennen, dessen Grundstein man entfernen will, gibt Hinweise darauf, wie man sich bei seinem Einsturz verhalten muß. Berücksichtige, daß wir unmöglich an unserem eigenen Untergang interessiert sein können.«

»Wird mir keinerlei Hilfe zuteil?«

»Nein. Solltest du scheitern, werden wir anläßlich deiner Rituellen Selbsttötung im Tempel der Wilden See Trauer anordnen.«

»Meinen Dank für deine Zuversicht!« Mit den Fingern spritzte sie der Heimmutter Wasser ins Gesicht. Es war ausgeschlossen, zu einer Frau, die einem mit dem Eifer einer Dienerin den Körper wusch, auf förmlichem Abstand zu bleiben.

»Du wirst Erfolg haben. Wer sonst in deinem Alter hat denn an schon zwanzig Personen Gerechtigkeit geübt, ohne Spuren zu hinterlassen?«

»Was wird aus alten Assassinen?«

Seelenglöckchen lachte laut, als wolle es seinem Namen alle Ehre machen. »Sie werden Richterinnen. Das müßtest du nunmehr doch wissen.«

»Die nas-Veda die auf Bienen sitzt ist heute bei der Verurteilung zugegen gewesen. Ich bin völlig sicher.«

»Dazu darf ich mich nicht äußern.«

»Ich kenne sie. Sie hat mich ausgebildet. Der rote Schleier hat meine Augen nicht trügen können.«

»Die Frau mit dem roten Schleier ist die liethesche Richterin der Richter.«

»Sie ist hier in Soebo?«

»Wir veranstalten im geheimen unsere eigene Versammlung.«

»Warum denn?«

»Wir sind mit dem Schicksal der Priester verknüpft. Wir steigen empor oder fallen, so wie sie aufsteigen oder fallen. Wenn sie sich der Verderbtheit weihen, müssen wir dann nicht mit ihnen untergehen? Den Priestern müssen Grenzen gezogen werden.«

Das Anmaßende dieser Feststellung rief in der jungen Assassine Wut hervor. »Und wenn *wir* verderbt werden?!« brauste sie auf und erzeugte im Wasser der Badewanne eine Woge.

»Ist dir nicht aufgefallen, daß man eine von drei Liethe in Soebo abgelöst hat? Ich selbst bin hier neu, und ich war nicht im geringsten auf die überstürzte Reise von Hauptheim nach Soebo vorbereitet gewesen, das glaube mir. Dank sei Gott für die Stärke der Ivieth! Du gehörst hier auch zu den Neuen. Weshalb erwartet Fosal wohl mit solcher Sicherheit, daß eine Liethe auf seinen Wunsch mordet, was meinst du? Sind wir nicht die Sklaven der Mnankrei?«

Demut war entsetzt. »Ich kann nicht glauben, daß wir Liethe unsere gemeinsame Führung verloren haben sollen!«

»Man sagt, wenn man einen Dieb zu lange liebt, wird man selbst ein Dieb.« Seelenglöckchen winkte einem Mädchen zu, das ein großes Badetuch brachte. »So, laß dich abtrocknen. Hier habe ich ein Krüglein Duftstoff, und dein Haar werden wir auch hübsch zurechtmachen. Heute nacht wirst du mit Hochwogen-Meister tu'Ama schlafen.«

»Fleischtätschlerin ist für ihn zuständig, nicht ich. Ich habe doch selbst eine überaus schwierige Aufgabe zu erfüllen.« Demut stand aufrecht in der hölzernen Wanne, und ihr nackter Körper schimmerte im Fackelschein.

»Der Hochwogen-Meister sollte in Soebo Herrscher sein. Schwächen in den Räten und in Amas eigener Person haben dazu geführt, daß heute der Bund vom Geschwinden Wind den größten Einfluß besitzt. Wenn Fosal tot ist, wird ein anderes Mitglied des Bundes an seine Stelle treten, aber Ama wird sich selbstverständlich auch gegen Fosals Nachfolger wenden. Deshalb mußt du ihn gut kennenlernen, weil es erforderlich ist, daß du überblicken kannst, was hier vorgeht. Du wirst in der Rolle als Tröstli zu ihm gehen, und bestimmt wirst du ihn mögen. Er ist ein lauer Mann. Er wird auch künftig in den politischen Auseinandersetzungen unterliegen, aber er ist ein einfühlsamer, aufrechter Mensch. Er hat durchaus seine Anhänger. Es könnte sich als möglich erweisen, ihn doch noch irgendwie an die Macht zu bringen, und in dem Fall wäre es vertretbar, unserer zweiten Wahl, den Kaiel, endgültig den Rücken zu kehren.«

»Ich müßte zu Fosal, nicht zu Ama. Er hat's verlangt.«

»Er wird warten.«

»In äußerster Wut wird er warten, ja, und wenn ich dann aufkreuze, wird er mich prügeln.«

»Mein Kind, t'Fosal hat den Wunsch, daß du sein blaues Fläschchen ins Lager der Versammlung bringst. Bis dahin wird er mit dir nachsichtig sein.«

Demut genoß die sanfte Art und Weise, wie die Heimmutter sie abtrocknete. Auch sie war gegenwärtig außerordentlich gutherzig. *Sie setzt ebenfalls auf mich.* Die Nacktheit ihres nassen Körpers brachte die Königin des Lebens vor dem Tod zum Frösteln, so daß sie beinahe zu schlottern anfing. Alle hingen sie von ihr ab, da es nun darauf ankam, die Haut sowohl vor den Mnankrei wie auch vor den Kaiel zu retten. Diese Clans! Dachte ein Clan eigentlich nie über die eigenen, begrenzten Interessen hinaus? Demut empfand die Belastung wie einen dicken, gesteppten Obermantel aus dem Norden, der jedoch widersinnigerweise keine Wärme spendete. Mußte das Leben so sein, wie es war, so ernst?

Sie seufzte insgeheim, während zwei Liethe mit noch unentwickelten Brüsten ihr eine flauschige Robe um die Schultern legten. Einst war das Dasein so warm gewesen wie dies Kleidungsstück. Andächtig entsann sie sich der schlichten Freuden von Bettstatt und Tisch sowie des geistreichen Geschäkers, auch des Nervenkitzels eines geschickt durchgeführten Mordes, aus dem sich keine nachteiligen Folgen ergaben.

Die Jugendzeit verflog so schnell!

50

Lautet die Frage, warum das Kol die Verletzung seiner Spielregeln zuläßt? Dienen die Regeln denn nicht der Strategie und sind ihr insofern untergeordnet? Und dienen Pläne nicht der Strategie und sind ihr untergeordnet? Ein Spieler, der sich starr an die Regeln hält, hat seine Strategie durch eine minderwertigere Strategie ersetzt. Er kann geschlagen werden, indem man Verhältnisse herbeiführt, unter denen die Anwendung seiner Regeln ihn daran hindert, sein grundlegendes Ziel zu erreichen. Ein Spieler, der sich streng an einen Plan hält, hat seine Strategie durch bloßes Handeln ersetzt. Er wird sich am Grund eines Flusses wiederfinden, weil sein Plan eine Brücke einbezog, die es nicht gibt. Ein Spieler, der sich auf Verträge verläßt, hat seine Strategie durch den Glauben an die Allmacht eines anderen ersetzt, und er wird scheitern, sobald jener andere scheitert. Sobald die Strategie feststeht, werden Regeln, Pläne und Verträge zu veränderlichen Größen, die es ständig auf möglichst günstige Weise abzuwandeln gilt. Das ist der Weg zum Sieg.

Aus dem *Handbuch der Spiele* im Tempel
der Menschlichen Bestimmung

Das Unheil belagerte Joesai mit zahlreichen zähnefletschenden Mäulern. Während seines tatenlosen Hinhaltens hatten die Mnankrei nach und nach Gräben angelegt und an strategisch wichtigen Punkten Bollwerke errichtet. Jeden Tag konnte es jetzt soweit sein, daß man das Lager ringsum einschloß und abriegelte. Erbittert saß er in der Dachstube eines Bauernhofs und bestätigte den Erhalt der von Bendaein hosa-Kaiel durchgegebenen Schallstrahlnachricht. Im Vorrücken des Gros der Versammlung war eine Verzögerung eingetreten. Stak dahinter Vorsatz? Joesai schlenderte ans Fenster und spähte über die Falle aus, die er selbst sich gebaut hatte. Eine Anhöhe. Feste Steinwälle. Eine gute Abwehrstellung, aber kaum mehr. Bei Gottes Nasenhaaren, was trieb Bendaein eigentlich?!

Durch Schallstrahl hatte Teenae ihn über eine Untersuchung von Bendaeins Kol-Strategie unterrichtet. Seine Gewohnheit war, sich stark aufs Opferbringen zu verlassen. *Den Kerl murkse ich ab!* Und nun war auch noch eine Mitteilung Noes eingetroffen, die besagte, die Mnankrei bereiteten den Einsatz einer neuartigen biologischen Schreckenswaffe vor, dem er einfach zuvorkommen *müsse*... Nur hatte er Hoemei im Rahmen eines heiligen Vertrags versprochen, stillzuhalten und nichts zu unternehmen. *Auf genau so etwas habe ich gewartet.* Er stieg mit so wutentbrannter Heftigkeit die Leiter hinab, daß unter seinem Stiefel eine Sprosse brach und er mit wuchtigem Ruck nach unten rutschte, so daß er danach seine Knochen spürte.

Der mit Hoemei geschlossene Vertrag verdroß ihn außerordentlich, und obschon er die Bereitschaft besaß, ihn nicht nur mit verstandesmäßiger Einsicht zu würdigen, sondern auch mit der Aufopferung seines Lebens zu ehren, war er zur gleichen Zeit durchaus bereit, die Abmachung zu brechen – und dadurch Hoemeis Eingabe bei den Archiven eine spätere nachteilige Bewertung zu bescheren –, wenn er damit den Erfolg der Versammlung sichern konnte. Sein persönliches Ziel lautete, seine Familie über alle anderen zu erheben, während das Ziel des Clans darin bestand, Soebo einzunehmen und kaielischer Herrschaft zu unterstellen – und den Weg dahin bestimmte *ausschließlich* die von Tae ran-Kaiel gelehrte Gesamt-Strategie. Joesais nachgerade unlösbare Aufgabe war die, sowohl vor seinem Bruder Hoemei maran-Kaiel wie auch seinem Vater Tae ran-Kaiel in Ehren bestehen zu sollen, gleichzeitig jedoch einen Ausweg aus einer Lage finden zu müssen, die keiner von beiden vorausgesehen hatte.

Seine Ausbildung bewog ihn dazu, angesichts des Unvorhergesehenen zunächst die Aufmerksamkeit den Grundsätzen der Gesamt-Strategie zu widmen, um sich nicht durch irgendein zweitrangiges Ziel ablenken zu lassen. *Alle Macht den Kaiel – am besten durchs Verhandeln!* Das war die Gesamt-Strategie. Aber mit wem sollte er verhandeln?

Er murmelte und brummte vor sich hin, als er das Bauernhaus verließ, um seine selbstgebaute Falle zu Fuß in Augenschein zu nehmen. Während er in ungeduldiger Grübelei die Wälle abschritt, die seine Männer auf den Feldern des Bauern aus dem Boden gestampft hatten, sang ihm in seinem Innern die Weisheit zur Ermahnung tausend von Besonnenheit erfüllte Verse vor. Ein starker Mann mußte sich leichtfüßig bewegen können. Er lauschte jedem der Verse, ohne von einem überzeugt zu werden. Aus dem Innersten seiner Seele schwang sich eine andere, süßere Melodie empor, widersprach der Litanei der Warnung. War es nicht am ratsamsten, nun mit aller Kraft einen unmittelbar gegen Soebo gerichteten, verheerenden Schlag zu führen, ohne an die Folgen zu denken?

Getrommel übertönte die Gegenrede. »Macht läßt sich nicht gefahrlos mißbrauchen«, dröhnte in Joesais Erinnerung Taes Stimme, und sein stark tätowiertes Gesicht lächelte seinen Kindern zu, »so wenig, wie man ein scharfes Messer, Feuer oder einen Segelflieger ohne Gefahr mißbräuchlich handhaben kann. Mißbrauchte Macht wendet sich unfehlbar gegen jenen, der sie mißbraucht, sie verzehrt ihn und streut seine Asche in den Wind. Mißbraucht die Macht, und sie wird euch *vielleicht* unverzüglich umbringen, *vielleicht* aber zuvor noch ein böses Spiel mit euch treiben, euch langsam martern, während sie abwägt, welchen Tod sie später euren Kindeskindern auferlegen mag.«

Die Melodie der Versuchung kehrte wieder, schlich sich zwischen den Beinen von Taes kraftvollem Stimm-Getrommel hindurch. Als Joesai in seinen Kinderjahren diesen Worten Taes lauschte, hatte er sich gefragt, wie weit man mit dem freimütigen Gebrauch der Macht wohl gehen könne, ehe sie sich gegen einen selbst kehrte. Wie schnell durfte man mit dem Messer umgehen? Wie groß durfte das Feuer sein? Wie steil der Aufstieg im Segelflieger?

In Joesais Erinnerung brachte Tae den Kindern Geschenke mit und verteilte sie unter ihnen, sprach noch immer mit lautem Hall. »Ihr seid Kaiel. Eure Aufgabe besteht im Erringen und Ausüben der Macht. Rechnet mit Rückschlägen. Die Macht verzeiht demjenigen nicht, der ihre Grenzen übersieht, doch wer besitzt Kalothi genug, um sich im Irrgarten ihrer Begrenzungen gut genug auszukennen? Aber als Kaiel dürft ihr ebenso erwarten, daß euch mit dem scharfen Messer, mit dem ihr umzugehen gelernt habt, große Taten gelingen.«

Jedes der Geschenke Taes war ein Werkzeug gewesen. Joesai hatte eine Axt bekommen, die sein Vater, als er sie Joesai in die Hand drückte, launig als »Vierzeher« bezeichnete. Joesai hatte ihn gefragt, wer die Grenzen festlege. »Jene, die sterben«, hatte Tae mit unverändertem Lächeln entgegnet.

Ein ironisches Lied gab in Joesais anderem Ohr Antwort auf die Versuchung, erzählte von gewaltigen französischen Siegen auf dem Marsch nach Moskau. Napoleons Macht war uneingeschränkt gewesen, so schrankenlos, daß sie Frankreich für immer des höchsten Ruhms beraubte. Bis zum Ende der letzten unausdenklichen Seite im *Feuerofen des Krieges* konnte man Franzosen durch die Hölle schreiten sehen, auf der Jagd nach jener liederlichen Schönheit namens Ruhm, die unterdessen größeren Liebhabern den Kopf verdrehte.

Ein Schlachtgesang berichtete von den Griechen, die Troja zerstörten – doch wer zwischen dem Leuchten der Sterne vermochte noch die Namen jener selbstgerechten Krieger auszusprechen, deren Macht ihnen nichts eingetragen hatte als den Tod?

Joesais Augen suchten den Horizont ab, einen Streifen Dunst, der in den blauen Himmel überging. Ruhelos drängte es ihn, nach Soebo zu ziehen, doch er mußte sich Zurückhaltung auferlegen. Einem Sieg kam die allergrößte Bedeutung zu, aber welche Verhandlungen konnte man auf den Trümmern führen, die siegreiche Kämpfe zurückließen? Durch einen vergänglichen Sieg war keine Macht zu erlangen.

Tae hatte seinen Clan ohne Unterlaß daran erinnert, daß die Versammlung des Schmerzes die Arant mit Schrecknissen übermannt, anschließend die Kaiel begründet hatte, um die Ergebnisse des ausgeübten Schreckens zu sichern; doch wie groß der Erfolg eines derartigen Vorgehens auch sein mochte, die Wirkung war nicht von Bestand. Hatten die Arant, der Ausrottung nahe, zerstreut und unterworfen, nicht dennoch durchs Hintertürchen der reuigen Zerknirschung die Kaiel gebändigt, so daß der Körper eines Kaiel heute eine zweifache Seele besaß?

Joesai wußte, daß er, solange seine Truppe noch lebte, jederzeit zuschlagen konnte. Auch eine kleinere Schar war dazu imstande, Soebo zu nehmen. Wer außer ihm – und womöglich seiner verrückten Zweitgattin – verstand sich denn schon darauf, den im *Feuerofen des Krieges* beschriebenen Wahnsinn auf nutzbringende Art und Weise anzuwenden? Die Mnankrei wären sehr wohl dazu *fähig*, sich zu verteidigen, aber sie würden die Taktik des Angriffs nicht mehr rechtzeitig genug *durchschauen* können, um bei der Verteidigung Erfolg zu haben. Der Sieg müßte überragend werden, vollkommen, sogar furchterregend, und das Ergebnis wäre eine geduckte Bevölkerung, die den kaielischen Eroberern jeden Wunsch, ehe sie ihn richtig aussprachen, von den Lippen ablas.

Man würde die Sieger baden, bewirten, umhertragen, bedienen, umschmeicheln. Jeder Befehl würde befolgt. Doch die Kinder bekämen sie nicht zu sehen, und wer mochte wissen, welche Gedanken sich hinter den lächelnden Gesichtern verbargen, die dem Anschein nach auf nichts anderes bedacht waren, als den neuen Herren wohlgefällig zu sein? Joesais Arant-Verstand wußte ihm zu sagen, wie sich eine Stadt im Zustand der Furcht verhielt, und sein Kaiel-Verstand zeigte ihm die Zukunft: ein Kaiel aufs Pflaster einer entlegenen Gasse Soebos geschleudert, zertrampelt, die Kehle aufgeschlitzt, das Blut floß in die Gosse; ein Leichnam eines Kaiel treibt in einem Kanal; die Leiche eines Kaiel hastig zerteilt und gebraten, die Haut vernichtet: seine Leiche, Teenaes Leiche, die Leiche ihres Enkels. Joesai zuckte mit den Schultern, verwarf den Angriffsplan endgültig. Es konnte keinen dauerhaften Sieg geben, wenn keine Kinder die Sieger willkommen hießen. Kein Kind hatte in den Steppen Rußlands die deutschen Heere begrüßt. Kein Kind begrüßte die russischen Schlächter in Afghanistan. Kein Kind begrüßte die amerikanischen Soldaten in My Lai.

Wenn Joesai seiner Sache hochgradig unsicher war, entschied er sich regelmäßig für die Flucht nach vorn. Er besaß zu wenig Erkenntnisse, um einen Entschluß fällen zu können, der die Gesamt-Strategie ehrenvoll berücksichtigte. *Ich muß mir einen besseren Überblick verschaffen.* Er wählte zehn Jugendliche aus, die er während des ganzen Weges von Kaiel-Hontokae bis hier aufmerksam unter Beobachtung gehalten hatte. Sie schlichen sich durch die mnankreischen Wachen und Vorwerke, anfangs unsichtbar bei Nacht, später ganz ganz offen am hellichten Tag. Dank weitreichender Umsicht war in Soebo eine Anzahl von Häusern bekannt, die sie sicher betreten konnten.

Vorsichtig nahm Joesai mit Hoemeis Kundschaftern Verbindung auf. Er wußte nicht, wer sie waren, wo ihr Schallstrahl-Sendemast stand – das war nun einmal Hoemeis Arbeitsweise –, doch auf jeden Fall bestand die Möglichkeit einer Verständigung. Seine Anfrage rief Ratlosigkeit hervor. Von heiligen Kleinstlebewesen, die einen Wirt töteten und sich dann einen anderen Körper suchten, wußte man nichts. Joesai überlegte, welchen Schritt er als nächsten tun sollte.

Er ließ einen Fluchtweg über Hausdächer festlegen, dessen letztes Glied eine Barke war, die an einem Kanal ankerte, und betrat am hellen, morgendlich leicht orangeroten Tag das Liethe-Heim von Soebo. Belustigt wartete er untätig in einem mit Wandbehängen geschmückten Zimmer auf seine Entdeckung. Endlich sah ihn ein völlig verdutztes Mädchen. Hier Männer zu empfangen, war unüblich. »Ich bin Joesai maran-Kaiel, Hoch-Antlitz der Untersuchungsvorhut der Versammlung des Zorns.« Er atmete tief ein und richtete sich zu voller Größe auf. Das Mädchen wirkte daraufhin noch entgeisterter. Es floh, und an seiner Stelle erschien eine alte Frau.

Joesai achtete auf Anzeichen des Verrats, auf jedes geringfügige Zucken im faltigen Gesicht der Alten, das ihm angezeigt hätte, daß diese Weiber ihn nur hinzuhalten gedachten, um unterdessen die Mnankrei zu benachrichtigen. »Ich bin die se-Tufi die der Seele Glöckchen läutet. Teile mir den Zweck deines Besuchs mit.« Dieser Liethe war eine gewisse ironische Ruhe zu eigen, die genausogut Hinterlist wie Vertrauenswürdigkeit bedeuten konnte.

»Seelenglöckchen der Überragenden Herrlichkeit, wir haben in Kaiel-Hontokae einmal über die Ferne hinweg mit dir Verbindung aufgenommen, um von dir Aufschluß über den Verbleib jener Kaiel zu erhalten, die auf dem Meer von den Mnankrei entführt worden sind. Wir haben die Auskunft bekommen, daß sie im Tempel der Wilden See schmachten.«

»Aha, und nun seid ihr hier, um sie zu befreien. Eine schwierige Aufgabe.«

Joesai verfolgte keineswegs diese Absicht. Seine Andeutungen bezüglich eines Befreiungsversuchs dienten ihm lediglich als Vorwand, um sich einen Eindruck von den Plänen der Liethe zu verschaffen. Er bemerkte, daß man ihm keinen Beistand anbot. »Mir ist vollständig klar, daß ihr Verbündete der Mnankrei seid und euch deshalb in einer heiklen Lage befindet. Sollten die Mnankrei das Spiel gewinnen und zu der Ansicht gelangen, daß die Liethe uns geholfen haben, müßten sich daraus für eure Gegenwart in dieser Stadt üble Folgen ergeben.«

Die Alte lächelte. »Du sagst mir mit deiner kaielischen Zunge, daß wir, falls die *Kaiel* das Spiel gewinnen und wir ihnen nicht dabei geholfen haben, ebenso mit nachteiligen Folgen rechnen müssen.«

Joesai widersprach ihrer Äußerung mit nachgerade feierlicher Förmlichkeit. »Zu sehr seid ihr die Verhaltensweisen der Mnankrei gewohnt. Vergleiche uns nicht mit ihnen. Wir sind in jeder Beziehung weitaus großmütiger. Ich spreche hier keinerlei Drohungen aus. Ich kann unmöglich von dir fordern, daß ihr nun das gute Einvernehmen, das ihr seit alten Zeiten, als die Kaiel kaum mehr als Würmer waren, hier in Soebo mit den Mnankrei habt, zerstören sollt. Ich verspreche lediglich, daß jegliche Hilfe, die uns die Liethe womöglich erweisen könnten, jemals durch irgendein Wort unsererseits enthüllt würde.«

»Beim Eid auf den Tod?«

Joesai zückte den Dolch und fügte sich am Finger eine kleine Wunde zu. »Mein ganzer Clan ist durch den Eid auf den Tod gebunden.« Das war der gewichtigste Schwur, den auf Geta jemand ablegen konnte. Kein Getaner würde leichtfertig die Gene seines gesamten Clans aufs Spiel setzen. Durch ehrbare Worte getarnte Tücke fand vor den strengen Maßstäben der Kalothi keinerlei Gnade. Er träufelte sein Blut auf die Zunge der Alt-Liethe.

»Dann will ich dir ein Mädchen vorstellen. Du brauchst kein Entgelt zu entrichten, weil es um eine Angelegenheit zwischen Priestern geht. Du wirst an unserer Schwester Gefallen finden. Der Name der Kleinen lautet Tröstli, und sie ist die Geliebte des Hochwogen-Meisters Ogar tu'Ama, des Führers aller Gegner des Bundes vom Geschwinden Wind.« Die Alte klatschte in die Hände, und eine kindliche Liethe trat ein, lauschte den Weisungen ihrer Vorgesetzten und huschte hinaus.

Ho, schon recht anmutig, dachte Joesai, der sich Hoemeis Liebchen namens Honieg entsann, wie sie durch den Palast geschwebt war wie eine Hoiela mit den Schwingen auf dem Wind.

»Bitte erlaube mir, deine Auffassung zu berichtigen«, sagte die Alte, die noch immer in der Seele eines Mannes die Glöckchen zum Klingen zu bringen vermochte. »Wir sind keine Verbündete der Mnankrei. Wir fühlen uns allen Priestern verbunden, die von Gott abstammen. Wir dienen jenen, die Geta dienen.« Sie lächelte und berührte das winzige Amulett, das er um den Hals trug. »Du hast das Herz einer Liethe gewonnen. Wer war sie?«

»Eine Tänzerin in der Gefolgschaft des Erzpropheten.«

»Sie hat's dir gegeben, als sie dein Leben in Gefahr sah.«

»Mein Leben hat immer im Schatten des Todes gestanden.«

»Du bist ohne Zweifel nicht allein gekommen. Gewiß halten sich draußen deine Freunde verborgen und beobachten unser Heim.«

»Sobald zwei liebliche Weiblein, deren eines einen Hut aus Hoiela-Schwingen trägt, Hand in Hand das Heim verlassen, werden meine Leute wissen, daß ich in Sicherheit bin und auf ein zweites Zeichen von mir in zwanzig Sonnen-Höchstständen warten.«

»Ich werde das veranlassen. Du hast allerdings eine merkwürdige Vorstellung von unserer Huttracht.« Seelenglöckchen geleitete Joesai einen Korridor entlang, führte ihn mit einer Hand, die sehr wohl wußte, wie man den Arm eines Mannes umfangen hielt. Unterwegs begegneten sie einem kleinen Liethe-Kindchen, das sich, durch den Rückhalt eines im Ausbau begriffenen Schatzes an Schimpfwörtern ermutigt, über die Anwesenheit eines Mannes empörte und mit den Fäusten auf Joesais Knie eindrosch. Die Augen anderer Liethe musterten ihn verstohlen aus dem Verborgenen.

Die Heimmutter brachte ihn in eine unverkennbar nicht für Männer gedachte Räumlichkeit. Der Luxus, der darin herrschte, grenzte ans Übertriebene. Kissen und Polster aus Satin, beleuchtet von einem nahezu unheimlichen Gemisch aus Sonnenlicht und biolumineszentem Glanz, bedeckten reichlich den Boden, von dem man Ausblick auf den Garten hatte. Eine kugelförmige, aus Platin gefertigte Lampe erhellte eine Ecke, in der ein Büchergestell und ein Fackelhalter standen. In der anderen Ecke befand sich ein riesiger Kleiderschrank aus einem Flechtwerk gepreßten Hartschilfs, verziert mit prächtigen steinernen Einlegearbeiten. Die Wandbehänge aus feinster oz-Numae-Webart wiesen Darstellungen aus der märchenhaften Welt der sagenhaften Wälder Grimmigmonds auf.

Aus dem etwas tiefer gelegenen Garten kam Tröstli mit einem Gedeck o'caischen Porzellans. Aus dem Schnabel der Kanne strömte der Duft eines Kräutertees. Dazu gehörten rundliche Becher, welche die Hände wärmten, und es gab Gewürzkuchen. Tröstli stellte das Gedeck auf einen kleinen Tisch und sank vor Joesai auf die Knie.

»Wie darf ich dir zu Diensten sein?« erkundigte sie sich zu seinen Füßen.

Statt sie aufzufordern, sich zu erheben, ließ Joesai sich neben ihr auf ein Polster nieder. Die Heimmutter ging hinaus. *Verdammte törichte Liethe,* dachte Joesai, während er für sie beide Tee einschenkte, *immer glauben sie, ein Mann könne nichts selber machen.* Sie ließ es geschehen, daß er ihr Tee reichte, nahm das Unerwartete dankbar hin. Sie besaß das Gesicht und die zierliche Gestalt einer se-Tufi, wie Honieg eine gewesen war, und das verunsicherte Joesai in gewissem Maße. Diese se-Tufi trug ein rosa Kleidchen aus Knüpfgewebe, das unterhalb ihrer nackten Brüste locker verknotet war, und winzige rote Edelsteine in ihren Augenwinkeln. Ihrer Aufmachung nach war sie zum Zwecke der Verführung hier, nicht nur zum Plaudern. Besagte dies, daß die Liethe ihn fürchteten?

»Guter Tee«, sagte er mürrisch.

Demut brach einen Brocken Gewürzkuchen ab und hielt ihm diesen unter die Nase. »Du siehst wie jemand aus, den ich mal kannte«, fügte Joesai hinzu.

Ihre blauen Augen, fast nichts als schwarze Pupillen und rote Juwelchen, schillerten ihn an. »Hast du meine Schwester geliebt?«

»Eine Zeitlang.«

»Die Stadt ist voller Furcht«, sagte sie, indem sie wieder ihr anfängliches ernstes Gebaren annahm.

»Wovor?«

»Vor euch.«

»Die Untersuchungsvorhut hat bisher noch gar nichts unternommen.«

»Das ist's ja, was einen so furchterregenden Eindruck erweckt.«

»Dann mußt du, meine Kleine, der tapferste aller Feiglinge in Soebo sein.« Einiges von Noes Art, die Leute aufzuziehen, hatte mittlerweile auf Joesai abgefärbt.

»Längst nicht so tapfer wie du, denn meine Tapferkeit endet kurz vor der Tollkühnheit.«

»Wie wäre es uns möglich, diese Furcht zu lindern?«

»Indem ihr abzieht.«

Joesai lachte das Große Lachen. »Ich würde lieber die Allee der Tempel entlangschlendern, während Kinder mich mit Blumen überhäufen und mir auf die Schultern klettern.«

»So etwas sollte geschehen, wenn jemand mit deinem Gesicht in die Stadt kommt?«

»Ich werde mich halt damit zufriedengeben müssen, den Tempel der Wilden See zu verwüsten.«

Die Liethe seufzte. »Du willst deine Leute aus dem Tempel befreien. Das ist so gut wie undurchführbar.«

»Ho! Man beachte *so gut wie*. Es schmeckt mir köstlich auf der Zunge. Ich brauche einen Lageplan, der den Tempel und die benachbarten Gebäude enthält.«

»Du wirst mehr als das brauchen«, entgegnete sie im Ton einer Schelte.

»Wie ich gehört habe, bewachen die Mnankrei diese Stätte der Greuel und des Frevels gut.« Mit dieser Äußerung bereitete er sorgsam seiner Überraschungsfrage den Weg. Noe hatte ihm mitgeteilt, daß im Tempel der Wilden See greuliche Forschungen hinsichtlich verschiedener Möglichkeiten stattfänden, Tod zu säen, und daß die Liethe davon wüßten. Wie las man die Regungen eines untätowierten Gesichts? Die Miene der Liethe war so unschuldig wie die eines Kindes. Er trank seinen Tee aus und begann. »Was weißt du über Kleinstlebewesen, die den Körper aufsuchen und die Seele töten?«

»Du sprichst von gemeinen Krankheiten, wie sie unter den Insekten vorkommen?«

»Ich meine eine heilige Krankheit«, betonte Joesai.

»Es sind diesbezügliche Gerüchte umgelaufen.«

Er gewährte ihr keine Zeit zum Nachdenken. »Gerüchte?«

Sie schwieg nichtsdestotrotz einen Augenblick lang. »Ich weiß eigentlich nichts. Am besten gehe ich und frage jene, die etwas wissen könnten.«

»Bleib. Ich bin nicht sicher, ob ich einer anderen Liethe als dir vertrauen kann.« Er spürte, daß sich aus ihr nichts herausholen ließ.

»Wenn du's nicht wünschst, werde ich nicht fragen, aber ich selbst weiß nicht Bescheid. Du hegst den Verdacht, so abscheuliche Dinge könnten ihren Ursprung in Soebo haben?«

»Ja.«

»Ihr denkt sehr schlecht von den Mnankrei.«

»Wir sind hier, um gerecht über sie zu befinden. Zunächst gedenke ich den Tempel der Wilden See anzugreifen.«

»Das muß ungesehen getan werden, so wie die Keilgräber im Dunkeln Holz fressen. Ich brauche Zeit, um zu überlegen und Vorbereitungen zu treffen. Morgen werde ich dir einen tauglichen Plan zur Begutachtung vorlegen können. Ich bin zum Planen begabt. Hast du zwei Männer, die unter gefährlichen Umständen schnell und richtig zu handeln verstehen?«

»Selbstverständlich.«

»Ich kann nicht mitkommen. Du könntest scheitern und den Tod finden.«

»Pflegen deine Pläne zu gelingen?«

»Immer. Wenn eine Frau sie ausführt.«

Ihm gefiel die Art, wie sie ihn anlachte. »Woher rührt deine Hilfsbereitschaft? Wem nutzt es, wenn du uns Kaiel unterstützt?«

»Ich bin die Geliebte von Ogar tu'Ama, der die üblen Umtriebe des Bundes vom Geschwinden Wind schon seit langem bekämpft. Der Bund muß auf den Klippen zerschellen. Doch fehlt Ama, wie ehrbar und aufrecht er auch ist, die Begabung zum Führer. Es mag dahin kommen, daß er unterliegt, wenn *er* keine Unterstützung erhält.«

»Ich bin für deinen Liebhaber ein gefährlicher Bundesgenosse.«

Die Liethe stellte ihren o'caischen Teebecher in einem Gemisch von Zorn und Trauer auf dem kleinen Tisch ab. »Du begreifst nicht, wovon ich rede! Was kann tu'Ama denn schon tun? Nichts, und das ist uns wohlbekannt. Die Liethe stehen mitten zwischen zwei Kräften, die sie zu zermalmen drohen – den Kaiel und dem Geschwinden Wind. Man wirft mich dir als Geschenk vor die Füße, damit in dem Fall, daß die Kaiel das Spiel gewinnen, die Liethe da ist, die deinen Rachdurst mäßigt. Es war eine Überraschung, daß du zu uns gekommen bist. Es waren bereits umfangreiche Vorbereitungen im Gang, um mich zu dir in euer Lager zu schicken.«

»Sehr unwahrscheinlich, daß dir gestattet worden wäre, es zu betreten.«

»Und jetzt, da ich dir zu helfen bereit bin?«

»Auch nicht.«

»Dann werde ich nicht mein Leben wagen, indem ich dir und deinen Freunden den Weg in den Tempel weise«, fuhr die Liethe auf und erhob sich augenblicklich.

»Ho! Also ist's ein Handel, was du hier vorschlägst?!« Joesai lachte. »Das gefällt mir schon eher. Ich werde darüber nachdenken. Laß mich Klarheit schaffen. Als Gegenleistung für deine Hilfe wirst du mir dienen und mich umschmeicheln dürfen.«

»Und dich lieben.«

»Wie könnte ich mich dem verweigern?«

51

Der Weise handelt, bevor Gott die Konstellation des Messers durchwandert. Denn weiß man, ob das Messer, wenn es herabsinkt, sich in die Erde oder zwischen eines Menschen Rippen bohrt?

Aus der *Sprüchesammlung des Zynikers*

Der Tempel der Wilden See lag wie ein Gefüge aus Gold auf der Höhe einer uralten vulkanischen Horstbildung, die dem unaufhörlichen Anbranden des Njarae-Meers widerstanden hatte. Das riesige Bauwerk war eine der ältesten Groß-Tempelanlagen auf Geta. Deshalb mangelte es ihm an Vornehmheit und Höhe. Die Mauern waren dick und nur grob behauen. Errichtet von den Sklaven und Sklavenkindern der einstigen Mnankrei-Sklavenhändler, schien die Hälfte der ehrfurchtgebietenden Schönheit dieses steinernen Wahrzeichens der Anbetung Gottes vom klotzigen Wirrwarr der vom Meer schlüpfrig-grünen Felsbrocken herzurühren, die gleichsam unterwürfig zu seinen Füßen kauerten.

Joesai brachte dieser angeblich so tüchtigen Liethe namens Tröstli, die einen interessanten Plan erarbeitet hatte, der unfehlbar sein sollte, kein uneingeschränktes Vertrauen entgegen. Entweder war er brauchbar oder eine Falle. Für die Möglichkeit, daß es sich um eine Falle handelte, legte er daher eine Taktik fest, die ein Ausweichen erlaubte. Niemand würde damit rechnen, daß er einen Rückzug über die Nordmauer versuchte. In der Nacht mit der Sachkundigkeit von Sprengmeistern versteckte Sprengladungen sollten gegebenenfalls auch eine Flucht mit frevelhaften Mitteln gestatten. Gewehrträger – durchaus kein Bestandteil von Tröstlis bescheidenerer Planung – bezogen an geeigneten Positionen Aufstellung, um einen solchen vom Notfall diktierten Rückzug zu decken.

Am frühen Morgen des folgenden Hochtages erstiegen durch den rosig verfärbten Nebel, der aus dem roten Schlund der gewaltigen Kugel von Getas Sonne übers Meer heranwehte, vier Betrüger, in die ockerfarben und purpurn gestreiften Gewänder mnankreischer Zeitenfester gekleidet, gemeinsam mit Tempelpriestern, die auf hölzernen Sohlen geräuschvoll an ihnen vorübereilten, die Treppe zum Tempel, die den Namen Gottes Stiege trug. Frechweg hielt Joesai einen jungen Burschen an, der Säfte in den Tempel beförderte, und erwarb von ihm eine Kürbisflasche Most, so daß hinter ihm ein Händler, beladen mit einem Riesenbehälter voller ebenfalls für den Tempel bestimmtem Honig, sowie ein ungeduldiger Sänger mit vollem Kopfschmuck und bemaltem Gesicht warten mußten.

Die bronzenen Torflügel bildeten einen Sturm auf dem Meer ab, der Wasser an Gottes Himmel emporschleuderte. Alle getanischen Mythen widerspiegelten den Kampf der Kalothi wider die Kräfte des Gleichmachens. Jenseits des Tors ließ sich Joesai ein Weilchen Zeit, um sich die ergreifend schlichte innere Pracht eines weiten Raums einzuprägen, den es schon länger gab als die Kaiel. Sein scheinbar beiläufiges Interesse verschaffte ihm einen Überblick, ergänzte die Angaben, die er am vorangegangenen Abend auf sich eilends gemerkten Lageplänen gefunden hatte.

Ein Tempelbediensteter erwartete sie bereits. Die erforderlichen Papiere über ihre Befugnisse, allgegenwärtiger Bestandteil des mnankreischen Lebens, hatten sie ordnungsgemäß bei sich, vermutlich von einem erstklassigen Fälscher ausgestellt, der zu Siegeln des Geschwinden Windes Zugang besaß, und man geleitete sie in ein kleines Zimmer in einem Untergeschoß, das man eigens für sie aufschloß. Schließlich kamen – einer nach dem anderen – arglose Zeitenfesten-Jünger, die man so überwältigte, daß sie keinen Alarm schlagen konnten, und mit einem von Tröstli zur Verfügung gestellten Trank betäubte.

Dann tauschten Joesai und Eiemeni die Gewandung der Zeitenfesten gegen die dunkelbraunen Roben von Hohepriestern der Inquisition aus und begaben sich mit überheblichem Gehabe in die Tiefe der Tempelgewölbe; auch um ihnen dort überall Zutritt zu verschaffen, waren ihnen die geeigneten Papiere verfügbar gemacht worden. Einzeln ließen sie die kaielischen Gefangenen zur »gestrengen« Befragung vorführen; jeder von ihnen mußte in bewußtlosem Zustand auf einer Tragbahre in seine Zelle zurückgebracht werden. Zum Schluß verließen die »Jünger« den Tempel zusammen mit ihren »Meistern«, den Zeitenfesten. Der an vorgeschobenster Stelle in Bereitschaft befindliche Gewehrträger atmete in seinem Versteck auf, als er die Gruppe aus dem Tempel zum Vorschein kommen sah, und gab nach hinten ein Zeichen, das besagte, daß das Spiel noch nicht gewonnen war, aber immerhin einen guten Lauf nahm.

Erneutes Wechseln der Kleidung und zusätzliche Kunstgriffe der Verkleidungskunst erlaubten es, die Gruppe allmählich aufzulösen, und später sammelte sie sich unbemerkt in einem zu diesem Zweck verabredeten Lagerhaus an einem Kanal. Sobald sie sich im Innern des mit Balken abgestützten Baus befanden, wich die Spannung sowohl von den Befreiern wie auch von jenen, die längst erwartet hatten, ihren Beitrag zur Läuterung der Rasse als Suppenknochen leisten zu müssen. Die Kaiel fielen einander in die Arme. In stummem Triumph lachten sie einander an, versetzten Joesai Rippenstöße und hieben ihm in den Rücken. Sie verehrten ihn. Tränen benetzten ihre Augen. Sie küßten die Wände und schwangen an den Balken.

Unauffällig beschäftigte sich Tröstli damit, aus einem Faß Becher mit Met zu füllen. Mit flinken Händen bedeckte sie frische, ganz aus Weizen gebackene Semmeln so schnell mit Aufstrich, wie man sie verzehrte, und unterdessen wich ihr Blick kaum einmal von Joesai. Sie trug feste Reisekleidung und hatte ihre Schlafmatte sowie andere Habseligkeiten bereits zu einem Bündel verschnürt, das griffbereit lag.

Aus reinem Sinn für Humor noch mit der Mnankrei-Bekleidung angetan, begann Joesai seine Leute in seine weiteren Absichten einzuweihen, machte sich ihre gegenwärtige Hochstimmung und Neigung zu vollkommener Treue zunutze. In seinem Kopf war der Plan, wie er gegen Soebo vorzugehen gedachte, nunmehr restlos klar. Leidenschaftlich erklärte er die Strategie, auf der sein Plan beruhte, setzte während seiner Erläuterungen die einzelnen Maßnahmen auseinander und wies den Beteiligten ihre Aufgaben zu.

»Was trägt in Soebo den Widerstand gegen uns? Es ist die Furcht vor kaielischen Greueltaten!« Er nahm die Mimenhaltung des Lauernden Todes ein, dann sprach er weiter. »Aufgrund alter Erinnerungen an das Schicksal der Arant.« Er gestikulierte mit den Armen, und seinen Händen entsprangen Dämonen. »Der Erinnerung an das Schicksal der Clans, die den Arant gedient haben.« Seine Handkante kreuzte, um eine Tötung anzudeuten, das Gelenk der anderen Hand, ehe er seine Ansprache vor den aufmerksamen Zuhörern fortsetzte.

»Die strategische Hauptsache beim Vorgehen unserer Vorhut besteht darin, bei den Unteren Clans Vertrauen zu erwerben. Wir können nicht einfach versuchen, sie davon zu überzeugen, die Mnankrei seien die räuberischen Fei-Blumen des Meeres und wir Kaiel die Bienen, die ihren Honig durch eine verläßliche Politik des Verhandelns sammeln. Würden sie etwa Fremden Glauben schenken?«

»Nein!« brüllte man auf seine weniger ernst gemeinte Frage eine einmütige Antwort.

Einige Augenblicke lang lief Joesai im Lagerhaus hin und her, mimte die Fremdartigkeit des Fremden – seine leichte Unsicherheit, den Blick, der zunächst von dem Kenntnis nahm, das zu allgemeingültig war, um irgendwie aufschlußreich zu sein, die unruhige Gangart. »Nichts von dem, womit ein Mensch tagtäglich zu tun hat, empfindet er als Bedrohung. Es ist das *Fremde,* was ihm bedrohlich vorkommt. Wir werden nicht dazu imstande sein, diese Menschen ohne Umstände davon zu überzeugen, daß mit dem Anbruch einer kaielischen Herrschaft nicht über Nacht andere Gesetze Geltung erlangen, keine Wirrnis eintritt, nicht rückwirkend Beiträge zur Veredelung des Menschengeschlechts nach der Maßgabe gerade erst erlassener Gesetze gefordert werden. Man wird annehmen, daß wir lügen, um uns ihre Gunst zu erschwindeln und ihnen anschließend das Fell über die Ohren zu ziehen. Alle Logik führt zu einer Schlußfolgerung – ohne Vertrauen kann keinerlei gutes Zureden wirken. Vertrauen ist das Schlüsselwort unserer Strategie. Was aber ist Vertrauen denn überhaupt? Vertrauen ist das gefühlsmäßige Ergebnis von eingegangenen und eingehaltenen Verträgen. Uns bleibt nicht die Zeit, um hier ausgefeilte Verträge abzuschließen, deren Ausarbeitung und Zustandekommen Wochen oder gar länger braucht, bis sie unterschrieben werden können. Aber *eines können* wir tun. Menschen verstehen die Natur des Handelns sofort und bringen schon dem *Verfahren des Verhandelns,* wo immer es sich ergibt, Vertrauen entgegen, angefangen bei kleinen Kindern bis hin zu alten Erzfeinden. Ihr alle, die ihr hier versammelt seid, kennt euch im Verhandeln aus. Das ist die kaielische Tradition. Auf sie wollen wir bauen, sie werden wir zu unserem Nutzen anwenden. Es bestehen bereits Verbindungen zu auserwählten Sprechern hiesiger Unterer Clans. Nehmt unverzüglich mit ihnen Verhandlungen auf. Ermittelt die Bedürfnisse der Clans, für die ihr die Zuständigkeit übernehmt, in allen Einzelheiten, indem ihr euch des ersten Schritts in Taes Ritual der Verhandlung bedient und fragt: ›Welches erwünschte Ereignis ist ausgeblieben? Was ist geschehen, das nicht hätte geschehen sollen?‹ Schon das bloße Aufzeigen der Kluft zwischen den Idealen und der Wirklichkeit wird das entscheidende anfängliche Vertrauen schaffen. Ihr werdet die dringlichsten Bedürfnisse der Menschen kennenlernen. Stellt fest, inwiefern es in der Macht von uns Kaiel liegt, diese Bedürfnisse zu befriedigen, und unterbreitet ein Angebot. Geht dabei mit aller Förmlichkeit vor. Das erste Angebot darf keine Unwahrheiten und keine Hirngespinste enthalten, keine Versprechungen, von denen euch klar ist, daß die Kaiel sie nicht einzulösen vermögen. Schreibt euch ihr erstes Angebot auf. Dann verhandelt.«

Er lächelte. »Ich möchte, daß die wichtigsten Clans Soebos binnen sechs Sonnenaufgängen mit höchster Bewunderung für die kaielischen

Fähigkeiten im Spiel des Verhandelns erfüllt sind. Sie müssen aufs äußerste beeindruckt sein. Die Mnankrei bringen Verträge nie durch Verhandlungen zustande. Erreicht so viel wie möglich, bevor ihr wiederkehrt. Hört nicht auf zu reden! Sammelt eine Anhängerschaft um euch!«

Zum erstenmal nahm Joesai den sonderbaren Ausdruck »Wille des Volkes« in seine Empfehlungen auf. Er hatte ihn sich aus dem *Feuerofen des Krieges* angeeignet, weil er meinte, er fasse das kaielische Gefühl der Verpflichtung gegenüber den Unteren Clans treffend in einem Wort zusammen. Denn war es nicht die Aufgabe eines ketzerischen Herrscher-Clans, die tausend einander widersprechenden Wünsche der Bevölkerung zu ergründen und daraus kunstvoll einen gemeinsamen Willen zu schmieden?

Der Zusammenhang, in dem die Himmelsbewohner den Ausdruck zu benutzen pflegten, hatte Joesai belustigt. Aber schließlich konnten sie nie irgend etwas kurz und klar in Worte kleiden. Die Amerikaner schrieben »Wille des Volkes« in ihre Verfassung, als hätte der Schwarzen-Clan selber die Sklaverei erfunden, um die Durchsetzung des gemeinschaftlichen Willens zu fördern.

Noch bemerkenswerter war der Gebrauch des Ausdrucks durch den russischen Zaren Lenin der Schreckliche gewesen. Gewisse Abschnitte des *Feuerofen des Krieges*, die zu lesen Teenae ihn angeregt hatte, waren für Joesai sehr interessant und aufschlußreich gewesen. Unmittelbar nach seiner Krönung hatte Lenin, mißmutig infolge der früheren Verluste an Eigentum an den immer mächtigeren Kapitalisten-Clan und erbittert aufgrund sozialistischer Aufrufe zur Landverteilung, durch die die zuvorigen Staats-Sklaven in den Besitz des Landes gelangen sollten, auf das sie seit vielen Generationen hofften, mit der Ausrottung der Kapitalisten durch weithin ausgeübte Schreckensherrschaft begonnen und gleichzeitig, indem er innerhalb des Sozialisten-Clans zersetzerisches Treiben anzettelte, die planmäßige Beseitigung auch des letzten Sozialisten im gesamten Reich in die Wege geleitet, um alles Eigentum wieder dem Zaren zuschanzen zu können. Während der Wiederaneignung des Grundbesitzes rechtfertigte er die massenweise Hinrichtung von Bauern als Wille des Volkes, denn es waren die Bauern gewesen, die Lenin zum Zaren gemacht hatten, und deshalb war es keinesfalls ihr Wille, als er befahl, sie umzubringen, statt ihnen das Land zuzuweisen, das der Verlauf der Geschichte ihnen zugesprochen hatte.

Joesai verwendete eine andere Ausdrucksweise. »Laßt die Verhandlungen aus dem Willen der Clans den Willen des Volkes schmieden.

Wenn ich anschließend nach Soebo zurückkehre, wird es dann nicht eine gänzlich neue Stadt sein?«

Das Liethe-Weib folgte ihm zum alten Soebo hinaus. Es glich einem bräunlichen Schatten, ununterscheidbar von irgendeinem beliebigen Wanderer. Eine Zeitlang marschierten sie zügig eine Landstraße entlang, hielten sich in zu weit westlicher Richtung, als daß jemand, der sie sah, sie irgendwie mit der Versammlung in Verbindung gebracht hätte. Tröstlis Kraft beeindruckte Joesai. Sie war so klein, sogar winzig, doch sobald er aus Rücksichtnahme seinen Schritt verlangsamte, dauerte es nicht lange, und sie hatte ihn überholt, warnte ihn vor Ästen, ertastete mit ihren Füßen den Weg.

Aber dann ermattete sie als erste. In freundlicher Stimmung übernahm er ihren Rucksack, und schließlich hielt sie sich an ihm. Dennoch äußerte sie keinen Laut der Klage. Er war sich nicht recht darüber im klaren, ob sie wirklich Müdigkeit verspürte oder einfach nur einen Abend mit ihm allein zubringen wollte. Er selbst wäre die ganze Nacht lang marschiert; doch es war ihm nicht unangenehm, daß sie ihm einen Vorwand bot, um einen Lagerplatz zu suchen.

»Grimmigmond wird nur für uns scheinen«, sagte Tröstli, während sie ein kleines Feuer entfachte. Sie hatte von einem nahen Bach Wasser geholt und machte sich nun an die Zubereitung einer Brühe.

Er ließ sie gewähren – weshalb hätte er ihr Bedürfnis, einem Mann zu dienen, unterdrücken sollen? –, doch um sich zu betätigen, entrollte er ihre Matten. Tröstlis hauptsächliche Habseligkeiten flößten ihm geheime Belustigung ein: Lidschatten; ein Kamm; ein Fläschchen aus blauem Glas, das wahrscheinlich ein Duftwässerchen enthielt; Olinar-Blätter, ein wirksames Empfängnisverhütungsmittel. »Dein Clan kennt die Mnankrei wie kaum sonst jemand. Für mich sind sie lauter Niemands, abgesehen von einem Priester, der einmal meine kleinste Gattin an einer Rah aufgehängt hat. Einige Zeit lang habe ich ihm gezürnt.«

»Hat sie's überlebt?«

»Ja, aber *er* wird's nicht überleben. Sie verzeiht nie. Bis auf den heutigen Tag hält sie sogar mir Dinge vor, die meiner Erinnerung längst entfallen sind.«

»Vermißt du sie?«

»Ja. Sie ist so klein wie du.«

»Heute nacht wirst du mich beim Halbmond haben können. Dann kannst du sie für ein Weilchen vergessen. Was bekomme ich als Gegenleistung?«

»Ho! Ich sehe, ich rede zuviel übers Verhandeln.« Er versuchte, in der Dunkelheit zu erkennen, was ihr Lächeln besagte. »Ich werde deinen Rucksack tragen«, sagte er, um ihr Anerbieten herunterzuspielen.

»Ich möchte deine Nase als Anhängerchen«, sagte sie, um klarzustellen, daß sie keinen Preis hatte.

Müßige Finger ergriffen einen rostroten, mit kupfergrünen Flecken bedeckten Stein. »Wie wär's statt dessen mit einem Juwel?«

Sie reichte ihm eine Schüssel mit Brühe und küßte seine Nase. »Und wie wär's mit dem Palast der Morgenröte in Soebo? Des Morgens unter seinem Kuppeldach zu stehen, kann einem Mädchen das Herz brechen.«

»Und einem Mann die Börse leeren.«

»Wenn du mir den Palast der Morgenröte versprichst, massiere ich dir den Rücken.«

»Laß mich deine Fähigkeiten spüren, damit ich entscheiden kann, ob du die Ausgabe wert bist.«

»Erst nimm mich in die Arme. Du mußt ganz zärtlich sein, oder wir lassen dich mit deiner albernen Vorhut nicht in die Stadt.«

Verlangen hatte ihn gepackt. Er zupfte an ihren Schärpen, entdeckte Knöpfe, hob Tröstli auf seine Arme, um sie ihrer Kleider zu entledigen. Dann bettete er sie auf ihre Matte und legte ihren Kopf in seinen Schoß, dann steckte er den Stein launig in ihr Auge Gottes, wie die Getaner den Nabel nannten. Für ein Weilchen war er damit zufrieden, sie nur zu betrachten. »Ich bin geruhsamer geworden«, sagte er. »Mir kommt nichts mehr so eilig vor.«

»So ist's auch besser.«

»Bist du müde?« erkundigte er sich.

»Ich schlafe wohler, wenn ich auf einem Mann gesessen habe, der mich liebt. Du bist sehr nett zu mir gewesen. Wenn wir im Lager sind, werde ich für euch alle tanzen.«

Er schüttelte den Kopf und zog sie an sich, so daß sie einander in aufrechter Sitzhaltung umarmten. »Getanze kommt nicht in Frage. Sobald wir dort sind, wird das Lager abgebrochen, und wir marschieren nach Soebo, was das Zeug hält, ohne Rücksicht auf Blasen an den Füßen.«

»Man hat *immer* Zeit zum Feiern«, erwiderte Tröstli patzig. »Wenn man ausgiebig gelacht und getanzt hat, empfindet man die Welt als weniger grausam.«

Joesai bewahrte eine gewisse Zurückhaltung, entsann sich Noes geduldig erteilter Belehrungen darüber, wie man die Lust einer Frau steigern konnte. Er wollte besser sein als jeder mnankreische Liebhaber, den diese Liethe je gehabt hatte. Er lauschte auf ihren Atem.

»Ist das wie Ehe?« fragte sie nach. »In der Wildnis einen Stein in Gottes Auge haben, während man in den Armen einen Mann hält, den man nie wieder verlassen möchte?«

»Du mußt verrückt sein! Ehe besteht mehr daraus, daß deine Gattin dir Münzen klaut, um längst überfällige Schulden zu bezahlen, während sie deinen Mitgatten an sich drückt.«

Er fühlte ihren Atem auf seiner Wange, einen heiligen menschlichen Duft, der sich von jedem anderen Geruch auf dieser Welt einer roten Sonne unterschied. Allmählich gelangte sie in den Rhythmus der Lust, schloß langsam eine Faust um den Liethe-Talisman, der um seinen Hals baumelte.

Es fand *doch* eine Feier statt, als sie mit der Neuigkeit, wie nunmehr gegen Soebo vorgegangen werden sollte, im Lager eintrafen. Die jungen Kaiel waren ruhelos. Untätigkeit waren sie nicht gewöhnt, nur Prüfungen, Gewinnen, schlaues Überlisten des Todes, und infolgedessen ergab sich die Feier ganz von selbst. Joesais seltsame Liethe brachte den Kaiel-Mädchen einen leichten, unschwer erlernbaren Tanz bei, den ihre biegsamen Leiber rasch tadellos beherrschten, während die Jünglinge Gesang und Musik sowie begeistertes Händeklatschen beitrugen.

Diese Jugendlichen waren noch nicht lange genug den Kinderhorten entkommen, als daß Joesai in ihnen bereits erwachsene Männer und Frauen erblickt hätte. Er beobachtete die Lustbarkeit mit Rührung. Mochten diese tüchtigen jungen Menschen auf See auch wenig taugen, auf dem Land waren sie tödliche Gegner. Er war stolz auf sie. Sie nannten sich Richter. In einem anderen Zeitalter, zwischen den Sternen, hätten sie sich Krieger genannt. Zu guter Letzt klatschte Joesai selber zum Auf- und Niederschallen ihres Gesangs.

Tröstli beharrte darauf, daß man das Festessen nach ihrem Rezept zubereitete. Ringsherum brach man das Lager schon ab, so daß man in Schichten aß, aber wer zum Essen kam, ließ sich dabei, weil das Essen eine der Unverzichtbarkeiten des Lebens war, nicht stören. Tröstli eilte zwischen den Karren hin und her, bediente die Kaiel, sorgte dafür, daß jeder anständig speiste und keine Reste übrigblieben. Sie traf Joesai in dem alten Bauernhaus an, wo er geschäftig dabei war, den Aufbruch zu leiten und zu überwachen; sie mußte sich neben ihn setzen und buchstäblich füttern, sonst hätte er sich nicht der Mühe unterzogen, nur einen Bissen zu sich zu nehmen.

Erheblich später, als die Truppe sich das letzte Mal vor dem Abmarsch zum Schlaf gelagert hatte, die Wachen aufgestellt waren, suchte Tröstli erneut das Bauernhaus auf, um Joesai die Ruhe auf seiner Matte zu versüßen. Als er sich erschöpft die Leiter hinabbemühte, nun ganz aufs Schlafen eingestellt, massierte sie ihn erst einmal, behob die Verspannungen, die vom krummen Sitzen – bei Fackelschein – über seinen Papieren herrührten, bearbeitete mit sachkundigen Händen seine Muskeln, lockerte sie.

»Wie ist das überhaupt, verheiratet zu sein?« fragte sie ihn, indem sie sich wieder ihrem bevorzugten Gesprächsstoff zuwandte.

»Aufreibend.«

»Das sagt mir gar nichts. Das ganze Leben ist aufreibend.«

»Am besten versuchst du's mal mit ein paar Ehegatten und findest selber raus, wie's ist.«

»Nein«, entgegnete sie. »Ich habe Gelübde abgelegt. Wer ist dir die liebste Gemahlin?«

»Jene, die gerade mit mir auf dem Polster liegt.«

»Genüge ich dir als Aushilfe?«

»Ich sehe keinen Grund zur Klage. Du kümmerst dich eifriger um mich, als Teenae und Noe es je getan haben.«

»Danke.«

»Du übst einen gewissen Zauber aus.«

»Warum bleibst du verheiratet? Weshalb gehst du nicht einfach von Frau zu Frau? So wäre das Leben doch viel interessanter.«

»Wieso sollten Anfänge interessanter sein als die Mitte oder das Ende? Ich *kenne* meine Gattinnen und Mitgatten. Wir sind die Art von Gemeinschaft, deren Aufbau ein ganzes Leben in Anspruch nimmt. Ohne sie *gäbe* es keine anderen Frauen. Ohne sie wäre ich tot. Ein Anfang sagt einem sehr wenig. Als ich Noe zum erstenmal begegnet bin, mochte ich sie nicht mal leiden. Ich fand, daß sie insgesamt zu oberflächlich für uns sei. Ich wollte ein ernstzunehmendes Mädchen aus den Kinderhorten, keine weichliche Kaiel aus einer der anderen Familien. Es ist also nicht immer der Anfang, an dem man seine Freude hat. Ich hatte Noe nie richtig gern, bis wir mit gemeinsamem Segelfliegen begonnen haben.«

»Und Teenae?«

»Wie könnte man einem Kind widerstehen, das schon den Boden anbetet, auf dem man geht? Ich bin roh und grob mit ihr umgesprungen, ich habe mich mit ihr auf dem Polster geflegelt, ohne viel daran zu denken, ob's ihr auch Spaß macht. Es hat lange gedauert, bis ich von ihrer Leidenschaft und Hochgeistigkeit gezähmt worden bin. Dann habe ich in ihr Kraft finden können. Sie hat mich mehr Duldsamkeit gelehrt und unnachgiebig den Widersprüchlichkeiten entgegengewirkt, zu denen ich früher geneigt habe. All diese Dinge brauchen Zeit. Sie finden nicht am Anfang statt.«

Tröstli seufzte, in den Augen einen Ausdruck von Geistesabwesenheit. »Ich fühle mich neben dir so einsam. Vermutlich liegt's daran, daß ich dich noch nicht lange genug kenne. Ich bin noch nicht in der Mitte angelangt.«

Er zog sie an sich, erfreute sich an der Wärme ihres zierlichen Körpers, weit weniger einsam als er sich während des gesamten bisherigen Aufenthalts auf Mnank gefühlt hatte. Er streichelte sie. Ihm wollte nichts einfallen, worüber sich reden ließ. »Eigentlich sollte ein Mann mit einer Liethe nicht über seine Gattinnen sprechen.«

»Unfug«, entgegnete sie. »Ich muß alles wissen.«

Joesai fragte sich, warum ihre Unterhaltung am Vorabend eines großen Ereignisses in so unbedeutenden Bahnen verlief – sich mit Geschwätz befaßte, vergangenen Vorkommnissen, die Form von Brüsten und damit, wieviel Whisky ein Mann vertragen konnte, ehe er umkippte, mit Liebe und Einsamkeit. Schließlich verfiel Tröstli in Schweigen; anscheinend fehlten ihr nun zu guter Letzt die Worte.

»He, du«, sagte er zu ihr.

»Ich möchte, daß du mich nie mehr vergißt.« Und dann nahm sie ihn, wild und voll ungestümer Leidenschaft.

Als Fieber ihn weckte, war es noch dunkel. Er wollte sich regen und konnte es nicht. Er vermochte kaum die Augen aufzuschlagen. Tröstli musterte ihn aus fahler Miene. Sie war vollständig angezogen, trug ihre braune Reisekleidung.

»Du bist krank«, sagte sie.

Er versuchte, die Zunge zu bewegen, doch ihm war zumute, als wäre sein Mund voller Teig.

»Die Lähmung ist kein Bestandteil der Krankheit. Ich habe dir Saft vom Ei-Kaktus eingegeben, damit du mich nicht umbringen kannst, weil ich all deinen Richtern die Krankheit gebracht habe.«

Er unternahm einen Versuch, sich dank bloßer Willenskraft auf sie zu stürzen, doch es gelang ihm lediglich, auf einen eigenen Arm zu sacken. Wilde, dumpfe Knurrlaute drangen aus seinem Mund.

Tröstli wälzte ihn in eine bequemere Lage. »Das alles tut mir selbst leid. Ich wollte es nicht tun. Es war unklug von dir, mir zu trauen. Die Flucht deiner Freunde habe ich mit Nie t'Fosal abgesprochen, damit du nicht an mir zweifelst.« Und dann war sie fort.

Joesai konnte noch denken. Seine Gedanken kamen und gingen voller ungewohnter Verzweiflung. *Ich habe den einen Fehler gemacht, der mir nie und nimmer hätte unterlaufen dürfen.* Er war so gut wie tot, die Untersuchungsvorhut war so gut wie tot; und Joesai maran-Kaiel würde von der Nachwelt bestenfalls als Schwachkopf in Erinnerung behalten werden. Aesoe hatte das Spiel gewonnen, wie immer. Joesai hatte ihm nur als Köder gedient, um die Mnankrei zu ihrem stärksten Gegenschlag und somit zur Entblößung ihrer wirksamsten Waffe zu verleiten, und nun war der Schlag geführt worden, so daß Bendaein jetzt wußte, womit er es zu tun, was er im Gegenzug zu unternehmen hatte. Bendaein der Vorsichtige. *Ich habe Schande über meine Familie gebracht.* Er war zum Weinen imstande, jedoch nicht dazu, sich die Tränen aus den Augen zu wischen.

Hoemei hatte sich darauf verlassen, daß er abwartete, doch er war ungeduldig geworden, war in die Stadt gegangen und hatte eine Pest als sein Liebchen ins Lager geholt. Noe hatte ihn ausdrücklich gewarnt. Teenae hätte die Liethe aus einem Abstand von hundert Mannslängen erschossen. Gaet würde um ihn trauern wie damals um Sanan – und sich dann daranmachen, einen anderen Mitgatten zu suchen. Das Fieber begann die Folgerichtigkeit seiner Gedanken zu beeinträchtigen. Katheins Kind, das sein Erbgut besaß, würde seiner Kalothi – welchen Wert sie noch haben mochte – eine neue, wiederum heikle Gelegenheit geben, sich durchzusetzen, doch Katheins Gesicht wich Joesais letztem Anblick Oelitas, irrsinnig durch ihren plötzlichen Glauben an Gott. Er hatte sie in den Tod getrieben, und nun erwiderten die Liethe diese Gefälligkeit.

Joesais schrecklichster Verlust bestand darin, daß man ihm keine Totenfeier widmen konnte. Niemand würde sich an seinem Fleisch laben. Sein Leichnam mußte als unrein gelten und verbrannt werden.

52

Weshalb sollte eine Regierung, die glaubt, daß sie richtig handelt, jemandem erlauben, sie zu kritisieren? Sie würde ja auch keiner Opposition die Verwendung tödlicher Waffen gestatten.
Wladimir Iljitsch Lenin, nach: *Der Feuerofen des Krieges*

Vom Meer peitschte Sturmwind landeinwärts, fegte die Gischt von den Kämmen der Wogen. Teenaes Späher kamen geduckt in die Hütte und meldeten die Ankunft der mnankreischen Schiffe. Wegen des Nebels hatten sie nicht früher bemerkt werden können. Teenae fluchte, hastete zum Beobachtungsstand und traf gerade noch so rechtzeitig ein, daß sie die drei Schiffe in die vergleichsweise ruhigen Gewässer der Bucht einlaufen sah. In den ersten Augenblicken ihrer Verwirrung schrie sie Befehle nach allen Seiten, doch gleich darauf gewann sie ihre Beherrschung zurück. Tonpa mußte das Löschen seiner Ladung aufschieben, bis der Sturm nachgelassen hatte. Ihr blieb noch reichlich Zeit. Die Überraschung würde ihr gelingen. Sie wartete ab.

Ein voller Tag verstrich, bis die beiden kleineren, zweimastigen Schiffe angelegt und man sich ans Anlandschaffen des Weizens sowie etlicher Fässer berühmten mnankreischen Whiskys gemacht hatte. Eine flache Barke schaffte unablässig von dem großen Dreimaster, Tonpas eigenem Schiff, Korn zur Küste. Boote von Neugierigen umschwärmten das Flaggschiff. Eines davon gehörte Teenae. Durch ein Späherauge beobachtete sie, wie die Stgal ihre vermeintlichen Retter willkommen hießen, die die Stgal zu Appetithäppchen verarbeiten würden, sobald sie ihnen nicht mehr nützlich sein konnten.

Teenae erteilte ihren Gewehrträgern Befehl, wie vorgesehen Aufstellung zu beziehen. Jeder von Tonpas Männern erhielt eine zweiköpfige Aufsicht zugewiesen – einen unverdächtigen Ketzer und einen kaielischen Gewehrträger. Unterdessen versteckte der arme Gaet sich wahrscheinlich irgendwo. Er mochte kein Gewehr anrühren und hielt ohnehin nichts von Gewalt. Teenae hatte drei tragbare Schallstrahl-Geräte in Gebrauch; außerdem stand ihr eine ganze Truppe von auf Dächern aufgestellten Nachrichtenleuten mit Flaggen zur Verfügung, aber sie ließ sie nicht damit, sondern so arbeiten, daß sie sich selbst in bestimmten Bekleidungen zeigten, die eine bestimmte verschlüsselte Bedeutung hatten.

Die erste wichtige Mitteilung, die sie bekam, gab ihr Bescheid, daß die Bombe am Rumpf des Flaggschiffs angebracht worden war; sie besaß zwei Zünder, nämlich ein Uhrwerk, das bereits eingestellt war und tickte, sowie einen durch Schall betätigbaren Auslöser. Die Mnankrei verstanden wirklich nichts vom Krieg.

Die zweite wichtige Mitteilung, die eintraf, gab ihr darüber Aufschluß, daß auch die Brandbomben für die beiden kleineren, am Hafengemäuer festgemachten Schiffe sich an ihrem Platz befanden. Vom Schicksal der spanischen Armada wußten die Mnankrei nichts.

Und die dritte bedeutsame Nachricht überbrachte ihr ein entsetzter Läufer: Sie besagte, daß Gaet mit den Mnankrei in Verhandlungen einzutreten versucht hatte und gewaltsam in den Tempel verschleppt worden war, in dem er nun als Gefangener der Seepriester und der Stgal festsaß.

Teenae verließ ihre Befehlsstelle, indem sie sich in immer heftigere Wut hineinsteigerte, und die vier Gewehrträger, die sie begleiteten, mußten ihre ärgsten Schimpfereien mitanhören. »Was für einen Gatten ich da habe! Ein Lächeln! Eine Zärtlichkeit! Ein bißchen Schmeichelei! Ein wenig Geschacher! Das ist alles, was es mit ihm auf sich hat! Er hält sich für fähig, mit buchstäblich jedem zu verhandeln! Seine Haut wird mir für einen Kleiderbeutel herhalten! Er frißt mit dem Hintern und pinkelt mit dem Maul! Gott! Gott in der Höhe!«

Im festen Griff ihrer Hand schwang sie ihr Gewehr, das schwarze Haar wehte und flatterte um den kahlen Mittelstreifen ihres Schädels, der wieder einmal hätte nachgeschoren werden müssen, und mit jedem zornigen Schritt, der sie dem Tempel näherbrachte, hüpften ihre Brüste in der leichten Bluse.

Sie sprach mit den Stgal, die verschlagen lächelten und ihr die Forderung vortrugen, die Kaiel sollten dorthin verschwinden, woher sie gekommen waren. Teenaes Gemüt glich einem winterlichen Unwetter. Sie mußte rasch eine Entscheidung herbeiführen, oder Gaet würde sterben. Dabei waren die Vorbereitungen noch nicht weit genug gediehen. Gaet war zu früh gefangengenommen worden. Die Schiffe waren noch nicht völlig entladen, und die Einwohner von Trauerweiler benötigten den Weizen. Sie tat so, als wolle sie nachdenken, den Vorschlag der Stgal abwägen. In der Tat jedoch suchte sie eine hochgelegene Stelle auf und gab das Zeichen.

Eine ganze Anzahl buntgekleideter Gestalten zeigte sich auf den Dächern Trauerweilers.

Entferntes *Wumm-bumm* brach die Stille. Schweigen herrschte, während die Mienen der Stgal sich veränderten. Da erhoben sich zwei große Feuersäulen gen Himmel. »Ich werde euch meine Antwort schriftlich erteilen«, sagte Teenae zu den Stgal. Sie hörte Schüsse knallen. Heute abend würde es Fleischmahlzeiten geben, aber ihr Sinnen und Trachten galt ausschließlich ihrem geliebten Gaet, der sie auf dem Kindermarkt gekauft hatte. Sie kämpfte, zum Sprechen außerstande, mit den Tränen. Die Worte der Verlautbarung, die sie zu Papier brachte, zeichneten sich irgendwie durch lenineske Herzlosigkeit aus.

›Eure Mitteilung ist zur Kenntnis genommen worden. Es ist erforderlich, daß Gaet maran-Kaiel unverzüglich freigelassen wird.‹ *Unverzüglich* war Lenins Lieblingswort. ›Alle Stgal, die sich unseren Anordnungen widersetzen, werden bei Sonnenuntergang ohne Gnade erschossen.‹ Sie stockte bei dem Wort ›erschossen‹ – die Stgal würden es nicht verstehen. Sie strich es durch und setzte statt dessen einen leninistischen Begriff ein, den sie bestimmt verstanden: ›aus dem Weg geräumt‹; dann schrieb sie weiter. ›Die vor Trauerweiler eingetroffene Mnankrei-Flotte ist nicht mehr. Die im Ort befindlichen Seepriester sind beseitigt worden. Den Stgal wird nahegelegt, sich dementsprechend zu verhalten.‹

Sie zog den Abzug ihres Gewehrs durch und schoß in die Luft; die Nerven des jungen Priesters, vor dessen Augen das geschah, waren der Zerrüttung nahe, und sie konnte ihn ohne weitere Umstände mit *ihren* Forderungen zu seinen Oberen schicken.

Stgalische Beobachter im Tempel sahen die Vernichtung der Mnankrei-Flotte, noch ehe die in den Tempel gekommenen Seepriester selbst etwas davon bemerkten. Man tuschelte. Etwas später lag Teenaes Botschaft vor, und ihre Sprache war so unumwunden, drohte so unausdenkliche Folgen an, daß die Stgal im Handumdrehen die Seite wechselten, ohne den Mnankrei etwas davon zu verraten, bis sie Ketten trugen, Gaet dagegen wieder ein freier Mann war.

»Du gehst nach deinen Gefühlen, du richtest dich überhaupt nicht nach der Logik«, schalt Teenae, sobald man sie zu Gaet geführt hatte. Sein Anblick, heil und gesund, die Haut noch am Leibe, bewirkte endlich, daß sie zu zittern aufhörte. »O Gaet!«

»Ich habe meine Entführer in meine Anhängerschaft aufgenommen«, sagte Gaet und lächelte.

»Du Maschine! Ich glaube fast, du hast dir nicht die geringsten Sorgen gemacht, während ich aus Furcht um dein Leben nahezu gestorben bin.«

»Du hast uns nun allerlei Schwierigkeiten verursacht.«

»Ich habe die ganze Ortschaft erobert!«

»Als es zu dieser rücksichtslosen Störung kam, war ich gerade dabei, mit dem Windmeister um ein Paar Stiefel für dich zu feilschen.«

»Du hast ihn erwischt?« vergewisserte sich Teenae, und in ihren Augen glomm Haß auf.

»Er sitzt im Turm.«

»Ich werde ihn mir vornehmen! Tonpa ist mein. Ich werde persönlich den Letzten Ritus für ihn vollziehen. Ich bin Priesterin. Als ihr mich geheiratet habt, bin ich zur Kaiel geworden.«

»Rache kennt keine Freude«, sagte Gaet traurig.

»O doch! Ich will die Stiefel haben! Niemand hat Stiefel mit einem so schönen Muster aus Sturmwogen.«

Später, am Abend desselben Tages, saß Kaiel-Priesterin Teenae, Symbol-Meisterin, auf einem mit Schnitzereien verzierten Lehnstuhl in einem der Prunkräume des Tempels, der noch gestern dem Hause Stgal gehört hatte. Ihr langes, schwarzes Haar war gewaschen und in Löckchen gelegt, der Mittelstreifen ihres Schädels frisch geschoren, das Gesicht, dessen furchige Tätowierungen ihre Wangenknochen betonten, erregt gerötet, ihr sinnlicher Mund befleißigte sich eines Lächelns. Sie trug die feierliche schwarze Robe der Kaiel, weil ihr der Faltenwurf ungewohnt war, mit einer gewissen Steifheit.

Man führte Tonpa herein, nackt und die Hände in Messinghandschellen; er hielt den Kopf hocherhoben, das lange Haupthaar mit dem Bart verflochten, seine Empfindungen blieben hinter der tätowierten Darstellung einer emporgeschäumten Woge in seinem Gesicht verborgen. Zwei aufrechte Sprößlinge der Kinderhorte bewachten ihn.

Teenae verspürte kalten Haß. Sie hatte die Absicht, ihn den gleichen Schrecken durchleben zu lassen, den sie nie vergessen hatte. Doch plötzlich lachte sie. Oelitas Worte sprachen zu ihr von Barmherzigkeit, aber sie kannte keine derartige Regung.

»Nach eifrigem Bau einer Straße«, begann sie seine einstige Rede zu verspotten, die sie sich gut gemerkt hatte, »die dem Zweck dient, Lebensmittel zur Eindämmung eines von den Mnankrei mutwillig erzeugten Mangels an die Küste zu befördern, sind wir hier eingetroffen, obwohl diese Ortschaft jenseits schwer überwindbarer Berge liegt, doch wir halten es für unsere heilige Pflicht, eine Hungersnot von den hochgeschätzten Mitgliedern des Menschengeschlechts abzuwenden, die hier wohnen. Und was finden wir hier? Einen mnankreischen Plan zur Eroberung der Küste, der sich auf die Herrschaft des Elends stützt. Du bist ein Handlanger jener, die in der verwerflichsten Absicht abscheuliche Lebensformen erschaffen, um heilige Nahrung zu vernichten. Du brennst Getreidespeicher nieder.«

Sie wartete auf eine Antwort. Tonpa blieb starr und stumm.

»Du gibst keine Antwort? Tonpa, ihr habt unsere Leichtgläubigkeit überschätzt, und nun haben wir gegen euren Clan eine Versammlung einberufen. Sprich! Rechtfertige dich!«

»Deine Meinung steht längst fest. Ich wüßte keinen Grund, weshalb ich mich noch verteidigen sollte.«

»Weil du dich nicht verteidigen *kannst*!« Wieder loderten in Teenae Haß und Wut empor. »Ich bin nicht in nachsichtiger Stimmung.«

»*Ich* habe *dir* Gnade erwiesen.«

»Das hatte nichts mit Gnade zu tun. Das hat zu deinem Plan gehört, Lügen über die Kaiel zu verbreiten und die Einwohner Trauerweilers damit irrezuführen. Es war eine verhängnisvolle Dummheit von dir, dich einer Lüge zu bedienen, die nicht auch uns überzeugen konnte. Wäre ich auf deine Gnade angewiesen gewesen, ich wäre jetzt tot oder hätte keine Nase mehr.«

»Ich könnte für dich arbeiten.«

Teenae lachte. »Das wirst du tatsächlich. Als meine Stiefel! Ich unterbreite dir das Angebot eines ehrenvollen Todes. Ihr habt gegen das Grundgesetz des Überlebens verstoßen. Die Menschheit muß als Einheit handeln, nicht gegen sich selbst. Zur Buße wirst du deinen Beitrag zur Reinigung der Menschenrasse leisten, so daß sie der Bestandteile deines Erbgutes, das zum Zustandekommen einer so üblen Person geführt hat, entledigt wird.«

Allem Anschein nach musterte Tonpa sie mit großer Aufmerksamkeit, untersuchte ihre unergründlich zur Schau getragenen Gefühlsregungen auf Ansatzpunkte, an denen er einhaken könnte, um sie etwa umzustimmen; doch als er keinen entdeckte, fügte er sich stoisch in sein Schicksal. Er hätte Widerstand leisten, zu fliehen versuchen können. Doch dann würde er durch einen Stich in den Rücken sterben, einen ehrlosen Tod.

Teenae erhob sich. »Ich habe die Schriften der Gütigen Ketzerin gelesen. Sie ist eine Frau der Barmherzigkeit und sehr überzeugend.« Sie verlieh ihrer Miene einen sanfteren Ausdruck, berührte Tonpas Arm – um ihn mit Hoffnung zu foltern. Ihr lag daran, ihn zu quälen. Doch als sie ihn persönlich in die geräumige Turmstube geleitete, begriff er, daß es für ihn keine Hoffnung gab.

Die höchsten Würdenträger der Stgal hatten sich in ihren karmesinroten Trachten eingefunden, ihrer priesterlichen Wahrzeichen beraubt, und sie sahen voller Entsetzen zu, wie fremde, in Schwarz gekleidete Priester offen das Leben eines anderen fremden Priesters forderten. Gaet stand mit ausdrucksloser Miene dabei. Ein Chor junger Kaiel war anwesend, um zu singen – und achtzugeben. Eine junge Tempel-Kurtisane lächelte in ihrer Halbnacktheit mit träger Lüsternheit, bereit zum Spenden der letzten Lust. Die Aussicht vom Turm war bemerkenswert eindrucksvoll; der drunten ausgebreitete Ort verschmolz mit dem Meer, das den riesigen Mond widerspiegelte, und in der entgegengesetzten Richtung erstreckten sich die blaurot verfärbten Berge.

Teenae ließ ihren Haß verebben. Gaet hatte sie daran erinnert, daß man den Letzten Ritus nicht vollziehen konnte, ohne zuvor seine Seele geläutert zu haben. Sie besaß die Bereitschaft, dies Opfer auf sich zu nehmen. Windmeister Tonpa war bleich. Er wankte. Hatte er sich schon jemals gefürchtet? Hatte er sie je grausam unter der Rah eines Topsegels aufgehangen? Hatte er je sein Spiel mit ihr getrieben, sie halb ersäuft? Sie ließ den hochgewachsenen Mann vom Meer sich neben das Blutgefäß setzen und kettete ihn an; dann begann sie das Ritual.

»Einst hatten wir keine Kalothi. Wir starben an der Unbekannten Gefahr. Da hatte Gott in Seiner Barmherzigkeit mit uns Mitleid und trug uns aus den Unbekannten Gefilden durch Seinen Himmel, auf daß wir Kalothi fänden. Wir vergossen bittere Tränen, als Er uns Geta zur Wohnstatt gab. Wir klagten, als Er uns verstieß. Doch Gottes Herz blieb gegenüber unseren Tränen hart wie Stein...«

Teenae achtete kaum auf den eintönigen Klang der auswendiggelernten Worte. Insgeheim befaßte sie sich mit einem Rezept für Braten mit Kartoffeln und Soße, den sie Gaet vorzusetzen gedachte, sobald sie sich wieder in den Hügeln befanden und allein sein konnten. Sie wußte, wo im Ort sich ein Gerber und ebenso ein tüchtiger Stiefelmacher finden ließen. Die Stiefel sollten lang werden, bis ans Gesäß reichen, und an den Waden Fransen haben. Bestimmt blieb noch genug Leder für ein neues Wams übrig. Vielleicht konnte sie es zu ihrer grünen Bluse und den weiten Beinkleidern tragen.

Sie reckte die Arme zum Gruß in die Höhe, hielt die hölzernen Symbole des Priestertums, die Schwarze Hand und die Weiße Hand. »Zwei Hände schaffen Kalothi. Das Leben ist die Prüfung. Der Tod ist der Wandel. Das Leben gibt uns Kraft. Der Tod nimmt uns die Schwäche. Um für die Menschheit Kalothi zu finden, beschreiten die Füße des Lebens den Weg des Todes.«

Für einen Augenblick vergaß sie die wenig vertrauten Redewendungen, lächelte Tonpa zu, widmete Gaet einen scheuen Blick. Innerlich belustigte sie sich über die verdrossenen Mienen der Stgal. »Wir alle tragen zu Gottes Plänen bei...«

Sie hatte es eilig, zum Gewähren der Letzten Sinnlichen Annehmlichkeiten zu gelangen. Es würde bei Gesang und Mondschein stattfinden. Die Tempel-Kurtisane war schön. Ob Tonpas Furcht, nun ersichtlich, wie sie ihm aus den Poren sickerte, stark genug war, um ihm den letzten Geschlechtsverkehr unmöglich zu machen?

»...größte und ehrenvollste Beitrag, den jemand leisten kann, ist die Hingabe des eigenen Todes, denn wir alle lieben das Leben.« *Bei Gott, hat man hier oben eine herrliche Aussicht!* »Mit Ehrfurcht nehme ich das Geschenk der Ausmerzung deines mangelhaften Erbgutes entgegen...«

Tonpa starrte sie haßerfüllt an. Er konnte sich ein boshaftes Abschiedswort nicht versagen. »Ihr werdet alle eines gräßlichen Todes sterben!«

53

Wenn Meister spielen, so sehen sie im Verrat die am wenigsten brauchbare Taktik, nicht weil das Mittel des Verrats unwirksam wäre, sondern mit Rücksicht auf die langfristig schädlichen Folgen. Denn steht der arglistige Spieler infolge des Mißtrauens, das man ihm entgegenbringt, beim Endspiel nicht ganz allein da?

Tae ran-Kaiel anläßlich der Totenfeier für Seir on-Biel

In der se-Tufi-Rolle Zückerchens, einer Frau, die grellbunte Kleider nach eigenem Schnitt trug, vielen schöne Augen machte, ohne großes Interesse am Liebesspiel zu hegen, aber begierig klatschte und tratschte, schlenderte die Königin des Lebens vor dem Tod, ihre mörderische Stimmung so unsichtbar wie ihr geheimer Name, gemächlich durch die Siegesfeier des Bundes vom Geschwinden Wind. Zückerchen lächelte schnell, so schnell wie ihre Augen zu einem anderen weiterschweiften, der ihres Lächelns würdiger sein mochte. Am heutigen Abend setzte sie kunstvoll ausgeschmücktes Gerede über das gewaltsame Ende Leuchtschönchens in die Welt, das für die Sache der widerlichen Kaiel zur Verräterin geworden sein sollte.

Mnankreische Weiber waren keine zugegen. Dies war Nie t'Fosals Siegesfest, eine Veranstaltung männlicher Protzerei. Alle Gespräche befaßten sich mit dem Verdienst des bedeutendsten Wintersturm-Meisters der Mnankrei, die Versammlung des Zorns so leicht in den Untergang gestürzt zu haben, wie der Baum des Roten Todes die ausgeschwärmten Gei vergiftete. Alles Geschwätz galt Fosals Unbezwingbarkeit. Kein Feind, hieß es, könne gegen ihn bestehen. Kein Freund wage ihn zu betrügen! Kein Weibsbild sei ihm über! Er hatte seinen Gefolgsleuten versprochen, die Versammlung zur rechten Zeit auszulöschen, als habe es sie nie gegeben. Und nun hatte er sein Wort wahrgemacht! Die Todesqualen der Untersuchungsvorhut verliehen den Erzählungen den letzten Glanz, so wie Zuckerguß einem Kuchen.

Endlich erspähte Demut genau die richtige Weiterverbreiterin ihrer Lügen. Aus einigem Abstand sah sie, wie eine nackte Kurtisane, bei der das Narbengewebe ihrer Tätowierungen in Blau und Rot nachgezogen war, t'Fosal bei den Spieltischen bediente. Diese farbenprächtige Schönheit wich für einen Augenblick von der Seite ihres Herrn, um ihm ein Getränk zu holen, und bei dieser Gelegenheit machte sich Demut an sie heran und hielt sie lange genug auf, um ihr den schauderhaften Tod ihrer Liethe-Rivalin zu schildern, sich darüber im klaren, daß die Geschichte geradewegs die Ohren des Wintersturm-Meisters erreichen würde.

Bei dem Gegenmittel, das t'Fosal tückisch Leuchtschönchen mitgegeben hatte, damit sie es einnahm, nachdem das Essen der Kaiel durch sie verseucht worden war, handelte es sich um gar kein Gegenmittel, sondern um ein Gift von solcher Stärke, daß ihre Zuckungen ihr die Muskeln von den Knochen gefetzt hätten. Fosal war alles andere als ein dankbarer Mensch. Heute abend mußte er in der geeigneten Laune sein, um an der Nachricht von ihrem Verrecken seine Freude zu haben. Sollte er den Hochgenuß des vollkommenen Erfolgs fühlen. Ein Gegner mit vollem Bauch war ein so gut wie toter Gegner.

Während sie von neuem durch das Gewühl der Festlichkeit streifte, wunderte sich Demut über die Meinung, die dieser Wahnsinnige offenbar von anderen Menschen hegte. Er mochte Frauen nicht ausstehen, deshalb hielt er die Liethe für unfähig, eine einfache chemische Untersuchung vorzunehmen. Demut hatte die vorbeugende Begutachtung des Gegenmittels auf einen etwaigen Giftgehalt persönlich durchgeführt und war sowohl von der Grobschlächtigkeit der chemischen Zusammensetzung wie auch der Gesinnung, die sich dahinter verbarg, restlos abgestoßen gewesen. Nur jemand, der sich anderen Leuten weit überlegen dünkte, konnte seinen Gegenspieler für einen solchen Narren halten, daß er sich dazu verleiten ließ, Strychnin wie eine Süßigkeit zu schlucken. Er ahnte nicht einmal, daß es, wenn man eine Liethe ermordete und auch nur die geringste Spur zurückließ, einem Ritual der Selbsttötung glich.

Wenige Augenblicke später befand sich Demut im Aufbau eines kleineren Boots auf dem benachbarten Kanal und in Gesellschaft einer halbwüchsigen se-Tufi; sie legte die Gewandung Zückerchens ab und das schwarze Gewand einer nächtlichen Assassine an. Die beiden se-Tufis plauderten über die große Liebe. Das junge Mädchen war einer solchen Vorstellung sehr abgeneigt und davon überzeugt, niemals von so etwas befallen zu werden. Es versuchte klarzustellen, daß es seine tapfere ältere Schwester liebte.

Demut dachte nur an Hoemei. Grimmigmond, der dem Kanal eine rötliche Schärpe überwarf, war alles, was ihr an ihn zur Erinnerung diente. Von seinem Zimmer innerhalb der rundlichen Kuppelbauten des Kaiel-Palastes aus hatte man bei Tag und Nacht zu Grimmigmond aufschauen können, und in seiner ganzen Wechselhaftigkeit hatte andererseits der Mond das Liebestreiben ihrer Leiber mitanzusehen vermocht. Wie war es möglich, daß sie durch die Berührung all der vielen anderen Hände noch immer die Zärtlichkeit seiner Hand spürte?

Die beiden einander so ähnlichen Frauen – die eine noch zierlicher und mit kleineren Brüsten als die andere – stakten das Boot zu den Gebäuden, in denen Nie t'Fosals Wohnsitz lag, den Leuchtschönchen einmal hatte aufsuchen dürfen. Demut küßte ihre jüngere Schwester und verschwand in den Schatten; im Schutz einer stillen Gasse erklomm sie Mauern, bis sie auf ein schräges Dach gelangte, über das sie die Turmwohnung ihres Opfers erreichen konnte. Mit einem Seil ausgerüstet, schwang sie sich auf die Zinnen des Turmbaus. Ihre Kletterkünste beförderten sie in die Höhe des sechseckigen Fensters. Fosal war nicht aufgefallen, daß Leuchtschönchen für ein Weilchen interessiert an dem Fenster gestanden hatte. Nun vermochte Demut den Verschluß mit Leichtigkeit aufzubrechen, und auf diesem Wege betrat sie die Örtlichkeit, wo der Führer des Bundes vom Geschwinden Wind den Großteil seiner einsamen Denkarbeit und einige seiner chemischen Kunststückchen vollbrachte. Sobald sie drinnen war, schloß sie das sechseckige Fenster wieder.

Sie empfand die Freude einer Assassine.

Sorgsam faltete sie das schwarze Gewand zusammen und versteckte es mitsamt seinem Inhalt, behielt nur den Ring, den t'Fosal Leuchtschönchen geschenkt hatte und den sie am Zeigefinger trug, und ein in Duftstoff getränktes Strumpfband am rechten Bein, wohin sie mit der Hand sofort fassen konnte. Sie prägte sich das Innere des Gemachs nochmals genau ein, ermittelte für den Notfall Fluchtwege, stieg dann ins Bett und legte sich schlafen, stellte ihren Verstand darauf ein, für ihr unverzügliches Aufwachen zu sorgen, sobald ihr Opfer von der Feierlichkeit nach Hause kam.

Sie träumte, sie sei eine Kurtisane in einem fremdartigen Turm des Beitrags zur Reinigung der Menschenrasse, der in einer schwarzen Stadt am äußersten Rande des Himmels stand, wo man die Sterne nur ganz schwach sah, und es sei ihre Aufgabe, sich eines Mannes anzunehmen, der morgen sterben sollte.

Erwachen. Es war schon hell. Fosal mußte noch geblieben sein, um im Palast der Morgenröte den herrlichen Anblick des Sonnenaufgangs zu genießen. Sie beobachtete, wie er die schwere Tür von innen abschloß, wartete darauf, von ihm bemerkt zu werden. Er hatte bereits den halben Abstand zum Bett zurückgelegt, als das Erschrecken über ihre Gegenwart ihn mit voller Stärke packte. In genau diesem Augenblick wand sie sich aus den Decken.

»Mein Geliebter...!« Die Zehen ihres mit dem Strumpfband versehenen Beins ragten über den Rand der Polster, und ein beglückter Atemzug wölbte ihre Brust, als sie ihm ihre Hand mit dem Ring hinstreckte, ihm mit einem Lächeln kundtat, daß kein anderer Mann auf Geta so machtvoll war wie ihr Herr und Meister. Sie sah, daß er innerlich mit diesem allzu lebendigen Anblick einer Totgewähnten gehörig zu ringen hatte.

»Ich habe dich nicht in meine Behausung eingeladen«, sagte er mit kühler Unfreundlichkeit.

Zerknirscht neigte Demut ihr Haupt. »Von dem Gegenmittel habe ich ja *solche* Kopfschmerzen bekommen. Was war bloß darin enthalten? Die Körper von uns Liethe sind gegen nahezu alles gefeit.« Sie sah sein Erstaunen, als er nachrechnete, wieviel Körnchen Gift sie überlebt haben mußte. Konnte man sie überhaupt auf diesem Weg umbringen? Sie ließ ihn über diese Frage nachdenken, dann entschuldigte sie sich in einem Tonfall, der nachgerade flehentlich um Verzeihung winselte. »Ich bedaure sehr, daß ich deine Feier versäumt habe. Ich konnte mich nur noch in deine Wohnung schleppen, mehr nicht. Aber du freust dich doch darüber, daß ich deine Feinde vernichtet habe, nicht wahr? Oder habe ich was falschgemacht?«

»Wie bist du reingekommen?«

Sie lächelte schüchtern. »Weiß ich nicht mehr. Ich habe doch derartige Kopfschmerzen gehabt. Wenn sie wirklich aus ganzem Herzen bei ihren Geliebten sein wollen, können Liethe durch Wände gehen. Wir sind ein magisch begabter Clan.«

»Das hier ist ganz allein mein Zuhause!«

Um so schöner, dich hier umzubringen, dachte die Königin des Lebens vor dem Tod. »Oh!« schrie Leuchtschönchen in bemitleidenswertem Ton auf. »Ich habe dich verärgert, und dabei war's doch nur mein Wunsch, dir eine Freude zu machen. Bestrafe mich – aber schick mich nicht fort! Mir ist's willkommen, wenn du mich bestrafst, weil du ja so gerecht bist! Dort sehe ich einen Knüppel...« Sie deutete mit dem beringten Finger, um Fosal zum Schlagen anzustiften, auf einen Stock, der so wuchtig aussah, daß er sie damit vermutlich totschlagen könnte. Sie kroch aus dem Bett und auf Händen und Füßen auf ihn zu. »Bestrafe mich. Ich möchte, daß du wieder wohlgelaunt bist. Schlag mich, bis deine Laune wieder gut ist.«

In dem Augenblick, als er nach dem Stock griff, war sie nahe genug, um ihn mit ihren Tänzerinnenbeinen anzuspringen. Unmittelbar nach seinem Aufprall am Fußboden versuchte er, sich ihrem Angriff zu entziehen, indem er sich fortwälzte, aber mit der dünnen Nadel, die sie aus dem Strumpfband zückte, zertrennte sie ihm im Handumdrehen die Nervenbahnen zwischen Gehirn und Körper. Einen Herzschlag später erstickte sie seinen Schrei mit einem Hieb ihrer Handkante gegen seine Kehle. Die schmale Klinge ihres Messers zerschnitt mit nur einem Zustechen seine Stimmbänder. Als nächstes zerstörte sie die Muskelstränge seiner Zunge, und mit einer Reihe weiterer rascher Stiche beraubte sie seinen Körper jeder Gefühlswahrnehmung. Er atmete noch. Sein Herz schlug sehr schnell.

»Schau mich an und sieh meinen Haß!« fuhr sie ihn hämisch an, als sie ein anderes Instrument hinter seinen Augapfel schob und einem Auge das Sehvermögen nahm. Sie richtete das unversehrte Auge auf sich. »Ich trage das Antlitz des Hasses!« Und er sah ein Tal aus schwarzem Haar, das zu blauen Augen führte, deren Lodern dem Feuer der Einäscherung ähnelte. »Ich bin die Rache ganz Getas, die dich nun eingeholt hat. Ich bin die Furie des Schweigenden Gottes!« Es verblüffte sie selbst, daß sie mit einem Mann redete, den sie gerade ums Leben brachte. Die Stärke ihres Hasses war übermächtig. Ihre Hand begann zu beben, und sie betrachtete sie, während der hilflose Einäugige sie anstarrte.

Brannte ihr Haß wie Feuer, weil sie wußte, warum er zu sterben hatte? *O Gott! Von nun an bin ich nicht mehr als Assassine zu gebrauchen!* Nichtsdestotrotz blendete sie auch sein anderes Auge.

»Stirb mit dem Wissen, daß du gescheitert bist«, fauchte sie im Flüsterton seinen beiden Ohren zu, die noch hören konnten. »Die Kaiel hätten dich nie zu überwinden vermocht. Aber wenn die Clans von Soebo euch im Stich lassen, werdet ihr Priester wie ein Geist, der seines Körpers verlustig geht. Ich habe eine der Frauen gesehen, in denen du deine Krankheitskeime herangezüchtet hast. Erfüllt das mich, eine Frau, etwa mit Treue zu dir? Du bist töricht genug gewesen, eine Liethe vergiften zu wollen, obwohl niemand sich besser mit Giften auskennt als die Liethe, und der gesamte Clan erhebt sich wider dich. Sind wir der einzige Clan, den ihr so herausgefordert habt? Den Befehl über ein Schiff zu besitzen, heißt noch nicht, daß man's auch tatsächlich zu segeln versteht!« Demuts Zorn schwoll weiter an. Am liebsten hätte sie dies Paar wehrloser Ohren für immer behalten und verhöhnt, mit einer Bosheit darauf eingeschimpft, der Leuchtschönchen nie hätte freien Lauf lassen können.

Ihre alte Selbststrenge und Zucht machten sich angesichts ihrer Unbeherrschtheit mit Mißbilligung bemerkbar. Welchen Zweck sollte es haben, die Persönlichkeit eines Opfers zu kränken? Würde es dadurch etwa seine Verbrechen bereuen? War dies Bedürfnis, Fosal zu schmähen, Trotz gegen ihn, gegen jemanden, den man nichtsdestoweniger sich selbst überlegen sah? *Prahlerei gibt dem Widersacher Zeit zum Handeln,* hallten in Demuts Bewußtsein die Stimmen ihrer Lehrerinnen nach. *Prahlerei zeigt deinem Widersacher an, daß du ihn fürchtest.*

Demut atmete ruhig und tief durch. Sie versetzte sich in den Zustand des Leeren Bewußtseins. Dann zerstörte sie ohne ein weiteres Wort auch Fosals Gehör. Sollte nun irgendwer auftauchen, würde man außerstande sein, sich mit Fosal zu verständigen, nicht herausfinden können, was geschehen war und wer die Verantwortung trug. Sie erhob sich von der Seite des noch vor Augenblicken mächtigsten Mannes in Soebo und legte wieder ihr schwarzes Gewand an. Während sie sich nach möglichen Fluchtwegen umschaute, schlang sie sich das Seil um die Hüften.

Die se-Tufi die Steine findet, die Heimmutter in Kaiel-Hontokae, hatte behauptet, in Wahrheit seien es die Liethe, die Geta beherrschten. Vielleicht hatte sie recht. Demut schaute hinab auf den Priester, den sie gewaltsam in seinem eigenen Schädel eingekerkert hatte, all ihre Sinne einer Assassine nach wie vor aufs höchste angespannt, denn Fosal war nicht die einzige Gefahr in Soebo. Wie einsam man war, wenn man Macht besaß! Sie konnte diesen Triumph nicht einmal mit Hoemei teilen, der etwas von Machtausübung verstand.

In aller Ruhe baute sie ein kleines Gerät zusammen, das dazu diente, durch einen mit den Blutgefäßen des Handgelenks verbundenen Schlauch Gift in t'Fosals Körper zu träufeln. Sie hatte der Auswahl des Giftes sehr ausführliche Überlegungen gewidmet. Es widerstand auch großer Hitze; wenn man Fosal brict, würde die Wirkung dadurch nicht beeinträchtigt. Selbst eine starke Dosis wirkte langsam, doch schon geringste Mengen waren tödlich. Und das Gift war nur den Liethe bekannt, die es rein zufällig entdeckt hatten, als sie versuchten, die festgestellten Nebenwirkungen einer Medizin zu beheben, die den Altersschwachsinn lindern sollte.

Anschließend hob sie Nie t'Fosal aufs Bett, streckte ihn in bequeme Lage, die er nicht mehr spüren konnte, auf den Polstern der Bettstatt aus. Den ganzen Tag lang durchtränkte sie ihn mit Gift, aber ehe es ihn tötete, schnitt sie ihm die Pulsadern auf und ließ ihn verbluten. Sie drückte ihm ein Messer so in die Hand, wie man es für gewöhnlich bei der Rituellen Selbsttötung hielt, obwohl man schon bei der oberflächlichsten Leichenöffnung erkennen würde, daß jemand ihn ermordet hatte. Doch keine Art der Leichenöffnung, wie sie bei den Mnankrei üblich war, konnte anzeigen, daß er nichts anderes war als ein giftiger Köder.

Die langen Schatten, die quer durchs Gemach fielen, wichen der Trübnis des Zwielichts, während Demut jede Spur ihrer Anwesenheit beseitigte. Als die nächtlichen Sterne ihre Augen aufschlugen, verließ sie die Räumlichkeit durchs Fenster, dessen Verriegelung sie inzwischen wieder gerichtet hatte. Mit einem Klicken schloß es sich, und Demut verwandelte sich abermals in einen Schatten auf einem Dach.

54

Ist ein Mann zahm und huld,
Die Frau trifft keine Schuld.
Aus dem lietheschen *Reigen der Balladen*

In den Tagen nach ihrer Hinrichtung Nie t'Fosals suchte Demut vorwiegend die Gesellschaft des kauzigen Hochwogen-Meisters Ogar tu'Ama, fütterte ihm die kleinen Häppchen, die er essen konnte, schenkte ihr Ohr seinen Selbstvorwürfen, seinen schlimmen Vorahnungen, seinen wirren Plänen. Fleischtätschlerin, ihre ruhige Schwester, der es mißfiel, geschlagen zu werden, liebte diesen Mann, aber Demut empfand für ihn lediglich Mitleid. Sie war das Liebchen des Erzpropheten Aesoe gewesen, ebenso Hoemeis, des Denkers, der auch zu handeln wußte. Sie verspürte den Drang, den weißhaarigen Ogar mit dem vernarbten Gesicht die Kunst der Führerschaft zu lehren, aber er war schon zu alt. Zwar war er dazu in der Lage, leidenschaftliche Ansprachen zu halten, Fragen von Recht und Sittlichkeit abzuklären, doch er war nun einmal keine Führergestalt, und irgendwie war es ihm während seines langen Lebens nie gelungen – da er zu seiner Unterstützung nur eine Gemahlin und keine Mitgatten gehabt hatte –, an allen entscheidenden Stellen gleichzeitig tätig zu sein, wie es erforderlich gewesen wäre, um den Aufstieg des Bundes vom Geschwinden Wind zu verhindern.

Die Ermordung des Wintersturm-Meisters hatte ihn aufgerüttelt und erschüttert. Zuerst bemächtigte sich seiner ein Hochgefühl der Erleichterung, und er hielt Tröstli einen flammenden Vortrag über den Weg zu neuer Größe, den er den Mnankrei nun offenstehen sah; dabei öffnete er eine besonders kostbare Flasche Whisky. Als er betrunken war, packte ihn die Sorge, man könne ihm den Mord anlasten. Am Ende, die leere Flasche zwischen beiden Händen, zog er düster die Schlußfolgerung, der Mord habe überhaupt nichts zu bedeuten, der jüngere Nachwuchs des Geschwinden Windes würde ganz einfach nachrücken und das Schiff des Bundes noch rücksichtsloser als bisher steuern.

Er verschnarchte seine Trunkenheit, bis die Sonne aufging, dann half er Demut reumütig bei der Zubereitung der Mahlzeit, obwohl die mnankreischen Männer gemäß der Tradition Küchenarbeit als erniedrigend empfanden. Danach spielten sie Schach, ein Spiel nach dem anderen. Demut vermochte ihn nicht zu schlagen; er war ein Dobu des Schachs. Kol zu spielen, weigerte er sich; die Strategie des Kol war ihm zu lebensnah.

»Ich gehe ein wenig zum Bummeln in die Stadt«, sagte Demut. »Mach du inzwischen ruhig noch ein Nickerchen.«

Demut entschied sich für eine Richtung, die sie die Große Prunkallee hinabführte, dann über den Blauen Kanal und an ihm entlang, wo man nur wenigen Menschen begegnete. Als der orangerote Glutofen von Getas Sonne sich bei Sonnenuntergang in ein verzerrtes rotes Rund verwandelte, begannen die großen Gongs zu Ehren des toten t'Fosal Klänge der Trauer über ganz Soebo zu verdröhnen. Gelassen lauschte Demut dem Hallen. Diese Wellen dunkler Schwingungen waren das Echo ihrer Tat, vom gebirgegleichen Kummer einiger Hundert Mnankrei zurückgeworfen, die t'Fosals Vision angehangen hatten. Sie kehrte in tu'Amas Heim zurück und traf ihn an, wie er sich für die Totenfeier umkleidete.

Plötzlich hatte er beschlossen, all den Groll der Vergangenheit über Bord zu werfen. Der Tod bedeutete einen Neuanfang. Wenn er guten Willen zeigte, so hatte er sich überlegt, und an der Verspeisung ihres toten Führers teilnahm, würden die Mitglieder des Bundes möglicherweise auch Gutwilligkeit entwickeln und sich zur Durchführung von Reformen entschließen.

»Du wirst nicht zur Totenfeier dieses Kerls gehen!« Dieser neuerliche schrullige Einfall tu'Amas rang Demut Verwunderung ab. »Wo bleiben denn auf einmal deine Grundsätze?! Wie solltest du noch vor deine Gefolgsleute treten können, nachdem du dir *sein* Fleisch einverleibt hast?« Sie sah keine andere Möglichkeit als offenen Zorn, um sich gegen Ogar tu'Amas unvermutete Anwandlung von Versöhnlichkeit durchzusetzen, doch immerhin war ihr Zorn aufrichtig.

Sie mußte mit ihm einen Streit durchfechten. Sie mußte ihm androhen, ihn zu verlassen. Danach rief sie seine Freunde zusammen und diskutierte mit ihnen das Chaos ihrer einander widerstrebenden Interessen durch, bis sie den Sieg davongetragen hatte. Sie ließ sie eine gemeinsame Erklärung niederschreiben. Alle, die t'Fosals Politik mißbilligten, gaben darin bekannt, daß sie seiner Totenfeier fernzubleiben beabsichtigten, um aller Welt zu verdeutlichen, wofür sie standen und wogegen. Es war gefährlich, mit öffentlichen Bekundungen gegen den Geschwinden Wind Stellung zu beziehen, und infolgedessen redeten und redeten diese Leute endlos über ihre Erklärung, schwächten diesen Satz ab, gaben jener Wendung vorsichtshalber einen Doppelsinn. Sie zierten sich, aber sie nahmen die Gefahr auf sich; doch insgeheim erbitterte es Demut, daß man sie drängen mußte, sie es nicht von sich aus taten.

So nahm alles seinen Lauf.

Ogar tu'Ama war ein alter Mann, aber seine Gefühlsschwankungen fanden gewissermaßen mit der Kraft der Meeresbrandung statt, bisweilen in gemächlichem Hin und Her, manchmal jedoch in unerhört schnellem unberechenbaren Emporschießen und Zurücksacken. Demut war regelrecht bestürzt. Sollte das der Mann sein, den die Heimmütter als Herrn der Mnankrei zu sehen wünschten? Es strengte beträchtlich an, ihn zu beeinflussen, und sie ließ Fleischtätschlerin als Ablösung kommen, während sie als Zückerchen einen verdienten Erholungsspaziergang durch Soebos Innenstadt unternahm.

Es geschah in ihrer Zückerchen-Verkörperung, daß sie erstmals Gerüchte von der Erkrankung und dem Tod der mächtigsten Männer des Geschwinden Windes vernahm, die t'Fosals Totenfeier besucht hatten. Eine erleichterte und dann sogar richtig vergnügte Königin des Lebens vor dem Tod hüpfte über eine Pfütze, begann auf den Pflastersteinen ›Spring über den Spalt‹ zu spielen und schaffte siebenundzwanzig Sprünge, bis sie fehltrat. Anschließend strebte Zückerchen vom Bäckermeister zum n'Orap-Hauptladen, dann zu den Marktständen, den Buden des Bazars und in den Park, gänzlich in ihrer üblichen Neugier entbrannt, lauschte, fragte aus, ergänzte die wilden Gerüchte ab und zu durch eine eigene düstere Bemerkung.

Ihre lose Zunge verbreitete die Auffassung, daß die Krankheitserreger, die von den Mnankrei gegen die Versammlung eingesetzt worden waren, unbeachtet um sich gegriffen und auch ihre Schöpfer befallen hätten, und das geschehe ihnen auch ganz recht, weil sie das Heilige und das Gemeine in einer Art und Weise durcheinandergebracht hatten, wie es dem Plan Gottes zuwiderlief, und nur Gott allein mochte wissen, ob nicht schon bald ganz Soebo an dieser gräßlichen Krankheit leiden würde, von der einem der Kopf zu wackeln anfing und die Augen herausquollen.

Als der Abend anbrach, herrschte in Soebo allgemeines Bangen und Wehklagen.

Am nächsten Morgen war die Kunde, die überall umlief, noch viel schlimmer. Über hundert Mnankrei waren im Verlauf der Nacht gestorben, und man *verbrannte* sie heimlich! Es war grauenvoll! Unrein waren sie geworden! Die tüchtigsten Männer des Bundes vom Geschwinden Wind waren nicht zum Verzehr geeignet! Und die Kaiel!

Die *Geister* der geschlagenen Kaiel näherten sich der Stadt, sie kamen mit der rachgierigen Wütigkeit des schwarzgrauen Wintersturms, trieben Wogen des Schreckens vor sich her, als schöbe der Wind eine Mauer dahin.

Demut hatte die Nacht in der Rolle als Tröstli verbracht und Ogar tu'Ama mit ausgeschmückter Genauigkeit das qualvolle Sterben all jener beschrieben, die Narren genug gewesen waren, dem großen t'Fosal anläßlich seiner Totenfeier die letzte Ehre zu erweisen. Die Nacht war lang gewesen, und das weitere Gerede erreichte sie erst in den Fassungen des späten Vormittags. Unglaublich! Die Richter zogen in die Stadt ein. Mit langen Schritten eilte Demut von tu'Amas Wohnsitz zum Liethe-Heim, gelegentlich im Laufschritt hastend.

»Ist's Bendaein oder Joesai?« erkundigte sie sich atemlos.

»Es ist Joesai die Sense«, antwortete die Heimmutter.

Demut wandte sich ab, weil sie nicht verhindern konnte, daß ihr Tränen übers Gesicht rannen. Ohne sich erst umzuziehen, mietete sie eine Ivieth-Sänfte und ließ sich der Vorhut der Versammlung entgegentragen, so schnell die Riesen gehen konnten, und endlich lief sie aus lauter Ungeduld zu Fuß, noch immer mit Tröstlis durchsichtigem Morgenkleidchen angetan, für das sie sich entschieden hatte, um den Hochwogen-Meister für ihre herben Vorwürfe zu entschädigen.

Sie sah die Ankömmlinge, ehe diese sie bemerkten. Sie glichen schwerlich der Sturmflut, als die sie am Morgen die Gerüchte geschildert hatten. Schon von weitem erkannte Demut sie, weil jede der Gestalten ein Gewehr mittrug. Sie bewegten sich ohne sonderliche Eile vorwärts. Eine kleine Gruppe besetzte irgendeinen erhöhten Punkt, entweder eine Anhöhe oder ein Dach, und hielt von dort aus die Umgebung unter Beobachtung, während eine zweite Gruppe erneut ein Stück weit vorrückte. Dahinter folgte, mutmaßte Demut, der Haupttrupp der kaielischen Jugendlichen. Sie hastete auf sie zu, verfluchte sich, weil sie kein festes Schuhwerk angezogen hatte. Eines der Mädchen, denen sie das Tanzen beigebracht hatte, nahm sie gefangen.

Die drei weiblichen Gewehrträger, die sie nach hinten führten, gingen mit ihr roher um, als Männer es getan hätten. Sie fesselten ihr die Hände so stramm auf den Rücken, daß ihre Finger gleich darauf gefühllos waren, und zerrten sie an einem langen, um ihren Hals geknüpften Strick die Straße hinab und der Versammlung entgegen, so daß sie sie unterwegs beinahe erdrosselten. Alle, die sie erblickten, wichen zur Seite. Selbst Joesai, der zusammen mit den zweirädrigen Verpflegungskarren nahte, bewahrte von ihr einen Abstand von mehreren Mannslängen.

Sie verbeugte sich vor ihm, kniete nieder und berührte mit der Stirn den Staub, trotz ihrer gefesselten Hände einigermaßen anmutig.

»Du bist in der Tat das Weib, dem ich bei lebendigem Leibe das Fell über die Ohren ziehen möchte.« Er schnitt eine finstere Miene.

»Warum? Habe ich ein Verbrechen begangen?« Obwohl sie vor ihm auf den Knien lag, antwortete sie Joesai in trotzigem Tonfall.

»Für manche – ich erspar's mir, dir zu sagen, für wen – ist die Ermordung eines Kaiel freilich kein Verbrechen.«

»Dann bist du also fürwahr ein Geist, wie das Geschwätz hier in Soebo dir nachsagt?«

»Ho! Du spottest meiner. Aber drei meiner Richter haben den Tod gefunden.«

Demut senkte das Haupt. »Das bedaure ich zutiefst. Acht Liethe sind ebenfalls gestorben, und einen greulicheren Tod.«

»Auch Liethe sterben?« höhnte er. »Das bedaure ich zutiefst.«

»Ich bin zu dir gekommen, um mir meine Belohnung zu sichern«, sagte sie unverfroren.

Joesai stieß einen Brummlaut aus. »Ich bin bereit, dich mit einem Messer für deine Pulsadern zu belohnen.«

»Ich sähe es lieber, du würdest den Liethe in Soebo den Palast der Morgenröte zum Geschenk machen. Er sollte mein Geschenk von t'Fosal sein, und ich will's haben! Auch du hast mir versprochen, daß der Palast der Morgenröte mein sein soll, wenn ich dir helfe.«

Joesai lachte ein Lachen aufrichtigen Staunens. »Ist's in Soebo üblich, daß man Verrat so großzügig belohnt?«

»Seid ihr denn nicht noch am Leben? Jedenfalls in der Mehrheit? Dafür müßtest du mir eigentlich die Füße küssen.« Ihre Stimme zitterte. »Ich war in Sorge, ich hätte mich verrechnet und euch alle umgebracht. Aber du bist mehr als nur lebendig. Du bist unangreifbar geworden! Wir Liethe gewähren unseren Beistand nicht uneigennützig. Ich habe meine Belohnung verdient.«

Joesai ging in die Hocke, um sich besser mit ihr unterhalten zu können. »Du faselst daher wie eine Verrückte.« Er lockerte den um ihren Hals geschlungenen Strick. »Fehlt deinem Hirn etwa der Sauerstoff? Ich soll dich dafür belohnen, daß du t'Fosals heilige Krankheit in mein Lager eingeschleppt hast?«

Demut lächelte unverschämt. »Ich habe euch nicht die Krankheit gebracht. Vielmehr habe ich euch das Gegenmittel verabreicht, das unter Verlusten an Menschenleben von den Liethe hier in Soebo entwickelt worden ist. Hätte ich euch die Krankheit gebracht, würde jetzt in euren Köpfen kein Geist mehr wohnen. Unser liethesches Gegenmittel ahmt die Erscheinungsweise der Krankheit nach und feit gleichzeitig gegen sie, doch enthalten die Krankheitskeime nicht jene Gene, die schädigende Folgen verursachen.«

»Was?«

»Ihr seid gegen die Krankheit gefeit worden. Wir nennen das Mittel, das ihr erhalten habt, ein Tokaein.«

»Die verehrten Tokaeine unserer Tempel sind die Lehrer der Spiele – keine Schmerzspender.«

Demut machte sich über Joesais Ernst lustig. »Das Tokaein ist tatsächlich ein Lehrer der Spiele. Aber spielt ein solcher Lehrer etwa, um zu gewinnen? Hält sich der Tokaein beim Spielen nicht vorsätzlich zurück, um seinen Schüler, indem er ihn gewinnen läßt, auch als Spieler wachsen zu lassen? Genauso liegt der Fall mit unserem Mittel. Es greift den Körper lediglich an, um ihn zu erhöhten Anstrengungen zu bewegen, so daß er bereit ist, wenn es zum tatsächlichen Angriff kommt. Dein Körper hat sich nun in der Auseinandersetzung mit einem Tokaein gestärkt, von dem er gelernt hat, wie er der fürchterlichsten aller mnankreischen Waffen widerstehen kann.«

Joesai wirkte nun, weil eine seiner größten Sorgen sich als unbegründet erwies, etwas gemäßigter. »Das hättest du uns vorher sagen müssen«, schalt er barsch.

Sie musterte ihn mit schelmischem Glitzern in den Augen. »Und du hättest mir gestattet, das ganze Lager zu vergiften? Wenn ich dir erzählt hätte, daß ihr euch übergeben müßt, aus Schwäche schlottern und im Kopf wirr und fiebrig wie von einem Sonnenstich sein werdet? Du hast mir doch ohnehin nicht getraut!«

»Ich habe dir vertraut, weil du mir geholfen hast, meine Leute aus dem Tempel der Wilden See zu befreien.«

»Du hättest mir nicht trauen dürfen. Außerdem wußte ich selbst nicht, ob unser liethesches Gegenmittel tatsächlich wirkte. Es ist mit größter Hast erarbeitet worden.«

Joesai zuckte zusammen, als habe ihn eine aufgebrachte Biene gestochen. »Weiber deines Schlages kochen bittere Suppen.«

»Bitte nimm mir die Fesseln ab.«

Er zerschnitt die Stricke. »Und was hast du Neues aus der Stadt zu berichten?«

»Die bedeutendsten Häupter des Bundes vom Geschwinden Wind sind ermordet worden. Schon haben sich auf Straßen und Plätzen Menschen zusammengerottet und veranstalten Aufruhr, ermutigt durch ein so deutliches Vorbild unsichtbarer Gesinnungsfreunde.«

»Ermordet? Von wem?«

»Das weiß man nicht.«

»Und was ist mit den Männern, die ich zurückgelassen habe?«

»Mir ist bekannt, daß gegenwärtig ein Kaiel eine Menschenmenge zum Tempel der Wilden See führt. Dort wird man die geistlos gemachten Frauen entdecken, in denen t'Fosal seine Krankheitserreger herangezüchtet hat, und dadurch werden Zorn und Furcht noch anwachsen. Die Stadt wird von Kopflosigkeit beherrscht. Sie ist dein.«

»Ich lege keinen Wert darauf, die Stadt in Furcht und Schrecken versetzt zu sehen.«

»Ich werde dich Hochwogen-Meister tu'Ama vorstellen. Er ist ein gerechter Mann. Wenn du mit ihm und sonst niemandem verhandelst, wird er zum neuen Oberhaupt der Mnankrei aufsteigen und retten, was von diesem Clan noch gerettet werden kann.« Sie verstummte. Sie erfühlte Joesais Stimmung, griff zärtlich seinen Arm, als wolle sie ihn um einen zweiten Palast der Morgenröte bitten. »Nimm ihnen die Priesterwürde, aber laß ihnen ihre Schiffe, dann wird die ganze Stadt dank deiner Milde neuen Frieden finden.«

»Das ist ein seltsames Bild, das du mir hier malst. Ich werde Leute vorausschicken und deine Aussage nachprüfen lassen. Falls du die Wahrheit sprichst, werden wir noch heute Einzug halten.«

»Ihr müßt heute handeln«, riet Demut.

Er stieß einen Stein mit einem Tritt beiseite. »Werden die Kinder mir Blumen bringen?«

»Natürlich. Und die Memme tu'Ama wird mich dir zum Geschenk machen und den Liethe das Entgelt aus seiner Schatzkammer zahlen.«

Joesai tat ein paar Schritte zur Seite und erteilte Befehle. Für eine ganze Weile ging er neben Demut, tief in Gedanken versunken, offenbar damit beschäftigt, mit seiner Überraschtheit fertig zu werden. Schließlich lachte er auf und wandte sich an Demut. »Mein Bruder Hoemei hat in der Tat taugliche Visionen. Ich hätt's nicht geglaubt. Er hat mir versichert, wenn ich nur lange genug geduldig warte, könnte ich die Stadt betreten, ohne auf Gegenwehr zu stoßen.«

»Ein Mensch kann nur dann wahrhaft in die Zukunft schauen, wenn er Freunde hat, die daran Interesse hegen, seine Vision mit ihm zu teilen und mit ihm zusammen auf ihre Verwirklichung hinzuarbeiten.« *Das hat Hoemei mich gelehrt,* dachte sie und wünschte, sie könne es aussprechen. »Darf ich mich auf deine Schultern setzen?« fragte sie übermütig.

Er lachte, und drei Gewehrträger, die ihre Unterhaltung mitangehört hatten, lachten gleichfalls. »Ich bin's, der müde ist«, klagte Joesai. Er hob ein Bein und setzte sich auf *Demuts* Schultern, so daß sie sich vornüberkrümmte und er, ihren Kopf zwischen seinen Beinen, auf Zehenspitzen weitergehen konnte.

»Du bist gemein!« Demut war empört.

»Na schön, kleines untätowiertes Kind.« Er riß sie in die Höhe und warf sich ihre Beine um den Nacken. Sie klammerte sich in sein Haar und beugte sich vor, um ihm ins Ohr zu flüstern. »Wann bekomme ich meinen Palast?«

55

Es ist überliefert, daß Bendaein hosa-Kaiel die Versammlung des Zorns auf der Insel Mnank mittels einer furchterregenden Strategie des Ausweichens führte, indem er stets Stätten aufsuchte, an denen man ihn am wenigsten erwartete. Erst als Soebo durch diese Unberechenbarkeit vollständig zermürbt worden war, entsandte er in blitzartigem Vorstoß seine Zweiten Richter in die Stadt, um Ruhe und Ordnung wiederherzustellen. Auch danach verwirrte er alle, die die Kaiel mit Schmähungen behäuften, indem er die Urteilsfindung der Versammlung des Zorns auf eintausend Sonnenuntergänge ausdehnte und nur ein Sechstel der überlebenden männlichen Mnankrei zum Verzehr beim abschließenden Gerichtsfest bestimmte. Bendaeins Einführung des Grundmusters der Beweiserhebung, mit der er den Anforderungen der Versammlung des Zorns in der einzig richtigen Weise genügte und die Übertreibungen früherer Versammlungen vermied, erhob die Kaiel für immer zu den bedächtigsten und weisesten Verteidigern wahrer Kalothi. Möge Gottes Wille geschehen! Alle Macht den Kaiel!

Coieda mahos-Kaiel, Erstsohn Bendaein hosa-Kaiels:
Ehrung der Zornigen

Die Zeit fegt alles mit sich fort, und obwohl die Besetzung der Insel Mnank unter der Führung der Kaiel einmal größtes Aufsehen bei der gesamten Menschheit erregt hatte, war sie nun ein Bestandteil der Vergangenheit. Mittlerweile beschäftigten sich Getas Clans mit wichtigeren Dingen – dem Schallstrahl, den Enthüllungen aus dem *Feuerofen des Krieges*, mit Dampfmaschinen, Raketen, Kalothi zwischen den Sternen. Das Zeitalter des Erlösers Der Zu Gott Spricht stand bevor. Was verursachte im Zeitalter des Schweigens die Große Gefahr?

In der Nähe Trauerweilers wehte ein kühler Wind über den Strand und einem derben Küstenmädchen, das durch den Sand, der es aufhielt, indem er unter seinen Füßen nachgab, auf einen hünenhaften Kaiel-Priester zulief, in den Rücken. »Ich möchte auf deinen Schultern sitzen! Letztes Mal hast du Saiepa auf den Schultern getragen, aber ich war noch nie dran!«

Das Mädchen reichte ihm knapp bis zur Hüfte, ihre Nacktheit schmucklos, abgesehen von Streifen aus Narbengewebe, die von den Knien bis zu den Fußknöcheln verliefen, das allgemeine Symbol des im Geldverleih tätigen Barrash-Clans. »Ho!« brummte der Hüne namens Joesai. »Und wer sagt, daß Priester es allen recht machen müssen?«

»Du *mußt*, oder ich schicke dir 'ne Versammlung auf 'n Hals, damit sie dich zu Stiefeln verarbeitet.«

»Ja, dann – wenn du darauf *beharrst*, daß ich auf deine Schultern steige...« Und er schwang einen Fuß über den Kopf der Kleinen und tat so, als könne er tatsächlich auf ihr reiten, schwankte auf Zehenspitzen durch den Sand.

»Das habe ich nicht gesagt! Hast du Sand im Dreck deiner Ohren?! Ich habe gemeint, daß *ich* auf *deinen* Schultern sitzen möchte.« Sie versuchte, ihren Kopf aus der Umklammerung seiner Schenkel zu befreien.

Er preßte die Beine stärker zusammen. »He! Du drückst mir ja die Ohren ins Gehirn!«

Joesai griff hinab, zog sie an den Füßen zwischen seinen Beinen hervor und ließ sie kopfüber baumeln, eine große Faust um jeden ihrer Fußknöchel geschlossen, so daß ihr blondes Haar den Sand streifte. »Und was jetzt, mein kleiner Käfer?«

»Setz mich auf deine Schultern, oder ich krieg' Nasenbluten«, drohte sie.

Er drehte sie schwungvoll um und setzte sie sich behutsam in den Nacken. »So ist's herrlich. Und nun lauf! Am besten gefällt's mir, wenn du läufst.«

Und plötzlich fühlte Joesai sich, in ein glänzendes Faltengewand gekleidet, das dem Chitinpanzer eines Insekts glich und auf dessen Vorderseite in Blau das Hontokae prunkte, an jenen unvergeßlichen, längst vergangenen Tag erinnert, an dem er mit seiner Untersuchungsvorhut in Soebo einrückte. Er lächelte, als er sich vorstellte, wie er damals, auf dem Höhepunkt des Aufstands gegen die Mnankrei, in die Stadt gewankt war wie ein gewöhnlicher Ivieth, auf seinen Schultern ein Liethe-Flittchen, nachdem er gerade erst Soebo mit einem Palast gekauft hatte, der ihm nicht gehörte.

Das war, verglichen mit der Verbannung, in der er heute lebte, eine höchst seltsame Zeit gewesen. Er hatte alles in der Hand gehabt, nicht etwa, weil er die Menschenmassen zu allem hätte bewegen können, was ihm gefiel, sondern weil die Massen die Macht, die sie sich genommen hatten, gar nicht wollten – sie waren aus schlichten Leutchen zusammengesetzt gewesen, die angesichts ihrer eigenen Wut und Furcht in nacktes Grauen verfielen. Eine Zeit raschen Abwägens war es gewesen, endloser Unterredungen mit jedem Clan-Führer, der sich auftreiben ließ, aufwühlender Ansprachen bei der Einäscherung der kranken Frauen aus dem Tempel der Wilden See, die als Versuchspersonen zur Züchtung der Krankheitserreger benutzt worden waren, und anläßlich des feierlichen Vollzugs von einhundertsiebzig Rituellen Selbsttötungen. Nach sechs Sonnenuntergängen ging in der Stadt so gut wie alles wieder seinen üblichen Gang. Zwei Wochen später traf Bendaein hosa-Kaiel ein und übernahm den Oberbefehl. Das Leben hier in der Verbannung war völlig anders.

Joesai dachte oft an Tröstli. Gerüchten zufolge sollte sie Bendaein zugeteilt worden sein. Falls es sich so verhielt, befand sie sich wohl auf irgendeinem entlegenen Landsitz, aller Welt entzogen. Sie schrieb nie. Das letzte Mal hatte er sie gesehen, als sie ihnen überraschend einen Besuch im Hafen abstattete, während er und Noe sich auf die Abreise nach Trauerweiler vorbereiteten.

»Weshalb lebst du allein in so einem großen Haus?« fragte das Mädchen auf seinem Rücken.

Joesai lachte. »Ich lebe nicht allein. Du kennst mich noch nicht lange genug. Zweitweib kommt heute abend aus Kaiel-Hontokae und bleibt bis zur Geburt ihres zweiten Kindes. Und du kannst womöglich unser Drittweib werden, falls du jemals Kuchen zu backen lernst.«

»Ich bin keine Kaiel, ich bin 'ne Barrash. Aber du könntest mein Elftgroßvater sein.«

»Um Großvater zu sein, bin ich nicht alt genug.«

»Du hast graue Haare.« Sie zupfte eines aus und zeigte es ihm.

»Das kommt daher, daß ich deinem Drittvater soviel Geld schulde.«

»Erstmutter sagt, du wärst 'n Gefangener. Bist du 'n Schuldner?«

»Meine Familie besucht mich hier, aber ich besuche sie nicht in Kaiel-Hontokae, weil ich in der Verbannung lebe. Eine Verbannung ist keine Gefangenschaft, und die Nase sitzt mir noch immer fest im Gesicht.«

»Und wodurch bist du ein Bösewicht geworden?«

»Ich entführe und fresse kleine Mädchen.«

Über seinem Kopf herrschte für ein geraumes Weilchen Schweigen. »Das war ein *schlechter* Scherz. Du hast mir einen richtigen Schrecken eingejagt. *Ehrlich,* warum bist du ein Bösewicht? Ich bin auch böse, jedenfalls manchmal... du brauchst dich also nicht mies zu fühlen.«

»Ich habe eine Frau geliebt, die gleichzeitig von einem sehr mächtigen Mann geliebt worden ist. Sie hat von mir ein Kind bekommen, und jener Mächtige will mich nicht im Wege haben, deshalb verzeiht er mir nicht.«

»Das ist aber traurig. Ein Mann, der eine Frau ganz für sich behält, ist ein unhöflicher Kerl. Vermißt du sie noch?«

Joesai lachte. »Sie ist trotzdem ein Teil meines Lebens. Wir treffen uns droben in den Bergen, am Himmelsauge, um gemeinsame Freude an unserem Sohn zu haben. Außerdem habe ich aus Soebo einige Linsenschleifer mitgebracht. Weißt du überhaupt schon, daß Getas Sonne ein Doppelgestirn ist? Wir sind Nachbarn einer kleinen zweiten Sonne, die rot und kaum größer als Nika ist. Ein Mnankrei-Mädchen, das nicht viel älter ist als du, hat sie entdeckt. Ich habe aus den Vätern der Kleinen Schuhe gemacht, deshalb wollte sie mich umbringen, also habe ich sie an Kindes Statt angenommen. Sie hat großartige Kalothi. Sie wollte immer zur See fahren, aber die Mnankrei dulden auf ihren Schiffen keine Frauen, daher bilde ich sie jetzt zur Astronomin aus. Wenn sie alle ihre Prüfungen besteht, werde ich sie zur Kaiel machen.«

»Hast du ihre Väter ermordet?«

»Nein. Sie haben sich eigenhändig die Pulsadern aufgeschnitten.«

»Ich möchte niemals Priester sein. Ständig bringen die Priester andere Leute um. Meine Väter wirst du doch nicht umbringen, oder?«

»Nein, es sei denn, sie wollen allzu bald ihr Geld zurückhaben.«

»Ein Priester hat sogar die Gütige Ketzerin verfolgt. Er hat sie ermordet.«

»Nein, hat er nicht. Er war selbst stets dieser Meinung. Aber heute habe ich ein Buch gekauft, das von ihr geschrieben worden ist, nachdem sie ihn zuletzt gesehen hatte.«

»Bist du einer ihrer Anhänger? Meine Mutter sagt, das sei alles Unsinn.«

»Oelita die Clanlose ist ein Mensch wie wir alle. Sie ist töricht und doch auch weise. Sie hat die Sechste Probe des kaielischen Rituals des Todes bestanden, und das heißt, sie hat vorzügliche Kalothi, und das taugt mehr als Weisheit.« Sechs von sieben Proben hatte sie überlebt.

»Du redest wie einer ihrer Anhänger. Man findet sie überall.«

»Nein, ich bin kein Anhänger. Ich bin jener Priester.«

»Du?!« Sie schwang sich herum und rutschte von Joesais Schultern. Erst vier Mannslängen entfernt blieb sie stehen und drehte sich um. »Ich bin auch keine Anhängerin«, rief sie. Dann ergriff sie die Flucht.

Joesai trug den Titel Prophet der Küste. Die ihrer Priesterwürde enthobenen Stgal hatten ihm einen Wohnsitz auf einer Anhöhe erbaut, von der aus er über einen vorgeschobenen Sandstrand Ausblick hatte, der auf drei Felsen zulief, die aus dem Njarae-Meer aufragten und von alters her den Namen Sippschaft des Todes besaßen. Joesai hatte Gefallen an diesem neuen Herrenhaus seiner Familie, und obwohl es noch lange nicht fertig war, fand er, daß es sich durch die Schönheit eines unvollendeten Lebens auszeichnete. (Den Sendemast empfand er als weniger schön.) Die Stgal brachten mit der Vervollständigung eines Gebäudes, an dem ihnen wirklich etwas lag, wenigstens ein Lebensalter zu, fühlten sich jedesmals erst darin ein, wie es sich darin wohnen und leben ließ, ehe sie es mit dem nächsten, auf dieser Grundlage wohldurchdachten Arbeitsgang ergänzten. Als die Stgal als Priester-Clan zu bestehen aufhörten, hatte Teenae sie mit der ihr eigenen Logik zu einem Baumeister-Clan erklärt. Was die Chemie und das Herrschen betraf, waren sie nun einmal ziemlich unbeholfen, doch was für Wunder vermochten sie mit Stein, Holz und Mörtel zu vollbringen!

Joesai schlenderte durch die Räume, schaute nach, ob alles für Teenaes Besuch bereitgemacht war, und er spürte die erwartungsreiche Vorfreude bereits in seinen kraftvollen Lenden. Die Kaktusblume stand in voller Blüte, und er stellte sie von ihrem gewohnten Platz ans Licht, das durchs hohe, bleiverglaste Fenster einfiel. Das Aussehen der hölzernen Tischplatte enttäuschte ihn, und er suchte ein Öl heraus, um ihr durch Polieren neuen Glanz zu verleihen. Alle Arten von Obst und Brot, die Teenae bevorzugte, lagen in ausreichenden Mengen auf Vorrat.

Besondere Aufmerksamkeit widmete er seinem Zimmer, denn dort würden sie miteinander schlafen. Dabei handelte es sich um so etwas wie eine stillschweigende Gewohnheit, die sich während des Bestehens ihrer Ehegemeinschaft herausgebildet hatte. Wenn ein Gatte von einer Reise zurückkehrte, brachte er die erste Nacht im Schlafgemach einer seiner Gattinnen zu, und wenn eine Gattin verreist gewesen war, durfte sie Gast im Schlafzimmer eines ihrer Gatten sein.

Er goß den besten Whisky in eine schöne Karaffe und spülte die schillernden Gläser noch einmal aus, weil er wußte, wie Teenae es verabscheute, aus fleckigen Gläsern zu trinken. Er wusch sich sogar die Achselhöhlen, rieb sie mit Duftwasser ein und zog seine schönste Unterkleidung an.

Der Schalldraht-Anschluß läutete. Als er ans Gerät ging, teilte ihm aus Trauerweilers Hauptschaltstelle eine körperlose Männerstimme mit, Teenae befände sich unterwegs zu seinem Haus. *Gott steh uns bei, wenn die Kupferleitung jemals bis nach Kaiel-Hontokae verläuft,* dachte Joesai gereizt, aber beschleunigte die Abwicklung seiner Vorbereitungen.

Von einem ins schräge Dach zurückversetzten Balkon sah er Teenae mit einem vierrädrigen Skrei-Rad eintreffen, gefahren von einem gemischten Paar Ivieth. Er ließ sie den großen Korb aus Hartschilf abladen, dann zündete er die beiden Schießpulver-Knaller, deren *Pengpeng!* alle drei zum rechtzeitigen Aufschauen veranlaßte, so daß sie seine Rakete mit feurigem Schweif aufsteigen und in einem bläulichen Blitz zerplatzen sehen konnten, der sich am Himmel ausdehnte und in blendend hellem Weiß verglühte.

»Joesai!« rief Teenae zu ihm herauf. »Du wirst den Nachbarn einen derartigen Schrecken einjagen, daß sie die Haut abstoßen!«

»Der einsame Verbannte heißt dich in seinem Heim willkommen, Geliebte!«

Er eilte die Treppe hinunter und Teenae entgegen. Sie wies die Ivieth an, wohin der große Korb zu bringen sei, schenkte ihrem Gatten das breite offene Lächeln, das ihn ihr ergeben gemacht hatte. Sie wartete, bis der Korb sicher untergebracht war, ehe sie Joesai an sich drückte. »Dein Badewasser ist heiß«, sagte er.

»Denkst du eigentlich nie an etwas anderes als an ein Bad für mich? Die ganze Welt fällt in Trümmer, und dich beschäftigt nichts anderes, als ein Weib auf den Polstern zu haben, das nicht riecht! O Joesai, ich bin zu erschöpft, um auch nur ein Bad zu nehmen. Ich kann es nicht glauben, daß ich die Berge früher *zu Fuß* überquert habe.«

»Mit ein wenig Unterstützung seitens unserer starken Ivieth-Freunde.«

»Mich interessiert nur dein Whisky, und ich weiß genau, wo du ihn versteckst.«

Er folgte ihr in sein Gemach, wo sie sich zunächst einen tüchtigen braungelben Schluck Whisky gönnte, dann das Glas bis auf den Grund leerte, sich entkleidete und ihren Körper mit kaltem Wasser abzuwaschen begann. Joesai machte Anstalten, ihr behilflich zu sein. »Nimm deine Pfoten von mir«, sagte sie fast verärgert zu ihm. »Du weißt, wie ich bin. Wenn ich für längere Zeit nicht mit dir zusammen war, muß ich mich erst wieder an dich gewöhnen. Du bist so riesig.« Ihre Schwangerschaft fing an, sich zu zeigen, das Kind bauchte ihren Leib allmählich aus. Diesmal war es von Hoemei.

»Wo ist Gatee?« Gatee war ihr Töchterchen, das von Gaet stammte.

»Ich habe sie in den Bergen bei Verwandten zurückgelassen. Noe wird sie abholen, wenn sie zur Küste kommt, oder Gaet. Ich hatte gedacht, ich könnte dich für eine Weile für mich haben, bevor Noe aufkreuzt und dich beansprucht. Hoemei kommt auch. Jedenfalls hoffe ich's. Ich mußte ihm gewissermaßen einen Ring durch seinen Schwanz ziehen und in Schlepp nehmen. In Kaiel-Hontokae gibt's jede Menge

Ärger, deshalb will ich ihn aus der Stadt forthaben.«

»Mir ist nichts dergleichen zu Ohren gekommen.«

»Weil durch Schallstrahl nicht darüber gesprochen wird. Und ich bin zu müde, um jetzt davon zu erzählen.« Sie sank auf die Kissen, die weiblich runden Formen ihrer Gestalt durch die Tätowierungen betont wie eine Steppdecke durch ihre Nähte, am Ende ihrer Kräfte. Joesai lächelte herzlich, darüber erfreut, sie wieder in seiner Nähe zu haben, und er genoß inwendig jeden Abschnitt des tätowierten Musters, das über ihren Rücken und alle Rundungen ihres Leibes verlief. Der künstlerisch wertvollste Bestandteil war der Weizenstengel des Ketzertums, mit dem Teenae die letzte Lücke an ihrem Leib hatte füllen lassen, ihm zum Trotz, um ihm zu zeigen, daß sie von da an eine erwachsene Frau war, nicht länger das Kindsweib, das stets nur auf ihn gehört hatte; eine Entscheidung, die dazu führte, daß sie eine ganze Nacht lang kopfüber unter der Rah eines Mnankrei-Schiffs hängen mußte.

Joesai berührte das dünne Buch Oelitas, von einem Mann gekauft, der nicht wußte, daß Joesai selbst jener Priester war, der seiner Prophetin das Ritual des Todes auferlegt hatte. Das Büchlein war sein Geschenk für Teenae. In ihrem Herzen nahm Oelita nach wie vor einen ganz besonderen Platz ein. Doch er löste seine Hand wieder vom Leineneinband. Er wollte es ihr lieber morgen geben, wenn sie ausgeruht hatte.

Teenae räkelte ihre Beine und blickte zu ihm auf. »Ich schlafe noch nicht. Umarme mich ein bißchen. Sei nicht schüchtern. Du weißt, wenn Grimmigmond sinkt, werde ich von neuem in heißester Liebe zu dir entflammt sein, und bis dahin ist's nicht mehr lang... Geliebter.«

Später liebten sie einander mit schläfrig geruhsamer Leidenschaft. Ihre halbwach ausgestoßenen Seufzer verklangen mit ihrem Entschweben ins Reich des Schlafs, doch als Joesai von ihrer Seite weichen wollte, schrak sie auf und hielt ihn fest. Daher blieb er noch eine Zeitlang bei ihr, erfreute sich an der Wärme ihres Körpers, bevor er ihr einige schlichte Speisen an die Bettstatt brachte. Er kauerte auf den Polstern, während sie aß, und schor ihr mit Schaum und Rasiermesser den Mittelstreifen ihres Schädels von der Stirn bis zur Grube in ihrem Nacken. Er rieb seine Nase in ihr Haar, roch die schwarze Seidigkeit. Sie plauderten.

»Gatee hat jetzt Zähne, und sie beißt einfach auf allem herum.«

»Ist eigentlich mal der Putz an der Nordseite erneuert worden?« Er sprach von ihrem Herrensitz in Kaiel-Hontokae.

»Schon längst.«

»Die Stadt fehlt mir.«

»Ich für meinen Teil bin froh, von dort weg zu sein. Hoemei hat endlich mit den Landgewinnern gebrochen, du kannst dir vorstellen, was für einen Aufschrei er damit verursacht hat. Aesoe ist auf sein Fell aus, und Zweitgemahl geht Aesoe aus dem Weg, wenn er im Palast ist. Hoemei ist wegen der politischen Blindheit der Expansionisten sehr erbittert. Er hat eine größere Gruppe von Kaiel um sich geschart, die seine Ansichten unterstützt. Aesoe heißt ihre Vorschläge und Vorhersagen Bauchdenken, weil Hoemeis Grundsatz lautet: Erst verdauen, dann essen. Diese Streitigkeiten sind gefährlich, weil sie eine tiefgreifende Kluft zwischen Kinderhort-Sprößlingen und Familien-Abkömmlingen aufreißen.«

»So was war schon seit langem abzusehen.«

»Ihr Maschinengeborenen seid in der Minderheit.«

»So wird's nicht bleiben.«

Teenae schnitt eine mißmutige Miene. »In diesem Gegensatz liegt etwas Unlogisches. Die Expansionisten wollen den kaielischen Landbesitz rasch vergrößern, doch der wichtigste, unentbehrlichste Quell des Nachwuchses sind für die Priester die Kinderhorte, und das bedeutet, sie müssen bei den Prüfungen die Sterblichkeit senken, aber wenn sie das über einen längeren Zeitraum hinweg tun, werden die Kinderhort-Sprößlinge zu guter Letzt die Mehrheit bilden.«

»Bis dahin wird Aesoe tot sein und sich nicht mehr darum scheren. Und beachte, seine Kinder werden überwiegend den Kinderhorten entstammen.«

Teenae winkte ungeduldig ab. »Ich bezweifle, daß das wirklich die Sache ist, um die's geht. Kathein trifft sich immer unverhohlener mit Hoemei, sie schwärmt öffentlich von ihm und macht kein Geheimnis daraus, daß sie nach ihm schmachtet. Aesoe ist unerhört wütend, und er ist drauf und dran, Hoemei ebenfalls in die Verbannung zu schikken, falls ihm für ihn nicht etwas noch Schlimmeres einfällt. Ich habe Gaet zu ihr geschickt, und sie war freundlich, aber sie blieb auf Abstand und hat nicht mit sich reden lassen. Hoemei glaubt, er sei dabei, Kathein umzustimmen und doch noch für uns zu gewinnen, aber ich kann mich nicht des Eindrucks erwehren, daß sie ihn auf irgendeine Weise benutzt, die ich nicht durchschauen kann.«

»Sie liebt und haßt Aesoe zugleich«, sagte Joesai. »Ich hab's bemerkt, als ich mich das letzte Mal mit ihr auf dem Gebirgs-Observatorium getroffen habe. Wir haben über Geld gesprochen. Ich hatte ihr einen Barren Gold mitgebracht, ein Geschenk der Mnankrei für das neue Himmelsauge.« Er schwieg für einen Augenblick. »Ich habe ihr von meiner Politik erzählt, Mnankrei-Kinder zu fördern und an Kindes Statt anzunehmen, die Eignung zur Priesterschaft zeigen, und daß sie sich in sehr viel bereitwilliger Mitarbeit auszahlt. Und sie hat mir erzählt, wie sie Geld von Aesoe bekommt, nämlich säckeweise.«

Joesai warf in einer Gebärde der Verzweiflung die Arme empor. »Aesoe ist von Sinnen. Er ist so versessen auf sie, daß er alle möglichen und unmöglichen Vorhaben unterstützt, nur um ihren Launen Genüge zu tun. Gott sei dafür bedankt, daß ihre Schrullen zufällig mit den Interessen ganz Getas übereinstimmen. Allmählich sehe ich in ihr eine religiöse Fanatikerin. Sie hegt die feste Überzeugung, daß unser Sohn noch zu unseren Lebzeiten in einer Rakete zu Gott aufsteigen wird. Ihr gesamtes Wirken läuft nur auf dies eine Ziel hinaus. Das ist es, was sie antreibt. Sie haßt Aesoe, aber er steht im Mittelpunkt der Macht, also liebt sie ihn, um erreichen zu können, was sie will. Sie ist mir fremd geworden. Ich habe oft genug versucht, sie noch einmal umzustimmen, aber vergebens. Was bin ich denn für sie? Ein Verbannter, der an einsamen Stränden umherwandert.« Er lächelte. »Erinnerst du dich noch daran, was für ein scheues Wesen sie früher hatte? Und wie die geringste Ermutigung in ihr die Kraft ihrer Kalothi schier zum Überfließen brachte?«

»Sie setzt Hoemei großer Gefahr aus.«

Joesai lachte. »Wie ich sehe, hat Kaiel-Hontokae sich nicht ein bißchen verändert, seit ich zuletzt dort gewesen bin.«

»Kathein weiß, daß Hoemei der nächste Erzprophet sein wird, und so leitet sie sich zwei Bergbäche zur gleichen Zeit auf ihre Almen.«

»Du glaubst ernsthaft, daß Hoemei Aussichten auf ein so hohes Amt hat? Er entstammt dem Kinderhort. Die Familien-Abkömmlinge würden's voraussichtlich nicht hinnehmen.«

Teenae setzte sich wütend mit solchem Ruck kerzengerade auf, daß ihre Brüste sich strafften, als wären sie Hände, die sich zu Fäusten ballten. »Die Nachfolge des Erzpropheten ist keine Frage der Abstammung, sondern eine Sache richtiger Voraussagen! So bestimmen es die von Tae verkündeten Regeln.«

»Aber haben die Kaiel jemals gezögert, wenn's darauf ankam, Regeln zu brechen?«

»Ich habe einen Familienrat einberufen. Wir werden uns hier treffen, uns endlich einmal wieder alle an einem Ort versammeln. Worüber wir sprechen werden, weiß ich nicht. Ich hab's eingefädelt, um Hoemei aus der Stadt fortzulocken.«

Joesai lachte das Große Lachen und schlang sich Teenae nachgerade wie einen Schal um den Hals. »Die Welt ist ein großer Kinderhort.« Dann führte er sie in ihr Zimmer, um ihr die neuen Möbel zu zeigen.

»Sie sind da?!« schrie Teenae in heller Begeisterung.

Das Holz war das feinste Wüsten-Okkai, glattgehobelt und eingeölt, so daß man die körnige Maserung bewundern konnte. Die Flächen waren mit bearbeitetem Mnankrei-Leder bezogen, mitsamt Einschußlöchern und anderen Besonderheiten, und die Ecken mit kantig begradigten Stücken aus Tonpas Schädel verstärkt.

»In Trauerweiler gibt's tüchtige Handwerker«, sagte Joesai.

Teenae vermochte vor Vergnügen nicht still auf der Stelle zu stehen. »Die nächste Tiefnacht werden wir hier verbringen. Was für eine Freude! Wenn ich dein Kind gebäre, soll's hier in diesem Raum geschehen.«

Er hielt diesen Augenblick für geeignet, um ihr Oelitas gebundenes Büchlein zu überreichen, hergestellt im groben Druckverfahren einer geheimen Druckerei. »Sie lebt.«

Teenaes Augen weiteten sich, und er sah ihr an, daß ihr Herz zu hämmern anfing. »Woher weißt du das?«

»Die Leute hier bemühen sich, mir alles vorzuenthalten, was mit ihr zusammenhängt. Darunter auch dies Buch. Wäre sie tot, welche Notwendigkeit sollten sie dann sehen, sie zu schützen? Aber das ist nicht der eigentliche Grund, warum ich von ihrem Wohlergehen überzeugt bin – in diesem Buch spricht sie von Gott. Sie hat Ihn ins Gewebe ihrer Philosophie eingearbeitet. Das heißt, sie hat sich von dem Schrecken erholt, den die Entdeckung Gottes ihr bereitet hat, und somit die Sechste Probe bestanden.«

Unvermittelt brach Teenae in Tränen aus. »Immer habe ich gehofft, eines Tages erfahren zu dürfen, daß sie wohlauf ist. Sie glaubt also jetzt an Gott, so? Und wir?«

»Vor vier Wochen, als ich zum letztenmal im Observatorium war, ist eine Abweichung in Seiner Umlaufbahn aufgetreten, die sich durch bloße Anziehungskräfte nicht erklären läßt. Wer Er auch ist, Er ist nicht untätig. Er regt Sich im Schlaf.«

»Wir hätten Oelita zur Gattin nehmen sollen. Unsere Ablehnung war ein Ausdruck von Unreife.«

»Ich weiß, wo sie sich verborgen hält«, sagte Joesai.

Teenae stutzte und hob den Blick zu ihrem Gemahl, und da erkannte sie in seinen Augen ein altvertrautes Glitzern. Er war älter und klüger geworden, aber ihm war unvermindert die alte Hartnäckigkeit zu eigen. »Nein!« fuhr sie ihn an. »Ich verbiete es dir! Laß sie in Ruhe. Das alles ist vorbei. Sechs Proben waren genug.«

Er lächelte sanftmütig. »Ich habe lediglich sagen wollen, daß sie mit diesem Buch enthüllt, wo sie sich aufhält. Die Bilder und Gleichnisse, in denen sie sich ausdrückt, haben etwas von den philosophischen Vorstellungen der Einsiedler an sich. Sie kann nicht weit von Kaiel-Hontokae sein. Es gibt Aufzeichnungen über alte Wohnstätten von Einsiedlern.«

»Laß sie zufrieden, Joesai. Um Gottes willen!«

Er gab seiner Gemahlin keine Antwort. Er zeigte ihr die neuen Kleider, die er für sie gekauft hatte, half ihr beim Ankleiden und ging mit ihr hinüber zu den hohen bleiverglasten Fenstern, um ihr aus Oelitas Buch vorzulesen.

56

Einst lebte ein armes Mädchen aus dem Clan der oe'San, dessen Familie an dem Fluß Toer wohnte und sich den Lebensunterhalt damit verdiente, am Flußufer mit Steinen Wäsche und Kleider zu waschen, um sie von Schmutz und Steifheit zu befreien. Die Schönheit des Mädchens lag in langen Wimpern, einem betörenden Lächeln und den kunstvollsten Tätowierungen von der Hand des eigenen Vaters. Das Mädchen besaß nur ein einziges zerlumptes Kleid, das es oft in Verlegenheit brachte, wenn es noch mehr zerriß. Es träumte von herrschaftlichen Häusern mit Fenstern aus rosa Glas, farbenprächtigen Wandbehängen und wolkengleichen Kissen und Polstern im Schlafgemach. Es träumte von Reisen in mit Schnitzereien verzierten Sänften, getragen von ihren Dienern, vier kraftvollen Ivieth. In seinen Träumen besuchte es mit dem Schiff die Lande der Hoiela-Kleider, um dort von Schneidern für Hochzeiten eingekleidet und von hochgewachsenen Männern in hochgelegene Tempelräume zum Spiel geleitet zu werden. Die Traumerlebnisse kamen über die Lippen des Mädchens wie Gedichte. Ihre Liebe ließ selbst den weißesten Kissenbezug erröten. In goldenen Schüsseln dampften großzügig aufgehäufte Speisen. Diese Träume kannten keinerlei Armut.

Doch während es im Toer die Gewänder wusch und sie wrang und trocknete, um sie in den Korb zu tun, war ihm allzeit vollkommen klar, es war nichts anderes als Geld, mit dem sich solche Träume verwirklichen ließen. Bei jedem Waschgang schwor es sich, niemals so arm wie seine Familie zu bleiben. Es gedachte das Gold, Platin und Silber zu finden, durch das seine Träume Wirklichkeit werden konnten.

Eines Tages kam ich an einem alten Weib vorüber, das am Fluß Toer lebte und dem Clan der oe'San angehörte. Die Vorzüge der Alten bestanden aus langen Wimpern, goldenen Zähnen und äußerst kunstvollen Tätowierungen ihres Körpers. Sie trug ein überaus fadenscheiniges Gewand, nur noch zusammengehalten durch dicken Draht, an dem durchbohrte Münzen aufgereiht waren, die ihr jede Bewegung zur Mühsal werden ließen und bei jeder Regung klirrten. Ich hielt ihr eine Silbermünze hin, und mit buhlerischem Lächeln griff sie danach; doch ich gab ihr die

Münze nicht sofort, sondern forderte sie auf, mir zuvor ihre Träume zu verraten. »Ich träume von Geld«, sagte sie und verflocht die Münze mit ihren Lumpen.

Der Einsiedler Ki in: *Mitteilungen einer Flaschenpost*

Kathein hatte einmal angenommen, sie könne Aesoe bändigen, indem sie mit ihren umfangreichen Forschungen und sonstigen kostspieligen wissenschaftlichen Anliegen seinen Reichtum erschöpfte; doch er hatte immer neues Geld aufgetrieben. Zu ihrem Schrecken stellte sie fest, daß es unmöglich war, auf diese Weise Aesoes Willen zu brechen; es mochte höchstens möglich sein, die Kaiel dadurch in den Ruin zu stürzen. Während eines Spaziergangs längs des Hai-Aquädukts sann sie in verzweifelter Stimmung über einen Weg nach, wie sie ihn nun endlich verlassen könne.

Sie vermochte nicht zu leugnen, daß sie ihren Gefallen an ihm gehabt hatte. Er war gutmütig und stand ihr in seiner geistigen Schärfe keineswegs nach. An seinen Feiern hatte sie Spaß. Sie schätzte die Lässigkeit, mit der er seine Macht ausübte, die Regeln und Gesetze der Kaiel nach seinen Bedürfnissen verbog und beugte, in die Tat umsetzte, was immer er gerade für erforderlich ansah. Aber sie *haßte* ihn nun einmal! *Bei Gottes Geist, der Mann ist einfach furchterregend!* Ihm verdankte sie es, daß sie nun einen eigenen Clan hatte, der sich, wie sie überzeugt war, zu solcher Tüchtigkeit entwickeln sollte, daß er einmal neben den Kaiel herrschen würde. Dank Aesoe hatte sie sozusagen mit einem Fingerschnippen eine Familie erschaffen können – der sie selbst nicht angehörte.

Sie hatte alles. Sie hatte einen Sohn, den sie regelrecht verehrte. Niemand glaubte ihr, aber er würde zum Erlöser Der Mit Gott Spricht werden. Sie ahnte es. Er besaß Joesais Kraft und ihren Verstand. Doch sein Vater lebte fernab in der Verbannung.

Ihr Geist konnte sich anspruchsvollen, abenteuerlichen Dingen widmen. Das Erschließen des Codes, der die Enthüllungen offenbarte, die der *Feuerofen des Krieges* enthielt, war Aufregung genug für ein ganzes Leben gewesen. Aber es hatte sich noch mehr daraus ergeben. Hinweise in den Beschreibungen von Kriegswaffen hatten sie gleichzeitig in die Bereiche der subatomaren Theorie und der Kosmologie und sämtlicher dazwischenliegenden Gebiete geführt, von Schallstrahl-Geräten, die sich in ein Stück Silikon von der Größe eines Daumennagels einsetzen ließen, bis hin zu Raketen, die Gott erreichen konnten.

Und doch war sie allein.

Der glücklichste Abschnitt ihres Lebens war jene kurze Zeitspanne gewesen, in der die maran-Familie um sie warb. Unendlich lange schien jene Zeit nun schon zurückzuliegen! Als sie Gaet zum erstenmal begegnet war und ihm die erste, noch ganz einfache Schallstrahl-Vorrichtung zeigte, hatte es in ganz Kaiel-Hontokae noch keinen Schalldraht-Anschluß gegeben; heute gab es sie überall, das kupferne Netzwerk breitete sich aus wie eine angesichts neuer Beute ins Rasen verfallene Insektenart. Damals hatten die Menschen immerzu laufen müssen; nun fuhren sie mit ihren Skrei-Rädern. Früher waren die Kaiel ein auf die Vorgebirgssteppen beschränkter Clan gewesen; jetzt erfaßte ihr Einfluß das halbe Njarae-Meer, und im Nordosten übten sie Druck auf die Itraiel aus. Das Leben hatte sich in einen Mahlstrom verwandelt.

Wie verweigerte man sich einem Mächtigen?

Manchmal, wenn sie ihren Haß auf Aesoe besonders heftig empfand, bei jenen seltenen Gelegenheiten, wenn sie aus einer Art von sehnsüchtigem Verlangen nach verlorener Liebe Hoemei mit auf ihre Polster nahm, war die Zärtlichkeit, die sie bei ihm fand, nahezu zuviel für sie, mehr als sie zu ertragen vermochte. Gaet umwarb sie noch immer mit der förmlichen Artigkeit des überzeugungswilligen Verführers. Das war so etwas wie eine Verpflichtung, die er gegenüber allen Frauen fühlte. Joesais Liebe war zu Groll geworden, und das gab ihr Rätsel auf. Sie behielt sie allesamt im Augenmerk. Noe war in Soebo und für den Nachschub und die Versorgung der Versammlung verantwortlich gewesen. Teenae versuchte noch immer, die Welt in die Schubläden ihrer zwanghaften Logik einzureihen: Verträge galt es einzuhalten, Geheimnisse mußte man hüten, und für Verrat gab es Blei zwischen die Augen.

Kathein erregte auf der Landstraße die Aufmerksamkeit eines Ivieth. Er reichte ihr Wasser und musterte sie mit sichtlichem Bedenken, als sie ihm versicherte, sie sei vollauf in Ordnung. Er entschied, es sei besser, sie kehre mit ihm zurück in die Stadt. Die Ivieth waren Aufseher über alle Straßen, und dort widersprach ihnen niemand, nicht einmal Priester.

So suchte sie nach ihrem kurzlebigen Aufbäumen schließlich doch wieder den Kaiel-Palast auf. Sie hatte einen halben Tag Verspätung, und Aesoe empfing sie mit merklichem Mißmut. Weder vergnügten ihn ihre Beinkleider, der Staub in ihrem Haar, noch der Dreck auf ihren Zehennägeln. Er schickte sie mit einer Bediensteten, einer seiner schwangeren Kinderhort-Töchter, zum Baden und Umkleiden. Nach einer Frist von gerade hinlänglicher Dauer, daß eine Frau die erste Schicht Schmutz abwaschen konnte, fand er sich persönlich im Bad ein, um dort eine Unterredung zu veranstalten, wie es bei den Kaiel üblich war, wenn es an Zeit mangelte und die Sache eilte. Das war Aesoes Art, Kathein seine Unzufriedenheit mit ihrer Aufsässigkeit zu verstehen geben.

Es begleiteten ihn zwei Itraiel-Priester, beide feierlich mit Kopfbedeckungen aus schillernden Insektenflügeln und schwarzen Kleidungsstücken angetan, auf der Brust, als seien es Schals, Kragengeflechte aus Messing. Beide trugen an der Kleidung des Oberkörpers gebuckelte Messingplatten mit Einlegearbeiten aus Platin, lüsterne Abbildungen, lauter Gestalten, die sich duckten, um ihre Geschlechtsteile zu verbergen. Schwarze Beinkleider aus Hartschilf-Gewebe umschlossen ihre Beine, und das hineingewobene Platinmuster stellte dieselbe tödliche Blume dar, die als vernarbte Tätowierungen die Gesichter der Priester schmückte.

Sie verneigten sich vor Kathein, die längst in der Badewanne saß, und falls dieser kaielische Brauch, mit Gästen im Bad zu verhandeln, ihnen Erstaunen abnötigte, ließen sie es sich nicht anmerken. Sie selbst badeten nie in Wasser, und die Regeln, nach denen sie ihr Dasein gestalteten, sahen keine Badehäuser vor. Kathein streckte ihnen mit unterkühlter Gebärde ihre triefnasse Hand entgegen, und nacheinander küßten die zwei sie.

»Kaesim von den kembri-Itraiel«, sagte der eine.

»Suesar von den kembri-Itraiel«, sagte der andere.

Aesoe schleppte für sein Liebchen einen Krug voller Wasser zum Abspülen an. »Unsere ehrenwerten Freunde haben in Soebo an der Versammlung teilgenommen, dort an Verwaltungsaufgaben mitgewirkt und befinden sich nun auf der Heimreise. Sie unterbreiten uns einen Vorschlag, den wir mit großem Ernst prüfen müssen. Ich möchte, daß du dich mit ihnen über die im *Feuerofen des Krieges* geschilderten Waffen unterhältst.«

Mit etlichen nach hinten gerichteten Streichbewegungen ihrer Hand wischte sich Kathein schaumige Brühe aus dem Haar. Die Waffen der rietheschen Wahnsinnigen waren nicht unbedingt ihr liebster Gesprächsstoff. »Warum?«

»Kaesim und Suesar haben in Soebo unsere Art und Weise des Herrschens gesehen und sind zu der Ansicht gelangt, daß es vorteilhaft sein könnte, ihr Land an die Kaiel abzutreten. Selbstverständlich im Rahmen eines Handels, und wir müßten unsererseits erhebliche Gegenleistungen bieten.«

Kathein goß sich das warme, klare Wasser, das Aesoe ihr hingestellt hatte, über den Kopf. Ihre Antwort klang unüberhörbar nach Sarkasmus. »Als Gegenleistung sollten wir ihnen Waffen geben, mit denen sie ganze Ortschaften, sogar Städte einäschern können, und Schießmaschinen, mit denen sie dazu in die Lage versetzt werden, mehr Frauen und Kinder zu ermorden, als sie zu verzehren vermögen, bevor sie verwesen?«

Suesar verneigte sich; er war nicht gekränkt. »Du ziehst unsere sittliche Reife in Zweifel«, sagte er in sachlichem Ton.

Kathein lachte. »Nein. Ich habe die geistige Gesundheit meines Bettgefährten angezweifelt.«

»Geistige Gesundheit!« Aesoe schnob. »Sogar Hoemei glaubt, daß der Himmel von Feinden wimmelt und wir bis jetzt nur überlebt haben, weil wir noch nicht von ihnen entdeckt worden sind. In Gottes Himmel tummeln sich noch andere Götter, und wohin sich einer begeben hat, dorthin können eines Tages auch andere kommen. Und woraus besteht unsere Verteidigung? Sollen wir uns auf den Hintern setzen und den Himmels-Dämonen vorschlagen, Kol mit uns zu spielen? Sollen wir sie durch die Wüste führen und ihnen heimlich die Beine aufkratzen, so daß sie erkranken und verrecken? Oder sollen wir großkotzig erklären, sie seien ja ohnehin von niedriger Kalothi, und ihnen in der Turmstube eines Tempels ein Messer und eine Kurtisane zur Verfügung stellen? Wer ist da, um uns zu verteidigen, Kathein? Die Menschheit auf Geta ist nicht allein im Kosmos.«

»Das Feuer, das den Sohn verbrennt, verbrennt auch die Tochter.« Wasser troff in Rinnsalen von Katheins Gestalt, als sie sich aufrichtete und sich in das Badetuch hüllte, das Aesoes Dienerin-Tochter ihr entgegenhielt.

»Geta benötigt einen ›Militär‹-Clan.« Aesoe benutzte jenes Wort aus dem *Feuerofen des Krieges,* weil die getanische Sprache keinen derartigen Begriff kannte. »Er muß das Spiel des Gegners kennen, um ihm, sobald wir ihm begegnen, die Bedingungen des Spiels aufzwingen zu können. Das ist die Rolle, die ich den Itraiel vorschlage. Wir herrschen – sie schützen. Das ist eine Aufgabe, die fortwährend Lernen, Weitsicht, Entschlossenheit, Mut, tiefgehendes Spielverständnis und große Kalothi erfordert. Ich glaube, die Itraiel sind eines solchen Vertrauens würdig und werden sich davon zu höchstem Verantwortungsbewußtsein angehalten fühlen.«

»Kann sein.« Kathein überlegte.

»Ich wage zu behaupten«, warf Kaesim ein, »daß wir einer derartigen Aufgabe durchaus gewachsen sind, und...«

Kathein unterbrach ihn. »Ich kenne die Itraiel.«

Die Itraiel waren heißblütige Wüstensöhne, Herren eines Nomadenreiches. Von Genetik und allem, was sich damit anfangen ließ, verstanden sie überhaupt nichts, und Kathein bezweifelte, daß sie auch nur eine genetische Werkstatt besaßen. Ihre Tempel waren Zelte. Sie waren bekannt für eine sonderbare Art von sanftem Gemüt. Welcher Clan machte zum Beispiel weniger Aufhebens um körperliche Gebrechen? Man sagte von den Itraiel, daß sie mit der Rechten einen Beinlosen stützten, während sie mit der Linken einem Widersacher die Beine abhackten. Man sagte ihnen nach, daß niemand einen kembri-Itraiel mit dem Messer angreifen und überleben könne. Niemand spielte Spiele, hieß es, so wie die Itraiel. Ihre Kalothi-Rituale beruhten fast alle auf Spielen. Bei ihren jährlichen Wettkämpfen mußten die deutlichsten Verlierer für das fröhliche Abschiedsfest sorgen, und ihre Rituelle Selbsttötung sicherte den anderen den Proviant für den langen Weg nach Hause. Die Itraiel verlangten nicht weniger von den Unteren Clans, die auf ihrem Land wohnten.

Aesoe ließ mehrere Gewänder bringen, die er für Kathein angeschafft hatte, davon einige von zweifelhaftem Geschmack. Die Höflichkeit schrieb vor, daß die Ehre, sie ankleiden zu dürfen, Aesoes Gästen zufiel, und unter etlichen Verbeugungen zwischen den drei Männern legte er den zwei Itraiel nahe, sie so zu kleiden, wie es ihnen selbst am besten gefalle. Kathein belustigte sich. Suesar mochte an dem Ritus nicht teilhaben und tat einen Schritt zurück – weit genug, um Kaesim den Vortritt aufzunötigen, aber nicht so weit, daß er Kathein damit beleidigt hätte.

Kaesim unterzog die Gewänder einer Begutachtung, unterwarf sich auch diesem seltsamen kaielischen Brauch mit vollkommener Unbefangenheit. Mit jedem Versuch warf er Kathein einen unauffälligen Blick zu. Durch dies Vorgehen war es ihm möglich, Kathein so anzukleiden, wie es *ihr* am meisten zusagte. Kathein war eine Goldmünze darauf zu verwetten bereit, daß es sich bei Kaesim um den geschicktesten Gesandten der Itraiel handelte.

Einen Herzschlag lang sah sie ihn im Zweiten Weltkrieg auf dem Turm eines Panzers durch die nordafrikanische Nacht fahren, hinter ihm fünf Gurkhas auf dem Fahrzeug. Ihre Seele erschauderte.

Sie nahm den Wüstenpriester bei der Hand und führte ihn durch den Irrgarten des Palastes – immer dem Duft nach – in Aesoes eigene Speiseräume. Suesar und Aesoe schlossen sich auf dem Weg zur Mahlzeit an, von der Kathein sehr wohl wußte, daß man sie weit über die Zeit hinaus bereit- und warmgehalten hatte. Sie bat die Männer, sich zu setzen, bediente zuerst Kaesim, die Gegenleistung für seine Hilfe beim Ankleiden. Als letztes schnitt sie den kleinen gebratenen Kadaver an und behäufte ihre Teller mit Fleisch und Soße. Die fremden Priester machten irgendwelche Zeichen über ihrem Essen und begannen herzhaft zu schmausen, während Kathein ihnen allerlei Kriegsbeschreibungen zu liefern anfing, dabei besondere Betonung auf die Greuel legte, um diesen Männern Abscheu davor einzuflößen, in der Hoffnung, sie würden es vielleicht noch einmal durchdenken, ob ihnen wirklich so viel an der Rolle eines Krieger-Clans lag.

Sie erzählte von der auf Befehl des Papstes erfolgten, vollständigen Ausrottung der Juden in Großbritannien, dank der die Briten nie wieder ein Judenproblem hatten. Sie erzählte vom Gemetzel, das die Perser am Thermopylen-Paß anrichteten. Sie sprach über die Berge von Schädeln in Indien. Sie berichtete, daß die Türken für immer unter dem Fluch des armenischen Blutes standen, das sie vergossen hatten. Sie schilderte die Schwächen Belsens und die Wirksamkeit Hiroshimas. Sie beschrieb das Eindringen der Russen in Polen – nach dem Ersten Weltkrieg –, das vergeltungsweise Eindringen der Polen nach Rußland, dann die Lösung des polnischen Problems durch die Russen, als sie – eine Generation später und im Bündnis mit den Nazis – halb Polen besetzten, fünfzehntausend Mitglieder des polnischen »Militär«-Clans hinrichteten und in einem Massengrab bei Katyn begruben.

Kathein erzählte auch von der starken amerikanischen Friedensbewegung, deren Vorstellung von Gerechtigkeit darauf hinauslief, daß die verrohte amerikanische »Armee« Südostasien verließ, damit die Kambodschaner ihre Felder mit den Leichen von Kambodschanern düngen durften, die Vietnamesen am Leichnam eines geschrumpften Volkes zehren konnten, die Chinesen die Vietnamesen zu bestrafen und die Vietnamesen die bei ihnen ansässigen Chinesen im Meer zu ertränken vermochten. Sie schilderte die Plünderung Roms.

Die itraielischen Priester hörten zu, wie man einem Ivieth zuzuhören pflegte, der das Bein eines unterwegs verstorbenen Reisenden abnagte und unterdessen Geschichten von fernen Gegenden zum besten gab. Sie begannen ihr Fragen in bezug auf Strategie, Zweckmäßigkeit und Zielsetzungen zu stellen. Kathein beantwortete die schwierigen Fragestellungen, die sie aufwarfen, so gut sie dazu imstande war. Sie bemühte sich, ihnen Hitlers Entscheidung hinsichtlich Stalingrads begreiflich zu machen, und die Verwickeltheit der Zusammenhänge zog sie so in den Bann, daß sie darüber zeitweilig das Essen vergaßen. Sie gelangten zu der vorläufigen Schlußfolgerung, daß die Riethe nicht verrückt waren, sondern lediglich stumpfsinnig.

»Sie haben anscheinend immer sehr viel von Waffen verstanden«, sagte Kaesim.

»Aber nie sonderlich viel von Strategie«, ergänzte ihn Suesar.

Daraufhin begannen die beiden Kathein nach Waffen auszufragen. Sie erläuterte ihnen Axt und Schwert, Armbrust und Gewehr, Geschütz, Panzer und Kampfflugzeug, Hubschrauber-Kampfausführungen und Langstrecken-Bomber, Fernraketen und Spionage-Satelliten.

Kaesim verzog die Fei-Blumen-Tätowierungen seines Gesichts zu einem Grinsen. »Vielleicht ist Gott ein ›Spionage-Satellit‹ der Riethe.« Er lachte. Sie alle lachten das Große Lachen, bis ihnen Tränen in die Augen traten, denn das war ein zu gräßlicher Scherz, um ihn ernstnehmen zu können.

Kathein erklärte den Kreislauf der Entwicklung immer neuer Waffen, der die gesamte riethesche Geschichte durchzog. Am Anfang hatten Pfeil und Bogen, Keule und Schleuder dem Einzelnen Überlegenheit verliehen. Später übernahmen Nomaden die Erfindung des zweirädrigen Wagens, die ihn in leichterer Bauart herstellten und für ihre Zwecke vervollkommneten, um ihre Herden unter besserer Aufsicht zu halten. (Herden, so setzte Kathein auseinander, waren kleine Clans von Leuten, die man um ihres Fleisches, ihrer Haut und Milch willen züchtete.) Vor die Streitwagen spannte man Springer beziehungsweise »Pferde«.

»Den Springer, den's im Schach gibt?«

»Der Springer ist ein geschichtlich belegbares Lebewesen? Nicht bloß ein Mythos?«

»Der Springer heißt im *Feuerofen des Krieges* allgemein ›Pferd‹«, gab Aesoe Auskunft, »und ist ein sehr großes, menschenähnliches Geschöpf mit diesem langen Gesicht, das wir vom Springer kennen, vier Beinen, aber keinen Armen.«

Bei der Vorstellung eines vierbeinigen Ivieth, der einen Wagen zog, grinsten die itraielischen Priester breit und stießen mit ihren blasigen Gläsern voller Whisky schwungvoll an.

»Pferde waren teuer und mühsam auszubilden. Streitwagen waren also kostspielig, daher kam es, daß um ihre Erstellung ein besonderer ›militärischer‹ Clan entstand, der schließlich damit über Mesopotamien und Indien herfiel und sogar bis ins fern im Osten gelegene China vorstieß, unterwegs sämtliche Priester tötete, die sich nicht vor ihm fürchteten.« Kathein lächelte Aesoe zu.

»Ein Verwechseln von Bewaffnung mit Strategie«, bemerkte Kaesim dazu.

Kathein äußerte sich über das Aufkommen der nächstfolgenden Waffen; lange Dolche aus billigem Eisen, wie Keulen zu benutzen, die dem einzelnen Krieger neue Überlegenheit verliehen. Selbst ein ungeübter Mann mit einem eisernen Schwert konnte es mit einem ausgiebig geübten, wohlhabenden Edelmann in seinem Streitwagen aufnehmen. Daher starben die Edelleute aus.

Dann kam die leichte Reiterei auf, mit Bogenschützen auf den Pferderücken. Der Fußkrieger mit eisernem Schwert, Spieß und Schild geriet wieder ins Hintertreffen. Der einzige ernsthafte Widersacher war ein gepanzertes Pferd und ein gepanzerter Reiter, deren Ausbildung Jahre und den Wohlstand eines ganzen Dorfes als Rückhalt bedurfte. Die »Zentralregierung« schwand dahin. Der Mann, dessen Schwert seine Familie nicht länger schützen konnte, verlor die Macht an den gewappneten Kriegsmann seines Dorfes, der zum Erbpriester aufstieg.

Aber man erfand Sprengstoff aus Holzkohle, Schwefel und Nitrat. Ein Mann ohne Ausbildung, aber mit einer Muskete war von da an dem gepanzerten Aristokraten ebenbürtig. Umwälzungen fegten den Adel hinweg und gaben den einfachen Menschen Macht.

Doch die Waffen gediehen zu immer größerer Ausgefeiltheit und Gefährlichkeit. Maschinengewehre, Flugzeuge, Panzer, Artillerie, Schlachtschiffe zum Kreuzen auf den Meeren. Clans mit starker »Industrie« ersannen Mittel und Wege, um Gewehrträger in Massen auszulöschen. Auserlesene »Soldaten«, die mit hohen Kosten besonders geschult werden mußten, sorgten für die ständige Bereitschaft von Fernraketen, die ganze Städte zu Geiseln machten. Der gewöhnliche Mann nahm am Dasein der Krieger nicht mehr teil. Er weigerte sich, ließ sich nicht länger für diese Zwecke heranziehen. Heere sammelten Macht, deren anhaltende Kriegsbereitschaft ihr Erwerb war. Die »Demokratien« zerbröckelten. An ihre Stelle traten »sozialistische Aristokratien«, die den nun machtlosen gemeinen Mann ausnutzten.

Zuletzt entstanden im Laufe der immerwährenden Suche nach stets noch wirksameren Waffen die nur insektengroßen Denkmaschinen, so billig wie am Ausklang des Bronzezeitalters das Eisen. Gewissermaßen mit einem Korb voll Weizen konnte jeder sich eine Dämonen-Rakete kaufen, die dazu geeignet war, ein großes Flugzeug abzuschießen, einen Panzer zu zerstören oder einen Panzerwagen zu vernichten. »Industrie«-Leute vermochten ihre Herrschaft über Arme nicht aufrechtzuerhalten. Die neuen »sozialistischen Aristokraten«, nicht länger dazu imstande, dem einfachen Menschen Furcht einzuflößen, vergingen ebenfalls.

Und das Geschehen war immer das gleiche. Wenn Riethes Priester-Clans mit ihren teuren Waffen die Vorherrschaft ausübten, kam es auf ihrer Welt unablässig zu Gemetzeln; wenn sich die Unteren Clans mit ihren billigeren Waffen durchsetzten, verfärbte sich Riethe rot von Blut.

Kathein beendete ihre Darstellung, indem sie Aesoe einen vorwurfsvollen Blick schenkte, als wolle sie sagen: Und so etwas willst du auch über uns bringen?

»Die ›Militär‹-Herren Riethes würden uns beim Abschiedsfest nähren«, prahlte Kaesim unbeeindruckt.

»Die Riethe sind durchaus nicht als unbezwingbare Bedrohung zu betrachten«, versicherte Suesar. »Sie haben keinen Sinn für Strategie. Aber wir werden die Waffen benötigen. Selbst ein großer Geist wird von einem geistlosen Felsbrocken plattgewalzt, der den Berg hinabrollt.«

Kathein war wütend, weil die zwei ihre Schilderungen so gleichgültig zur Kenntnis nahmen. »Wolltet ihr die Verantwortung tragen, die's bedeutet, in euren Händen einen Apparat zu halten, der mit Sonnenfeuer eine ganze Stadt zu verschlingen vermag?«

»Wir würden eine so große Verantwortung begrüßen.«

Aesoe verlangte nach Unterhaltung. Seine Liethe-Frauen traten ein. Honieg spielte ihr Musikinstrument, während Cairnem und Sieen tanzten. Die dunkelhäutigen Gäste stießen Rufe des Beifalls und der Freude aus, klatschten im Takt mit, denn die Liethe boten einen schnellen, leichtfüßigen Tanz dar. Danach ersuchten die Priester um die Erlaubnis, auch ihre körperliche Geschicklichkeit und Behendigkeit zeigen zu dürfen.

Sie entkleideten sich, bis sie nur noch ihre Messinggürtel und den Gliedschutz trugen. Schreie drangen von ihren Lippen, während sie einander auf der Tanzfläche umkreisten, sich anfauchten. Suesar gab einen Knurrlaut von sich und griff an, und durch die Magie von Flinkheit und Hebelwirkung warf Kaesim ihn so in die Höhe, daß es aussah, als müsse er heftig am Fußboden aufprallen. Doch mitten in der Luft vollführte Suesar eine Drehung und kam wieder auf die Füße.

Von den drei Liethe war nur die Königin des Lebens vor dem Tod geblieben, um sich den Schaukampf anzusehen, ganz davon in den Bann gezogen; heute war sie in der Verkörperung Cairnems zugegen.

Das Schauspiel kembrischer Körperbeherrschung ging weiter; schon die kleinste Bewegung bewahrte vor einem gebrochenen Schädel, ein Angriff schien völlig am Gegner vorbeizugehen. Aesoe stampfte entzückt mit den Füßen, und die beiden kembri-Itraiel verneigten sich vor ihm. Cairnem lächelte.

Noch ehe sie ihre Verbeugungen abschlossen, zischelte sie ihnen eine Herausforderung zu. Verblüfft drehten sich die Priester ihr zu, denn sie hatte die kembrische Form der ärgsten Frechheit von sich gegeben. Während die zwei Männer sie noch anstarrten, wiederholte sie die Unverschämtheit und entkleidete sich bis auf ihren Gürtel, ein winziges Band mit hölzernem Verschluß, das ihrer geringen Körpergröße entsprach. Die Priester brachen in Gelächter aus.

Ein Wirbelwind von Fleisch fuhr auf sie zu, und sie mußten blitzartig handeln, um sich noch wehren zu können. Sie raunzten kembri-Laute, und die Liethe fauchte zurück. Nach einem kurzen, raschen Wortwechsel griff sie von neuem an, erst den einen, dann den anderen Itraiel. Kathein klammerte sich an ihren Stuhl. Sie rechnete damit, daß das Mädchen ums Leben kam, denn es prallte häufig mit dumpfem Krachen auf dem Boden, doch jedesmal rollte es sich einwandfrei ab und schwang sich wieder in eine aufrechte Haltung. Schließlich gab es den Kampf auf, sichtlich erschöpft, Schweiß lief an der untätowierten Gestalt hinab, doch es lächelte noch immer fröhlich. Die beiden Itraiel lächelten zurück.

»Cairnem bedient sich der kembrischen ›Otaimi‹-Kampfart«, erklärte Suesar, »die von kleinwüchsigen Frauen verwendet werden kann, jedoch nicht von Männern unserer Größe. Sie ist gut.«

»Aber ich habe drei zu eins verloren. Und sie haben mich benachteiligt.«

»Zwei gegen einen ist schwerlich anständig, aber deine Unverfrorenheit ließ uns keine andere Wahl, sie mußte hart bestraft werden.« Kaesim verbeugte sich; auch aus seinem Gesicht war das breite Lächeln nicht gewichen.

»Meine Tanzlehrerin ist von Niel kembri-Itraiel in den kembrischen Künsten unterrichtet worden.«

»Ach, tatsächlich? Von Niel?!«

Cairnem glich jetzt nur noch vollkommener liethescher Anmut. Sie bot jedem der beiden Männer einen Arm. »Ich bin hier Bestandteil der Gastfreundschaft. Am heutigen Abend bin ich euer.« Sie wandte sich an Aesoe. »Ich habe das Kampfspiel verloren, und da ich mich zuvor abfällig über ihre Geschlechtsteile geäußert habe, obliegt's mir, sie nun in ihrem Selbstbewußtsein neu zu bestärken. Also erteile deine Einwilligung.« Sie blickte Aesoe unumwunden in die Augen.

»Und wenn sie dir unterlegen gewesen wären?« fragte Aesoe.

»Nun, dann hätten sie sich bemühen müssen, *mir* außerordentliche Freuden zu bereiten.«

»Wie ich sehe, bin ich meine aussichtsreichen Krieger für den heutigen Abend los. Die Verhandlungen werden erst morgen fortgesetzt.«

Heute abend werde ich es ihm sagen, dachte Kathein.

Doch als sie allein in seinem Schlafgemach waren, zögerte sie erneut, ließ sich andere Dinge einfallen, über die sie redeten. Aesoe war gutgelaunt und zu kauzigen Scherzen aufgelegt, hatte sich also dafür entschieden, ihr ihre Unartigkeit nachzusehen, und Kathein empfand es als wesentlich leichter, mit ihm zu scherzen, als ihm eine unangenehme Eröffnung zu machen. *Ich werde ihn ausziehen.* Oft genug hatte sie Sieen dabei beobachtet. *Und wenn meine Hände ihn günstig und weich gestimmt haben, werde ich es sagen.* Aber sie brachte es nicht fertig, sich ihm zu nähern.

»Ich habe einen wichtigen Entschluß gefällt«, sagte sie; zusammengekauert saß sie am Fenster.

»Ja, du willst mit dem Bau des Protonenbeschleunigers anfangen. Oder dreht's sich um eine weniger großartige Sache?«

»Die maran-Kaiel befinden sich alle in Trauerweiler.« Sie verstummte. Sie vermochte nicht weiterzusprechen.

»Ich habe ihnen das Tal der Zehntausend Gräber gegeben. Trauerweiler ist genau der Ort, wo sie sein müssen.«

»Ich werde auch nach Trauerweiler gehen.« Sie holte tief Luft.

»Ich weiß, daß du in sie vernarrt bist. Ist es nötig, mich dauernd daran zu erinnern?«

»Ich werde hingehen, um... sie zu heiraten.«

Er ließ sich keinerlei Regung anmerken. Sie würde sie eines Tages noch in den Wahnsinn treiben, die Ruhe dieses Mannes, die ihn ausgerechnet nur dann im Stich ließ, wenn unwichtige Angelegenheiten fehlliefen: Bei so etwas verfiel er in Toberei.

Aesoe zupfte sich ein Nasenhaar aus. »Du bist vergeben.«

»Ich habe die Absicht, mich von dir zu trennen.«

»Aha, so, zu trennen«, wiederholte er. Er schnippte das ausgezupfte Härchen auf den Fußboden. »Bist du sicher, daß die maran dich überhaupt noch mögen?« Tränen rannen Kathein über die Wangen, denn dessen war sie sich keineswegs sicher. »Du willst also nach Trauerweiler gehen?«

»Ja.«

»Das werde ich verhindern.«

»Das kannst du nicht.«

»Ich kann's sehr wohl.« Sein Tonfall verriet, daß er sich nicht näher auszulassen gedachte. Er schaltete die elektrische Lampe aus.

Kathein begann sich, weil er nicht damit herausrückte, was er zu unternehmen beabsichtigte, all das auszumalen, was er tun könnte. Es war ohne weiteres denkbar, daß er die maran-Kaiel alle umbringen ließ, und dann trüge sie die Schuld. »Aesoe«, sagte sie flehentlich in die Dunkelheit mit ihren bedrohlichen Schemen.

»Komm aufs Polster«, sagte er.

Er konnte ihr weiteres Geld verweigern. Es war möglich, daß er ihren gerade erst im Entstehen begriffenen Clan wieder austilgte. Sie ging zur Bettstatt, strich mit einem Finger über seine Brust, spielte sanft mit der Brustbehaarung. »Ich möchte, daß du mich liebst«, sagte sie.

Er zog sie an sich, weil er ihre Äußerung mißverstand. Sie ließ ihn gewähren. Was wäre der Sinn irgendwelcher Gegenwehr gewesen? Er nahm sie heftig. Eine solche Wucht in einem so alten Mann! Hoemei. Vor sich sah sie Hoemei, die Kehle aufgeschnitten, sein Arm zuckte entkräftet, Blut troff ihm von den Fingern. Aesoe begann wild in sie einzustoßen. Sie ließ es geschehen. Joesai. Joesai war in Soebo gewesen. Aesoes Absicht war es gewesen, ihn durch den ihm erteilten Auftrag ums Leben zu bringen. Und die Mnankrei hatten tatsächlich versucht, ihm den Garaus zu machen, doch als sie ihn anrührten, floß der ganze Elektronenstrom von ihm auf sie zurück und erhellte ganz Soebo mit Feuerstellen, an denen man Mnankrei am Spieß briet. Falls Aesoe nun versuchte, Joesai mit nachdrücklicheren Mitteln zu ermorden, mochte es dann ebenso kommen? Würden die Elektronen von Joesai abprallen und Aesoe braten? Kathein erbebte unter Aesoes Stößen. Sie *lebte*. Es war nichts als ein Traum, was ihr da vorschwebte. Das Leben kannte keinen glücklichen Ausgang. Sie sah Joesai mit einer bleiernen Kugel im Schädel zu Boden sinken. Teenae. Teenaes glasige Augen stierten in eine Lache eigenen Blutes. Gaet und Noe. Gaet lag tot an der Stelle, wo er Noe vergeblich zu beschützen versucht hatte. Würden diese dolchartigen Stöße niemals aufhören? Sie stöhnte, und unterdrückte Schluchzer begleiteten ihre Tränen. *Wie ich dich hasse!* dachte sie und klammerte sich an Aesoe.

Sie glaubte ihm sein Gerede über die Gefahren nicht, die von Gottes Himmel ausgehen sollten. Es lieferte ihm nur den Vorwand für seine ehrgeizigen Pläne. Die Heere der kembri-Itraiel würden mit ihren Waffen um ganz Geta marschieren und den Planeten unter der Herrschaft der Kaiel vereinen – und Aesoe würde verlautbaren, so sei es ja wohl am besten. Von den Sternen droht Gefahr, behauptete er, deshalb muß die Einigung heute zustande gebracht werden, nicht erst morgen. Hoemei würde versuchen, ihm in den Arm zu fallen – und deshalb alsbald in einem Auflohen von Sonnenfeuer verbrennen.

»Ach, mein Honigbienchen«, murmelte Aesoe.

57

Geh nicht leichtfertig mit dem Ritual des Todes um, denn für immer wirst du an jenen gebunden, dem du es auferlegst, möge das Ergebnis nun der Tod oder das Leben sein.

Aus dem *Kaielischen Buch der Rituale*

Sobald Joesai sicher gewußt hatte, daß Oelita lebte, war er auch dazu fähig gewesen, sie zu finden. Die Anzeichen waren nur Andeutungen gewesen und hatten kaum miteinander im Zusammenhang gestanden, doch sie wiesen darauf hin, daß die Gütige Ketzerin behutsam wieder Verbindungen zur Küste knüpfte.

Ein Trupp Kundschafter war einem ihrer Boten über die Hügel erst nach Süden, dann in den Osten und zuletzt in einen Landstrich gefolgt, dessen Trostlosigkeit immer mehr zunahm, dessen graue und rötliche Steinwüsten immer härter und schroffer wirkten. Gestrüpp ließ sich zunächst nur noch an geschützten Stellen antreffen, mußte schließlich verzweifelt um jeden kümmerlichen Flecken Boden kämpfen, den die karge Natur noch bot. Viele Landstriche Getas waren so oder ähnlich, viele Gegenden sogar noch öder; doch wer wagte sich in die wirklich unbewohnbaren Gebiete? Selbst die Einsiedler schraken vor vollkommener Ödnis zurück. Man nahm den Boten gefangen, kurz bevor er Oelita erreicht hätte.

Joesai kauerte hinter einem Felsbrocken in den Zweigen eines abgestorbenen Strauchs, dessen totes Astwerk den Felsen gleichsam umfing, und beobachtete sie durch das handliche Späherauge, das seine Schüler am Observatorium für ihn angefertigt hatten. Da hatte er sie nun. Freude bemächtigte sich seiner.

»Sie macht einen vollauf gesunden Eindruck«, sagte er zu Eiemeni und dessen Weib Riea.

»Wir haben gestern, bevor du gekommen bist, Kinder erspäht.«

»Kinder kann's hier unmöglich geben«, rief Joesai.

»Zwei waren's. Noch ziemlich klein.«

Geduldig setzte Joesai die Beobachtung fort. Sie trug Wasser in ihren Garten. Woher holte sie es? Endlich gesellten sich zwei kleine Gestalten zu ihr. »Bei Gott, du hast recht! Zwei! Wartet bis zum Abend. Entführt die Kinder, wenn's am dunkelsten ist. Oelita weiß nicht, daß ihr hier seid. Um sie kümmere ich mich selbst.«

Lautlos und stets Deckung suchend schlich er sich an. Er näherte sich ihrem Brunnen und bewunderte ihn, als sie ihn bemerkte. Als er sich umwandte und sie anschaute, stand sie wie versteinert da.

»Du hast mich gefunden.« Beklommene Furcht schnürte ihr die Kehle zu. Er erinnerte sich daran, daß ihm in dem Augenblick ähnlich zumute gewesen war, als er den Leichnam seines Bruders Sanan sah.

»Ich bleibe meinen Zielen treu«, sagte er.

»Bleibt in der Hütte!« rief sie den Zwillingen zu, die herausgelaufen kamen, um bei ihr Schutz zu suchen.

»Den Kindern wird nichts geschehen«, sagte Joesai.

»Hast du vor, mich zu ermorden?«

»Das Ritual des Todes ist eine Prüfung, keine Hinrichtung.«

»Zwei Proben stehen noch aus«, entgegnete sie bitter. »Das ist so gut wie eine Hinrichtung.«

»Nur noch *eine* Probe. Ich habe dein neues Buch gelesen. Du glaubst nun an Gott. Du bist mit der Herausforderung deines Verstandes gut fertiggeworden. Ich bewundere dich, Oelita.«

»Was soll aus meinen Kindern werden?« Sie weinte.

»Wer ist der Vater?«

»Hoemei.«

»Die Kinder meines Bruder-Gatten schweben in keiner Gefahr.« Joesai stellte das mit allem Nachdruck klar.

»Doch, doch. Wenn du mich umgebracht hast, wirst du sie zur Schlachtbank schleppen. Sie haben Ainokies Krankheit.«

»Nein, das ist nicht wahr. Ich habe sie gesehen.«

»Ich meine, sie haben sie rezessiv im Erbgut.«

Er zuckte mit den Schultern. »Das mindert schwerlich ihre Kalothi. Die Aussichten stehen halb und halb, daß sie die entsprechenden Anlagen gar nicht besitzen. Wenn sie erwachsen sind und eigene Kinder wünschen, können diese schandhaften Gene, wenn sie ihre Kinder in einem Kinderhort zur Welt kommen lassen, beseitigt werden. Das nötige Verfahren wird bei uns Kaiel zusehends häufiger und mit immer mehr Erfolg angewendet.« Er blickte hinüber zur Hütte. »Geh und sprich ihnen Mut zu. Sie fürchten sich. Sie spüren deine Furcht.«

Oelita betrat die Hütte, und Joesai schlenderte voller Staunen durch den kleinen Garten.

Als sie zurückkehrte, waren die Zwillinge ruhig. Kinder weinen, wenn sie sich fürchten, aber sobald sie die innere Stärke ihrer Mutter gespürt haben, können sie die Anforderung einsehen, ruhig zu sein. »Willst du meinen Garten verwüsten und abwarten, ob ich das überlebe?«

»Nein«, gab er zur Antwort.

»Dann sag mir, warum du hier bist!«

Er ging nicht darauf ein. »Wenn ich in einer so einsamen, öden Umgebung leben müßte, würde ich das Sprechen verlernen.«

»Man lernt die Schönheiten einer solchen Gegend zu schätzen. Ich habe sie schon mehrmals gesehen, wenn Blumen blühten.«

»Zeig mir den Steinkegel. Ich habe noch nie einen bestiegen.«

»Damit du mich hinunterstürzen kannst und sehen, ob ich beim Aufschlagen hüpfe?«

»Friede«, sagte Joesai leise. »Vorerst sei Friede.« Er hob einen Stein auf und trug ihn mit sich zur Einsiedlertreppe. Oelita folgte ihm. Er setzte den Stein fest und genau zwischen die anderen Steine der obersten Lage ein und erklomm den höchsten Punkt. Oelita kletterte ihm nach, blieb jedoch außerhalb seiner Reichweite.

»Das ist ein richtiges kleines Reich, was du hier geschaffen hast.« Sein Blick schweifte über die öden Anhöhen, die fernen Berge und die hohen Wolkengebilde. Grimmigmond stand wie ein abgebrochener Felsbrocken orangerot am Horizont, und Getas Sonne verströmte harsches Licht. »Ich hätt's hier draußen nicht ausgehalten. Ich wäre kopfüber in den Brunnen gesprungen, um mich zu ersäufen.«

»Du hättest dich unangespitzt in den Boden gebohrt, ehe du ganz unter Wasser getaucht wärst«, erwiderte Oelita mit ätzendem Spott. »Nicht mal deine Haare wären naß geworden.«

»Hätte ich in dieser Einsamkeit leben müssen, ich wäre umgekommen.«

»Meine Kinder sind mir gute Gesellschaft. Die Wüste macht mir nichts aus. Ich habe sie gern.«

»Wie lange beabsichtigst du noch in der Wildnis zu bleiben?«

»Ich möchte, daß mein Junge und meine Tochter niemals in der Nähe eines Tempels gesehen werden.«

Er begann die gewundene Treppe des steinernen Kegelbauwerks hinabzusteigen. »Glaubst du, deine Kinder werden sich jemals wegen der Tempel Sorgen zu machen brauchen? Mit dir als Mutter und Hoemei als Vater? Kalothi ist mehr oder weniger erblich.«

»Und wie lange gedenkst *du* zu bleiben? Ich wünsche, daß du verschwindest. Das hier ist mein Zuhause.«

»Ich gehe, wenn du mitkommst.«

»Ich bin doch nicht verrückt!«

Joesai lachte. »Aber ja, doch, das bist du.«

»Verrückte schickt man in den Tempel, damit sie ihren Beitrag zur

Veredelung des Menschengeschlechts leisten.«

»Aber erst trägt man zu ihrer Unterhaltung bei.« Joesai erlaubte sich ein Lächeln.

Er schritt zu der Hütte, bei der es sich um den nach außen erweiterten Ausbau einer kleinen Höhle handelte. Oelita schloß sich ihm an, von neuem aufs höchste erregt, weil er sich den Zwillingen näherte, aber er machte keinerlei Anstalten, sie anzurühren, und der Knabe und das kleine Mädchen klammerten sich stumm an Oelitas Beine. Joesai bemerkte eine Schwachstelle im Dach und ging zu seinem Rucksack, holte ein paar Werkzeuge und besserte das Dach so weit aus, daß es für eine weitere Generation halten konnte, es sei denn, ein Erdbeben träte auf.

»Du hast doch nicht etwa dic Absicht, länger zu bleiben?«

»Wir bauen für jene, die uns nachfolgen, also ist's weise, gut und fest zu bauen«, gab er in förmlichem Tonfall Antwort.

Joesai bot ihr etwas aus seinen Vorräten zu essen an, aber sie lehnte es ab, weil sie sich noch der kaielischen Meisterschaft im Umgang mit Drogen und Giften entsann. Oelita bot ihm Fladenbrot an, doch er wies es seinerseits zurück, indem er höflich das Vorherrschen schädlicher Stoffe im umliegenden Pflanzenwuchs erwähnte. Sie lachten beide.

Er merkte, daß ein Augenpaar sein Lächeln beobachtete, und wandte es dem Knaben zu, der jedoch sofort sein Gesicht in Oelitas Armen verbarg. Das Mädchen begann mit seinem Bruder zu wetteifern. Es fuchtelte wild und verfiel in ein Geplapper, das seine Mutter anscheinend sehr wohl verstand – doch als es ihm gelang, Joesais Aufmerksamkeit von seinem kleinen Rivalen abzulenken, war es schlagartig wieder still und bedeckte das Gesicht mit den Händen. Erst als er die Kleine erneut mißachtete, fing sie abermals mit ihm zu liebäugeln an.

Oelita sorgte dafür, daß die Kinder sich auf ihre Matten legten. Sie heckten noch alle erdenklichen Vorwände aus, um wachbleiben und sich den Fremdling anschauen zu können, aber zum Schluß verloren sie den Kampf mit der Müdigkeit und weinten sich in den Schlaf.

Während sich Joesai zum Gehen fertig machte, drehte er sich um und legte erstmals Feindseligkeit an den Tag. »Deine Kinder sind weniger gesund, als du glaubst. Das ist ein hartes Leben hier draußen. Eines Tages wird es sie im Handumdrehen umbringen. Selbst wenn du dir bloß ein Bein brichst, wären sie zum Tode verurteilt.«

Sie folgte ihm aus der Hütte. »Ich werde nicht zulassen, daß du dich unbeobachtet entfernst«, sagte sie.

»Ich hege die Absicht, weit genug entfernt von dir zu lagern, daß du in Ruhe schlafen kannst.«

»Du glaubst, ich würde schlafen, während du in der Umgebung bist?!«

Wortlos stand er vor ihr, eine wuchtige Gestalt, die sich gegen den sternenreichen Wüstenhimmel abhob. Gott trat Seinen Durchgang an. Sein Schein war stets ein beachtenswerter Anblick, das Leuchten eines fingernagelgroßen Flecks im Orangerot der Sonne, das sich sichtbar quer durch die Leere des Alls bewegte, größer als jeder Stern. Oelita fiel auf die Knie und sandte mit der üblichen Gebärde der dringlichen Anrufung – die Arme erhoben und gekreuzt, den Kopf in den Nacken geworfen – ein inbrünstiges Stoßgebet gen Himmel. »Möge dieser Mann für immer von mir weichen!«

Gemächlich zog Joesai durch die Schlucht von dannen. Oelita blieb hinter ihm zurück. Er hielt sein Versprechen, weitab von ihrem Heim zu lagern. Sie kauerte sich in einigem Abstand hin, um ihn zu beobachten, eine Andeutung von Panik im Glanz ihrer Augen. »Du wirst selbst etwas Schlaf vertragen können«, meinte Joesai.

»Ich werde dich nicht schlafen lassen«, antwortete sie.

Er rollte sich auf seiner Matte zusammen. Sie stieß ihn mit einem Stock. Er spielte ihr Spielchen mit, bewahrte stoische Ruhe und achtete nicht auf sie. In Abständen stocherte sie mit dem Stock an ihm herum oder warf einen Stein. Erst als er Eiemenis nachgeahmtes, kaum hörbares Insektenzirpen vernahm, befand Joesai, daß es an der Zeit sei, Ärger zu zeigen. Er setzte sich auf und begann sie zu beschimpfen, wie ein Mensch, der gerne seinen Schlaf wollte, seinen Quälgeist beschimpfen mochte. Sie blieb ihm nichts schuldig und schleuderte ihm ihrerseits wüste Schmähungen entgegen; bei dieser Gelegenheit lernte er die Feinheiten in der Sprache von Trauerweilers Gosse kennen, die der Clanlosen einmal ihren Schutz gewährt hatte. Nach einer Weile verlegte er sich darauf, sie zu bitten, vernünftig zu sein.

Sie hörte die Schreie nicht, unmittelbar bevor man ihre Kinder zum Schweigen brachte. Er gab den Zank auf und versuchte nochmals, den verdienten Schlaf zu finden. Oelita störte ihn mit unbarmherziger Unregelmäßigkeit. Doch als schließlich aus dem Westen ihrer Behausung das entfernte Plärren von Kindern an ihr Ohr drang, sprang sie auf, und Entsetzen packte sie. Sie lief zurück. Joesai folgte ihr. Sie kam aus der Hütte gestürzt, als er eintraf, in ihren Augen wilde Mordlust. »Habt ihr sie getötet?«

»Sie befinden sich in Sicherheit. Aber wahrscheinlich fürchten sie sich sehr, weil du nicht bei ihnen bist.«

»Du von Maschinen ausgebrüteter Lump!«

Er benutzte ihre innerliche Hin- und Hergerissenheit. Sollte sie westwärts in die undurchdringliche Nacht hinausrennen? Sie würde die Kinder niemals finden. Um dort in der Wüstenei überleben zu können, müßte sie sich erst mit der erforderlichen Ausstattung versehen, und das bräuchte Zeit. Sollte sie Joesai um Gnade anflehen? Oder alles wagen und ihn umzubringen versuchen, damit er ihr nicht länger nachstellen konnte?

»Ich werde dich hinführen«, sagte Joesai.

Oelita ermattete kummervoll. »Also ist deine Falle vorbereitet.«

»Nein. Ich bringe dich aus diesem Schlund des Todes fort. Die Siebte Probe ist durchgestanden. Du hast sie überlebt und damit auf mich großen Eindruck gemacht.«

»Du hast mich nicht dazu gezwungen, mich in der Einöde niederzulassen!« Oelitas Stimme drückte gleichzeitig Verachtung, Argwohn und ruhige Hoffnung aus.

»Wer kann wissen, welchen Verlauf das Ritual des Todes nimmt? Offenbar beeinflußt es jenen, der es auferlegt, nicht minder stark als den, dem es auferlegt wird. Ich habe mich geändert.«

»Du hast dich nicht verändert! Was du heute getan hast, beweist es mir. Du hast mich aus meinem Haus gelockt, um mich zu ermorden, und ich muß dir folgen, weil ich nicht anders kann und blindlings für meine Kinder hoffe. Du willst mir einreden, meine kleine Zuflucht in der Einöde sei meine Siebte Probe gewesen?! Ich habe mich hier wohlgefühlt, ich war vor allem behütet! Soll mein Brunnen etwa der Inbegriff des Todes gewesen sein? Ich liebe mein Zuhause. Du wirst mich in Ketten zur Siebten Probe schleppen, und *dadurch* werde ich umkommen!«

»Die Siebte Probe ist zwar nicht die schwerste aller Proben, doch *gebieten die Regeln,* daß sie keine Probe auf den Tod ist, sondern eine Probe der Kalothi. Das Dasein in dieser Schlucht könnte noch entschieden härter sein, gewiß, aber dann wäre sie schlichtweg eine Todesschlucht. Was würde ein unausweichlicher Tod über deine Kalothi aussagen? Sich an *dieser* Stätte niederzulassen und zu überleben, ist möglich, aber wenig wahrscheinlich. Du hast große Kalothi, Oelita, und aufgrund meiner Torheit, dir das Ritual des Todes aufzuerlegen, bin ich dir in großer Schuld verbunden. Ich schulde dir eine Große Gefälligkeit.«

»Dann mußt du mir meine Kinder wiedergeben und mich hier in Frieden leben lassen«, antwortete sie verbittert.

»Das Band der Kalothi verpflichtet mich nicht dazu, den Verrücktheiten meiner Freunde meine Unterstützung zu gewähren.« Er lud sich Oelitas Sacktasche auf. »Deine Zwillinge warten. Sie sind noch nie von dir getrennt gewesen. Sie dürften traurig sein.«

Sie hatte keine Wahl; sie mußte mit ihm gehen. Vorwiegend blieb sie ruhig, doch bisweilen bedachte sie ihn hinterrücks mit Ausfälligkeiten. »Du bist noch dasselbe langschwänzige Ungeheuer, das ich früher gekannt habe.«

»Ich bin heute ein sanftmütigeres Ungeheuer.«

»Deine Bekanntschaft gleicht dem Brennen achtlos hinabgestürzten Whisky-Verschnitts.«

Joesai führte sie über einen Höhenkamm, von dem aus man das ganze Gewölbe des Wüstenhimmels mit all seinen Sternen überblikken konnte. »Ein Leben ähnelt einem Whisky-Faß mit einem Menschen im Innern«, sagte Joesai. »Der Mensch strampelt sich ab, um aus seinem Holzkohle-Gefängnis auszubrechen, aber er gelangt nie hinaus. Er wird nur weicher.«

»Vergleiche mein Leben nicht mit dem Holzfaß, das du als Kopf hast!«

In ihrem Wortwechsel ergab sich eine längere Unterbrechung, während sie einen sehr schmalen Grat überwanden. Auf der anderen Seite verharrte Joesai plötzlich und schien zu den Steinen zu sprechen, die zu seinen Füßen lagen. »Ich weiß noch, wie alles angefangen hat. Ich wollte Gott einen verachtenswürdigen Emporkömmling von der Küste als Opfer darbringen. Eine meiner Gattinnen fragte mich, wie wir die Angelegenheit gütlich beilegen sollten, falls sich herausstellte, daß du gottgefällig bist. Ich habe geantwortet, das sei nicht meine Sorge, denn die einzige Möglichkeit, zu überleben, sei für dich, mich zuerst umzubringen – ich habe in dieser Welt nur Platz für einen von uns beiden gesehen. Dadurch habe ich mir selber ein Problem geschaffen. So geht's im Leben.« Er lachte auf.

»Und ich weiß noch, was für eine Freude es dir gemacht hat! Ich erinnere mich, daß ich drauf und dran war, im Njarae-Meer zu ersaufen, während du mit diebischem Vergnügen zugeschaut hast, so wie ein anderer womöglich seinen Spaß daran hat, eine im Bau der fleischfressenden Feiri festgesetzte Spinne zu beobachten.«

»Ho! Du beschuldigst mich, deine Qualen genossen zu haben?! Es stimmt, daß ich jedesmal, wenn ich dir eine Falle gestellt habe, bei mir grinsen mußte, aber jedesmal, wenn du überlebt hattest, war in mir das Krebsgeschwür insgeheimer Freude größer geworden. Du bist vor mir geflohen, doch am Ende bin auch ich vor dir fortgelaufen. Niemals habe ich ein so freudiges Glück empfunden wie in dem Augenblick, als ich dich durchs Späherauge erblickt habe, wie du dabei warst, deinen kleinen Einsiedlergarten zu pflegen.«

Oelita weinte, als man ihr aus Joesais Zelt die Kinder brachte. Die Zwillinge waren zu überwältigt, um einen Laut hervorzubringen, als sie sie wiedersahen, und sie klammerten sich fest an sie. Die drei schliefen gemeinsam im Zelt. Als Oelita erwachte, sah sie Joesai neben sich liegen und sie betrachten; vor dem Zelteingang stand ein junger Wächter, und man vernahm die Geräusche eines acht Personen umfassenden Lagers. Das Gefühl des Bedrohtseins war von Oelita gewichen. »Was hast du mit mir vor?«

»Darüber habe ich eingehend nachgedacht. Ich bin dir außerordentlich stark verbunden.«

»Das kann für mich höchstens ein Ärgernis sein.«

»Wir werden heiraten.«

Oelita erhob sich auf die Ellbogen, weckte mit ihrer ruckartigen Bewegung die Kinder auf. Sie holte tief Luft. »Das werden wir nicht!«

»Du wirst nicht behaupten wollen, ich sei nicht großzügig gewesen«, sagte er mit Noes ausdrucksloser Miene. »Ich habe dir sieben Gelegenheiten gelassen, das Angebot abzulehnen.«

Sie starrte ihn fassungslos an. Er zog sie auf! Sie suchte, von diesem Spiel aufs höchste verblüfft, nach Worten. Wie reizte man ein freundliches Ungeheuer, das bekannt war für seine Launen? »Ist *das* die Siebte Probe – eine Ehe? Ich glaube, ich bin immer gut darin gewesen, einer solchen Prüfung aus dem Wege zu gehen.« Plötzlich lachte sie.

»Dein Gelächter hat nicht unheilvoll nach einem *Nein* geklungen«, sagte Joesai.

»Du bist von Sinnen, Joesai! Natürlich sage ich nein.«

»Wir Kaiel sind Händler. Ich will dir einen Handel vorschlagen. Dir liegt an Kalothi für deine Kinder. Einiges von diesem so bedeutsamen Zeug steht außerhalb aller Geschäfte, denn ein Teil der Kalothi, die deine Kinder haben werden, stammt von dir. Einiges jedoch kommt auch von ihrem Vater, und mit Hoemai hast du eine wahrhaft kluge Wahl getroffen, denn wer könnte größere Kalothi haben? Etwas von der Kalothi eines Kindes entstammt auch seinem eigenen Innern, und auch darauf haben weder Clan noch Familie irgendeinen Einfluß. Doch so manches in diesem Elixier des Lebens besteht aus dem Geschenk der Kraft, die sich unter weiser Obhut entfalten kann, und das ist etwas, das wir bieten *können.* Hast du nicht gesehen, wie gefährdet du allein gewesen bist? Die maran-Kaiel sind nie allein. Und wir suchen ein Drittweib. Unsere Kinder werden gedeihen.«

»Und was ist mit Kathein?«

»Sie hat sich mit Leib und Seele an Aesoe verkauft«, sagte Joesai finster.

»Ursprünglich war ich nicht erwünscht.«

»Die stärksten Einwände kamen von mir. Wir maran besitzen einen ausgeprägten freien Willen. Wenn man uns von oben zu etwas zwingen möchte, lehnen wir uns auf. Aesoes Anordnung hat uns verdrossen. Aber Teenae hat dich von Anfang an geliebt, erst mit ihrer ruhigen, gelassenen Logik, dann auch mit ihrem Herzen. Und Gaet war stets bereit, es zumindest auf den Polstern mit dir zu versuchen.«

»Meine Kleinen werden mich gleich vollpissen, wenn ich nicht mit ihnen hinaus und die Blumen gießen gehe.«

Am Zelteingang blieb sie noch einmal stehen, Joesai den Rücken zugewandt. »Ich bin in der Wüste alt geworden. Meine Lenden sind müde geworden.«

»Ich bin darüber alt geworden, auf dich zu warten.«

»Deine Worte bringen meine Willenskraft zum Schmelzen. Bist du so erfahren im Verführen von Frauen?«

»Ich bin Frauen vorgestellt worden, und Frauen haben mich verführt, aber ich glaube, man kann mit vollem Recht sagen, die Hauptlast dieser Werbung habe ich getragen. Ich habe mich reichlich ungeschickt angestellt.«

»Ja«, sagte sie und verließ das Zelt. Joesai fragte sich, ob sie damit ihre Zustimmung zur Vermählung gegeben oder ihm lediglich seine Ungeschicktheit bestätigt hatte.

Oelita ließ die Zwillinge mit Riea spielen und kehrte ins Zelt zu Joesai zurück. »Es ist ganz nett, einen Riesen zum Sklaven zu haben. Ich finde allmählich daran Gefallen. Wirst du alles für mich tun?«

»Innerhalb vernünftiger Grenzen.«

Die von der Wüste in ihr Gesicht gekerbten Fältchen verzogen sich zu einem Lächeln. »Schon machst du Abstriche! Schneide dir für mich die Nase ab!«

»Ich trage meine Nase lieber selbst mit mir herum.«

»Dann etwas weniger Einschneidendes. Küß mich!«

Er streckte die Arme nach ihr aus, doch sie wehrte ab. »Nicht jetzt!« Beim Abwehren verflochten sich die Finger ihrer Hand mit seinen Fingern. Die männliche und die weibliche Hand hielten einander fest umklammert. »Als kleines Mädchen habe ich einmal in den Hügeln an einer Verlobungsfeier teilgenommen, ich habe auf dem Schoß meines Vaters gestanden, um die Betrunkenen sehen zu können. Ich kann mich noch an eines der Lieder entsinnen, die dort gesungen worden sind. Die Hungersnot war vorüber, die neue Ernte gerade eingebracht.

Ein Jüngling und ein Mädchen, beide ziemlich mager, hatten beschlossen, das Wagnis einzugehen und gemeinsam von ihren Familien Abschied zu nehmen. Das war Anlaß genug für die Menschen, wieder fröhlich zu sein – zu lachen, sich wie närrisch aufzuführen.

›*Wenn Stgi und Toe aufsteigen,*
Singen wir der Lieder Reigen.
Wankt unter uns die Erd des Lands,
Tanzen wir der Hoffnung Tanz.‹

Das habe ich meinen Kindern immer zum Einschlafen vorgesungen.«

»Wir haben einen Schlauch voll Whisky dabei«, sagte Joesai.

Oelita warf einen verstohlenen Blick ins Gesicht des Mannes, dessen Finger sie nicht loslassen mochte. »Könnten wir nicht eine Verlobungsfeier veranstalten und uns ganz und gar närrisch benehmen? Wir sind zehn Erwachsene und zwei Kinder, das reicht für ein Fest. *Dann* werde ich dich küssen!«

58

Um auf den Schultern eines Mannes reiten zu können, mußt du seine Ohren in festem Griff behalten.

Liethesches Sprichwort

Das neue Liethe-Heim der Stadt Kaiel-Hontokae befand sich im früheren Tempel des Gotteslobs, nur ein paar Schritte von dem alten Heim entfernt, der ehemaligen Whisky-Handlung, in dem die Liethe nun bloß noch Unterkünfte für ihre schwangeren Schwestern unterhielten. Droben im Turm überm Tempel des Gotteslobs füllte die weithin bekannte Heimmutter mit dem Namen se-Tufi die Steine findet sich Tee in eine hellblaue o'caische Tasse, die auf dem eingeölten Goldholz-Kästchen mit ihrem persönlichen Schalldraht-Gerät stand. »Du wünschst meinen Rat«, stellte sie unumwunden fest.

Vor ihr wartete eine Frau in jener sonderbaren Haltung, die sich aus dem Abschied von einem unschuldigen Dasein ergab, zu dem es kam, ehe das Reifen begann. »Diese Sache ist mehr«, sagte Demut inständig, »als ich allein zu verkraften vermag.«

»Man hat immer mit mehr zu tun, als man verkraften kann.«

»Ich muß eine kluge Entscheidung fällen.«

»Welchen Entschluß du auch triffst, wir werden uns mit ihm abfinden müssen.«

»Warum tust du mir so etwas an?«

»Du bist vorzüglich geschult und ausgebildet worden, und wenn du versagst, ist dein Versagen auch das unsere. Die Zeit verstreicht. In demselben Sturm, während dessen Wüten der Fluß ein Körnchen Sand fortwirbelt, setzt er ein anderes an seine Stelle. Die Alten sterben, und die Jungen werden älter. Als wir jung waren, ist's auch nicht so gewesen, daß die Alt-Liethe für uns die wichtigsten Entscheidungen unseres Lebens getroffen hätten. Auf diese Weise haben wir das Herrschen gelernt, bevor unsere Lehrerinnen starben. Ehe ich sterbe, möchte ich sehen, wer und was du bist, wenn du allein tätig sein mußt.«

»Ich habe schon immer allein gearbeitet«, entgegnete Demut aufsässig.

»Du hast Befehle ausgeführt«, berichtigte die Heimmutter streng.

Demut verlegte sich auf ein anderes Vorgehen. »Aesoe verstößt gegen das kaielische Gesetz. Die Voraussagen gehören aufgerechnet, und der Kaiel mit den besten prophetischen Leistungen muß Erzprophet werden, völlig unabhängig von seinen politischen Anschauungen oder Bundesgenossen.«

»So einfach ist's nicht. Eine grundlegende Erkenntnis, die wir Liethe während unseres langen Schmarotzerdaseins gewonnen haben, lautet nämlich, daß das Gesetz niemals eindeutig ist, ganz gleich, wieviel Nasen dem Gesicht der allgemeinen Öffentlichkeit aufgesetzt werden. Die o'Tghalie sagen, daß das Gesetz einer Landkarte gleicht, und daß einem Lehrsatz zufolge jene Landkarte wenigstens einen Stein in der Landschaft nicht verzeichnet.«

Demut blieb hartnäckig. »Mit der Hilfe einiger junger Mädchen meiner Klasse, die ich in kaielischer Politik unterrichte, habe ich einen Durchgang der Aufrechnung durchgespielt. Demnach müßte Hoemei zum Erzpropheten ausgerufen und Aesoes Politik verworfen werden.«

»›Müßte‹ ist ein Wort, dessen Spielraum groß genug ist, um die Unendlichkeit auszufüllen. Ich will dir nur ein Beispiel nennen. Tae ran-Kaiel hat die gegenwärtige Verfassung der Kaiel ausgearbeitet. Er hat die alten, ungeschriebenen Gesetze der Erzpropheten-Nachfolge, die auf nichts als Gewohnheitsrecht fußten, überarbeitet und schriftlich niedergelegt. In der Tat schreiben die Bestimmungen vor, daß Voraussagen den Archiven einzureichen und die erfolgreichen Prophetien gegeneinander aufzurechnen sind, und daß anhand dessen der beste Prophet als Erzprophet einzusetzen ist. Allerdings hat nie jemand Taes Erzprophetenschaft zu seinen Lebzeiten in Frage gestellt. Nicht einmal Aesoe, Taes bester Schüler, hat sich je mit seinem Rang messen können. Erst aufgrund der Aufrechnung *nach* Taes Unvergeßlicher Totenfeier ist Aesoe Erzprophet geworden. Daher rührt's, daß das anzuwendende Verfahren in den Köpfen der Menschen unklar ist, wie klar es auf dem Papier auch sein mag. Soll die Aufrechnung, deren Ergebnis den neuen Erzpropheten bestimmt, vor oder nach dem Tod des alten Erzpropheten stattfinden? Darf ein Erzprophet durch einen Rivalen im Amt abgelöst werden, oder muß der Rivale auf das Ableben des Erzpropheten warten?«

»Das Gesetz ist eindeutig«, entgegnete Demut.

»Du liebst Hoemei. Andere lieben ihn nicht. Das Gesetz ist, was man herausliest, nicht die Worte, aus denen es besteht.«

»Ich flehe dich an, ehrenwerte Heimmutter, diese Angelegenheit ist von einiger Wichtigkeit. Aesoes Politik wird weitreichende Folgen für die Liethe und ganz Geta zeitigen, während sich aus Hoemeis Politik gänzlich andersgeartete Folgen ergeben.«

»Ohne Zweifel werden die dementsprechenden Unterschiede in tausend mal tausend Umkreisungen Getas um Getas Sonne nicht mehr bedeutsamer zu bewerten sein als die Unterschiede zwischen den Flächen rötlichen und bläulichen Sandsteins in den Knochenhaufen-Bergen.«

Demut brauste auf. »Aesoes Politik widerspricht dem Wort Gottes, wie es uns im *Feuerofen des Krieges* offenbart worden ist! Sollen wir nicht mehr werden als ein Stern unter vielen anderen Sternen? Aesoe ist einer furchtbaren Versuchung erlegen. Er hegt die Absicht, sich die Politik der riethesehen Teufel zu eigen zu machen und dergleichen Verteidigungsbereitschaft zu nennen. Erst vor einer Woche habe ich als Cairnem die Polsterkissen mit zwei Priestern der kembri-Itraiel geteilt, die gekommen waren, um mit Aesoes Expansionisten zu verhandeln, in der Hoffnung, ihre Stellung als Priester-Clan zu bewahren und ihrer Unterwerfung vorzubeugen, indem sie sich den Kaiel als Krieger-Clan andienen. Sie wollen sich den Kaiel als deren Kampftruppe anschließen, und mit ihrer Stärke dürfte es ihnen möglich sein, innerhalb einer Generation ganz Geta unter kaielischer Herrschaft zu vereinen. Wir haben uns eine volle Nacht lang unterhalten, und es hat sie noch mehr gelüstet als nur nach meinem Körper. Sie gieren nach ganz Geta, sie lechzen danach, Grimmigmond zu betreten, sie schmachten nach den Sternen, und ich habe ihre Begierde bis in mein Innerstes verspürt.«

»Die Macht wird immer mit uns sein. Das ist die Art der Menschen.«

»Aber das genau ist der Weg, den einzuschlagen uns Gott gewarnt hat. Ich würde es vorziehen, Gottes Weg zu beschreiten. Ich benötige deine Hilfe.«

»Die Entscheidung liegt bei dir.«

»Aesoe ist Hoemei mit drei zu eins überlegen, was seine Gefolgsleute angeht, und mit zwei zu eins, was das Stimmenverhältnis betrifft. Kathein hat über Nacht vor Aesoe die Flucht ergriffen und ist nach Trauerweiler gegangen, um Aesoe offen zu trotzen und die maran zu heiraten. Aesoe wird dafür sorgen, daß die maran allesamt das Leben verlieren. Ich habe keine Zeit, um eine weise Entscheidung zu treffen.«

»Aber du ziehst einen Entschluß in Erwägung, den du selbst für unklug hältst, und von mir erwartest du, daß ich dich davor bewahre, indem ich mich dagegen ausspreche. Du würdest den Itraiel ihren kriegerischen Aufbruch zu den Sternen verwehren, nur um Hoemei eine beim Sonnen-Höchststand, wenn sie am schönsten duftet, gepflückte Kaktusblüte als Geschenk verehren zu können.«

»Ja, das würde ich tun.«

Die Augen der Alt-Liethe funkelten. »Die beste Entscheidung ist immer die richtige Entscheidung, wie schmerzlich sie auch sein mag.«

»Die *richtige* Entscheidung!« zeterte Demut. »Deine oder meine?!«

»Weder noch. Dies ist eine Prüfung deiner Kalothi. Ich gewähre dir eine Woche der Macht über Getas Schicksal für die kommenden tausend Generationen. Sieh zu, was du daraus machst. Ich wiederhole, die Entscheidung liegt allein bei dir.«

»Du und dein Wahn, wir Schwanzküsser würden über Geta herrschen!« schimpfte Demut in unverhohlener Auflehnung, und ihr Finger deutete mit einem heftigen Ruck hinauf zu den höheren Turmzimmern. »Heute nutzt uns nicht einmal der Schallstrahl noch etwas! Ich habe versucht, in der Bibliothek die Anzahl der Itraiel in Erfahrung zu bringen, und niemand hat sie gewußt. Und du verlangst von mir, daß ich während der Dauer eines Herzschlags eine Entscheidung fälle, über die Gott schon stumm nachdenkt, seit du das Licht der Welt erblickt hast!«

»So war es immer.«

»Werden die Alt-Liethe die *Folgen* meiner Entscheidung hinnehmen, wie sie auch ausfällt?«

»Selbstverständlich.«

»Nun gut!« schnauzte Demut und ging; der Stoff ihrer Gewandung wehte ihrer aufgeregten, zierlichen Gestalt nach.

59

Die Blicke der Zuschauer müssen auf den Helfer gerichtet sein, wenn die Hände des Magiers ein Zerrbild der Wirklichkeit schaffen.

Liethesches Sprichwort

Demut verweilte einen Augenblick lang auf der Innenleiter des Turms, blickte über die Dächer Kaiel-Hontokaes, auf denen das Rot des Sonnenuntergangs glühte, ehe sie in die Turmgemächer ihrer jungen Freundin hinaufkletterte, der ru-Paie die Rotfliegen fängt, einer Schallstrahl-Adeptin, die durchaus dazu imstande war, Geräte zu entwerfen, die nicht einmal die Kaiel im Palast besaßen. Ihr Stamm war noch neu – bis jetzt waren von den ru-Paie lediglich sechs Stück geklont worden –, und Rotflieg war die erste ru-Paie, die Hauptheim hatte verlassen dürfen, und sie war noch Konkubine der Alt-Liethe, die sie übers Njarae-Meer begleitet hatte. Die anderen Liethe neckten sie wegen ihrer Jungfräulichkeit häufiger als die übrigen Mädchen. Kürzlich hatten ihre Ranggleichen im Whisky-Lager ihr, als die Alt-Liethe gerade wegschauten, ein künstliches männliches Geschlechtsteil in die Suppe getan. Demut gab ein bißchen auf Rotflieg acht.

»Du bist meine einzige Freundin, der's vor der Leiter nicht graust«, sagte Rotflieg zur Begrüßung.

»Hast du von irgendwem erfahren können, wieviel Menschen die Itraiel-Ebenen bewohnen?«

Das Mädchen lächelte in einer Art und Weise, die einmal viele Männer betören würde. »Ich bezweifle, daß wir's je herausfinden werden. In der Itraiel gibt's nicht mal 'ne Schallstrahl-Außenstelle. Ich werd's weiter versuchen.«

»Nein«, entschied Demut. »Du kannst deine Zeit besser verwenden.«

»Auf meinem Tisch ist ein fürchterliches Durcheinander, nicht wahr?«

Demut lächelte erstaunt vor sich hin. »Früher habe ich auch mal was von Schallstrahl-Anlagen verstanden.«

»Das hier wird ein Geflecht, das trotz geringerer Höhe des Sendemastes einen einwandfreieren Empfang gewährleistet. Nehme ich jedenfalls an.«

»Kannst du es ausnahmsweise einmal liegenlassen und heute ein Fest im Palast besuchen?«

In anmutiger Beunruhigung wandte Rotflieg sich Demut zu. »Ich muß erst meine Erzieherin um Erlaubnis fragen.«

»Ich habe die Vollmacht, dich zum Einsatz heranzuziehen, wann ich's für richtig halte. Deine Vorgesetzte hat mir mitgeteilt, daß du auf alles vorbereitet bist.«

»Aber Männer sind was ganz anderes!«

»In einer Woche machst du so gute Pimmelsuppe wie der Rest von uns.« Sie lachten beide.

»Habe ich Getränke aufzutragen und witzige Bemerkungen von mir zu geben?«

»Du bist sehr gut im Tanz des Feuers. An den habe ich gedacht.«

Bescheiden wandte Rotflieg das Gesicht zur Seite. »Bis jetzt habe ich ihn nur übungshalber betrieben. Der Tanz des Feuers ist etwas für eine Frau von großer Leidenschaft.«

»Oder für ein Mädchen, dessen Leidenschaft soeben aufzuflammen beginnt. Du wirst vor einer Zuschauerschaft von zweihundert Personen tanzen, aber nur Augen für einen einzigen Mann haben.«

»Zweihundert Personen! Ich werde viel zu verlegen sein.«

»Der Zustand des Leeren Bewußtseins wird dir jede Befangenheit nehmen, und der Wandernde Brennpunkt der Verführungskraft wird Kasi mon-Kaiel an dich ziehen, wie ein Magnetstein Eisen anzieht.«

»Klappt das wirklich so gut?«

»Ja, aber um sicherzugehen, werde ich im geeigneten Augenblick zugegen sein und ihm ins Ohr flüstern, daß du noch Jungfrau bist. Er ist ein gefühlvoller, tiefsinniger Mann mittleren Alters. Wirke darauf hin, daß seine Narrheit für uns von Nutzen sein kann. Ich möchte seine Nase in der Schnalle einer Frau sehen, der ich vertraue.«

»Ich bin ein Mädchen«, betonte Rotflieg.

»Nach der Begegnung mit ihm wirst du's nicht mehr sein.«

Beklommen drehte sich Rotflieg nach ihrem mit Bauteilen überhäuften Tisch um. »Und was wird aus meinem Gitterchen?«

Demut grinste. »Denk an die Kupfer- und Glasteile, während du zwischen seinen Beinen die Suppe zum Kochen bringst, und die Stärke deiner Hingabe an ihn wird ihm einen Schauer nach dem anderen bereiten.«

»Du bist nicht gerade sonderlich gefühlvoll.«

»Manchmal doch.« Demut lächelte versonnen.

»Ist er wie Hoemei?« fragte Rotflieg scheu.

Qualvolle Regungen des Kummers suchten Demut heim. Hoemeis Beziehung zu Honieg war zum Erliegen gekommen, während Demut sich in Soebo aufhielt, und hatte sich nie wieder von neuem entfaltet. Den anderen Honiegs war das gleich gewesen. Solange Noe in Soebo und Teenae an der Küste gewesen waren, hatte er sich ganz auf die aussichtslose Werbung um diese Schlampe Kathein verlegt. Verflucht sollte dieser Seelenschmerz sein! Unerwiderte Liebe konnte fürwahr den Verstand rauben. »Nur wenige sind wie Hoemei.«

»Mit *ihm* würde ich gerne schlafen.«

Demut trat hinter ihre Freundin, die mittlerweile auf einem Schemel saß, und umschlang sie hinterrücks mit den Armen. »So, das würdest du gerne, was?!«

»Natürlich erst, wenn du 'ne Alt-Liethe bist.«

»Bei einem älteren Mann kannst du weniger Fehler begehen. Solche Männer sind brauchbar, um Erfahrungen zu sammeln. Kasi sieht gut aus und ist so sanft, daß er wähnt, nur eine Jungfrau könne seine Zärtlichkeit wirklich zu schätzen wissen.«

»Meine Alte sagt, daß alle kaielischen Männer gut aussehen. Deshalb sollen sie ja so überheblich sein. Wie sieht er nackt aus? Wenn er den Leibgurt abgelegt hat?«

»Wie an den Nachthimmel geschleuderte Sterne, wie in einen Teich geworfene Steine. Für dich sähe er vielleicht aus wie ein Dutzend Schallstrahl-Stellen beim Senden.«

»In herkömmlicher Ausdrucksweise heißt das wohl, sein Körper ist mit Kreisen oder Spiralen tätowiert.«

»Mit Kreisen.«

»Weshalb möchtest du mich auf einmal so schnell zum Einsatz bringen? Ich habe immer gedacht, diese Dinge kämen nach und nach auf mich zu. Ich hab's mir so vorgestellt, daß ein Mann mich erst nackt sieht, ohne daß ich ihn anschaue. Das zweite Mal würde ich mich ausziehen und ihm in die Augen blicken. Er dürfte mich erst beim drittenmal berühren, erst wenn er wochenlang von mir geträumt hat und außer sich vor Verlangen nach mir ist, dürften sich unsere Leiber vereinigen.«

»Wo kommen Mädchen wie du nur her«, wunderte Demut sich laut, »wenn doch so gemeine alte Weiber uns erziehen?«

»Ich bin zur Liebe geboren.«

»Dann vernimm meine lauschigen Worte der Politik. Kasi ist der Verantwortliche für die Einschätzung und Aufrechnung der in den Archiven hinterlegten Prophezeiungen. Er ist in seiner Pflichterfüllung stets ziemlich nachlässig gewesen. Er verspürt das plötzliche Bedürfnis, eine reine, lautere Liebe zu finden, eine Geliebte, die nicht durch ein Lebensalter unerbittlichen Schacherns abgestumpft ist, die vielmehr so hohen Idealen anhängt, daß sie nie und nimmer einen Mann zu lieben vermöchte, der seine Unbescholtenheit nicht bewiesen hat. Kasi ist der Mann, der Hoemei maran-Kaiel zum neuen Erzpropheten erheben wird.«

»Ich fürchte mich. Jedenfalls ein bißchen. Hast du schon mal in Kasi mon-Kaiels Dienst gestanden?«

»Einmal hat Aesoe mich ihm zur Belohnung gegeben, weil er die Aufrechnung auf schlaue Weise verzögert hatte.«

»Deshalb sprichst du also so spöttisch davon! Aesoe *weiß Bescheid*, und er will verhindern, daß das volle Gewicht der Kalothi zum Tragen kommt und das Spiel entscheidet.«

»Komm. Deine Alt-Liethe wird dich für den heutigen Abend zurechtmachen. Sie wird Tränen darüber vergießen, ein so süßes Geschöpf wie dich zu verlieren.« Demut küßte das Mädchen, das für sie die gleiche Bedeutung hatte wie beim Kartenspiel die Opfer-Karte.

60

Zu der Zeit, als man die Arant ausrottete, nannte der Spötter Miosoenes die Herrscher über die Menschen die Kerzen, denen wir die Schuld geben, wenn wir in der Dunkelheit straucheln.

Aus der *Sprüchesammlung des Zynikers*

Die Feierlichkeit lebte und floß über von Aesoes schier unerschöpflicher Kraft, pulste mit seinem Pulsschlag, pochte zur Musik Gottes in den Schläfen der Häupter. Und Aesoe nutzte seine Feier als Bühne, um in einer kurzen und doch klaren Ansprache die von ihm gesehene, ganz neue Zukunft der Geta-Menschheit zu verkünden, jedes klangvolle Wort genau auf die Paukenschläge der Musikanten abgestimmt, so daß seine Vision mit den Tänzen nahtlos zu verschmelzen schien.

An seiner Seite befand sich das anhängliche Liethe-Weib, das man im Palast unter dem Namen Sieen kannte. Aesoes Freunde waren froh über ihre Anwesenheit, weil sie die Lücke füllte, die Katheins Abgang hinterlassen hatte. Sieen galt nunmehr als Symbol unverbrüchlicher, anhaltender Treue. Sie pries ihren Geliebten. Sie nahm ihn in Schutz. Im Laufe des Abends, während der Whisky in Strömen floß, verlieh sie Aesoes Visionen zusätzliche Farbigkeit, indem sie Krieger-Sternenschiffe beschrieb, die – nachgerade größer als Planeten – voller zuverlässiger kembrischer »Soldaten« mit den Tätowierungen ihres »Militär«-Clans zu den Sternennebeln hinausschwebten, um sich den eroberungswütigen Riethe entgegenzustellen. Aesoe lächelte bei sich, wenn er seinem Traum nachhing, der großartiger war als jeder Gedanke, der Hoemei kommen mochte.

Der Tanz des Feuers fand am späten Abend statt, als man in der Festversammlung bereits ein merkliches sinnliches Pulsieren verspürte und genug Whisky-Fässer gelehrt worden waren, so daß man nicht einmal die Vorstellung eines Himmels, an dem von getanischer Hand verursachtes Sonnenfeuer aufleuchtete, noch als lästerlich empfand. Rotflieg – in der Rolle als Sternchen – änderte ihre tänzerische Darbietung so ab, daß sich der Wandernde Brennpunkt der Verführungskraft hineinfügen ließ. Die urtümliche Flamme ihrer Bewegungen loderte zwischen den Zuschauern hin und her oder erhitzte einzelne von ihnen mit lohenden Feuerzungen, doch immer wieder fanden ihre Augen die Dauer eines Herzschlags Zeit, um mit ihrem Blick auf den strahlenförmig angeordneten Tätowierungen Kasis zu verweilen, dann weiterzuhuschen, um schließlich doch wieder von seiner Aura angelockt zu werden. Es zog Kasi immer näher zu Sternchen, so wie dic Fackeln eines Tempels warme Luft anzogen.

Ihre Arme schossen empor, ihr Kopf ruckte und verharrte, während ihr Haar weiterhin die Schultern streichelte. Ein Lächeln verflog aus ihrem Gesicht und kehrte nicht wieder. Demut war in der Verkörperung als Sieen zur Stelle. »Sie ist Jungfrau«, flüsterte sie den Ohren eines Herzens zu, das sie bei der unübersehbaren Bewunderung jenes Lächelns ertappt hatte, das nun unter gesenkten Wimpern verschwunden war wie zu Asche verbrannte Glut.

Eindringlich wandte sich Kasi an Sieen. »Mache mich mit ihr bekannt.«

»Ihr Anblick bewirkt, daß du dich wieder jung fühlst, nicht wahr?« lockte Sieen und geleitete ihn zu den Umkleideräumen. »Sternchen, das hier ist einer meiner Freunde. Ich habe den Eindruck, dein Tanz hat ihm sehr gefallen.«

Die Tänzerin würdigte ihren Besucher keines Blickes, sondern kleidete sich – in geschickter Umkehrung ihres eigenen Traums von Verführung – langsam an, damit ihr Verehrer sich am wieder gemäßigteren Glanz ihrer Gestalt sinnlich zu erwärmen vermochte. »Es freut mich, daß du an mir Gefallen hast. Ich bin neu in Kaiel-Hontokae. Ich habe hier noch keine Freunde.«

Später, viel später würde er ihren Körper berühren dürfen, und dann würden der Kaiel und die Liethe unauffällig aus dem Palast schlüpfen, um einen ausgedehnten Spaziergang in den Gartenanlagen zu machen, oder vielleicht auf dem Laufgang eines Aquädukts, wo der Aufenthalt ein wenig waghalsig war und er sich zu ihrem Beschützer aufspielen konnte. Erst wenn die Dämmerung rot an den Wolken schimmerte und seine Lust entsprechend angeheizt war, sollte es ihm vergönnt sein, in ihren Körper einzudringen.

Demut machte, erfreut darüber, daß der hinterlistige Auftrag eine verläßliche Erledigung erfuhr, das Zeichen der Abgeschnittenen Nase, als sie die Umkleideräume verließ. *So viel Geilheit wird zu allerhand führen.* Sie erblickte ein geistiges Abbild ihres eigenen ersten Liebhabers. Er hatte sie geliebt, wie ein Bauer seine Felder zu lieben pflegte, und er war von ihr ermordet worden. Auf Befehl. Liebe war der einzige Weg gewesen, um ihn durch seinen Schutzwall von Wachen zu erreichen. Aber wo steckte Aesoe?

Jemand legte ihr von hinten eine Hand auf die Schulter. »Laß uns gehen, bevor hier das Gelärme richtig anfängt«, sagte Aesoe. »Ich habe vorhin Kasi gesehen. Schwillt ihm etwa sein Lustknochen?«

Sobald sie allein waren, wich Aesoes Heiterkeit einer mürrischen Niedergeschlagenheit. Sieen kleidete ihn aus, massierte ihn, rieb ihn mit Öl ein. Sie schwatzte viel, um seine Wortkargheit zu überspielen. »Dein heutiger Auftritt war großartig. Ich hab's sehen können. Während du gesprochen hast, ist jeder Kaiel um wenigstens eine Daumenlänge gewachsen.«

»Haben ihre Brüste sich wieder ein wenig gestrafft?« meinte Aesoe, inzwischen halb wiederbelebt.

»Meine haben gekribbelt.«

»Morgen muß ich Xonieps Bericht durchackern. Gottes Nase, und obendrein in aller Frühe.«

»Ich habe ihn mir gemerkt. Ich kann dir die wesentlichen Punkte vortragen, wann immer du's willst.«

Er lachte. »Ich könnte hundert deines Schlages gebrauchen.« Doch eine verborgene Anwandlung verursachte ihm neue Trübsal. Er hielt Sieens Hände fest umklammert, dann löste er sich, stand auf und ging in sein Arbeitszimmer.

Demut ahnte, daß er dort nur dastand und das Porträt Katheins anstarrte, sich dabei seine Gedanken dachte. Das Bild besaß eigentlich wenig Ähnlichkeit mit ihr, war jedoch insofern geschickt gemalt worden, als es ihrem Gesicht den Ausdruck innerer Gefestigtheit verlieh, von der Aesoe nur wünschte, daß sie diese besäße. Der Maler war ein Füßeküsser, der nie etwas anderes gesehen hatte als die Füße seiner Förderer.

Demut suchte das Schlafgemach auf, um sich einen Überblick dessen zu verschaffen, was noch zu tun war; sie schüttelte die Kissen, teilte die Vorhänge ein wenig, um bestmöglichen Gebrauch vom Licht der abendlichen Dämmerung zu machen, das Aesoe nie wieder sehen sollte. Sie entledigte sich der Kleidung und beschloß, nur die goldenen Kettchen um ihre Fußknöchel zu tragen, an denen Edelsteine baumelten und die Sieen von Aesoe geschenkt worden waren; mittlerweile befanden sich ein Dutzend se-Tufi im Besitz solcher Kettchen, allesamt auch Verkörperungen Sieens, jenes märchenhaften Inbegriffs der Treue, der ihn so liebte, daß er unmöglich irren konnte, so sehr, daß er seine Liebe nahm, wenn er sie gab, und die Ablösung zum Schichtwechsel rief, wenn nicht. Oft schalt er Sieen für ihre Nachsichtigkeit gegenüber seiner Launenhaftigkeit aus.

Sie unterzog Aesoe einer letztmaligen Einschätzung anhand der ihrem Gedächtnis unauslöschlich eingeprägten Stichwörter der Eigenschaften des Mannes, überprüfte jede Einzelheit, die möglicherweise dazu beitragen konnte, sein Vergnügen zu erhöhen. Sie stellte die Kerzen in hübscherer Anordnung hin. Sie suchte den zierlichen Becher heraus, den er von Kathein bekommen hatte, ganz aus kühlem feinen Glas von sanftem Blau. Ihre Finger betasteten eine winzige geschnitzte Ungeheuerlichkeit, ein Geschenk des Erzpropheten, das einmal – vor langem – einer Sieen Tränen in die Augen getrieben hatte, als Aesoe sich noch durch mehr Besinnlichkeit auszeichnete. Das alles waren aufschlußreiche Hinweise auf Aesoes Eigenheiten. Sieen war die einzige Liethe, die aus jenem Becherglas trinken durfte. Sie holte eine Flasche einfachen Oza, ein Getränk vom gleichen linden Blau wie Katheins Becher, hell wie der Tau auf den Blüten der Meuchlerfreude. Wie köstlich dieser gewöhnliche Oza, den man in tausend Kellern brannte, Aesoe zu munden pflegte!

Sie lockerte ihr Haar und machte es mittels silberner Kämme auf einfallsreiche, beeindruckende Weise zurecht, brachte es in eine Form, in der es von selber nie geblieben wäre. All diese Schönheit war nur für Aesoe. Sie wählte von den Haltungen der Verzauberung eine aus, in der sie sich auf die Polster bettete, zupfte dann auf ihrem Instrument ein paar verführerische Klänge, um ihn von Katheins Porträt fortzulocken, so wie die grüne Mulde einer Wüstenquelle den schmachtenden Reisenden anlockte.

»Gottes Süßestes Lächeln, du siehst überwältigend aus. Ich bin der falsche Mann für dich. Richte deiner Heimmutter aus, sie soll mehr Geld für dich verlangen.« Er stand an der Tür; die Unruhigkeit seiner lebhaft gemusterten Tätowierungen wirkte irgendwie gedämpft.

»Ich bewundere dich. Ich bin glücklich. Auch für dich wird es Glück geben. Kathein wird zurückkehren.« Ihre Worte ließen in seinen Augen, auf seiner Stirn von neuem Wut aufkeimen. Der Zustand des Leeren Bewußtseins verhütete, daß sie sich unvorsichtig verhielt, als sie in seinen Augen las. *Er hat sich zur Rache entschlossen. Hoemei, mein Liebling, verbirg dich, verbirg dich!*

»Kathein und zurückkehren? Ich habe keine derartige Vision.«

»Du kennst die Frauen zu wenig. Hoemei ist nur eines ihrer Traumbilder. In Wirklichkeit kann sie nur einen starken, gestandenen Mann lieben, der zu den Sternen zu greifen vermag. Ich weiß es. Hoemei wird eine Enttäuschung für sie sein. Sie wird wiederkommen. Weinen wird sie, ihre Tränen werden deine Füße benetzen und dir zwischen die Zehen rinnen, weil sie schwer bereut, von dir weggegangen zu sein, und dann kannst du ihr verzeihen, weil du sie ja liebst. Wenn sie diesmal zu dir kommt, wird sie dich zu schätzen wissen wie nie zuvor.«

Sieen wechselte ihren Tonfall, so daß ihre Stimme nicht länger hoffnungs-, sondern unheilvoll klang. »Aber wenn du etwas gegen Hoemei unternimmst, wird ihre Traumgestalt für immer unbeschadet bleiben, ihre Gefühle für ihn werden sich verfestigen wie Lava auf kaltem Fels. Ich rate dir zur Geduld. Warte ab. Bleibe ganz ruhig.«

Demut empfand Kummer, während sie diese Lügen erzählte.

»Das wird zu lange dauern.« Aesoe vollführte eine Gebärde der Ungeduld. »Die Enttäuschung wird sie erst einholen, wenn sie eine alte Frau ist und ich längst als Suppenknochen aufgebraucht worden bin. Ich kann nicht warten. Ich bin zu alt.«

»Warte nur eine Woche lang. Länger wird's nicht dauern.«

»Du träumst.«

Sieen lächelte wie eine Prophetin. »Ich versprech's dir.«

Sie sah, wie Aesoes innere Anspannung langsam nachließ. »Nun wohl. Ich werde dem Kerl sein lausiges Leben noch für eine Woche lassen.«

Sieen legte das Saiteninstrument beiseite. Sie schlang die Arme um Aesoes Hals, lächelte, schmiegte sich an ihn und küßte ihn, nicht wie eine Prophetin, sondern wie eine Geliebte. »Wie froh ich bin, dich so lange ganz für mich zu haben! Eine volle Woche lang!«

Er lachte und hob sie, indem er eine Hand zwischen ihre Beine schob, mit den Füßen vom Teppich, damit sie ihn besser küssen konnte. Er trug ihre federleichte Gestalt zurück auf die Kissen. Sie entwand sich ihm.

»Erst einen Schluck Oza.«

»Oza?! Während ich dich habe?«

»Dir wird davon der Kopf wieder klarer. Er vertreibt deine üble Laune. Außerdem versüßt er deinen Mund, so daß ich dich noch viel lieber küssen werde.« Während sie sprach, goß sie Oza auf einen einzelnen, winzigen Tropfen Saft aus den blauen Blüten der Meuchlerfreude. Das Gift blieb nicht im Körper erhalten und konnte Aesoe daher nicht für die Totenfeier ungenießbar machen. Sieen reichte ihm Katheins Becherglas. Ihre Liethe-Finger umschlossen ein eigenes Trinkgefäß.

»Auf die Liebe«, sagte sie. »Mögen wir lange genug leben, um all ihre Freuden voll auskosten zu können.«

Er trank. Sie trank. Er spielte mit den Edelsteinchen an ihren Fußknöcheln. Sie nahm ihn mit aufrichtiger Liebe, sich genau darüber im klaren, wieviel Zeit noch blieb. Jede ihrer Bewegungen lief mit liethescher Makellosigkeit ab, jede Berührung, jedes Verharren, der Rhythmus, die Seufzer. Die unbeholfene Kathein hatte ihn nie mit solcher

Vollkommenheit geehrt. Sieen setzte sich rittlings auf ihn, die Hände ruhten zärtlich auf seinem tätowierten Gesicht, während ihre Arme ihre Brüste aneinanderdrückten. »Erinnere dich immer an mich, mein Geliebter. Erinnere dich an dies Augenblickchen Zeit, denn letzten Endes ist's alles, was wir haben.«

»Meine kleine Freundin«, sagte er und zog sie an sich, verströmte seinen Samen in sie hinein. Ihre Vereinigung war so vollständig, daß Demut während ihres Schauderns sogar das Gift in seinem Leib zu fühlen meinte. Tränen kamen ihr, und er küßte sie auf die Augen.

Sie hielt seinen Kopf in ihrem Schoß, zauste sein Haar, flüsterte endlos Belanglosigkeiten, während ihn die Benommenheit überkam, die er dem Oza zuschrieb. Seine Hände zuckten. »Sieen... Mein Herz!«

Sie fand keine letzten Worte. Er starb. Sie weinte los. Was nutzte das Leere Bewußtsein, wenn man allein war mit einem toten Liebhaber? Doch sie riß sich zusammen, um alle Anzeichen des Verbrechens zu beseitigen. Dann begab sie sich wieder auf die Polster und umschlang den Leichnam, vermochte den Tränen schier nicht mehr Herr zu werden.

»Ach, Aesoe! Warum hast du die Regeln so oft gebrochen?« Wieder schüttelten Schluchzer sie. Ihre Stimme nahm einen halb erstickten, halb lehrerhaften Ton an. »Man kann die Regeln brechen, aber das hat Folgen. Hat dein Lehrmeister dir das nicht beigebracht? Törichter Mensch.« Sie redete auf seinen Leichnam ein, bisweilen mit sich selbst, tätschelte Aesoe von Zeit zu Zeit, breitete die Decken über ihn, damit er nicht erkalte, küßte ihn.

»Es tut mir wirklich leid. Ich hätte gerne eine andere Möglichkeit gefunden. Aber es war nicht anders möglich. Ich habe keinen anderen Weg gesehen. Warum müssen wir immer die Wege beschreiten, die man uns gelehrt hat?« Sie schimpfte mit ihm. »Das gilt auch für dich! Ich möchte überhaupt niemanden töten. Ich möchte die Menschen lieben!« Sie preßte ihre Lippen auf seinen noch warmen Mund. »Du warst ein großer Mann, den ich geliebt habe, und ich bin dir böse!« Sie versuchte, seinen im Erkalten begriffenen Körper mit ihrem Leib zu umfangen, um ihm Wärme zu spenden.

Doch am Morgen erwachte sie neben einer Leiche, die einem alabasternen Standbild Aesoes glich, in dessen Oberfläche man eine flache Vielfalt von Symbolen geritzt hatte. Sie strich mit dem Finger über den kalten Stein, und ihr kamen keine neuen Tränen.

61

Des Nachts von strahlender Helligkeit, auch am Tage hell genug, um sichtbar zu sein, zog Gott zweihundert Tage lang siebenmal zwischen dem einen und dem nächsten Sonnenuntergang durch Seine Bahn, um meine Prüfung mitanzuschauen, mich durch die weg- und steglose Kalamani zu geleiten, denn ich besaß keine Landkarten. Die Kalamani ist kein Ort für Menschen. Ich stillte meinen Durst mit den Körpersäften von Insekten. Meine Gefährten starben, und da war niemand außer mir, um ihrem Fleisch die letzte Ehre zu erweisen. Mein Leben bestand aus dem Kauen der von der Sonne ausgedörrten Reste ihres Daseins. Alle Ehre meinen Gefährten!

Harar ram-Ivieth: *In Gottes Gefolge*

Anscheinend besuchte ein Großteil aller Einwohner Kaiel-Hontokaes die Totenfeier. Die Tafeln voller Speisen, die im Tempel der Menschlichen Bestimmung standen, hätten ausgereicht, um einer Hungersnot ein Ende zu bereiten. Die großen Gongs hörten nicht auf zu dröhnen. Aesoe war das Prunkstück des Festessens, dampfte unter beschlagenem Glas, gehäutet, gebeizt, gebraten, verziert, nicht länger Mensch. Rings um ihn wogte unablässig unterhaltsame Kurzweil. Seine drei Liethe tanzten für ihn eine Abschiedsdarbietung, die mit dem Schwarz und Braun eines Totentanzes begann und mit den üppigen Rosa-, Rot- und Hyazinthtönen einer Geburt. Aesoes halbwüchsige und kleine Sprößlinge eilten umher und taten dabei sehr wichtig, trugen Speisen auf, sorgten für Ordnung.

Man hielt Reden und vergoß Tränen, Köche rollten Karren mit Nachschub an Essen herein, Chöre sangen, Whisky floß, festlich gewandete Kaiel strömten durch den Tempel wie nach einer plötzlichen Schmelze angesammelte, am Weiterfließen gehinderte Fluten.

Die Königin des Lebens vor dem Tod mußte unter einen Tisch flüchten, um nicht in unvermitteltem, besonders heftigem Geschiebe zerquetscht zu werden, doch zumindest hatte sie sich einen Brocken Aesoes sichern können und genoß ihn nun in aller Ruhe unterm Tisch, träumte Träume, spürte die Kraft des großen Erzpropheten in sich aufgehen. Auf einmal sah sie ein schwarzes und lilafarbenes Gewand vorüberwallen und grapschte nach den Beinen. Der Träger des Kleidungsstücks schaute herab. Sie lächelte, während sie hinausspähte.

»Ich bin Honieg... falls du mich nicht mehr erkennen solltest.«

»Wer außer Honieg würde sich schon unter einem Tisch verstekken?« Gaet grinste.

»Ist das ein *Hut,* was du da auf dem Kopf hast?« rief Demut. »Was machst du überhaupt hier?« erkundigte sie sich aufgeregt.

»Ich dachte, daß die Höflichkeit meine Anwesenheit schlichtweg erfordert. Deshalb habe ich meinen Hintern aufs Skrei-Rad geschwungen und bin ohne zu verschnaufen gefahren. Gottes Lachen, ich werde ohne Zweifel noch wochenlang meine Beine spüren! Ich war mir allerdings nicht sicher, ob's für Joesai auch gefährlich ist, Kai-el-Hontokae aufzusuchen. Joesai ist zur Zeit irgendwo im Busch und jagt seinem eigenen Schwanz nach. Teenae wollte nicht einmal, daß ich die Totenfeier besuche.«

»Hat Kathein Trauerweiler wohlbehalten erreicht? Aesoe war ja dermaßen außer sich!«

»Sollte mich nicht wundern, wenn ihn dadurch sein Herz im Stich gelassen hätte! Katheins Ankunft hat uns wahrhaftig überrascht. Sobald Joesai und ich zurück sind, wird Hochzeit gefeiert. Der unglückliche Anlaß dieser Totenfeier macht uns das Leben etwas leichter.«

Honieg zog Gaets Kopf an ihren Mund herab. »Du bist ein unglaublicher Heuchler«, sagte sie leise. »Weshalb sagst du ›unglücklich‹, wenn du ›glücklich‹ meinst?!«

»Nicht ›Heuchler‹, ›Politiker‹ sagt man«, berichtigte er sie. »Laß uns von hier abhauen. Das Fleisch geht aus. Totenfeiern sind eine Qual, wenn mehr als zwanzig Leute teilnehmen. Nie gibt's genug zu essen.«

»Darf ich denn mitgehen? Einfach so?«

»Ich gewähre Stellungslosen Zuflucht. Oder soll ich deine Eskorte zum Liethe-Heim abgeben?«

»Dorthin will ich nicht.«

»Sondern in mein bescheidenes Heim?«

»Bei Gott, ja – steht's denn noch?« neckte sie ihn. »Ich dachte, die Landgewinner hätten's inzwischen niedergebrannt.«

Als sie die Hälfte der Strecke zurückgelegt hatten, konnte sie sich die Frage, die im Vordergrund ihres Denkens stand, nicht länger verkneifen. »Glaubst du, daß man Hoemei zum Erzpropheten machen wird?« Sie hing an seinem Arm.

Er lachte und schubste sachte ihre Hüfte. »Ich glaube fast, du magst meinen Bruder ziemlich gern.« Er hänselte sie.

»Ich will's wissen!«

»Ja. Es liegt ein Schachmatt vor. Aesoe hatte Hoemei jeden Weg versperrt. Aesoe war die entscheidende Figur. Die Schwarze Königin hat ihn geschlagen, und nun beginnt ein neues Spiel, und ich habe den Eindruck, Hoemei liegt weit in Führung.«

Im maran-Herrensitz von Kaiel-Hontokae, der im Dunkeln lag, führte er sie geradewegs in sein Gemach. Ohne Umschweife zückte er Goldmünzen und gab sie ihr, offenbar als Gegenleistung für die Liebesgunst, die er anscheinend von ihr erwartete. Demuts Haltung versteifte sich; schlagartig war ihre Gutaufgelegtheit dahin, und sie fühlte sich ganz allein im Universum. »So läuft das nicht«, sagte sie in kühlem Ton. »Alle Geldangelegenheiten werden von den Heimmüttern geregelt. Zusätzliche Geschenke sind willkommen, wenn die gespendeten Freuden besonderen Anklang gefunden haben.«

Gaet lachte, während er sich zu entkleiden begann. »Um Vergebung«, sagte er ohne die mindeste Verlegenheit. »Ich bin an die Art und Weise gewöhnt, wie Weiber mit ihren Gatten umgehen.«

»Ich bin nicht deine Gattin.« Demut war überrascht vom eigenen Ärger.

Er musterte sie, als sei sie ein auf einer Versteigerung angebotenes Kind. »Du könntest es sein. Hoemei hat dich wirklich geliebt. Er hat sich stets gewünscht, daß Joesai und ich dich auch lieben. Wir litten damals echte Not an Frauen. Für zwei Frauen ist's schwer, drei Männer zufriedenzustellen.«

Seine Äußerungen steigerten ihren Unmut noch mehr. »Die Liethe heiraten niemals.«

»Ich weiß. Hoemei ist's ebenso klar. Er ist ein richtiger Familienvater, kein alter Taugenichts wie ich.«

Sie schob ihm das Geld über den Tisch wieder zu.

»Ich habe mich sozusagen nur als Mittelsmann betätigt. Behalte das Geld. Die Heimmutter wird's nie erfahren. Betrachte es als Vorschuß. Du kommst nach Trauerweiler, um auf unserer Hochzeit zu tanzen. Auf meine Einladung. Ich weiß, daß du ihn wiedersehen möchtest.«

Von neuem empfand Demut Seelenpein und innere Zerrissenheit. Ihr wurde klar, sie würde alles tun, um Hoemei wiederzusehen, nur um im Tempel zu Trauerweiler an ihm vorbeigehen zu dürfen, buchstäblich alles. Sie würde um die ganze Welt wandern, bloß um einen einzigen Abend mit ihm verbringen zu können.

Gaet warf die Hände in die Höhe. »Ich kann nicht mit dir zanken. Jetzt nicht. Ich komme mir vor wie ein Toter auf Füßen. Ich habe damit gerechnet, daß ich zusammenbreche, ehe ich auf der Totenfeier eintreffe.« Er wandte sich ab, stürzte wie ein Haus, das unversehens zusammenbrach, auf die Kissen und schlief sofort ein, noch halb bekleidet.

Sie betrachtete ihn; ihr Zorn war verflogen. *Vielleicht hat er angenommen, ich wäre durch Aesoes Tod erwerbslos geworden und bräuchte Hilfe.* Die Grundsätze, nach denen ein Liethe-Heim arbeitete, und seine Gepflogenheiten mußten ihm fremd sein. Und sie war nicht den Umgang mit Freunden gewöhnt. Ihre Finger spielten mit den Goldmünzen. Eine plötzliche Eingebung bewog sie dazu, das Zimmer aufzuräumen. Behutsam zog sie Gaet vollends aus, ohne ihn zu wecken. Sie legte seine Kleider zur Seite. Sie legte auch ihr eigenes Gewand weg, und dazu das Geld. Als sie schließlich genug Mut gesammelt hatte, um sich neben ihm auszustrecken, war das Bett von ihm gut vorgewärmt worden. Unter den Decken war es behaglich. Es war schön, wieder neben dem warmen Körper eines Mannes zu schlafen.

62

Die vielfältigen Erscheinungsweisen der Zukunft tragen ihr gespenstisches Spiel auf dem mörderischen Feld der Gegenwart aus, vernichten einander, bis – während Herzschlag auf Herzschlag die Zeit verrinnt – der Sieger daraus hervorgeht und sein Leben in der Wirklichkeit beginnt, an Stofflichkeit zunimmt, an Masse, an Beharrungsvermögen – ein Sieger von der herrlichen Pracht eines Sommers oder in der schwärigen Abscheulichkeit einer wahnwitzigen Spottgeburt –, um schon durch die Wärme seiner verfestigten Gestalt, wie sie denn auch geworden sein mag, den Dunst der vereitelten Zukünfte zu zerstreuen und in vergänglichem Ruhm einen Tag lang die Herrschaft auszuüben, bis das Zwielicht der Abenddämmerung ihn in einen Leichnam verwandelt, über dem die nächste Geisterschlacht zu toben anhebt.

Aus der Schrift *Zukünfte* von Hoemei maran-Kaiel

In den Klüften zwischen den Hügeln hatte sich Nebel ausgebreitet, so daß man das Meer nicht sehen konnte, nur den fahlen Hackbeil-Umriß Grimmigmonds, der mitten im Weiß der Nebelschwaden schwebte. Noe entdeckte die beiden etwas abseits der Landstraße, wo sie gerade rasteten und das Brot teilten; sie stellte ihr Skrei-Rad neben ihrem ab. Sie verschränkte die Arme, um sich gegen den kühlen Nebel, der sie umwallte, ein wenig zu schützen.

»Ich bedaure sehr, daß ich nicht daheim war, als du dich über Schalldraht angekündigt hast.«

Obwohl sie zu Gaet sprach, ruhte ihr Blick auf Honieg. Gaet spürte ihr Mißbehagen. Er stand auf. »Du hast deinen Überwurf vergessen. Du frierst.«

Noe zuckte mit den Schultern; ihr Gefröstel wärmte sie auf. »Ich habe gedacht, du kommst allein.«

»Honieg hat mich aufgrund meiner Einladung begleitet, weil sie auf unserer Hochzeit tanzen soll. Sie ist mit Hoemei eng befreundet gewesen und war uns gegenüber allemal freundschaftlicher eingestellt als Aesoe. Nach seinem Tod hielt ich's irgendwie für angebracht, sie mitzubringen.«

»Du hast eine bemerkenswerte Gabe, auf Schwierigkeiten noch

mehr Schwierigkeiten zu häufen.« Noes Tonfall glich dem Stich einer Biene.

Honieg, die aufmerksam lauschte, wand sich ihr schwarzes Halstuch ums Gesicht, als sei sie eine Imkerin, doch ihre ausdruckslosen Augen beobachteten Noe. Sie erhob sich nicht. Das bloße Verhalten der Liethe klagte Noe ihres schlechten Benehmens an.

Noe vollführte eine ruckartige Geste der Ungeduld in Gaets Richtung, wandte sich ab und setzte sich neben die Frau, die die Geliebte ihrer Gatten gewesen war, langte in ihre Tasche und brachte frisches Brot für die beiden Reisenden zum Vorschein. »Ich bin gegenwärtig nicht ich selbst. Natürlich ist mir jeder Gast Gaets willkommen.« Ihre Stimme klang vorübergehend wieder herzlich. »Aber möglicherweise bist du vergebens gekommen. Es kann sein, daß gar keine Hochzeit stattfindet.«

»Hä?« machte Gaet.

Noe wandte sich von neuem heftig an ihren Erstgatten. »Womöglich triffst du nicht einmal eine Familie vor, die dich begrüßen könnte.«

Vorsichtshalber schob sich Gaet zwischen die beiden Frauen und nahm ebenfalls Platz. »Ich sehe, ich kenne den neuesten Klatsch noch nicht. Hat Kathein es sich abermals anders überlegt?« Er lachte.

»Manchmal finde ich dich einfach widerwärtig.«

Zum erstenmal ersah Gaet das volle Ausmaß ihrer verbitterten Gemütsverfassung, und der Nebel schien sein Herz zu beklemmen. »Ist jemand gestorben?«

Sie ergriff seine Hand und küßte ihn auf die Wange, dann bestrich sie eine Scheibe Brot für Honieg, die wortloß dabeisaß. »Joesai ist nach Hause gekommen.«

Gaet stieß ein Brummen aus. »Seit wann wäre das eine schlechte Neuigkeit?«

»Er hat Oelita mitgebracht. In der Wüste hat er sie aufgespürt, wo sie mit Zwillingen gehaust hat, die von Hoemei stammen.«

»Aha«, machte Gaet. »Sie wird in Trauerweiler willkommen sein.« Er ahnte, daß es mit der Sache noch mehr auf sich hatte. Er wartete.

»Joesai verlangt, daß wir diese Ketzerin ehelichen.«

Gaet lachte das Große Lachen. Er vermochte es nicht zu unterdrükken, nicht einmal aus Rücksicht auf Noes Stimmung. »Hat Joesai sie an eine Stange gefesselt und mit Drogen betäubt angeschleppt?«

Noes Antwort zeugte von tiefer Ratlosigkeit. »Sie liebt ihn. Die beiden fühlen sich einander innig verbunden. Ich kann's nicht begreifen.«

»Gottes Himmel!« entfuhr es Gaet.

»Joesai und Hoemei haben sich gestritten. Noch nie habe ich derartige Wutausbrüche gesehen. Und dabei sind sie Brüder! Sie haben mir richtige Furcht eingejagt. Teenae war entsetzt. Sie und Oelita sind ins Dorf geflüchtet und haben Kathein und mich allein mit dem heißen Topf in den Händen zurückgelassen. Kathein wollte wieder nach Kaiel-Hontokae, und ich mußte alle Überzeugungskraft aufbieten, damit sie wenigstens bis zu deiner Ankunft bleibt.« Noe weinte nun.

»Soll ich mit Hoemei sprechen?« fragte Honieg ernsthaft besorgt. Sie streckte – an Gaet vorbei – einen Arm aus, um Noe, die laut schluchzte, tröstlich zu berühren. »Ich verfüge über gewisse Kräfte der Beeinflussung.«

»Halte du dich von alldem fern! Du würdest ihn uns nur wegnehmen!«

Gaet legte einen Arm um seine Erstgattin. »Deine Übellaunigkeit verleitet dich dazu, sinnlos um dich zu stechen. Unsere Liethe-Freundin wird uns niemanden wegnehmen. Die Liethe sind ein durch und durch sanftmütiger Clan, und Honieg ist die sanfteste von allen. Ihre Aufgabe ist ausschließlich das Dienen. Ein Mann, der wähnt, er könne seine Familie verlassen und eine Liethe an seine Seite erheben, wird damit unweigerlich scheitern. Die Liethe sind dafür bekannt, daß sie hinsichtlich der Grundsätze und Zwecke, die sie selbst sich festgelegt haben, allzeit verläßlich bleiben.«

»Es wird nichts nützen, mit Hoemei zu reden«, sagte Noe trostlos. »Meine Gatten haben den Verstand verloren.«

Gaet lachte. »Das ist der Preis, den wir dafür entrichten müssen, daß wir unser Leben mit Weibern teilen. Am besten beenden wir die Rast, damit ich mich daranmachen kann, die Versöhnung zustande zu bringen.«

»Eine Versöhnung wird's nicht geben! Glaubst du, wir hätten's nicht versucht?«

Gaet betrachtete die vom Wind gebeugten Bäume, die neben der Straße in einer Geländerinne standen und älter waren als jeder lebende Mensch; kurze, stämmige Bäume, die den Gewalten, die vom Meer landeinwärts fegten, tausendmal widerstanden hatten und im Erdreich verwurzelt geblieben waren. »Wenn ich mich recht entsinne, war's Hoemei, der mich gelehrt hat, als wir noch im Kinderhort waren, daß man angesichts unlösbarer Schwierigkeiten eben die Art des Problems ändern muß.« Er richtete sich auf. »Noe, es dürfte am ratsamsten sein, ich gehe allein. Kümmere du dich an meiner Stelle um Honieg und beachte, daß sie sich ein bißchen vor Kaiel-Frauen fürchtet. Gewinne sie zu deiner Freundin.«

Honieg stand ebenfalls auf. »Ich kann durchaus mitkommen. Ich werde nicht im Weg sein.«

»Nein.«

»Wir könnten alle gehen«, sagte Honieg flehentlich.

»Nein.«

»Mir ist's recht, mich mit dir zu befassen«, sagte Noe zu Honieg. »Wir werden in den Ort fahren und Teenae und Oelita besuchen. Gaet weiß, was er anfängt. Wäre er hier gewesen, hätte es nie zu so etwas kommen können.«

Gaet schob sein Skrei-Rad den Pfad zum Küstenhaus der maran entlang, verwünschte die Unebenheit, durch die sich ein Rad verbogen hatte. Noch eine Aufgabe: die Speichen begradigen. Er verweilte einen Augenblick lang, um den Schaden zu begutachten, doch auch, um über das Vorgehen gegenüber seinen Brüdern nachzudenken. Er drehte das Skrei-Rad um, die Räder nach oben.

Die maran waren eine bemerkenswerte Ehegemeinschaft, so lebenstüchtig, weil ihre persönlichen Eigenschaften und Fähigkeiten ein so verschiedenes Wesen besaßen. Gaet wußte, daß die Umgebung in ihm vornehmlich den leicht lenkbaren Scharwenzler der Familie sah. Wenn Noe das Theater besuchen wollte, ging er mit. Hatte Hoemei irgendwelche politischen Abmachungen zu treffen, war es Gaet, der für die gegensätzlichen Auffassungen eine Lösung erarbeitete. Er war für seine Neigung zu Vergnügungen bekannt. Er wirkte zu leicht beeinflußbar, um als starker Mann angesehen werden zu können. Dennoch war diese Familie eine Schöpfung Gaets, und er schätzte sie höher als alle anderen Dinge in seinem Leben.

Er versetzte das beschädigte Rad in Drehung und sah mißmutig zu, wie es eierte. Das war sie, seine große Gabe – zum Beispiel das Begradigen von Speichen.

Ein Teil seiner scheinbaren Schwäche war nichts anderes als eine Vorspiegelung mittels seiner persönlichen inneren Magie. Als Kind hatte er gelernt, nachgiebig zu wirken, während er in Wirklichkeit die Führung übernahm. Er pflegte sich in sorgsam gestellte Fallen zurückzuziehen. Alles andere als leicht war es gewesen, ein Band zwischen Hoemei und Joesai zu schmieden. Er hatte mancherlei heikle Kunstgriffe anwenden müssen. Trotzdem gerieten die beiden noch heute aneinander. Noch immer waren sie Rivalen; Joesai beneidete Hoemei um seine überaus scharfsinnigen Verstandesfähigkeiten, und Hoemei sah Joesai nach wie vor voller Neid seine Spiele mit der Gefahr spielen. Ab und zu erwies es sich als nützlich und nötig, die zwei gegeneinander auszuspielen.

Gaet war bereits dazu imstande, die Triebkräfte zu durchschauen, die hinter ihrem gegenwärtigen Zusammenprall standen. Weder Joesai noch Hoemei waren in ihrem Umgang mit Frauen je sonderlich geschickt gewesen. Joesai verhielt sich plump, und Hoemei war schüchtern. Doch es war Hoemei gewesen, der darauf beharrte, daß man die Werbung um Kathein fortsetzte – das einzige gefahrvolle Spiel, auf das er sich jemals vorsätzlich eingelassen hatte. Und Joesai hatte sich in seine Auseinandersetzung mit Oelita gestürzt, fest davon überzeugt, sie nie und nimmer zur Gattin nehmen zu wollen, ebenso überzeugt von der Vernünftigkeit der Tradition, auf die er sein gesamtes Handeln zu stützen pflegte – und war an eine Frau geraten, die sich mit all den Finessen der Weisheit auskannte, die sich in Traditionen niemals einfügen ließen. Oelita hatte ihn dazu gezwungen, sich nach den Vorgaben seines Verstandes zu richten.

Wie sollte Hoemei jemals die Gefahr vergessen können, die er diesmal ganz ohne den Beistand von Joesais Fäusten durchgestanden hatte? Er mußte sich in grundlegender Art und Weise mit Kathein verbunden fühlen. Wie könnte Joesai je die Einfühlsamkeit gegenüber der Philosophie wieder vergessen, die er dank Oelita – ohne die Unterstützung durch Hoemeis Hochgeistigkeit – entwickelt hatte? Natürlich mußte er sich grundlegend mit Oelita verbunden fühlen.

Als Gaet endlich das Herrenhaus des Küstenpropheten erreichte, hing er in aller Ruhe sein Skrei-Rad am Haken an der Hauswand auf, bevor er nach oben ging, und traf Joesai beim Lesen im obersten Zimmer an, von dem aus man über das Njarae-Meer einen herrlichen Ausblick hatte. Von den drei Felsklippen, die aus der See aufragten, war durch den Nebel nur die niedrigste, das Kind des Todes, zu sehen. Joesai legte ein Lesezeichen aus Stoff in das Buch und verkürzte den Docht der Lampe, bis fast alle Helligkeit im Raum vom fahlen Glanz des zweiten, biolumineszenten Leuchtkörpers stammte.

»Es freut mich, daß du Oelita aufgestöbert hast«, sagte Gaet.

Sein größerer Bruder ließ das Buch sinken und starrte Gaet an, ohne ein Wort zu äußern. Die Tätowierungen seines Gesichts glichen dem Schnitzwerk einer Urne.

»Ich habe gehört, daß Ärger entstanden ist«, setzte Gaet erneut an.

»Hoemei hat gegen mich den Dolch gezückt.«

Wie zwei Knaben, die sich gegenseitig anschuldigen. »Und zum Ausgleich hast du ihm vermutlich das neueste philosophische Werk um die Ohren gehauen?«

Joesai lächelte nett und wandte das Gesicht dem unsichtbaren Horizont zu. Gaet fragte sich, ob Joesai sich noch daran erinnern konnte, wie man so etwas im Kinderhort handhabte – wer dort offen irgendwelche Beschuldigungen gegen einen anderen erhob, erhielt unweigerlich seine Strafe.

»Der alte Lüstling ist also tot«, wechselte Joesai das Gesprächsthema.

»Das ist günstig für dich. Der neue Erzprophet wird deine Verbannung aufheben.«

Joesai lachte, halb belustigt, halb spöttisch. »Vielleicht auch nicht.«

»Bei Gottes Auge, Bruder, schau doch nicht so finster drein! Wir sind noch lange nicht am Ende unserer Möglichkeiten. Der Plan ist nicht das gleiche wie die Strategie.«

»Oelita ist eine gute, anständige Frau. Von Kathein dagegen bin ich der Ansicht, daß sie uns hintergangen hat.«

Gaet zeigte sich plötzlich abweisend. »Gegenwärtig möchte ich gar nicht hören, was du zu der ganzen Angelegenheit zu sagen hast. Ich möchte, daß du über eine gemeinsame Lösung nachdenkst, die alle Beteiligten zufriedenstellt. Ich habe noch nie eine solche Lösung gesehen, die nicht beiden Widersachern mehr gegeben hätte, als wenn sie auf der Durchsetzung ihres ursprünglichen Willens bestanden hätten.«

Joesai hörte nicht zu. Seine ruhelosen Augen waren vom Teppich und den Steinfliesen des Fußbodens angezogen worden. »Ich fühle mich wie gelähmt. Handgreiflichkeiten mit meinem eigenen Bruder...«

Gaet ließ ihn nicht weiterreden. »Ich werde in den nächsten paar Tagen sehr beschäftigt sein. Du kannst unterdessen auf dem Arsch sitzen und mir in andächtiger Aufmerksamkeit zuschauen, ganz wie ein Kind.« Er wandte sich zum Gehen.

Joesai packte ihn am Arm, schloß die Faust um sein Handgelenk. »Du bist ein alter Schacherer.« Er drückte zu. »Sag Oelita von mir einen Gruß. Ich habe die Sache wieder einmal verpfuscht.«

Eine Zeitlang saß Gaet mit den Bediensteten in der Küche, schaute sich die Rechnungsführung an und sprach mit ihnen über die stattgefundene Auseinandersetzung. Die Angaben der Dienerschaft wichen von Noes Darstellung ab. Anschließend schlenderte er über die Terrasse und blieb vor dem grünen Glas von Hoemeis Fenster stehen. Er erblickte Beweise eindeutiger Liebe. Hoemei und Kathein schlummerten noch eng umschlungen auf den Polstern. Das war eine Gefahr. Sollte sich Kathein etwa allzu unerwünscht fühlen, kehrte sie womöglich nach Kaiel-Hontokae zurück und nahm Hoemei mit sich. Eine solche Trennung konnte auf Scheidung hinauslaufen.

Erstgatte Gaet betrat mit eingezogenem Kopf das kleine Kämmerchen Jokains, des Erstsohns. Die Familie sah in ihm ihren Erstsohn, obwohl sie Kathein bisher nicht geheiratet hatte. Jokain war wach und baute gerade aus Klötzen Häuschen. Der Teppich gab das Meer ab, und etliche andere Bauklötzchen dienten als Boote, die wohl Hartschilf dreggten. Er sagte nichts, sondern hielt die Hand in die Höhe, damit Gaet nicht mit den Füßen quer durch die Fußboden-Landschaft stapfte und durch gewaltige Wogen Schiffbruch verursachte.

Gaet lächelte. Hier also spielte der Heilsbringer der Menschheit. Kathein war – trotz all ihres kühlen Sachverstandes – von religiösem Wahn besessen, und doch... Vielleicht hatte sie recht. Dieser Knabe hatte weit bessere Aussichten, einmal die wahre Natur Gottes entdekken zu können, als seine mit Unzulänglichkeiten behafteten Eltern. »Was hast du da aufgebaut?«

»Das hier sind Boote. Das da sind große Häuser, und da sind kleine Häuser, und hier ist 'n Haus für das Himmelsauge.«

»Jokain, du mußt mir helfen. Dein leiblicher Vater ist dabei, auf dem Dach ein richtiges Himmelsauge zu bauen, und ich möchte, daß du dich um ihn kümmerst, damit er's auch richtig macht und du dir bald mit ihm die Sterne anschauen kannst. Du mußt darauf achten, daß er morgens früh genug aufsteht und sich anzieht, und daß er sein Frühstück aufißt.«

Behutsam setzte Jokain ein weiteres Klötzchen auf sein Bauwerk. »Jo und Kat zanken sich«, sagte er, und plötzlich warf er mit einem Hieb seines Handrückens alles über den Haufen, was er zuvor aufgetürmt hatte.

Gaet ging in die Hocke und schlang seine Arme um den Knaben. »Weißt du, wozu eine Familie gut ist? Damit man sich umeinander kümmern kann, wenn so schlimme Sachen wie Streitigkeiten vorkommen. Du befaßt dich mit Jo, und ich nehme mich Kats an.«

»Und wer kümmert sich um Ho?«

»Vielleicht schicke ich die Zwillinge, damit er wieder lächelt.«

Jokain dachte nach. »Welche Sterne werde ich zu sehen kriegen?«

»Nika ist zur Zeit ziemlich hell zu sehen. Nika ist ein Himmelskörper wie Geta und hat auch Monde. Und du kannst dir die Berge Grimmigmonds anschauen. Vielleicht bekommst du sogar Gott vor die Linse.«

»Wird Jo wieder gut gelaunt sein?«

»Klar. Er hat dich sehr gern.«

Als Gaet in Trauerweiler den Gasthof aufsuchte, erfuhr er mit Belustigung, daß Honieg sich ruhig mit den Kindern beschäftigte. Gatee und die Zwillinge waren mit ihr unten am Hafen, wo sie zusammen Fangen und Verstecken spielten. Das weiberscheue Geschöpf hatte sofort die beste Möglichkeit gefunden, um die anderen beteiligten Frauen zu meiden, so gut es sich einrichten ließ.

Zuerst begrüßte er besonders herzlich Oelita. Selbst für den Fall, daß sie sich ihn nicht als Gemahl vorzustellen vermochte, sollte ihr doch klar sein, daß sie in ihm allemal einen Freund sehen durfte. Es gab zwischen ihnen keine ernsthaften Hindernisse. Gaet trug die hauptsächliche Verantwortung dafür, daß der Vertrag zwischen den Kaiel und Oelitas Anhängern eingehalten worden war, und er wußte, daß sie schwerlich irgendeinen Anlaß sehen konnte, um gegen ihn Vorwürfe zu erheben.

Sie zögerte, doch als sie seine Herzlichkeit spürte, umarmte sie ihn. »Ich bin froh, daß ich zurück bin«, sagte sie.

»Was geht im Haus vor?« erkundigte Teenae sich besorgt.

»Ich habe meine Brüder an die Kette gelegt. Ich habe mir die Unterlagen vorgenommen, die unser gemeinsamer Kinderhort-Vater über Joesai und Hoemei angefertigt hat, ehe er an den Bratspieß kam, und den Vormittag mit Kathein verbracht. Ursprünglich wollte ich sie nach Trauerweiler mitbringen, aber dann war mir die Vorstellung, fünf Frauen bändigen zu müssen, doch zuviel.«

»Das sieht dir ähnlich«, schalt Noe höhnisch.

Gaet spähte in die Richtung des Hafens. »Wie geht's Honieg?«

»Sie ist ganz vernarrt in meine Kinder«, antwortete Oelita.

»Sie ist sehr schüchtern«, sagte Noe. »Und sie erinnert mich an Joesais Liethe in Soebo – immer findet sie einen Vorwand, um sich vor einer Unterhaltung zu drücken.«

»Ist es wirklich ungefährlich, unsere beiden übergeschnappten Gatten allein zu lassen?« Teenae hegte noch immer Bedenken.

»Alles ist geregelt. Jokain führt Joesai an der Nase herum. Und Hoemei gedenke ich mit den Zwillingen abzulenken.« Während er das sagte, blickte er Oelita an.

»Nein!« Plötzlich packte Furcht die Gütige Ketzerin.

»Selbstverständlich nur mit deinem Einverständnis.« Er nahm ihre Hand, winkte gleichzeitig Honieg zu, sie möge die Kinder bringen.

In der Nähe der Fenster des Gasthofs schoben sie zwei Tische zusammen. Honieg besorgte hohe Stühle für die Kinder und entfernte sich dann in die Küche.

»Honieg«, rief Teenae, in dem Versuch, sie zurückzuhalten.

Gaet hob die Hand. »Laß sie uns dienen, wenn das ihr Wunsch ist. So ist sie nun einmal.«

»Hoemei kann mich nicht ausstehen«, klagte Oelita. »Es bekümmert mich sehr, eurer Familie soviel Ärger verursacht zu haben. Joesais Träume haben mich mitgerissen. Die Wandlungen, die in ihm vorgegangen sind, haben mir wieder den Glauben an die Menschen geschenkt.«

»Es verhält sich keineswegs so, daß Hoemei dich nicht ausstehen könnte«, widersprach Gaet geduldig. »Er hat lediglich Kathein verteidigt. Eine Ehe ist wie Jonglieren. Jeder mit nur ein bißchen Kalothi kann zwei Bälle handhaben. Alles was über drei hinausgeht, ist schwieriger. Hoemei war bis zu sechs Bällen gekommen, da hat ihm jemand unvermutet einen siebten Ball zugeworfen, und alles ist ihm hingefallen. Und du bist nicht etwa bloß irgendein siebter Ball, Oelita.«

Die Zwillinge fingen an, sich zu treten. Ihre Mutter wandte sich ihnen zu, um sie zu beruhigen, und Honieg kam mit Zuckerstangen, an denen sie lutschen konnten.

»Mein Wunsch, daß sich Hoemei mit deinen Zwillingen befassen soll, hat natürlich seinen Grund«, sagte Gaet.

»Hoemei ist sanftmütig«, bemerkte Honieg dazu. »Mehr als du meinst.« Scheu strich sie mit ihren Fingern über Oelitas Haar, ihre Kopfhaut, um ihr einen überzeugenden Eindruck von Sanftheit zu vermitteln. »Er wird deine Kinder lieben, weil sie auch die seinen sind. An der Tatsache, daß sie allein mit dir in der Wüste aufgewachsen sind, wird er das wahre Maß deiner Kraft ablesen können.«

»Was soll denn das schon nutzen?« rief Oelita mißmutig.

Gaet bediente sich, als er ihr antwortete, eines seiner ältesten Kniffe. Er griff auf Oelitas eigene Philosophie zurück und hielt ihr einen ihrer bevorzugten Grundsätze entgegen. »Du hast uns gelehrt, daß Liebe uns vor Gewalt bewahrt. Was ich beabsichtige, ist ein Ergebnis deiner Lehren. Während deine Kinder bei deinem Vater sind und er sie näher kennenlernen kann, wirst du dich Kathein widmen.«

»Nein. Das kann ich nicht! Das ist zu viel für mich. Einzig durch unablässigen Kampf habe ich überlebt, weder bereit zum Sterben noch zu hoffen. Joesai hat mir einen Traum gegeben, und nun ist auch dieser Traum zu Asche geworden. Entweder ist Kathein die Verliererin, oder ich bin's und wenn eine von uns verliert, verlieren wir beide.«

Gaet begann eine Geschichte zu erzählen. »Zwei Männer träumten jeder von einem Haus, und in der Morgenfrühe erwachten sie mit der Absicht, ein jeder das Haus seines Traums zur Wirklichkeit zu machen. Beide gedachten sie denselben Baum als Mittelpfosten ihres Hauses zu nehmen, einer ohne Kenntnis vom Traum des anderen. Wie läßt sich ein solches Problem lösen? Die beiden Männer können kämpfen, und einer kann gewinnen. Oder einer von beiden kann, um den Zwist beizulegen, seines Traums entsagen. Aber damit geht man doch von der Annahme aus, daß auf ganz Geta nur ein einziger Baum steht, daß es nur eine Art gibt, ein Haus zu bauen. Was könnte sich ergeben, wenn diese zwei Männer sich aussprechen, irgendeine Übereinkunft treffen, Nachforschungen anstellen? Vielleicht entdecken sie irgendwo einen zweiten Baum, der von zwei Personen getragen werden kann. Womöglich schafft nur eine gründliche Unterhaltung die Grundlagen einer völlig neuen Bauart. Deshalb mußt du mit Kathein sprechen.«

»Hör auf ihn«, rief Honieg leise. »Gaet ist als bester Vermittler ganz Kaiel-Hontokaes bekannt.«

Oelita schaute Teenae an, um deren Meinung zu hören. »Kathein ist eine nette Frau«, sagte ihre Freundin.

Noe erwartete von ihr – man sah es ihr an –, daß sie zustimmte.

Oelita wandte ihnen allen den Rücken zu. Der Speiseraum mit seinen Tischen aus eingeöltem Holz und dem Duft von Gewürzen, der aus der Küche drang, schuf eine behagliche Stimmung. Getas Sonne hatte den Nebel verscheucht. In Trauerweiler herrschte Leben und Treiben. »Ich werd's versuchen.«

»Wir sind gemeinsam über die Weiße Wunde gestiegen. Entsinnst du dich? Das war auch nicht leicht.«

63

1) Ohne den Beistand anderer bietet die Zukunft einem jeden Lebewesen nur beschränkte Aussichten.

2) Unterstützung kann bestehen aus:

a) gegenseitiger Hilfe im Rahmen einer vereinbarten Zusammenarbeit;

b) zwangsweiser Mitarbeit, zum Beispiel durch den Einsatz von Sklaven.

3) Ein Einzelgänger – ein Mensch, der nicht willig ist, die Ziele anderer Menschen zu erfragen, weil er nicht beabsichtigt, ihre Ziele irgendwie mit seinen Zielen in Einklang zu bringen – kann werden:

a) ein Einsiedler mit begrenzten Zielen;

b) ein von Sklaven umgebener Tyrann, wider den man in der Gegenwart verhohlene Feindschaft hegt und den in der Zukunft Rebellion erwartet.

4) Ein vernunftbegabtes Lebewesen kann den Weg der wechselseitigen Hilfsbereitschaft beschreiten, wenn es keine unveränderlichen Ziele verfolgt und fortwährend die Ziele anderer im Augenmerk behält, um mit Rücksicht auf sie die eigenen Ziele abzuwandeln. Diesen Weg zu gehen, bedeutet stets den Verzicht auf gewisse persönliche Eigenheiten, doch erreicht ein solcher Mensch auf seinem Weg immer wieder ein Land, das ihm eine reiche Auswahl künftiger Möglichkeiten bietet, und daher werden die Vorteile, die er daraus hat, bei weitem das überwiegen, auf das er verzichtet.

Erzprophet Tae ran-Kaiel: *Die Kunst des Verhandelns*

Gaet mietete ein Segelboot, um mit Oelita, ihrem Knäblein und dem Mädchen an der Küste entlang zur Bucht der Sippschaft des Todes zu fahren, die aus dem Vater, der Mutter und dem Kind des Todes bestand. Er kannte sich mit dem Segeln wenig aus und überließ das Boot der Führung Oelitas, die sämtliche Handgriffe des Segelns noch genauso beherrschte, als hätte sie die See nie verlassen. Unterhalb des maran-Herrenhauses zogen sie das Boot auf den Strand. Gaet ließ den verdutzten Hoemei mit zwei Kindern zurück, die lauthals plärrten;

mochte er mit ihnen zurechtkommen, so gut es ging. Kathein erteilte ihm noch ein paar Anweisungen, dann folgte sie Gaet in merklicher Angespanntheit hinab zum Strand.

»Ich habe noch nie in einem Boot gesessen«, sagte Kathein. »Nicht mal, um einen Fluß zu überqueren.«

»Es wird dir bestimmt gefallen«, versicherte Oelita und lächelte, als sie ihrer Rivalin an Bord half, insgeheim froh darüber, zumindest in der Führung des Boots das Sagen zu haben.

»Sag mir, was ich zu tun habe«, bat Kathein.

Gaet schob das Boot wieder in die Wellen hinaus. »Du müßtest dich mit dem auskennen, was der Seemann das Lavieren nennt.«

»Ich habe den Eindruck, die Segelstange kann schneller mit den Fingern rechnen als ich.«

»Wohin?« fragte Oelita.

Gaet hatte sich, nun triefnaß, an Bord geschwungen und half Oelita beim Segelsetzen. »Du hast mir einmal erzählt, du hättest hier irgendwo, als du noch ein Kind warst, die Versteinerte Stimme Gottes gefunden.«

»Ich weiß noch genau, wo.«

»Ich dachte mir, das sei die richtige Stelle, um einen Happen zu essen. *Der Feuerofen des Krieges* ist die wichtigste Gemeinsamkeit zwischen dir und Kathein.«

In Katheins Augen leuchtete es auf. »Erinnerst du dich wahrhaftig noch so gut daran, wo du ihn entdeckt hast? Das finde ich wirklich aufregend!« Das Boot nahm Fahrt auf, wehte ihr feine Gischtschleier ins Gesicht, wenn es durch eine Welle schnitt. Auch das empfand sie als aufregend. »Mehr als der Kristall, den wir bereits hatten, und dem, den du uns gebracht hast, sind nie gefunden worden.«

»Die kleine Bucht, woher er stammt, hat sandigen Grund. Dort könnten jede Menge liegen.«

»Vielleicht wird Gott deine Hand noch einmal führen.«

»Wir können's ja versuchen. Zum Schwimmen ist's dort jedenfalls wundervoll.«

»Ist das Schwimmen im Meer anders als das Schwimmen in einem Wasserbecken?«

»O ja. Ich werde dir zeigen, wieso.«

Die winzige Bucht lag abgeschieden und vor Stürmen geschützt, und infolgedessen tummelten sich dort verschiedenerlei Insektenarten. Oelita entsann sich, weshalb ihr Vater damals die Bucht aufgesucht hatte, zeigte Kathein einen Keilgräber mit grünem Rücken, danach eine ganze Siedlung von Insekten, die unterirdische Gänge gruben und sonderbare, von Klauen umgebene Augen hatten.

»Was ist denn das?« Kathein hielt Halme eines Unterwassergrases in den Händen, das längs jedes einzelnen Stengels einen zierlichen Streifen silbriger Blüten aufwies.

»Das Zeug schmeckt köstlich, wenn man's 'ne Woche lang gammeln läßt – und es ist sehr giftig. Es enthält ein Gift, das die Nerven angreift. Vor langer Zeit, als die Stgal Trauerweiler den Nowee-Priestern wegnahmen, haben sie ein großes Fest zur Feier des gerade abgeschlossenen Abkommens zwischen den Nowee und den Stgal gegeben und den Nowee einen mit solchem Gras vermischten Salat gereicht. Das ist nur eine von vielen derartigen Geschichten – und die Stgal wundern sich, weshalb sie so im Rufe der Falschheit stehen!«

Die beiden Frauen streiften die zum Segeln umgeworfene Kleidung ab und machten sich daran, am Strand den Grund durch Tauchen zu erkunden. Gaet entfachte im Sand aus Treibgut ein Feuer und begann eine in Blätter gewickelte Mahlzeit zu wärmen. Er schaute den beiden Schwimmerinnen zu, sehr zufrieden damit, in welch günstiger Stimmung dies von ihm eingefädelte Abenteuer sich anließ. Jetzt konnte er alles etwas lockerer sehen und sich wieder Gedanken um alltäglichere Kleinigkeiten machen, wie etwa darum, daß das Aroma der Blätter auch in die Speisen eindrang.

Frauen konnten auf so vielfältig unterschiedliche Weise schön sein, dachte er sich, während er die beiden beobachtete. Die Künstler an der Küste hatten Oelitas Haut mit schlichten Mustern bedeckt, um des Gegensatzes willen geschwungene Flächen ganz einfacher oder leichter eingekerbter Darstellungen eingearbeitet; Kathein dagegen besaß den hochgradig vornehm ausgeführten Körperschmuck der Kaiel, fein gearbeitet, überreichlich mit Einzelheiten und Symbolen versehen, mit sorgfältig ausgeklügelt vorgenommenen Einfärbungen des Narbengewebes, so daß kein Fleckchen kindlich blanken Fleisches verblieben war und Kathein jederzeit als wahre Meisterin der Schmerzen erkannt werden konnte.

Gaet breitete auf dem Sand Matten aus. Da die Sonne mittlerweile ihren Höchststand erreicht hatte und das Feuer zusätzlich zum Trocknen beitragen konnte, ersparten die beiden Frauen sich die Umstände des Anziehens, als sie aus dem Wasser kamen. »Habt ihr was gefunden?«

»Nein«, sagte Oelita. »Der Grund ist bewachsen, viel stärker als damals in meiner Kinderzeit.«

Kathein bettete ihr nasses Haar ins Geflecht ihrer Finger. »Ich finde das Leben am Meer zauberhaft. Ich habe gelernt, mit offenen Augen zu schwimmen. Hier muß ich irgendwann mal mit einer Dregge hin. Es ist eine Schande. Wie *Der Feuerofen des Krieges* wohl ins Meer gelangt ist? Da unten sind keine Ruinen oder Reste eines Wracks zu sehen, überhaupt nichts dergleichen.«

»Ich bin froh, daß du mit uns rausgefahren bist«, sagte Oelita zu Gaet. »Die Probleme unserer Männer kommen uns hier so fern vor. Wir haben uns darüber unterhalten.«

»Wenn wir mal kein Meerwasser im Mund hatten!« Kathein lachte.

Gaet wickelte ein von Blattfetzchen bedecktes Küchlein aus und ließ die beiden den Duft riechen, der sich mit dem Dampf ausbreitete. »Ich arbeite auf eine Lösung hin, die uns alle zufriedenstellen soll. Aber ich brauche neue Erkenntnisse. Ihr zwei müßt sie mir verschaffen.«

»Willst du wissen, wie Joesai zumute ist?« fragte Oelita.

»Nein. Ich kenne Joesai. Weniger klar ist mir, welche Beweggründe eine Gütige Ketzerin haben mag.«

»*Mich* kennst du«, sagte Kathein.

»Bist du sicher?« entgegnete Gaet. »Du bist lange mit Aesoe zusammengewesen.«

Kathein senkte den Blick; Oelita ergriff ihre Hand, sprach für sie beide, als sie sich an Gaet wandte. »Was willst du über uns wissen? Du brauchst nur zu fragen.«

»Laßt mich euch zunächst etwas erzählen. Wir haben eine Fünf gehabt, in der alles reibungslos lief. Als ich die Gründung unserer Ehegemeinschaft eingeleitet habe, war mir eigentlich gar nicht klar, worum es sich drehte. Eine Familie war ein verschwommener Traum, eine Einrichtung, die man eben haben mußte, um den Anforderungen der kaielischen Tradition zu genügen. Es hieß, daß Familienbande Fähigkeiten bewirkten, die einem einzelnen Menschen nie zu eigen sein könnten, und ich wollte zu allem fähig sein – und alles *sein* –, also habe ich eine Familie an sich nur als natürliche Erweiterung meiner selbst betrachtet.«

»Bist du der Ansicht, eure Familie hat ihren Anfang genommen, als du Noe kennengelernt hast?«

»Der Tag, an dem ich Noe begegnet bin, war ein Unglückstag. Was aus unserer Familie geworden ist, wie's auch gekommen sein mag, begann an dem Tag, als ich Joesai kennengelernt habe.«

Joesai war ein lernbegieriges, peinlich gewissenhaftes Kind gewesen, unduldsam gegenüber Mängeln sowohl bei seinen Ebenbürtigen wie auch seinen Meistern. Er war größer als seine Gefährten und benutzte seine Kraft, um sie herumzuschubsen. Wer ihm in die Quere kam, mußte bei der nächsten Prüfung damit rechnen, das Leben zu verlieren. Joesai ließ sich nie durch einen Dritten rächen; doch wenn es jemandem, der ihn verärgert hatte, für die Dauer wenigstens einer Woche gelang, ihm aus dem Weg zu gehen, vergaß Joesai die Herausforderung. Er hatte keine Freunde. Er betätigte sich als Dieb, aber keiner der Lehrmeister ertappte ihn jemals.

Joesai hatte gewußt, daß sein Vater der Erzprophet Tae ran-Kaiel war, und diese Tatsache flößte ihm die anmaßende Hoffnung ein, es müsse ihm möglich sein, den Kinderhort zu überleben. Aber er wußte nicht, wer seine Mutter war, und dieser Umstand machte ihn in bezug auf den eigenen Wert unsicher.

Er bedrängte seinen Genetik-Lehrer immer wieder, ihm Einblick in seine Unterlagen zu gewähren. Schließlich erfuhr er, warum niemand ihm etwas über seine Mutter erzählt hatte. Man war davon ausgegangen, daß er diese Dinge nicht verstehen könnte. Und es verhielt sich wirklich rätselhaft. Seine Mutter war sowohl eine Frau wie auch ein Mann, zwei Personen in ein und derselben Person.

Tae ran-Kaiel hatte einen Versuch genehmigt, der das Ziel verfolgte, einen so bedeutenden Erzpropheten wie ihn selbst zu erschaffen. Er hatte seinesgleichen mit Hilfe eines der ersten wirklich erfolgreichen Erzpropheten gezüchtet, eines gewissen Gaieri ma-Kaiel, dessen Samen im flüssigen Nitrogen gefroren erhalten geblieben waren, jedoch nie benutzt worden, weil er bekannt gewesen war als Träger von mehrfach tödlichem Erbgut.

Anhand eines von Taes Arbeitsgruppen entwickelten Verfahrens entnahm man Gaieris Samenzellen Hunderte von gleichen Zusammenstellungen aus jeweils dreiundzwanzig Chromosomen, setzte die chromosomenlosen Zellen ein und regte sie zur Bildung von je dreiundzwanzig Chromosomen in Doppelform an – jedes mit zwei Chromatiden und einem Zentromer als Bindeglied, vergleichbar mit den widerstandsfähigen zweitrangigen Eimutterzellen, die eine Frau unmittelbar vor dem Eisprung aufwies. Taes Mitarbeiter fanden eine Möglichkeit, um den endgültigen Zellteilungsvorgang zu verhindern, die Zentromere zu zersetzen und das Entstehen einer reinerbigen Zelle mit sechsundvierzig Chromosomen einzuleiten, die dann, dem Leib einer Maschinen-Mutter eingepflanzt, zu einer Leibesfrucht anwuchs.

Aus einer erbgleichen männlichen Person ließen sich theoretisch vier Millionen erbgleiche *weibliche* Personen erzeugen, gewissermaßen Folge-Klons. Man löste einhundertachtzig Schwangerschaften aus. Einhundertdreiundfünfzig davon nahmen infolge doppelter Y-Chromosomen und doppelt tödlicher Erbeigenschaften ein vorzeitiges Ende. Einundzwanzig der übriggebliebenen siebenundzwanzig Säuglinge beurteilte man als unzureichend gelungen und verwendete sie für medizinische Versuche und Unterrichtszwecke oder verkaufte sie ans Schlachthaus.

Das beste der sechs letzten Kinder – Joesais Mutter – ließ man durch künstlich beschleunigte Alterung heranreifen, tötete es ebenfalls und verwendete die Eierstöcke zur Weiterführung dieses umfangreichen, ausgedehnten Versuchs. Auf diese umständliche Art und Weise geriet es zur genetischen Mutter von neuen Kindern Taes. Zu dem Zeitpunkt, als Joesai die entsprechenden Aufzeichnungen las, waren von diesem Zuchterfolg noch vier am Leben: Sanan, Gaet, Hoemei und Joesai selbst. Ganz von sich aus und völlig einseitig begann Joesai seine Brüder, die wie er von Gaieri abstammten, zu beschützen, aus keinem anderen Grund als dem Gefühl, daß seine und ihre Kalothi irgendwie miteinander verknüpft sein mußten.

»Und dabei mochten wir ihn nicht einmal leiden«, sagte Gaet am Strand grüblerisch zu Kathein und Oelita. »Wir haben uns oft genug über ihn lustig gemacht. Gehänselt haben wir ihn.«

»Ihr habt ihn verlacht?« meinte Oelita traurig. »Und er hat euch geholfen!«

»Der arme, kleine Kerl«, sagte Kathein.

Gaet lächelte verlegen.

Bei ihrer ersten Prüfung der Kraft half Joesai dem schwächeren Hoemei durch alle Belastungen, die ihn überforderten, rettete ihm das Leben und lehrte ihn den Wert von Bündnissen; aber Hoemei ging, statt seine Kräfte mit Joesai zu vereinen, einen Blutbund mit Gaet und Sanan ein. Joesai blieb am Rand aller Zusammenschlüsse, drangsalierte die anderen, reizte sie, quälte sie – und gewährte ihnen seinen Schutz. Sie brachten ihm Mißmut und Geringschätzigkeit entgegen.

Erst später, nach Sanans Tod, als er Joesai weinen sah, begriff Gaet das Törichte ihres albernen Gezänks und fällte bewußt den Entschluß, aus ihnen dreien eine Gemeinschaft zu schmieden. Er fing damit an, in den Streitereien seiner Brüder zu vermitteln. Wenn Hoemei in Schwierigkeiten kam, ging er hin und wandte sich an Joesai um Hilfe, und sobald Joesai die Gefahr drohte, in die Suppe zu kommen, beriet er sich mit Hoemei, wie man Joesai aus der Patsche helfen könne. Es dauerte gar nicht lange, bis die Wirksamkeit ihres Bundes auf sie alle nachhaltigen Eindruck gemacht hatte. Gaet behob ihre Probleme durch Verhandlungen, Hoemei sah Ärger voraus, und Joesai bahnte ihnen den Ausweg.

»Was ich damit zu sagen versuche«, erklärte Gaet, »ist nämlich, daß diese häßliche Auseinandersetzung, deren Zeuge ihr geworden seid, durchaus nichts Neues ist. Ich weiß, wie sie ausgehen wird, und meine Brüder wissen's ebenso. Noe und Teenae fürchten sich ein wenig, weil die schlimmsten Streitigkeiten zwischen uns Brüdern bereits ausgetragen worden waren, bevor Frauen in unser Leben eintraten, und daran liegt's wohl, daß unsere Gattinnen die Wurzeln solcher Meinungsverschiedenheiten nicht verstehen können. Und ihr zwei seid überhaupt nicht an so etwas gewöhnt, Meine Brüder treiben ihren Streit so weit, wie's nur geht, dann vollziehen sie eine Kehrtwendung und fangen sich über Lösungen zu unterhalten an. Wahrscheinlich ist es inzwischen überflüssig, daß ich mich noch einmische. Um euch zwei Hübsche mache ich mir viel mehr Sorgen.«

Kathein beobachtete den Sand, den sie durch ihre Finger rinnen ließ. »Das brauchst du nicht. Ich bin Kummer gewöhnt.«

»Sag nicht so etwas«, meinte Oelita, merklich voller Mitgefühl für Kathein. Ihr war selbst bange vor weiterem Kummer. »Wir stecken zusammen in diesem Schlamassel.«

»Ja«, bestätigte Kathein sinnend. »Aber können wir ihn gemeinsam durchstehen?«

Gaet gab sich möglichst unbefangen. »Ist es denn so eine Tragödie, wenn das Leben nicht dem Bild entspricht, das wir vom Leben haben? Das ist es doch auch, was die Physik so aufregend macht – wenn die tatsächlichen Versuche nicht mit der Theorie übereinstimmen.«

»Ich bin romantisch«, antwortete Kathein. »Ich bin eine Verehrerin Stgis und Toes. Die Liebe ist nicht mit Physik zu vergleichen.«

»Habe ich schon mal erzählt, wie's dazu gekommen ist, daß wir eine Verrückte wie Noe geheiratet haben?« Gaet lachte. »Welches Bild haben die Kaiel von einer Werbung? Sucht nicht ein einzelner Mann ein Weib? Hält eine Frau nicht stets die Augen nach dem ganz besonderen Mann offen? Der Mann und die Frau lieben sich und heiraten. Und schauen sie sich dann nicht nach einem weiteren Mann, einer anderen Frau oder einem anderen Partner um, die sie lieben können, und sobald sie jemanden gefunden haben, werben sie nicht und heiraten erneut, um die gemeinsame Kalothi zu erhöhen? So geht das. Aber wir waren *drei Männer.* Keine von den Frauen, die wir kennenlernten, konnten sich vorstellen, wie es ihnen möglich sein sollte, mit einem solchen Dreigespann zurechtzukommen. Noe hat uns aufgrund völlig falscher Voraussetzungen geheiratet. Sie scheute jede Verantwortung. Jede Woche fing sie irgend etwas an und beendete nichts. Ihre Tätigkeit im Tempel ermöglichte es ihr, Beziehungen zu Männern einzugehen, ohne damit längerfristige Verantwortlichkeiten zu übernehmen. Ich habe sie an dem Abend kennengelernt, als sie zum erstenmal so richtig merkte, daß sie eigentlich mit diesem Zustand unzufrieden war. Und da dachte sie, mit uns dreien könnte sie alle Vorteile einer Ehe genießen, ohne auch die Nachteile hinnehmen zu müssen.« Gaets Erheiterung verlieh seiner Stimmung einen gutmütigen Klang. »Es war ein regelrechtes Unheil, das wir mit ihr über uns brachten. Sie war ein verdorbenes Balg. Sie verstand genug, um einen Mann eine Woche lang für sich zu interessieren, darüber hinaus aber gar nichts. Der Schrecken ihrer eigenen Familie war sie, ganz ruhigen, sehr gediegenen Leuten. Und wir wußten unsererseits kaum mehr über die Frauen als die Grundregeln, durch deren Anwendung man schnell sein Knüppelbrot eingetunkt bekommt. Noe war dermaßen untragbar, daß Joesai sie regelmäßig verdrosch, und Hoemei und ich saßen dann im Nebenzimmer, kauten auf den Nägeln, während wir dem Geschrei zuhörten, und sagten uns, Gott sei gedankt, endlich unternimmt jemand etwas. Anschließend haben wir Joesai vor ihren Augen ausgeschimpft und sie getröstet. Geldschwierigkeiten hatten wir nie. Was das Geld betraf, waren wir sehr erfolgreich – damals hatten wir schon unseren Herrensitz –, aber in unserem Vierer ging es immer schlimmer zu. Und immer noch schlimmer. Und schließlich hat sie uns verlassen.«

»Das hat sie mir nie erzählt«, sagte Kathein.

»Natürlich nicht.«

»Hast du sie vermißt?« wollte Oelita in gefühlvoller Neugier erfahren.

»Vermißt?! In meinem ganzen Leben bin ich nicht so froh wie an dem Tag gewesen, an dem sie verschwunden war! Hoemei dagegen war niedergeschmettert. Er sah darin einen Rückschlag für unser Geschlechtsleben. Er hing bloß noch herum und sprach kein Wort. Joesai war unser Moralist. Er ist's immer gewesen. Er konnte sie gar nicht ausstehen, aber er spürte sie auf und brachte sie gegen ihren Willen zurück. Ich habe nie herauskriegen können, was sich damals im einzelnen abgespielt hat. Danach war's jedenfalls nicht mehr möglich, sie loszuwerden. Ich habe Tränen vergossen, so wütend war ich auf Joesai, weil er sie zurückgeholt hatte. Er ist heute der Ansicht, zwar entschieden, aber nachsichtig mit ihr umgesprungen zu sein. Sie jedoch hat sich verhalten, als werde er sie umbringen, falls sie sich nicht benahm, und es gäbe vor ihm keinerlei Entrinnen. Ich bezweifle allerdings, daß er ihr tatsächlich gedroht hat, aber wenn man erst vor nicht allzu langer Zeit aus dem Kinderhort entronnen ist, erregt man die

Aufmerksamkeit dessen, der mit dem Tod so etwas wie einen selbstverständlichen, alltäglichen Umgang pflegt, und Menschen, die nicht aus dem Kinderhort stammen, fordern eine solche Person im allgemeinen ungern heraus.«

»Ich glaube, das kann ich gut nachvollziehen«, sagte Oelita.

Kathein wirkte nachdenklich. »Ich bin sicher, Noe ist zurückgekehrt, weil sie erst im Fernsein von euch gemerkt hat, daß sie in Wirklichkeit nicht ohne euch leben kann. Wahrscheinlich war sie heilfroh, von Joesai zurückgeholt zu werden.«

»Ungefähr zur gleichen Zeit bin ich auf Teenae gestoßen. Ich war oben in den Bergen und kam durch eines der o'Tghalie-Käffer, als gerade eine Kinderversteigerung stattfand. Meine maran-Weitsicht, die uns allen von Tae vererbt worden ist, hat in dem Kind auf Anhieb die Frau erkannt, die aus ihr werden konnte, und ich war von ihrem Anblick wahrhaftig angetan, obwohl sie sich den Kopf geschoren hatte, um häßlich auszusehen und nicht gekauft zu werden. Vor allem aber dachte ich mir, wie nett es ein würde, so eine Kindsbraut im Haus zu haben, die nicht so mißraten wie Noe war und die sich darin, wie man einem Mann diente, noch schulen ließ. Ich bin nicht im entferntesten auf den Gedanken gekommen, die o'Tghalie würden sie aus genau dem Grund verkaufen, weil sie nicht gebändigt werden konnte. Also kam ich mit diesem Schrecknis von Kind aus den Bergen heim, was mir folgte, weil's mir gehörte, aber nicht die kleinste Anweisung ausführte, die ich gab.«

»Heute liebt sie dich«, stellte Oelita fest.

»Gewiß.« Gaet lächelte. »Ich erzähle euch diese Dinge, weil ich euch verdeutlichen will, daß eine Ehe keine leichte Angelegenheit ist, und im Rückblick sieht man kaum etwas noch so, wie man's früher gesehen hat. Manche Ehegemeinschaften, die den Eindruck der Vollkommenheit erwecken, taugen überhaupt nichts. Andere Ehen dagegen, die vernünftige Menschen zum Verzweifeln bringen können, besitzen nichtsdestotrotz gewisse Grundlagen, die bewirken, daß sie sich bewähren.«

»Und wie hast du sie schließlich doch für euch gewonnen?« erkundigte Kathein sich.

»Zu guter Letzt habe ich versucht, sie zum halben Preis an einen og'siethischen Schmiedemeister weiterzuverkaufen, der an ihr Interesse hegte, weil die o'Thgalie-Frauen in dem Ruf stehen, ihren Männern die besten Dienerinnen abzugeben. Er fragte sie nach ihren Vorstellungen, und sie verpfuschte das Geschäft, indem sie ihm antwortete, sie wolle Mathematikerin werden. Auf dem Heimweg habe ich ihr versprochen, ihr ein bißchen Rechenkunst beizubringen, falls sie sich herbeiließ, zu kochen. Sie sah mich mit deutlichen Zweifeln an und erklärte, wenn ich ihr *erst* das Rechnen lehren würde, sei sie zum Kochen bereit. Also habe ich ihr einiges an Algebra beigebracht, die ich mit größter Mühe gelernt hatte, und sie hat sich alles so schnell angeeignet, wie ich mich nur darauf besinnen konnte. Dabei hat sie dann erstmals zu lächeln angefangen.«

»Und hat sie gekocht?«

»Die beste Mahlzeit, die ich je am Straßenrand gegessen habe! Aber Joesai war der einzige von uns, der vom ersten Augenblick an wirklich glänzend mit ihr auskam. Er hat's verstanden, sie von Anfang an für sich einzunehmen. Er ging mit vollkommener Selbstsicherheit hin und führte ihr irgendwelche Rechenaufgaben vor, die *immer* falsch waren – und wenn sie ihm den Fehler gezeigt hatte, schrie er mit gespieltem Erstaunen auf jeden ein, der sich in Hörweite befand, wie wunderbar gescheit sie sei. Wenn er selbst keine Ahnung von dem hatte, was sie wissen wollte, ließ er sich außer Haus von einem o'Tghalie unterrichten und gab das Gelernte dann daheim an sie weiter. Allmählich ist sie zu unserer Sklavin geworden. Wir konnten sie zu allem bewegen, allerdings nur, wenn wir hartnäckig genug darauf bestanden. Falls wir's aber nicht logisch begründen konnten, widersetzte sie sich mit Zähnen und Klauen. Das Leben mit ihr wäre im großen und ganzen recht angenehm gewesen, aber zuletzt hatte Noe Mitleid und brachte ihr einige der Feinheiten bei, dank derer Frauen die Männer an der Nase herumführen können.«

»Als ich euren Fünfer kennengelernt habe, seid ihr sehr glücklich gewesen«, sagte Kathein. »Ich habe Gefallen an eurem Glück gehabt.«

»Jedes Kind lernt laufen. Anfangs war so gut wie jeder Schritt ein Fehltritt, ganz gleich, wieviel Mühe wir aufwenden mochten – und dann lief auf einmal alles gleich tadellos, und wir waren eine so tüchtige Gemeinschaft, daß man uns um unserer Dienste willen geradezu nachlief.«

»Ich habe euch als die reibungsloseste Ehegemeinschaft betrachtet, die ich je gesehen hatte.« Kathein lachte.

»Wir auch. Und eben das ist das wichtigste Anzeichen von Gefahr. Sobald man so gut laufen gelernt hat, daß man auch unebenen Untergrund überwinden kann, möchte man fliegen können, und man bricht sich beim ersten Segelflug-Absturz die Knochen. Wir hatten nicht mit Aesoe gerechnet.«

Oelita brach ihr Schweigen. »Joesai hat mir gegenüber erwähnt, Aesoe habe euch eines Tages einfach befohlen, mich zu heiraten.«

»Genauso war's. Wir waren natürlich außer uns vor Empörung.«

»Er wollte mich«, sagte Kathein zerknirscht.

Gaet grinste. »Er hat uns einen guten Tausch vorgeschlagen. In bezug auf Frauen hatte Aesoe einen erlesenen Geschmack.«

Die beiden Frauen musterten Gaet, und er kannte die Frage, die sie ihm – weil sie sie nicht aussprechen mochten – mit den Augen stellten: *Wen von uns ziehst du vor?*

In feierlichem Ernst schwieg Gaet einige Augenblicke lang. »Damit sind wir nun beim gegenwärtigen Streitpunkt angelangt. Wir fünf haben dich lieben gelernt, Kathein, und ich glaube, die Liebe war gegenseitig – aber dann hast du uns den Rücken gekehrt, und wir haben uns, obwohl wir dich noch liebten, nach anderen Möglichkeiten umgesehen. Dich wollten wir fünf nicht, Oelita, zwar nicht deshalb, weil wir dich nicht geliebt hätten, sobald wir dich näher kennenlernen durften, sondern weil du uns gegen unseren Willen aufgedrängt worden warst.«

»Ebenso gegen meinen Willen«, ergänzte Oelita.

»Aber hatte Aesoe nicht recht? Du könntest Mitglied eines gelungenen, beständigen Sechsers werden. Doch aus Aesoes Vision ist nichts geworden, und infolgedessen befinden wir uns nunmehr in einer Zwangslage, in der zwei mögliche Zukünfte versuchen, sich gleichzeitig in die Gegenwart zu drängen. Unser Fünfer ist nicht dazu imstande, den Konflikt beizulegen. Der Ausgang liegt bei euch.«

»Jetzt sind wir wieder dort, wo wir angefangen haben«, sagte Kathein verärgert.

»Das kannst du nicht von uns verlangen«, sagte Oelita.

»Wir könnten ja eine Münze in die Luft werfen«, meinte Kathein verbittert.

Gaet lächelte. »Mögt ihr einander?«

»Natürlich mögen wir einander!« brauste Kathein auf.

Tränen rannen durch die Kerben der Tätowierungen in Oelitas Gesicht.

»Könntet ihr miteinander leben?«

Ein Ausdruck von Verblüffung trat in Katheins Miene. Sie wandte sich an Oelita. »Weißt du, was dieser Mann uns vorschlägt?«

»Nein.«

Kathein war aufgestandem. Sie begann ihre Nacktheit zu bedecken. »Hoemei und Joesai, die beiden armen Kerle, sitzen drüben im Herrenhaus und fühlen sich elend, und dieser Lüstling hier hat die Verwegenheit, sich einzubilden, er könne uns beide haben. Ich kenne diesen Mann gut. Ich weiß, was er denkt.«

»Das kann ich nicht glauben!« entfuhr es Oelita. Sie starrte Gaet ins Gesicht. Sie sah, daß stimmte, was Kathein behauptete, und erhob sich ebenfalls, um sich auch anzuziehen.

»Das wäre eine Lösung«, sagte Gaet, während er die beiden Frauen, die er liebte, beim Ankleiden bewunderte.

»Ein Siebener ist unstatthaft«, rief Oelita entrüstet.

»Nur durchs Brauchtum, nicht durch Gesetz. Mit Hoemei als Erzprophet dürften sich kaum Hindernisse ergeben.«

»Wo wolltest du uns denn vernaschen? Ich kenne dich! Hier müssen irgendwo Polster versteckt sein.« Kathein floß vor Hohn über.

»Im Tempel der Grauen Klippen. Er ist klein, aber er hat einen richtig heimeligen Spielsaal. Wo könnte man hier die Nacht besser verbringen?«

»Das höre man sich mal an«, rief Kathein voller Empörung. »Man sehe nur, mit welcher Leichtigkeit er seine Brüder zu hintergehen bereit ist!«

Oelita betrachtete Gaet noch immer, entsann sich all ihrer einsamen Nächte, ihrer Leiden, der Vielzahl oberflächlicher Liebschaften, die wegen ihres Schwurs, nie wieder zu heiraten, ihr Schicksal gewesen waren, der Furcht, die noch immer in ihrem Innern hauste, die nicht einmal der Friede in der Wüste zu lindern vermocht hatte. Mit fester Stimme begann sie zu sprechen. »Joesai und Hoemei haben sich gestritten. Sollen sie darunter leiden. In den Kinderhorten hätte man dafür einen Namen: Prüfung des Stumpfsinns. Kathein und ich haben uns nicht gestritten. Wir haben uns ausschließlich der Liebe geweiht und unsere Furcht überwunden, um sie zu finden. Wir verdienen ihre Freuden. Gaet, ich gehe mit dir.« Trotzig wandte sie sich an Kathein. »Ich liebe diesen Mann. Und ich kann mit dir leben – weil ich auch dich liebe.«

64

Bevor nicht grau ist ihr Haar,
Weiß eine Frau nimmerdar,
Ob der Liebe Spiel so wunderbar
Wie reich an Schmerzen war.

Aus einem lietheschen Trinklied

Hinter dem Fenster glommen einige kugelförmige Leuchtkörper und bereicherten mit ihrem grünen Schimmer den Glanz des Nachthimmels. Da huschte, wie eine schwarze Wolke sich vor Sterne schieben mochte, ein Schatten in den Hof, betrachtete die Treppen und Terrassen, suchte nach Möglichkeiten zum Ersteigen der Mauern. Die Königin des Lebens vor dem Tod hielt ihr schwarzes Kopftuch fest, das sie des Nachts unsichtbar machte, und wartete darauf, daß man im Haus die Leuchtkörper abdecke. Gaet hatte sie in der Gesellschaft von Frauen zurückgelassen, und sie behagte ihr nicht. Sie wollte zu Hoemei. Ihre Aufgabe war es, das Zusammensein mit Männern zu pflegen. Ihre Knie waren weich wie Honig, so deutlich war sie sich dessen bewußt, dies war die wichtigste Nacht ihres Lebens. Endlich deckte jemand im Haus die biolumineszenten Leuchtkörper zu.

Sie vernahm die Brandung der See. Sie selbst glich einer Woge, die auf den Strand zuwallte, einer Woge in genau dem Augenblick, in dem sie sich emporbäumte, gekrönt mit Gischt, brodelte, um sich über den Sand zu ergießen.

So lautlos wie Gott Seinen Himmel überquerte, eilte sie die Treppe hinauf. Mit der Verstohlenheit der Assassine stieg sie durch das Fenster, das offenstand, um kühle nächtliche Luft ins Innere einzulassen. Sie kniete neben der Gestalt nieder, die auf den Polstern ruhte, fahl erhellt vom wachsbleichen Grimmigmond, der überm Meer stand. Demut lechzte danach, sie zu berühren, doch sie zog die Finger zurück. Hoemei. Dies war der Mann, dem sie zum höchsten Amt auf Geta verhalf.

Urplötzlich schossen seine Hände vor und packten sie an den Armen, hielten sie fest.

»Ich bin's nur«, sagte sie mit ihrer sanften Liethe-Stimme.

»Was treibst du hier?«

»Ich bin gekommen, um auf eurer Hochzeit zu tanzen.«
»Dafür bist du reichlich früh da.«
»Nein, durchaus nicht. Ich bin deine gliebte Honieg.«
»Du hast mir einen solchen Schrecken eingejagt, daß mir beinahe das Herz stehengeblieben ist. Ich dachte, du seist ein von den Expansionisten gedungener Mörder.«
»Sie haben mich gedungen, damit ich dich verzaubere und dich mit mir zur Nordachse nehme, wo wir für den Rest unseres Lebens gemeinsam im Kreis laufen und niemanden mehr verärgern können.«
Er verwarf diese Darstellung. »Vermutlich hat Gaet dich geschickt.« Er seufzte.
»Ich habe ein Mitbringsel für dich.« Sie holte einen kleinen Streifen vom Flcisch Aesoes heraus, gesalzen und getrocknet. »Iß. Das wird dir Kraft geben. Ich habe das Gefühl, daß du alle Kraft brauchen wirst.«
Hoemei schaute sie an, wunderte sich über die betonte Symbolträchtigkeit ihrer Sprache und den Ausdruck von Selbstzufriedenheit in ihrem vom Sternenschein erhellten Gesicht. »Glaubst du, daß man mich zum Erzpropheten macht? Hast du erfahren, was in den Archiven geklatscht wird?«
Sie schob ihm das Stückchen Aesoes in den Mund. »Das ist nicht die Art von Kraft, die ich meine, du Dummkopf. Du wirst all deine Kraft brauchen, um mich zu *lieben*... jetzt.«
Er kaute und lachte. »Sei ein liebes Mädchen und sag mir, was Gaet ausbrütet. Ich habe zu wenig Spione zur Verfügung.«
»Frag Joesai.«
»Ich rede nicht mehr mit ihm.«
»Gaet ist mit Kathein und Oelita fort. Er hat einen ziemlich lüsternen Eindruck gemacht. Womöglich haben sie sich zur Südachse verdrückt und in eine gemütliche kleine Eishöhle zurückgezogen, um nicht von uns gewöhnlichen Sterblichen behelligt zu werden. Ich konnte den Gedanken nicht ertragen, daß du allein bist – deshalb bin ich gekommen, um dich zu trösten.«
»Hmmm. Hast du noch deine Stellung im Palast inne?«
»Nein, Dummkopf. Es sei denn, du stellst mich nach deiner triumphalen Heimkehr nach Kaiel-Hontokae wieder ein. Wenn du mich liebst, wirst du mich bestimmt einstellen. Liebst du mich?«
»Nur ein besoffener Narr liebt eine Liethe.« Er öffnete ihr schwarzes Gewand.
Er war nicht mehr so schüchtern wie früher. Er hatte sich irgendwie verändert. Demut mochte die Berührungen seiner Hände. »Bist du ein

besoffener Narr?«

»In der vergangenen Woche habe ich mich mehrmals wie der größte whiskyumnachtete Schwachkopf benommen.«

»Hast du Gewissensbisse?«

»Ja.«

»Ich werde dafür sorgen, daß du dich wieder wohler fühlst.«

Sie dehnten das Schwelgen in der Lust ihrer Leiber aus, bis der Mond zu drei Vierteln gesehen werden konnte. Danach vermochte Demut ihren Kummer nicht länger zu unterdrücken. Sie strich mit den Fingern über Hoemeis rauhes Narbengewebe und schluchzte. »Du hast mich vergessen! Du hast dich überhaupt nicht mehr um mich geschert! Ich war dir gleichgültig! Du denkst nicht an mich, weil du weißt, ich werde immer für dich da sein!« Hoemei schaukelte sie, tätschelte sie und küßte ihr die Tränen von den Wangen, und daran fand sie großen Gefallen. Indem er sie hin- und herschaukelte, wiegte er sich selbst in den Schlaf. Demut betrachtete ihn aus weiten Augen, war übervoll von Liebe ihm zugetan.

Leise stand sie auf, nun glücklich, hakte einen verhangenen Leuchtkörper von der Wand. Im Korridor enthüllte sie ihn vor dem Spiegel, um ihr Haar zu ordnen, damit ihre Schönheit nicht zerzaust wirke. Der biolumineszente Leuchtkörper verströmte nur noch trübes Licht, und sie scheute nicht die Mühe, den Filter zu reinigen und Futter nachzureichen.

Danach erst schlich sie in Joesais Gemach, wo sie sich den Zeh an einem hölzernen Spielzeug Jokains stieß; mit zusammengebissenen Zähnen suchte sie eine Stelle zum Aufhängen des Leuchtkörpers und fand sie über Joesais unordentlichem Tisch. Sie las ein paar Absätze dessen, was Joesai zuletzt geschrieben hatte. Es handelte sich um eine unerfreuliche Aufstellung der Eigenschaften, die nach seiner Meinung ein Krieger-Clan besitzen mußte. Demut setzte sich neben Joesai auf die Kissen. Er schlief fester als Hoemei, und sie mußte ihn an den Ohren ziehen, um ihn zu wecken.

»Ho!« Er schrak auf.

Sachte rieb sie ihm die Brustwarzen. »Ich sehe, du trägst noch immer das Amulett, das ich dir gegeben habe.«

»Es hat mir Glück gebracht.«

»Kein Glück. Es ist mit magischen Liethe-Kräften geladen.«

»Wie kommst du hier herein?«

»Du hast von mir geträumt, und das Amulett hat mich herbeigezaubert. Das ist eine überaus vorteilhafte Art der Fortbewegung.«

»Wovon habe ich geträumt?«

»Du hast davon geträumt, mich zu lieben.« Sie küßte ihn.

»Ich glaube dir nicht. Ich dürfte, wenn überhaupt, von Tröstli geträumt haben.«

Im Lichtschein des Leuchtkörpers, der noch ein wenig hin und her pendelte, lächelte sie geheimnisvoll wie eine Erscheinung und drückte das handgearbeitete Amulett zwischen ihre Brüste. »Ich *bin* Tröstli. Ich habe dir gesagt, als ich dir das Amulett gegeben habe, daß es dich beschützen würde. Du mußtest mich nur benötigen, und schon war ich zur Stelle, einfach so, *pazamm!* So wie ich jetzt hier bin. Ich nehme verschiedene Namen an, ganz nach Lust und Laune.« Sie schwang sich auf ihn.

»Ho! Ich habe noch nie eine unglaubwürdigere Geschichte gehört. Wie solltest du so schnell reisen können?«

»Ich reise nicht«, entgegnete sie schalkhaft. »Ich wohne in dem Amulett.«

»Deshalb bist du bloß so eine Handvoll Mensch.«

Mit Hoemei hatte sie, während sie sich liebten, nicht reden mögen. Bei Joesai jedoch hatte sie das Bedürfnis, sich bei jedem einzelnen Stoß mit ihm zu unterhalten. »Du bist schön«, sagte sie.

»Ich bin häßlich.«

»Du bist mein Herr und Meister!«

»Das muß der Grund sein, warum du auf mir reitest.«

»Ich wäre gerne deine Frau, die während deiner Rituellen Selbsttötung bei dir ist.«

»Ich wäre lieber dein Mann bei *deiner* Rituellen Selbsttötung.«

»Magst du se-Tufi-Weiber?«

»Ich kann zum Frühstück drei davon vertragen, auf kleinem Feuer gebraten.«

»Wie hat's dir gefallen, es mit Tröstli zu treiben?«

»Wir haben's mit einem Stein in ihrem Auge Gottes getan.«

»Das klingt ja sehr romantisch.«

»Als Zugabe hat sie mich vergiftet.«

»Ich liebe dich.«

»Nun wirst du aber liebedienerisch.«

»Aber 's ist wahr!«

Er konnte nichts sagen, als er sie hielt und sich unter ihr aufbäumte; er stieß nur ein Stöhnen aus. Sie küßte ihn, gab ihm rasche, feuchte Küsse, während die Lust durch ihre Leiber rann.

»Jetzt kannst du in dein Amulett zurückkehren«, meinte Joesai.

»O nein«, neckte sie ihn.

»Das habe ich befürchtet.«

»Und nun mußt du mitkommen.« Mit einer Hand nahm sie die biolumineszente Leuchte vom Haken, mit der anderen zerrte sie Joesai auf die Füße. »Jede Annehmlichkeit hat ihren Preis.«

Die glatthäutige Liethe mit ihren jungen Bäumen gleichen Beinen, runden Hüften, ihren kleinen, festen Brüsten zog – ein Lachen im Gesicht – den mit grimmigen Symbolen bedeckten kaielischen Hünen mit sich hinab zu Hoemeis Zimmer. Schuldbewußt traten die beiden Brüder nackt voreinander.

»Ihr müßt euch umarmen«, befahl Demut. Als sie es taten, ließ sie sich in ihre Umarmung einbeziehen. Sie weinte, während sie sich ankleidete – eine schließlich an den Strand gebrandete Welle –, und weinte noch, als sie in die Dämmerung entschwand.

65

Nur ein Einsiedler kann es vermeiden, über Politik und Hochzeiten zu sprechen.

Kaielisches Sprichwort

»Er ist ein eingefleischterer Expansionist als ihr!«

Die Kaiel, die in einem Gasthaus Trauerweilers diesen entschiedenen Ausruf tat, trug festliche Kleidung und silberne Wangeneinsätze in den schwungvollen Kerben ihrer Gesichtstätowierungen. Ihre beiden männlichen Freunde waren ebenfalls Kaiel und konnten eine gewisse Verkrampftheit nicht verhehlen; sie trugen die feierlichen schwarzen Roben. Alle drei waren wegen der Hochzeit aus Kaiel-Hontokae gekommen. Die Männer waren unzufrieden. Inzwischen war verkündet worden, daß Hoemei der neue Erzprophet werden sollte.

»Bei ihm beugt sich die Nase zum Arsch hinab und fragt um Erlaubnis zum Niesen.«

»Woher kommt es, daß du ihn für so rückständig und übervorsichtig hältst?«

»Er hat seinem Bruder verboten, nach Soebo zu marschieren, als die Stadt längst reif zur Einnahme war, nur weil er sich wegen irgendwelcher eingebildeter Schreckenswaffen der Mnankrei sorgte.«

Die Frau war erbost. »Aber auf jeden Fall hat Joesai die Stadt eher als Bendaein erreicht! Innerhalb weniger Tage hat er die Stadt mit wenig Mord und Totschlag und zudem mit weit weniger Umständen besetzt, als Aesoe vorausgesagt hatte. Dank dieses reibungslosen Machtwechsels haben die dortigen Unteren Clans nun ihre Treue uns geschworen. Hoemei *ist* ein Expansionist. Selbstverständlich ist er einer! Aesoe war ja sein Lehrmeister.«

»Aber er *scheut* das Wachstum, selbst wenn sein Herz danach trachten mag...«

Verärgert unterbrach die Frau den Mann; sie war ein Abkömmling der Kinderhorte. »Und aus eben dem Grund wird er Erzprophet, nicht du! Er ist kein Lenin, anders als du, mit großartigen Plänen zur unverzüglichen Erringung der Weltherrschaft und nur einem Bienengehirnchen zu ihrer Durchführung. Er ist ein weitsichtiger Eroberer mit einem weitsichtigen Verstand.«

»Siehst du denn die Klarheit und Einfachheit von Aesoes Plänen nicht ein?«

»Ich schätze einfache Pläne. Aber ich bin *gegen* Pläne, die so einfach sind, daß sie der gestellten Aufgabe nicht gerecht werden können. Zum Führen von Menschen imstande zu sein, ist heutzutage zu wenig. Wer könnte nicht mehr oder weniger mühelos die Unteren Clans, indem er sich in der Redekunst vervollkommnet und seine verhängnisvollen Absichten mit gleisnerischen Worten verschönt, dazu anstiften, in den Tod zu gehen? Bedenke nur, wie dieser Narr namens Lenin zu einem Schlächter geworden ist, als er versucht hat, sich den unvermuteten Folgen seiner allzu einfachen Lösungen zu entwinden.«

»Aesoe war wohl schwerlich so einfältig, wie du ihn hier darstellen möchtest. Du betreibst geradezu üble Nachrede. Wann ist er je gescheitert? Er hat mehr Erfolge als Tae zu verzeichnen gehabt!«

»Innerhalb gewisser Grenzen hat Aesoe stets den Überblick behalten, freilich. Man könnte ihn mit Napoleon in Europa vergleichen. Seine Niederlagen hätte er, so wie Napoleon in Rußland, später in um so größerem Maßstab erlitten. Hoemei hat seine künftigen Mißerfolge prophezeit.«

Der ältere der beiden Männer gab einen Laut verächtlichen Mißmuts von sich und leerte seinen Becher Met; der jüngere Mann lächelte angesichts der Leidenschaftlichkeit dieser aus dem Kinderhort hervorgegangenen Frau. »Du unterschätzt Aesoe. Er war ein hervorragender Planer.«

»Wie willst denn *du* das beurteilen können?! Du verstehst doch nichts von Planung, die über die Größenordnung eines städtischen Bok hinausgeht. Man kann einen ganzen Planeten nicht auf die gleiche Weise wie 'n Bok verwalten.«

Die Frau, kaum den Mädchenjahren entwachsen, die kastanienbraunen Locken von zwei geschorenen Mittelstreifen durchzogen, zählte zu jenem lockeren, aber von entschlossener Einsatzbereitschaft erfüllten Gefolge aus Arbeitsgruppen, das sich um Hoemei geschart hatte; doch war sie Hoemei stets so fern geblieben, daß er nichts von ihrer hingebungsvollen Treue wußte. Nur einmal hatte sie neben ihm gestanden, und bei dieser Gelegenheit war sie von ihm versehentlich angerempelt worden, und da hatte er sich entschuldigt und gelächelt. Sie erinnerte sich bis auf den heutigen Tag an sein Lächeln. Sie gehörte zu der Vielzahl von Leuten, die dafür sorgten, daß alles, was Hoemei in Angriff nahm, ohne größere Schwierigkeiten durchführbar war, so umstandslos, daß er häufig nicht einmal richtig ersah, woher all diese

Unterstützung kam. Er hätte ihren Rückhalt zu würdigen gewußt, wäre sie ihm persönlich bekannt gewesen, denn er freute sich über Menschen, die sich seine Visionen rasch zu eigen machen und für sich bei ihrer Verwirklichung einen Aufgabenbereich finden konnten.

»Hoemeis Ablehnung unserer Verhandlungen mit den Itraiel mißfällt mir«, sagte der ältere Mann verdrossen, füllte sich aus dem Metkrug den Becher nach, verschüttete dabei ein wenig vom Met auf den hölzernen Tisch.

»Hast du den *Feuerofen des Krieges* eigentlich richtig gelesen oder nur durchgeblättert? Einen Militär-Clan kann man nicht einfach so nebenher gründen, um den kurzfristigen Zielen eines Expansionisten zu dienen, der bloß noch mehr Papierkram auf seinem ohnehin überhäuften Pult haben möchte!«

Die Bedienung kam, um den Tisch zu wischen, und man wechselte den Gesprächsstoff. »Hast du 'ne Ahnung, was sie zur Hochzeit tragen werden?« erkundigte sich der jüngere Mann.

Das Mädchen strotzte bereits von allem möglichen Klatsch, der es anscheinend außerordentlich interessierte. »Ich habe beim Schneider Joesais Gewand gesehen, mein Freund arbeitet nämlich daran, es ist herrlich, Brokat in Silber und Blau, und 's sind große Insekten hineingewoben.«

»Werden sie sich bald der Bevölkerung zeigen?«

»Ihr werdet's merken wenn's soweit ist. Dann wird die Gaststube nämlich geschlossen.«

Sobald das wohlgelaunte Mädchen sich wieder entfernt hatte, setzten die drei ihre Meinungsverschiedenheiten fort. »Gottes Ziel heißt Expansion!«

»Aber Gott verbietet die Gesamtrassische Selbsttötung! Ein Militär-Clan ist der allergefährlichste Gedanke, mit dem die Kaiel je gespielt haben. Es ist angebracht, daß Hoemei ihm mit solcher Vorsicht begegnet. Kennst du seine Pläne hinsichtlich eines möglichen Militär-Clans? Ich habe den einstweiligen Entwurf gelesen. Das alles ist noch von viel zu vorläufiger Natur, um den Archiven eingereicht werden zu können. Die Hälfte der Ausarbeitung stammt von seinem Bruder Joesai. Aber wie sehr auch alles noch in den Anfängen stecken mag, es ist trotzdem schon jetzt ein eindrucksvolles Schriftstück. Es weist uns den Weg, wie sich ein Militär-Clan gefahrlos aufbauen läßt. Im Vergleich zu diesen Überlegungen der maran war Aesoe ein Napoleon, der durch Rußlands Schnee stapft. Hoemei wird sich beim Aufbau des Militär-Clans viel mehr Zeit lassen. Er wird sich seiner mit größerer Vorsicht bedienen, umsichtiger und nicht zu früh. Aber dafür wird er auch nicht in Moskau stehenbleiben. Gott hat uns nach Geta verbracht, damit unsere Wunden heilen und wir über die Beschwerlichkeit des menschlichen Daseins nachsinnen. Wenn wir uns in Gottes Himmel emporschwingen, werden die Riethe so ins Beben geraten, daß sogar die Sterne zu flackern anfangen. Sie werden sich scheuen, ihre Hand nach uns auszustrecken, denn sie werden nicht erkennen können, wo wir unseren Dolch verbergen. Und die Getaner der Zukunft dürfen Hoemei dankbar für seine weitsichtige Zurückhaltung sein.«

Der ältere Mann äußerte einen Brummlaut. »Die Annahme, wir könnten's jemals mit solchen Riethe zu tun haben, wie sie im *Feuerofen des Krieges* beschrieben stehen, ist völlig verfehlt. Das alles war doch vor langer Zeit. Hat es sich nicht zugetragen, lange bevor wir durch Gottes Willen alles hinter uns lassen mußten? Die Riethe müssen sich verändert haben. Der Wandel währt ewig. Sie sind heute bestimmt nicht mehr die Schwachköpfe, die an der Höhe von Vimy gegen die Maschinengewehre angestürmt sind. Jene französischen Bauern von so niedriger Kalothi dürften längst ihren Beitrag zur Aufbesserung der Rasse geleistet haben und durch ein gefährlicheres Gezücht abgelöst worden sein.«

»Hoemei beabsichtigt, dem Militär-Clan höchste kriegerische Fähigkeiten anzuzüchten, so wie wir Kaiel mit der Fähigkeit des Voraussagens gezüchtet werden. Jeder einzelne Krieger des Clans ein Dobu des Militärs!«

»Von welchem Rang?«

»Wenigstens im Range Alexanders des Großen oder Guderians.«

»Dann werde ich Hoemei unterstützen.«

»Allerdings will er die Militär-Fähigkeiten nicht mit solcher Uneingeschränktheit züchten, wie Aesoe es beabsichtigt hatte. Eine derartige Gabe muß Bestandteil eines ausgewogenen Geistes sein. Es muß zunächst einmal prophezeit werden, ehe man einer solchen Gewaltneigung die Ketten löst, was dazu als Gegengewicht dienen kann.«

Draußen schwoll das Lärmen einer Menschenmenge an, und der ältere Kaiel ging nachschauen, was dort vor sich ging. »Sie kommen«, sagte er und winkte.

Die drei hatten diese Gaststätte wegen der hohen Treppe ausgewählt, die zum Eingang führte und ihnen einen ausgezeichneten Ausblick auf den Hochzeitszug bieten würde. Ganz Trauerweiler hatte die besten Kleider angelegt und drängte sich um die günstigsten Plätze. Menschen lehnten sich aus Fenstern und drängten sich auf Balkonen. Zwei Kinder hatten sogar einen Schalldraht-Mast erklettert.

Andere Kinder liefen voraus, weil es ihnen mehr Spaß bereitete, die Prozession anführen zu dürfen, als sie bloß vorbeiziehen zu sehen.

»Ein Siebener!« entfuhr es dem älteren Kaiel merklich entrüstet, als die maran in Sicht kamen.

Kathein und Oelita machten den Anfang. Kathein trug ein rotes Gewand mit senkrechten Schlitzen, durch die man blau gefärbte Hoiela-Schwingen sah, dazu eine Kopfbedeckung – gleichfalls aus Hoiela-Schwingen – mit angearbeiteten Silbereinlagen für ihre Gesichtstätowierungen. Oelita hatte ein Kleid aus weißer Orthei-Spitze an, bereichert um einen hohen Hut aus dem gleichen Spitzengewebe; in ihrem Gesicht waren die Ränder der Tätowierungen mit weißer Farbe nachgezogen.

Ihnen folgte Hoemei in etwas schlichterer Gewandung, einem schwarz und grau gestreiften, knöchellangen Rock und einer weiten Seidenbluse von grauem Schimmer, vorn bis unterhalb des Bauchnabels offen, um die prächtigen Tätowierungen seines Brustkorbs zu zeigen. Eine kunstvolle Schnappspange hielt die Bluse in Hüfthöhe zusammen, baumelte locker unterhalb der Magengrube. Auf seinem Haupt saß der Bronzehelm mit den glänzenden Flügeln, den man allgemein mit der Würde der führenden Propheten verband; die Flügel neigten sich so tief auf seine Schultern hinunter, daß es ihm unmöglich war, den Kopf nach rechts oder links zu senken.

Die junge Kaiel vor der Gaststätte meinte, er schaue in ihre Richtung, und warf ihm den eigens für diesen Zweck mitgebrachten Kranz aus Wüstenblumen zu. Doch er gab lediglich Oelita ein Zeichen, und der Kaiel sank das Herz; aber Teenae hatte achtgegeben und fing die von Bienen geliebten Blumen auf, küßte sie und warf mit dem anderen Arm eine Kußhand hinauf zur Brüstung des Treppenabsatzes.

Teenae hatte auf dem Haupt ein aufwendiges Gebilde, ein Insekt aus grünen Edelsteinen und mit hundert Beinen aus etlichen silbernen Kämmen auf ihrem geschorenen Mittelstreifen; die Kämme hielten gleichzeitig ihr Haar in schwungvollen, lustigen Locken. Ihr Kragen aus schwarzer und weißer Spitze reichte ihr bis ans Kinn. Die Bluse, die sie trug, war weiß und eng, die Ärmel jedoch waren hinten von den Schultern bis zu den Handgelenken geschlitzt und an den Ellbogen zusammengehalten von silbernen Kettchen. Die Furchen ihrer Gesichtstätowierungen waren in Schwarz gefärbt worden. Ihre Beinkleider waren ebenfalls schwarz und um ihre Hüften so weit, daß sie im Wind flatterten. Auch sie waren an der Rückseite von der Hüfte bis zu den Fußknöcheln geschlitzt, um ihren weiblichen Gang zu unterstreichen, und genau wie die Ärmel hielten Silberketten sie zusammen. Die

Kerben der Muster auf ihrem Gesäß und an den Beinen waren in Weiß nachgezogen.

»Der Hüne neben ihr muß Joesai sein«, sagte der ältere Kaiel zu seinem jungen Freund. »Er sieht aus, als hätte er zur Mutter einen Ivieth und als Vater eine Fei-Blume gehabt.«

Joesai trat in einer Gewandung auf, die er für die Hofkleidung eines kaiserlich-chinesischen Kriegers der Han-Dynastie hielt. Er maß der Tatsache, daß die in den blauen Mantel eingestickten, vielfarbigen Insekten von Geta und nicht Riethe stammten, keine erhöhte Bedeutung zu.

Noes Haar war zu einem silbernen Käfig für ein Insekt geflochten, das mit wunderbar schillernden blaugrünen Schwingen, acht silbernen Beinen und vier grünen Augen darin saß. Das silberne Kunstwerk war in der Filigranarbeit der Schwingen wiederholt worden. Diese Schwingen reichten bis zu ihren Schultern und bogen sich um die Länge einer Hand seitlich bis über die Schultern hinaus; ihre Spitzen dienten zwei weiteren, mit regelrechtem Grinsen dargestellten Insekten als Sitzplatz. Eine Bahn feinster weißer Seide hing vorn vom Gespinst der Insektenflügel herab, verlief zwischen Noes Beinen nach hinten und bedeckte ihren Rücken, ließ so ihre Seiten und damit die vornehmen Tätowierungen ihrer Hüften und Rippen entblößt. Metallene Insekten, die einander die Klauen reichten und sich an Noes Hüften und Beine klammerten, verliehen dem Kleidungsstück restlichen Halt. An Noes Arm schritt Gaet.

Auf seinem Kopf saß ein Zylinder, und sein Wams war mit langen Rockschößen versehen; beides hatte er einem Bild Abraham Lincolns entliehen. Um seiner Kleidung etwas mehr Lebhaftigkeit zu geben, hatte er an den Hut Troddeln genäht und trug einen mit Rubinen verzierten Nasenring aus Platin sowie eine ebenfalls aus Platin gefertigte und mit Rubinen besetzte Einlage in den Vertiefungen seiner Gesichtstätowierungen. Längs des Narbengewebes hatte er Bartwuchs in der Länge eines Fingernagels sprießen lassen und dann in Grün gefärbt. Seine Überzeugung war, in dieser Aufmachung einem hochfeinen amerikanischen Bräutigam zu ähneln, vielleicht einem Mormonen.

Hinter Noe und Gaet folgten in ihrer Tracht zwei männliche Ivieth mit einer farbenprächtigen Sänfte, in der Jokain saß, in vollem Bewußtsein seiner künftigen Bestimmung über die Menge ausschauend. Teenaes Gatee hielt sich mit ihren Händchen am seitlichen Geländer einer zweiten Sänfte fest und beobachtete das festliche Schauspiel ringsherum aus staunend aufgerissenen Augen. In einer dritten Sänfte befanden sich die Zwillinge. Ein hochgewachsenes Ivieth-Weib, in feschem Kleid, aber mit entblößten schweren Brüsten, trug Teenaes jüngstes Kind, das in seiner Zufriedenheit mit der Milch aus der Brust, an der es saugte, alles ringsum mißachtete.

Als der Festzug vorüber war, ergriff die junge Kaiel aus dem Kinderhort zärtlich den Arm ihres Begleiters. »Laß uns heiraten, damit wir eine noch größere Auswahl von Angelgenheiten haben, um die wir streiten können.«

Er drückte sie. »Ich glaube, Aesoe hatte als Junggeselle die richtige Einstellung. Wenn man erst mal mit dem Heiraten anfängt, wer weiß, wie's später endet?«

»Mit einem Siebener!« schnob der ältere Mann.

66

Einer steht im Mittelpunkt;
Doch welcher Eine ist Schöpfer?

Zwei stehen an den Seiten
Und weben das Dazwischen.

Drei sind wie Säulen und
Tragen schon ein Dach.

Vier geben einander Halt
Wie Seiten einer Pyramide.

Fünf erfüllen des Menschen
Sinne ganz mit Leben.

Sechs Sterne der Kalothi
Sind des Daseins Bestand.

Sieben Göttliche Kräfte
Walten zwischen den Sternen.

Acht ist keine Zahl,
Die der Tod ausspricht.

Die Ballade von den Zahlen

Hoemei ist unser Mittelpunkt;
Wer als der Eine ist Schöpfer?

Gaet steht an der Seite
Und webt das Dazwischen.

Joesai gleicht einer Säule
Und trägt allein das Dach.

Teenae gibt allen Halt
Mit ihrer Pyramide.

Noes frauliche Sinnlichkeit
Erfüllt uns ganz mit Leben.

Oelita verkörpert Kalothi
Und gibt dem Dasein Bestand.

Katheins Göttliche Kräfte
Wirken zwischen den Sternen.

Liethe ist kein Wort,
Das der Tod ausspricht.

Parodie auf dieselbe Ballade

Hochzeiten hatten ihre ernsten Augenblicke, aber überwiegend waren sie vergnügliche Anlässe. Sechs Gaukler, drei Männer und drei Weiber, kamen auf den großflächigen Vorplatz des Tempels von Trauerweiler, angetan mit einer komischen Nachahmung der Hochzeitsgewandung, die man während des Umzugs hatte sehen können; einer stellte einem anderen vorsätzlich ein Bein, so daß der zweite gegen einen dritten fiel, und dem ersten stellte wieder ein anderer seinerseits ein Bein, bis das ganze Durcheinander in ein wildes Rundherum von ehelichem Gezänk mit wechselnden Bündnissen ausartete und zum

Schluß in eine atemberaubende Schaustellung akrobatischer Kunstfertigkeit überging.

Ein Gemunkel erhöhter Aufmerksamkeit durchlief die Zuschauer, als die Teilnehmer des Festzugs ihre Plätze einnahmen. Im Rücken der maran und ihrer neuen Bräute hatten sich auf den Stufen, die zur Vorderfront des Tempels hinaufführten, die Sänger aufgestellt, um ihre Stimme von den Wällen auf die angesammelte Menschenmasse zurückwerfen zu lassen. Sie trugen die üblichen hallkräftigen Gesichtsmasken, durch die sich eine geschulte menschliche Stimme in ein schallkräftiges Instrument verwandelte, das die tiefsten Töne ebenso meisterte wie die schrillsten Trillerlaute. Zunächst sangen sie zur Begleitung der Gaukler-Komödianten.

Der Schwall von Lustigkeiten, den diese Possenreißer darboten, nahm kein Ende. Drittgatte schäkerte mit Zweitweib, gebärdete sich lüstern, trat zurück, um einen Anlauf zu nehmen und sich in ihre Arme zu stürzen, doch prallte er gegen Zweitgemahl, während Zweitweib sich zur Seite und in die Arme des Erstgatten schwang, und Zweitgemahl mußte Drittgemahl in die Arme der Erstgattin schleudern, um zu verhindern, daß Drittgemahl ihm, wie er es mit Zweitweibs Kleidung beabsichtigt hatte, das Gewand herunterriß. Ihnen mißlang alles, was sie begannen, aber wunderbarerweise kamen sie nach jedem Fehlschlag wieder auf die Beine oder fielen einem verblüfften Retter in die Arme. Ihre Liebesbemühungen glichen einem Wirbel von Verrenkungen, daß es den Zuschauern den Atem verschlug. Süße Liebäugeleien liefen auf Körperverletzungen hinaus. Ein hinterhältiger Gatte suchte mit Teenae das Weite, verfolgt von drei aufgebrachten anderen Gattinnen, die bei der Verfolgung eine über die andere stolperten, holten ihn nicht ein, bevor er Teenae geküßt hatte... Und so ging es zur Erheiterung der Schaulustigen pausenlos weiter.

Als die Gaukler schließlich den Platz verließen, mischten sich Leute mit Korbflaschen unter die Menge und schenkten unentgeltlich ein süßliches Getränk mit schwachem Whiskygeschmack aus, während die Sänger eine muntere Weise anstimmten, die das Gelächter der gutaufgelegten, festlichen Menschen nahezu ungehört, aber unablässig durchdrang. Bald sank die Sonne.

Unbemerkt huschte eine Liethe aus dem Tempel; ihre Schritte zeugten von Frohsinn, und sie war ins leuchtende Orangerot der Sonne und in Weiß gekleidet, trug auf dem Kopf einen Hochzeitskranz. All ihre Bewegungen zeichneten sich durch ein gewisses Zögern aus, wie bei einer fröhlichen, aber an so viel Glück nicht gewöhnten Frau. Sie lief da- und dorthin, blieb stehen; sie hüpfte, tat einen

Sprung – und schon gehörte ihr die volle Aufmerksamkeit der Umstehenden, die sich wunderten, woher sie so unversehens aufgetaucht war.

Ihre Geschmeidigkeit war ein Inbegriff lustvollen Umhertollens eines Mädchens, das sich schöner Augenblicke mit dem Gemahl erinnerte, den es liebte, eines Errötens, einer Berührung, eines Stelldicheins. Sie vollführte derartige Sprünge durch die Luft und in die Höhe, daß die Zuschauer aufkeuchten, und sie wirkte, als unterläge sie nicht der Schwerkraft. Allmählich mischte sich die Liethe immer mehr unter die Leute, tanzte da für ein von fassungslosem Staunen befallenes Kind, dort griff sie sich einen Alten als Tanzpartner und tänzelte mit ihm umher, bis er sich wieder jung fühlte, danach erklomm sie spaßhaft die Schultern eines Ivieth. Im Laufe der Zeit, während das Zwielicht sich vertiefte, verbreitete sie den Zauber ihrer Frohgelauntheit unter all den Hochzeitsgästen. Und dann, im selben Augenblick, als am Horizont des bläulich-roten Himmels Gott erschien, verschwand sie.

Dies war der erste Himmelsritt Gottes in der Woche des Schnitters im Jahr der Spinne. Man pflegte Hochzeiten stets auf einen Zeitpunkt zu legen, an dem sie mit Gottes Vorüberziehen hoch droben zusammenfielen, so daß Er das Zeremoniell mitanzusehen vermochte. Die Menschenmenge verhielt sich nach und nach gedämpfter, während Gott Sich an Seinen Zwielicht-Himmel emporschwang. Ein paar Sterne lugten durchs kobaltblaue Himmelsgewölbe. Die Sänger verstummten. Eine Frau zeigte ihrem kleinen Sohn Stgi und Toe. Selbst hier inmitten der Ortschaft zirpten und raschelten die Insekten. Ein Säugling schrie; man beruhigte ihn. Eine Greisin hustete. Gott wanderte durch Seine Bahn, in Seinem Schimmer heller als jeder Stern. Alle Augen waren auf Seinen Glanz gerichtet. Und plötzlich, als Er Seinen Höchststand erreichte, begann aus fünfzig Masken das Lied der Vermählung zu erschallen.

»Und der Gott des Himmels,
Der Gott des Lebens,
Der Gott des Schweigens,
Brachte uns in ein rauhes Land,
Um uns zu lehren
Die Treu!«

Fünfzig rechte Hände, die neben die Masken erhoben worden waren, senkten sich nun und vollführten zwischen den Sängern und Gott das

Zeichen der Treue.

Die sieben Kaiel, die hier eine Gemeinschaft eingingen, standen in der Mitte des Platzes und nahmen ihre Blicke von Gott, um sie auf sich selbst zu heften. Sie bewahrten Schweigen, warteten reglos ab.

»Und der Gott des Himmels,
Der Gott des Lebens,
Der Gott des Schweigens,
Er harrt im stillen Blau
Unserer sieben Zeichen
Der Treue!«

Die maran und ebenso die künftigen maran hoben die Rechte in die Höhe, machten ebenfalls das Zeichen der Treue, die sie miteinander verbinden sollte. Teenaes Blick glitt hinüber zu Oelita, und Oelita schaute Kathein und nach ihr reihum die maran an. Noe gab sich Gedanken über die Treue hin und glaubte, daß sie sie so langsam zu begreifen anfing. Joesai litt Durst und fand seinen Mantel reichlich unbequem. Gaet bewunderte die Schönheit seiner Frauen. Hoemei befand sich in einem Zustand des Friedens mit Gott und sich selbst sowie der Liebe zu seiner Familie. Kathein fragte sich, ob sie diesmal eine gute Partnerin würde sein können.

Aus den Masken begann es erneut zu hallen.

»Und der Gott des Himmels,
Der Gott des Lebens,
Der Gott des Schweigens,
Der uns das Leben wiedergab,
Fordert zu bezeugen auf
Die Treue!«

Wie ein Mann reckte die Menge die rechte Faust empor und zog nun auch in der Luft vor ihren vielen tätowierten Gesichtern das Zeichen der Treue.

Der Gesang nahm eine neue Tonlage an, verfiel in eine Art von verzücktem Wehklagen.

»Durch die Geschwollene Zunge
Wanderte Canarie und sank
In der Schlucht des Grauens
Hin vor das Giftgesträuch.

Durch die Geschwollene Zunge
Zog O'Danie, und er lieh
In der Schlucht des Grauens
Eine Schulter seinem Mädchen.

In der Geschwollenen Zunge
Stolperte Mieli zweimal
In dem Verdorren nahe Arme:
Kühles Wasser solchem Durst!

In der Geschwollenen Zunge
Sah Jon sechs blinde Augen
Unter einer hohlen Klippe
Und nahm der Ärmsten Hände.

Jenseits der Geschwollenen Zunge
Reichte Marish Ausgehungerten
Vier Speisen Heiliger Nahrung
Nebst einem Krug frischen Wassers.

Im Tiefland bei der Geschwollenen Zunge,
Dort errichtete Hoeri eine Hütte
Und nährte fünf kranke Vermählte,
Die machte er wieder gesund.

In der Geschwollenen Zunge
Sinken Unvermählte noch heute
In der Schlucht des Grauens hin,
Wo ihre Schädel bleichen.«

Nachdem die Sänger ihre Tugendbotschaft der Vorzüge einer großen Ehegemeinschaft vorgetragen hatten, erhoben sie einen neuen Gesang, nämlich das Lied vom Band der Ehe. Jede Braut und jeder Bräutigam erhielt ein gefärbtes Seil, und gemeinsam begannen sie den feierlich langsamen Tanz zum Knüpfen des Ehebandes, in dessen Ablauf sie sich berühren und anlächeln, voreinander verbeugen, hüpfen, sich drehen und ducken mußten, so daß sie dabei das – in diesem Fall siebensträngige – symbolische Band der Ehe flochten, das als öffentlicher Beweis ihrer Vermählung galt. Sie lächelten krampfhaft und neckten einander unauffällig, während sie die schwierigen, umständlichen Bewegungen durchliefen, denn sie waren sich durchaus nicht sicher, wirklich zu wissen, wie man ein Geflecht mit sieben Strängen zusammenflocht. »Hoffentlich fällt das Ding nicht vor allen Leuten auseinander!« flüsterte Kathein ihrer Braut Oelita zu.

Mittlerweile war es düster genug, um die ganz neu angebrachte elektrische Beleuchtung einzuschalten. Die Einwohner Trauerweilers, die sich mit derlei Wundern noch gar nicht auskannten, keuchten vor Verblüffung, als das gelbliche Licht den Vorplatz des Tempels in verwaschenes Taghell tauchte und rundum die Schatten vertiefte.

Als nächstes war die Überreichung der Fünf Geschenke an der Reihe. Die bereits miteinander verheirateten maran hatten jeweils eine Aufmerksamkeitsgabe für jede ihrer neuen Bräute. Oelita erhielt einen Platinring, einen Löffel aus schwarzem Holz, ein kleines, geschnitztes Gewürzkästchen, einen goldenen Stift und einen Kamm. Kathein bekam einen winzigen Spiegel, der so gewölbt war, daß er ein verkleinertes Spiegelbild ihres ganzen Gesichts zeigte, ein Fußkettchen, ein mit Glanzlack überzogenes Fossil, einen Knochen ihrer Großmutter, aus dem einer der besten Künstler Trauerweilers ein Abbild selbiger Vorfahrin geschnitzt hatte, und Ohrringe mit Saphiren.

Die beiden neuen Bräute erwiderten diese Gaben durch das Überreichen von Speisen, Grall für die Männer – eine Art von trockenem Auflauf aus abwechselnden Schichten heiliger und gemeiner Nahrung, gebacken in der Nacht vor der Hochzeit, und für die Frauen Honigkuchen.

Joesai lächelte unsicher und betrachtete den Grall, den Oelita ihm anbot, mit sichtlichen Vorbehalten. »Ich weiß noch, daß du gedroht hast, meinen Grall zu vergiften, sollten wir jemals heiraten.«

Oelita errötete. »Das weißt du noch?! Wie kannst du dich in einer solchen Stunde an so etwas erinnern?«

Man öffnete den Tempel für das Hochzeitsfest. Als Zugeständnis an Oelita gab es zum Festmahl kein Fleisch. Bei der Hochzeit mit Noe hatten die drei Brüder gebratene Beine von Verbrechern aufgetischt, und als sie Teenae heirateten, hatte es als Ganzes gerösteten Säugling gegeben. Ohnehin konnte Fleisch für eine so große Zahl von Menschen nie ein wesentlicher Bestandteil eines Festessens sein. Statt dessen befanden sich auf den Tafeln Berge von Salaten, Bohnengemüse, Kuchen und Brote, Honig und Pasteten, ferner einige recht sonderbare, aber wohlschmeckende Eintopfgerichte, die Nonoep nahezu vollständig aus gemeinen Gewächsen zubereitet hatte.

Vier Musikanten mit Streichinstrumenten bezogen Aufstellung, um zum Tanz aufzuspielen, und man räumte im Erdgeschoß des Tempels in der Mitte eine Tanzfläche. Man tanzte feierlichen Reigen für zehn,

Quadrillen für acht, Triaden für sechs, verschlungen abzuschreitende Sarabanden für vier sowie schnellfüßige Yabas für zwei Personen.

Demut stand etwas abseits und überlegte, daß sie womöglich so keß sein könne und sich Hoemei für die nächste Yaba schnappen, doch ein junges Kaiel-Weib kam ihr zuvor, und statt an ihn wandte sie sich an Joesai, aber er lachte nur über die Vorstellung, sie könnten gemeinsam über den Tanzboden wirbeln, packte sie an den Hüften und setzte sie auf ein Sims, so daß sie, sobald sie saß, besser mit ihm reden konnte. Sie hatte sich nie so richtig an seine Körpergröße zu gewöhnen vermocht. Sie erinnerte sich daran, auf seinen Schultern in Soebo eingezogen zu sein.

Oelita bemächtigte sich Joesais. Sie wollte hinauf in den Turm und noch einmal die Stube sehen, aus der sie einst den Stgal entwischt war. »Komm mit«, drängte sie Demut, doch die Liethe lehnte ab.

Über die Tanzfläche hinweg beobachtete sie Kathein.

Dann machte Gaet Anstalten, sie zum Tanz zu holen, aber drei hübsche Einwohnerinnen Trauerweilers griffen ihn sich für eine verwikkelte Sarabande. Ihm machte das alles überschwenglichen Spaß.

Demut suchte Teenaes Nähe, um ihrer von Gelächter begleiteten Unterhaltung mit einem Grüppchen o'Tghalie zuzuhören, Angehörigen ihres Clans. Teenae stellte Demut vor gewisse Rätsel, weil Zweitweib sich in das liethesche Bild von den Frauen nirgends so recht einfügen ließ – vielleicht lag das daran, daß Teenae keine richtige o'Tghalie war und ebensowenig eine regelrechte Kaiel. Sie fand Freude daran, ihre männlichen Verwandten mit Frechheiten zu überhäufen. Ganz gleich, was sie sagen mochten, sie wischte ihnen eins aus und lachte dazu. Sie konnten nicht einmal einen Seitenhieb mit versteckter mathematischer Bedeutung äußern, ohne daß sie ihn durchschaute. Allem Anschein nach mochten sie sie trotzdem ganz gut leiden; und doch war das dieselbe Familie, die sie an Gaet verkauft hatte.

Demut fragte sich, weshalb sie an diesem heiteren Abend so wehmütiger Stimmung war. Sie beschloß, die maran zu vergessen und die Festlichkeit zu genießen. Sie geriet an einen jungen Kaiel, der mit ihr wundervoll Yaba tanzte, und etwas später tanzten sie beide gemeinsam im ausgedehnten Reigen der Roten Schlucht mit. Die Leute bemerkten, daß sie am Tanz teilnahm, und riefen nach einem Alleinauftritt, und sie tat ihnen den Gefallen, aber nur, weil Joesai zuschaute. Danach begab sie sich an die Speisetafeln, aß mit kräftigem Hunger; anschließend schlenderte sie in einen gegenwärtig unbenutzten Spielsaal, sah sich die Spieltische an. Für eine Weile rückte sie auf einem Schachbrett eine Schwarze Königin hin und her, redete zu ihr. Zu guter Letzt legte sie sich zum Schlafen nieder. Doch nicht einmal der Schlaf war ihr willkommen, sie fand keine Ruhe; sie verließ den Tempel, suchte eine Stelle, von der aus sie die Morgendämmerung über den Bergen aufkommen sehen konnte. Dort im Freien fand Noe sie vor.

»Wir haben dich vermißt.«

Demut wußte, Noe konnte sie nicht ausstehen. Doch was hatte eine ehemalige Tempel-Kurtisane eigentlich an anderen Leuten herumzunörgeln? »Ich halte ein Schwätzchen mit Getas Sonne.«

Noe nahm neben ihr auf den Stufen Platz. »Ich habe festgestellt, daß ich dich mag.«

»Ach was.«

»Ich muß mich für die Grobheit entschuldigen, die ich gegen dich an den Tag gelegt habe.«

»Ist nicht so wichtig.«

»Ich hatte den Eindruck, daß unsere Ehegemeinschaft in die Brüche geht, deshalb war ich sehr aufgeregt«, erklärte Noe.

»Manchmal stehen wir mit der Nase viel zu dicht vor einer Sache, um zu erkennen, was wirklich vorgeht«, sagte Demut. »Wer würde zulassen, daß die maran auseinandergehen? Solltet ihr euch so etwas leisten, man würde euch lebendig das Fell abziehen und euch in siedendem Öl backen.«

»Meine Ehe ist mir kostbar«, setzte Noe ihre Darlegungen ganz einfach fort. »Das war nicht immer so. Es gab einmal eine Zeit, da wollte ich nichts dringender als ihr den Rücken kehren, und ich habe Joesai gehaßt, weil er verhindert hat, daß ich mich verdrückte, zumal ich wußte, daß von allen dreien er mich am wenigsten leiden mochte. Das ist jetzt lange her. Damals war ich noch unreif.«

»Vor mir habt ihr nichts zu befürchten.«

»So hatte ich's auch gar nicht gemeint. Ich glaube, daß du uns tatsächlich aufrichtig treu bist. Deshalb mag ich dich. Treue ist die wichtigste Erfahrung, die ein Mensch in seinem Leben machen kann.«

»Jedenfalls eine der wichtigsten.«

»Honieg, ich muß jetzt einfach einmal persönlich werden. Einer deiner anderen Namen lautet Tröstli, nicht wahr?«

Demut versetzte sich in den Zustand des Leeren Bewußtseins und lächelte, wartete mit der Antwort lange genug, um die Folgen jeder möglichen Entgegnung zu durchdenken. »Tröstli ist meine Schwester. Selbst mir fällt es schwer, zwischen meinen Schwestern zu unterscheiden. Wie solltest du da es können?«

»Da gibt's chemische Verfahren. Ich bin doch ausgebildete Biochemikerin.«

Demut bezweifelte, daß es so etwas gab. Wie sollte es möglich sein, se-Tufi-Klons anhand ihrer Chemie zu unterscheiden?

Noe ergriff Demuts Arm und zeigte ihr einen winzigen Kratzer. »Während du dich um die Kinder gekümmert hast, habe ich dich einmal wie versehentlich gestreift. Entsinnst du dich? Aus Neugier habe ich dir, ohne dich um Erlaubnis zu fragen, den Stoff gegen Fosals Krankheit eingeimpft. Die Kaiel haben dem lietheschen Gegenmittel nicht getraut, wir haben die Erreger aus Soebo mitgebracht und ein eigenes Heilmittel entwickelt. *Ich* bin's gewesen, die die Erreger mitgenommen und die Entwicklung des Gegenmittels durchgeführt hat. Unser Mittel hat weniger Nebenwirkungen als das der Liethe, aber es hätten bei dir trotzdem eine Schwellung und Ausschlag auftreten müssen. Doch nichts dergleichen. Du bist bereits gefeit gewesen. Wie könnte eine Liethe aus Kaiel-Hontokae wider eine Krankheit gefeit sein, die bis jetzt ausschließlich in der Gegend Soebos aufgetreten ist?«

»Darauf kann ich nichts sagen. Ich bin keine Biochemikerin.«

»Ich bin in Soebo eine Woche lang mit dir zusammengewesen.«

»Das muß meine se-Tufi-Schwester gewesen sein.«

»Na schön. Ich will dich zu nichts drängen. Aber du kannst meine Meinung nicht mehr ändern. Tröstli, wer sie auch war, hat auf ihre eigentümliche Art Joesai das Leben gerettet, und ich liebe den Mann. Irgendwie hat sie auch in gutem Verhältnis zu Hoemei gestanden, denn sie hat viel getan, um die Bewahrheitung seiner Voraussagen zu fördern. Diese Begünstigung hat ihren Anteil an Aesoes Niedergang und Hoemeis Aufstieg gehabt. Ich glaube, du bist uns im Palast eine große Hilfe gewesen. Hat Aesoe jemals Verdacht geschöpft?«

»Ich habe eure Familie sehr lieb«, sagte Demut gerührt.

»Wo bist du untergebracht?«

»Im Gasthof. Ich habe dort ein Zimmer genommen.«

»Komm mit mir.«

»Nein«, sagte die Liethe.

»Ich will nachsehen, wo Hoemei steckt«, führte Noe sie in Versuchung.

»Na gut.«

Inzwischen zerstreute die Hochzeitsgesellschaft sich allmählich. Noe fand ihre Familie in einem Turmzimmer, wo sie sich in einer Wanne die Schminke abbürstete. Am Fußboden schwappte Wasser, sie bespritzten sich gegenseitig, schrien und kreischten. Alle waren angetrunken. »Da ist sie ja!« brüllte Gaet. »In die Wanne mit dir!«

»Nie im Leben!« entgegnete Noe mit einem Lächeln.

»Holt sie in die Wanne!« befahl Gaet seiner Familie. Der riesige nackte Joesai und die zierliche nackte Teenae begannen sie zu jagen.

Noe floh durch den Korridor, zog die se-Tufi-Liethe mit sich und verriegelte die Tür eines Wohnraums von innen, den sie im Tempel belegt hatte. Sie lachte die Verfolger aus. »Hier bleibe ich, bis sie aufgeben. Ich weiß, was als nächstes kommt. Ich habe schon mehrere maran-Hochzeiten mitgemacht, und ich habe diese Verrückten geheiratet, da war ich noch ihre einzige Frau!«

»Soll ich dich baden?«

»Ich bin eine Frau«, sagte Noe, darüber erstaunt, daß eine Liethe einem Weib ein Bad anbot.

»Aber du bist auch eine Priesterin.«

Noe entfachte ein Feuer, um Wasser zu erhitzen, dann sank sie auf die Kissen. Demut begann ihre Priesterin-Freundin von dem kunstvollen Haarschmuck zu befreien. Noe betrachtete sie im Spiegel. »Was für eine schöne Gattin du abgäbst!«

»Hättest du gerne noch eine weitere Gattin?« fragte Demut schelmisch.

»Gott bewahre!«

»Wie ist es, verheiratet zu sein?«

»Tja, nun...«, sann Noe. »Wenn man die einzige Frau in der Ehe ist und drei Ehemänner hat...« Sie verfiel in Tagträumerei. »Ständig haben sie unter dem Vorwand, nach einer neuen Braut Ausschau zu halten, andere Weibsbilder nach Hause auf ihre Polster mitgebracht. Ich glaube, sie haben's sich dabei ganz prächtig ergehen lassen. Mich dagegen hat's ziemlich verdrossen. Wie soll man einen anderen Mann mit ins Haus nehmen, wenn man dort schon drei Kerle hat? Nun verhält's sich zahlenmäßig anders herum, wir sind vier Frauen und drei Männer, und ich denke mir, künftig wird's recht interessant zugehen. Was glaubst du, wie die Brüder es aufnehmen werden, wenn ich einen mannbaren jungen Burschen mit schlauem Köpfchen anbringe und zu ihnen sage, das ist 'n Anwärter für 'n Viertgatten, also stört mich nicht, während ich ihn auf die Probe stelle?« Sie lachte. »Ich kann's kaum erwarten!«

»Du bist eine unverschämte Person!«

»Ich war von Anfang an eine verwöhnte Göre.«

Noe gab sich alle Mühe, in ihrer Liethe die wirkliche Frau zu entdecken, aber Honieg blieb oberflächlich. Man konnte mit ihr über Musik, Kunst und Tanzen reden, über Philosophie, Schriftstellerei, Politik und sogar Wissenschaft sprechen – doch nie ließ sie sich auf persönliche Dinge ein. Was für eine Kindheit hatte sie durchlebt? Sie verriet es nicht. So flink sie auf den Füßen war, so geschickt war sie darin, unwillkommenen Fragen auszuweichen. Noe beschloß, es wider diesen stets gleich sanften Gegenwind mit einem anderen Herangehen zu versuchen. Als das Wasser erwärmt war, Honieg unter sachter Massage ihrer Hände wusch, sah sie eine neue Gelegenheit.

»Ist dir meine Berührung angenehm?« erkundigte Demut sich, indem sie behutsam Noes Nacken knetete, um die Verspannungen zu lockern.

»Ich würde alles geben, um das, was du da gerade machst, auch zu können«, erwiderte Noe. »Dann würden meine Gatten nicht mehr von mir weichen.«

»Es ist ein Geheimnis. Ich darf's nicht verraten. Außerdem würden sie dann nie wieder zu mir kommen.«

»Ich will dir einen echt kaielischen Handel vorschlagen. Bring mir bei, wie eine Liethe zu sein, dann ernenne ich dich zur maran-Ehrengattin.«

Honieg drückte sie flüchtig. »Wenn du verwöhnt bist, dürfte dir das Dasein einer Liethe mißfallen. Du müßtest dazu imstande sein, auf hartem Boden zu schlafen. Eine Nacht in meiner Zelle im Liethe-Heim, und du hättest ein für allemal genug.«

»Und wenn ich nicht aufgäbe?«

»Dann wäre ich fürwahr bereit, dich mehr zu lehren – wie man den ganzen Tag sitzt, ohne nur einen Muskel zu bewegen, weder zu verkrampfen noch zu entspannen.«

»Das klingt nach einer angemessenen Gegenleistung dafür, dir Hoemei zu überlassen, wenn er nach einem anstrengenden Tag aus dem Palast heimkommt.« Noe lachte erneut. Mit Gespritze stieg sie aus der Wanne, duldete jedoch nicht, daß Demut sie abtrocknete. »Jetzt bist du dran. Steig in die Wanne, ich bürste dich ab.«

»Nein, ich mach's selber. Du bist Priesterin, und ich bin eine Dienerin der Priester-Clans.«

»Rede nicht so albern daher. Teenae wird ständig von mir gewaschen. Also, auf, auf, wir vollziehen jetzt das Ritual deiner Ernennung zur Ehrengattin, dann haben wir's hinter uns! Los! Nach Wüstensitte.« Unvermittelt machte Noe das Zeichen der Treue.

Schüchtern erwiderte Demut das Zeichen.

Noe holte eine ihrer kleinen silbernen Kämme heraus. »Hier.«

»Ich habe keinen Honigkuchen für dich«, sagte Demut verlegen.

»Zum Glück habe ich welchen eingesteckt, der wird's halt tun müssen.« Sie wühlte in ihrer Tasche und brachte ein klebriges Stück Honigkuchen zum Vorschein, händigte ihn ihrer Ehrengattin aus. Sie öffnete den Mund. Demut legte einen Brocken auf Noes Zunge.

Dann nahm Noe einige Strähnen ihres und ein paar Strähnen Liethe-Haar. »Hilf mir beim Flechten.« Sobald sie fertig waren, klebte sie die Enden mit eingespeicheltem Honigkuchen zusammen. »Und *jetzt* in die Wanne mit dir!«

Demut gehorchte. »Gehst du mit deinen Gatten auch so um?«

»Immer.« Noe seifte Honieg ein. »So, ich habe meinen Teil unserer Abmachung erfüllt. Wir sind nun verheiratet. Was muß ich tun, um eine Liethe zu werden?«

»Als erstes mußt du dir einen geheimen Namen zulegen.«

Noe dachte nach, während sie ihrer Freundin die Brüste wusch. Ihr fiel *Wanderin* ein. »Ich weiß einen. Soll ich ihn dir sagen?«

»Nein. Dann wäre er ja nicht geheim.«

»Du redest ja fast wie Teenae! Welchen Spaß machen Geheimnisse, wenn man sie mit niemandem teilen kann?«

»Dein Geheimname besagt alles, was es über dich zu wissen gibt. Wenn ich ihn wüßte, besäße ich über dich zuviel Macht.«

»Und du hast auch so einen Geheimnamen?«

»Ja.«

»Aber verraten willst du ihn mir nicht?«

»Nicht einmal meine Schwestern kennen ihn. Sogar meine bevorzugten Alt-Liethe wissen ihn nicht. Um Liethe zu sein, *muß* man einen *geheimen* Namen haben.«

»Du bist *ganz und gar* geheimnisvoll. Ich weiß überhaupt nichts über dich. Warum bist du während der Hochzeitsfeier so bekümmert gewesen?«

»Nichts weiter. Ich habe ans Altwerden gedacht.«

»Was geschieht mit einer Liethe, wenn sie alt wird?«

»Sie wird damit betraut, die jungen Liethe zu erziehen.« Demut lachte auf und widmete Noe von der Seite ihren verführerischen Blick. »Junge Kindchen – wie mich.« Schlagartig war sie wieder ernst. »Unsere Alten sind kaum anders als alte Männer. Sie spielen die Spiele der Politik und lassen die dreckige Arbeit von den Jungen erledigen.«

Aha, dachte Noe, *jetzt ist sie endlich einmal mit etwas herausgerückt.* Das empfand sie irgendwie als so bedeutsam, daß sie vorerst nichts mehr zu sagen wagte. Noe bewahrte Schweigen, bis Honieg abgetrocknet war, dann zog sie die Blenden aus Hartschilf herab, um die morgendliche Helligkeit zu dämpfen, so daß sie ein wenig Schlaf nachzuholen vermochten. Wortlos bettete sie sich auf die Polster, erwartete irgend etwas, ohne selbst zu wissen, was eigentlich. Honieg streckte sich dicht neben ihr aus, jedoch ohne daß sich ihre Leiber berührten.

»Bist du glücklich?« fragte Noe.

»Weshalb sollte ich nicht glücklich sein?« entgegnete Demut humorig. »Das ist meine erste Hochzeitsnacht.«

»Nacht? Es ist Morgen.«

»Was machen sie jetzt drüben in dem anderen Zimmer?«

Noe gab ihr einen Rippenstoß. »Du weißt, was sie tun. Und wir sollten lieber ein bißchen schlafen, für den Fall, daß sie sich dazu entschließen, uns einen Besuch abzustatten.«

»Das wird ihnen doch nicht in den Sinn kommen, oder?«

»Du solltest's lieber hoffen. Ich wäre großzügig, ich würde Hoemei dir überlassen.«

Sie verfielen in Schweigen. Noe schlummerte ein. Demut wollte nicht, daß Noe schlief, faßte sie an der Schulter, weckte sie. »Ich habe eins von Oelitas Büchern gelesen. Ich habe mich sehr mit ihr verbunden gefühlt. Ich mag sie. Ich kann's auch nicht haben, andere Menschen sterben zu sehen.«

Noe schloß ihre sonderbare Liethe in eine trostreiche Umarmung. »Einige von uns leisten ihren Beitrag zur Veredelung der Menschheit durch den Tod, andere leisten ihren Beitrag durch das Leben. So ist es immer gewesen. Und nun schlaf, mein Kleines.«

EINE WIDMUNG

Einige Worte für Bill Kingsley

Jene von uns, die unseren Heimatplaneten Erde nie verlassen haben, bringen jenen, die es getan haben, stets Neugier entgegen. Was ist mit ihnen geschehen, und warum? Aber ein Student der galaktischen Geschichte gerät allzu häufig in die Verlegenheit, vor lauter Sternen nicht mehr die Milchstraße zu sehen. Es gibt zu viel Sternhaufen, zu viele Sterne, zu viele Sonnen, zu viel Welten, zu viel Außenposten, zu viele Menschen, deren Zuhause Raumschiffe und die unabhängig sind von Planeten und Sonnen, zu viele Konflikte, Dynastien und neuen Entdeckungen.

Manche Historiker wiederum versuchen, das Dilemma zu überwinden, indem sie von allem auf solchen Abstand gehen, daß all die silbernen Welten des galaktischen Erbes der Menschheit zur Milchstraße auf einer einzigen, feinkörnigen Fotografie zusammenrücken, im allgemeinen Überblick eine von der anderen ununterscheidbar. Doch ist diese Einstellung anders, als wenn man auf der Erde des Nachts in einer Wüste steht und ehrfürchtig zum himmlischen Band der Milchstraße in unbefriedigtem Staunen und Wissensdurst aufblickt?

Menschen waren es, die dort hinausgeflogen sind. Was sähen wir, besäßen wir ein »Teleskop« von solcher Stärke, daß die einzelnen Körnchen sich in Welten, Männer und Frauen und Konflikte auflösen würden? Welcher Art ist die Mikrostruktur unterhalb der generellen Gesetzmäßigkeiten des Aufstiegs und Niedergangs von Dynastien, des Handels und Wandels, der strudelartigen Gewalten der Veränderung? Aufgrund dieser Erwägungen ist aus mir eher ein Erzähler als ein Historiker geworden. Aber es fällt nicht leicht, den Geschichten einen Sinn abzugewinnen, die auf den Verbindungswegen zwischen den Sternen so langsam entlangwandern, wie einst Nachrichten aus China auf den alten Segelschiffen Europa erreichten.

Lange habe ich Mengen faszinierender Informationen über die Welten des kaum sichtbaren Fingers gesammelt, des schmächtigen Streifens Sterne, der – so fern im Sternbild des Schützen gelegen, daß kaum jemand auf der Erde die Bezeichnung kennt – über die Schwarze Kluft hinweg auf Sol deutet. Von Zeit zu Zeit habe ich versucht, die Bruchstücke von Erkenntnissen auf verschiedenerlei Art und Weise zusammenzusetzen, aber wer fragt schon nach aufdringlichen Fakten? Unsereins will immer eine Geschichte haben.

Der Finger, der auf Sol weist, ist eine gewöhnliche stellare Halbinsel, die am Arm des Schützen auf den Arm des weiter in unserer Richtung befindlichen Orion zeigt, logischerweise eine Handelsroute zur raschen Überbrückung der großen Leere zwischen den Armen. An der Fingerspitze leuchtet Akira. Woher kommen die Akirani? Wie hat sich ihr Imperium vom System Akiran nach Butsudo, dann zur roten Sonne Rokakubutsu und mit der Zeit aufs entfernte Iwa Katsura ausgedehnt? Noch weiter abseits als Iwa Katsura liegt Enclad. Wer hat Enclads Eiswüsten betreten und den Beschluß gefaßt, daraus eine bewohnte Welt zu machen? Weshalb lieben die Schwarzen Menschen des nahen Talatus ausgerechnet Waisen so sehr? Und wer sind die Getaner, die aus dem Nichts kommen und wieder dorthin entschwinden, die niemals irgend jemandem Vertrauen schenken?

Geta, die Welt dieses Buchs, die Getas Sonne umkreist, ist eigentlich keine der Welten des Fingers. Sie liegt etwas mehr zur Mitte des Schützen hin, irgendwo in der Remeden-Wolke. Den Leuten, die sich mit so etwas auskennen, ist bekannt, daß die Getaner heute keine Menschen mehr sind, obwohl sie aus Fleisch und Blut bestehen und mit uns – wie die Schimpansen – 98% der Gene gemeinsam haben. In einer Galaxis, in der die Menschen vielfältige biologische Entwicklungen genommen haben, ist das an sich wenig verwunderlich, aber die Getaner sind von extremer Andersartigkeit. In der Historie des Fingers, der auf Sol weist, kommen sie wiederholt vor, aber regelrechte Informationen waren selten. Das Geheimnis, das sie umgab, machte mich wißbegierig.

Weshalb hatten sie gerade den von ihnen eingeschlagenen Weg gewählt? Was waren sie damals gewesen, als sie sich von Menschen noch nicht so unterschieden? Jahrelang habe ich eine Antwort gesucht. Einzelheiten zu recherchieren, war sehr mühevoll. Trotzdem brachte ich vielerlei in Erfahrung. Ich weiß noch, wie ich mich abgemüht habe, alles zu einer Geschichte zu vereinen. Das beste, was dabei zustandekam, war eine trockene Dokumentation.

Künstler pflegen bei so etwas in wütende Raserei zu geraten. Ich stürmte ins Heim meines Freundes Bill Kingsley und knallte ihm das Manuskript hin. »Was stimmt damit nicht?!« Wenn Bill nicht gerade mit unseren Köpfen Handball spielt, kann er einem etwas ganz gut einsichtig machen. Ich war eingeschnappt. Nun, Fakten sind Fakten, aber es kommt darauf an, wie man sie miteinander in einen Zusammenhang bringt. Als Bill mir den Kopf zurechtgerückt hatte, war darin ein Wunder geschehen. Ich befand mich mit meinen Aufzeichnungen und Theorien nicht mehr auf der Erde. Ich weilte an einem entscheidenden Zeitpunkt in der Vergangenheit auf Geta.

Feste Beinkleider schützen meine Füße vor giftigen Fühlern, Getas Sonne schien riesig, orangerot und harsch vom Himmel, die Wüstenluft saugte meiner Haut Flüssigkeit aus, ein feststehender Mond, halb erhellt, halb dunkel, schwebte am Horizont, und drunten im Vorgebirge unterhalb der Berge lag die Stadt Kaiel-Hontokae ausgebreitet. Ein Insekt versuchte sich in meinem Ohr anzusiedeln.

Sie haben eben die Geschichte gelesen, die ich erlebt habe. Es wird weitere zu lesen geben. Dank Bill!

Donald Kingsbury
Erde, Galaktisches Standard-Kilojahr 980